Buch

Ein altägyptisches Medaillon – der blaue Skarabäus, der eine Sonnenscheibe hält – wird in diesem Roman zum geheimnisvollen Zeichen, das über die Zeiten hinweg fünf Liebespaare schicksalhaft miteinander verbindet.

Da sind vor Jahrtausenden Isis und Phiops im Ägypten Echnatons und Nofretetes, die keinen anderen Ausweg aus ihren Schwierigkeiten sehen, als ihre Liebe zu verraten. Zu spät erkennen sie, daß es danach kein Miteinander mehr geben kann.

Da sind, 1500 Jahre später im Rom Neros, Isidora und Philippus, die sich ein gemeinsames Leben ohne Rücksicht auf bestehende Bindungen erzwingen. Doch ihr Egoismus wird ihnen schließlich zum Verhängnis.

Da sind Isabel und Felipe im Spanien der Inquisition, die zwar erkennen, daß sie den Menschen durch den Verzicht auf ihre Liebe helfen könnten, und doch die Kraft dazu nicht finden.

Da sind Isabelle und Philippe im Frankreich der Großen Revolution, die sich nicht bescheiden wollen und ihr Glück zu sehr im Materiellen sehen.

Und da sind Isa und Phil, ein Studentenpaar im Zürich unserer Zeit. Werden sie das Medaillon richtig zu deuten wissen?

Autor

C. C. Bergius wurde 1910 geboren. Schon während seiner Schulzeit begann er zu fliegen und wurde später Flugkapitän. Nach dem zweiten Weltkrieg wandte Bergius sich der Literatur zu. Er ist heute einer der erfolgreichsten Autoren deutscher Zunge.

Außer dem vorliegenden Band sind von C. C. Bergius als Goldmann-Taschenbücher erschienen:

Dschingis Chan. Roman (3664)
Entscheidung auf Mallorca. Roman (3672)
Der Fälscher. Roman (3751)
Der Feuergott. Roman (6477)
Heißer Sand. Roman (3963)
Nebel im Fjord der Lachse. Roman (6445)
Roter Lampion. Roman (6637)
Schakale Gottes. Roman (3863)
Söhne des Ikarus.
Die abenteuerlichsten Fliegergeschichten der Welt (3989)
Der Tag des Zorns. Roman (3519)
Das weiße Krokodil. Roman (3502)

Die Straße der Piloten im Bild. Die dramatische Geschichte
der Luftfahrt (11206)

C.C. Bergius

Das Medaillon

Roman

Wilhelm Goldmann Verlag

Ungekürzte Ausgabe

1. Auflage April 1982 · 1.–30. Tsd.
2. Auflage September 1982 · 31.–50. Tsd.
3. Auflage April 1983 · 51.–65. Tsd.
4. Auflage August 1984 · 66.–80. Tsd.

Made in Germany
© 1971 C. Bertelsmann Verlag GmbH, München
Umschlagentwurf: Atelier Adolf & Angelika Bachmann, München
Umschlagfoto: Studio Schmatz, München
Druck: Elsnerdruck GmbH, Berlin
Verlagsnummer: 6424
MV · Herstellung: Sebastian Strohmaier/He
ISBN 3-442-06424-4

Meiner Frau gewidmet

»Ich atme den süßen Hauch, der
aus deinem Munde kommt. Ich
schaue deine Schönheit jeden Tag.
Es ist mein Wunsch, daß ich
deine sanfte Stimme hören möge
gleich Nordwindhauch, daß mein
Gebein verjüngt werden möge durch
die Liebe zu dir. Gib mir deine
Hände, die deinen Geist halten, auf
daß ich ihn empfangen möge
und durch ihn lebe. Nenne mich
bei meinem Namen ewiglich –
und es wird nichts fehlen.«

*Von unbekannter Hand nachträglich
in die Goldverkleidung des Sarges von Echnaton
(ägyptischer König 1369–1352 v.Chr.)
eingravierte Inschrift.*

Die Sonne säumte das zarte Grün der Bäume, die Zürichs Bahnhofstraße ihren besonderen Reiz verleihen, mit goldenen Rändern. Der Föhn, der andernorts wie ein Wasserfall die Berge hinabdonnert und orkanartig durch die Täler braust, über die Dächer der schweizerischen Metropole jedoch lautlos wie eine Katze hinwegschleicht, hatte die Wolken fortgefegt. Es war ein strahlender Tag, herrlich der Anblick des weit im Süden sich erhebenden Kranzes der Hochalpen, deren schneebedeckte Gipfel sich kantig in das Blau des Himmels schoben. Und doch lag etwas Beklemmendes in der Luft, etwas, das die Menschen zu lähmen schien.

Nicht jedoch das junge Studentenpaar, das an diesem Morgen in gehobener Stimmung über die Bahnhofstraße schlenderte und hier und dort vor einem Schaufenster stehenblieb.

Er hieß Phil, war schlank und hatte ein schmales, vom Skilaufen gebräuntes Gesicht, das ein gepflegter Bart umrahmte. Seine dunklen Augen verrieten Intelligenz. Seiner Kleidung war anzusehen, daß ihn finanzielle Sorgen nicht belasteten.

Sie nannte sich Isa, war zierlich und trug kurzgeschnittenes Haar, was ihr ein knabenhaftes Aussehen verlieh. Dieser Eindruck wurde durch ihren mädchenhaften Charme jedoch gemildert. Es lag etwas Verwirrendes im Ausdruck ihrer grünblauen Augen, wenn sie verliebt zu ihrem Freund aufblickte, der sie erst vor knapp einer halben Stunde unvermittelt gefragt hatte:

»Wäre dir der Gedanke, meine Frau zu werden, sehr unangenehm?«

Sie war unfähig gewesen, eine Antwort zu geben. Den Traum, Phils Frau zu werden, hatte sie nicht zu träumen gewagt.

Er mochte gespürt haben, was in ihr vorging, denn er hatte seinen Arm wie schützend um sie gelegt und zärtlich gesagt:

7

»Weißt du, was wir jetzt machen? Einen ausgiebigen Bummel, den wir mit einem exquisiten Verlobungsessen krönen! Einverstanden?«

Der stärkste Föhn konnte ihnen nichts mehr anhaben, aber die Bahnhofstraße war ihnen plötzlich zu geschäftig und zu breit. Sie bogen deshalb in eine der zum St. Peter führenden Gassen ein und schlenderten durch die Altstadt, die ihnen verträumter denn je erschien. Ohne auf ihren Weg zu achten, überquerten sie schließlich die zum Limmat-Quai führende Rathausbrücke, auf der Phil seine Schritte mit einem Male beschleunigte.

»Steuerst du ein bestimmtes Ziel an?« erkundigte Isa sich verwundert.

Er warf ihr einen fragenden Blick zu. »Wie kommst du darauf?«

Sie lachte. »Du gehst plötzlich schneller und schaust weder nach rechts noch nach links, als zöge dich ein Magnet nach vorne.«

Er schmunzelte. »Erraten! Angesichts der vielen Antiquitätengeschäfte dort drüben kam mir eben der Gedanke, irgendeine hübsche Kleinigkeit zur Erinnerung an den heutigen Tag zu kaufen.«

Isa war glücklich, erwiderte jedoch: »Mir scheint, in dir bricht wieder einmal der Verschwender durch.« Damit wies sie über den Fluß hinweg auf den hinter ihnen liegenden Stadtteil mit den Türmen des Frauenmünsters und des St. Peters. »Ist das Bild nicht herrlich?«

Phil nickte. »Es könnte von Saul Steinberg gezeichnet sein. Doch jetzt wollen wir in Antiquitäten wühlen, bis wir das Richtige gefunden haben.«

Wenig später betraten sie einen von alten Gegenständen förmlich überquellenden Laden. Ikonen hingen neben japanischen Kakemonos, Schwertern und Steinschloßgewehren. Barockengel lagen neben peruanischen Äxten, Achatkugeln und Fossilien. Lebensgroße Porzellan-Windhunde standen neben Buddhas, Madonnen und ausgestopften Turakos.

Der Inhaber des Antiquitätengeschäftes, ein Herr in mittleren Jahren, dessen geschminkte Lippen und rosige Wangen in die seltsame Umgebung paßten, ging mit manieriertem Gehabe auf

8

Isa und Phil zu. »Excüsi!« sagte er verbindlich lächelnd. »Suchen Sie etwas Bestimmtes?«

Phil schüttelte den Kopf. »Wir wollen uns nur ein bißchen umschauen. Vielleicht finden wir eine Kleinigkeit, die uns gefällt.«

»Bitte, lassen Sie sich durch mich nicht stören«, erwiderte der Inhaber zuvorkommend, zog sich zurück und nahm in einem prächtigen Sessel mit Beauvais-Tapisserie aus der Zeit Ludwigs XV. Platz.

Phil blickte sich eine Weile um und wandte sich dann an Isa. »Würde dir ein Buddha-Kopf gefallen?«

Sie verzog den Mund. »Nicht besonders.«

Er trat an eine Rokoko-Konsole, auf der sich eine pompadourrote Porzellandose befand. »Wie wäre es hiermit?« fragte er, wobei er die Dose aufnahm und ihre Unterseite betrachtete.

Es entging ihm dadurch, daß Isa wie gebannt auf ein Medaillon starrte, das auf der Konsole lag. Ihr Herz klopfte plötzlich schneller. Woher kannte sie das Medaillon, das einen aus blauem Glasfluß gefertigten Käfer darstellte? Jede Farbnuance seiner wie Fayence glänzenden Oberfläche war ihr vertraut. Sie bildete sich ein, den Käfer bis ins Detail beschreiben zu können. Dann aber, als sie ratlos die kupferne Einfassung seiner Glieder und Deckflügel betrachtete, meinte sie zu sehen, daß die eben noch leer in den Raum greifenden Vorderbeine des Käfers mit einem Male eine glatte, runde Scheibe hielten. Im nächsten Moment verwischte sich das Bild, und zurück blieb der Käfer, wie er gewesen war. Verwirrt schloß sie die Lider.

»Ich hab's geahnt«, sagte Phil in diesem Augenblick und hielt Isa die Unterseite der Porzellandose hin. »Manufacture Imperiale Sèvres! Möchtest du sie haben?«

Sie hörte ihn nicht, versuchte nur, wieder klar zu denken. Irgendwoher mußte sie das Medaillon kennen. Sie hätte schwören können, es nie zuvor gesehen zu haben. Auch kein ähnliches Gebilde. Und dennoch kannte sie es!

Phil bemerkte Isas Verwirrung und betrachtete sie besorgt. »Ist dir nicht gut?«

Sie öffnete die Augen. »Doch, doch.«

»Aber du bist so komisch.«

Sie strich sich über die Stirn. »Sag mal, Phil, hast du schon einmal erlebt, daß du etwas siehst, von dem du weißt, daß du es nie zuvor gesehen hast, und doch ist es dir vertraut?«

Er nickte. »Natürlich. Das geht vielen Menschen so.«

»Und was glaubst du, woher das kommt?«

Phil zuckte die Achseln. »Ich kann es dir nicht sagen, ich vermute aber, daß Assoziationen da eine Rolle spielen, unbewußte Vorstellungsverknüpfungen von Dingen, die man in ähnlicher Form einmal gesehen hat.«

Isa blickte nachdenklich vor sich hin. »Die Möglichkeit, daß Erinnerungen aus einem früheren Leben im Spiel sein könnten, schließt du aus?«

Er lachte. »Aber, Isa! Als vernünftiger Mensch wirst du doch nicht . . .«

»Moment!« unterbrach sie ihn energisch und nahm das auf der Rokoko-Konsole liegende Medaillon in die Hand. »Weißt du, was das ist?«

»Gewiß«, antwortete er. »Ein Skarabäus, auch ›Pillendreher‹ genannt.«

»Stimmt«, erwiderte sie und betrachtete die Unterseite des Käfers, in die einige Hieroglyphen eingraviert waren. »Es fehlt aber etwas an ihm.«

Phil stellte die Porzellandose zurück. »Es fehlt etwas?«

Sie gab ihm das Medaillon.

Er betrachtete es eingehend. »Ich möchte wissen, was da fehlen soll. Nicht die geringste Beschädigung ist zu sehen.«

Isa wies auf das fünfzackige Kopfschild sowie auf die obersten Erhebungen der fingerförmig gezahnten Vorderschienen des Käfers. »Hier befand sich einmal eine runde, glänzende Scheibe.«

Phil konnte ein erneutes Lachen nicht unterdrücken. »Und woher weißt du das?«

»Das kann ich dir nicht sagen. Ich weiß aber genau, daß ich mich nicht täusche. Als ich das Medaillon erblickte, stockte mir beinahe der Atem. Ohne es je zuvor gesehen zu haben, hätte ich es auf der Stelle in all seinen Details beschreiben können.«

Phil betrachtete Isa voller Skepsis.

»Doch nicht genug damit«, fuhr sie sichtlich erregt fort. »Für den Bruchteil einer Sekunde sah ich die runde Scheibe.«

»Das ist doch Nonsens«, entgegnete er unwillig.

»Kannst du mir sagen, was ich für ein Interesse daran haben sollte, dir eine phantastische Geschichte zu erzählen?«

»Habe ich das behauptet?« erwiderte er gedämpft, da er den Inhaber des Geschäftes kommen sah. »Mir sträuben sich nur die Haare, wenn ich höre . . .« Er unterbrach sich und wandte sich an den Antiquitätenhändler. »Wissen Sie zufällig, ob sich an diesem Skarabäus früher eine runde Scheibe befand?«

Der Gefragte schüttelte den Kopf. »Davon ist mir nichts bekannt. Es ist aber möglich, da es sich hier um ein sehr kostbares Stück handelt. Ich weiß nicht, ob Sie informiert sind. Der Skarabäus war den alten Ägyptern heilig, weil er eine Eigenschaft besitzt, die man sich nicht erklären konnte. Er dreht Pillen, die er in den Nilschlamm rollt, und nach einer gewissen Zeit schlüpft ein Käfer aus der kleinen Kugel. In diesem Vorgang erblickten die alten Ägypter einen Akt der Urzeugung; sie wußten nicht, daß die Kugel vor dem Vergraben vom Weibchen mit einem Ei belegt wird. Und da die vom Skarabäus gedrehte Pille ihrer runden Form wegen mit der Sonne vergleichbar ist, wurde das Tier als Sinnbild des schöpferischen Sonnengottes angesehen und vielfach mit einer Sonnenscheibe dargestellt.«

Phil entging es nicht, daß Isa blaß wurde. »Hast du das gewußt?« fragte er sie beklommen.

Sie schüttelte den Kopf.

Merkwürdig, dachte er und blickte nachdenklich auf das Medaillon, das er in der Hand hielt. Wahrscheinlich hat Isa irgendwann einmal die Abbildung eines mit einer Sonnenscheibe dargestellten Skarabäus gesehen und in ihr Unterbewußtsein aufgenommen, das dieses Bild nun projiziert hat. So wird es sein, sagte er sich und wandte sich erleichtert an seine Braut. »Wäre das Medaillon nicht eine schöne Erinnerung an den heutigen Tag?«

Sie nickte lebhaft. Ihre Augen bekamen einen brennenden Glanz.

»Seien Sie vorsichtig!« warnte ihn der Antiquitätenhändler. »Der Skarabäus ist echt und nicht billig.«

Phil gab sich gelassen. »Was kostet er?«

»Ich muß nachsehen. Einen Augenblick, bitte.«

»Können Sie uns auch sagen, was die auf der Unterseite eingravierten Hieroglyphen bedeuten?« fragte Isa.

»Ich glaube, ja«, antwortete der Antiquitätenhändler im Gehen. »Ich habe den Skarabäus von einem Ägyptologen erworben, der einige Notizen dazu machte.«

Phil legte das Medaillon in Isas Hand. »Es soll für immer bei uns bleiben.«

»Du weißt ja noch gar nicht, was es kostet«, entgegnete sie mit hochroten Wangen.

Er strich über ihren Arm. »Das laß nur meine Sorge sein.«

Der Antiquitätenhändler kehrte zurück und reichte Phil einen Zettel, auf den er den Preis notiert hatte. Dann entfaltete er ein Blatt und erklärte: »Der Skarabäus dürfte aus der Zeit um Echnaton stammen, da auf der Rückseite die Namen eines Paares eingraviert sind, von denen der Frauenname dem des Mannes vorangestellt ist, was für die Epoche des ›Ketzerkönigs‹ spricht. Demnach ist das Medaillon über dreitausend Jahre alt.«

»Und wie lauten die Namen?« erkundigte sich Phil, dem der Preis doch das Blut in den Kopf getrieben hatte.

Der Antiquitätenhändler warf einen Blick auf das Blatt. »Isis und Phiops.«

Isa entfuhr ein kleiner Schrei.

»Was hast du?« fragte Phil irritiert.

Sie sah ihn mit großen Augen an. »Hast du nicht gehört? *Isis* und *Phiops!* Und wie heißen wir? *Isa* und *Phil!* Ich ahne jetzt, warum ich die runde Scheibe gesehen habe. Es kann nicht anders sein. Eine Erinnerung aus einem früheren Leben . . . Isis und Phiops! Isis und Phiops!«

ISIS UND PHIOPS

1

Die beiden Jungen, die am Westufer des Nils auf einer kleinen Böschung lagen und wie gebannt zum Wasser hinunterblickten, spürten nicht die Hitze des Tages. Sie sahen nicht die unter der Glut der Sonnenstrahlen über Achet-Aton schlierende Luft, hatten kein Auge für den Regierungssitz Echnatons, der innerhalb weniger Jahre mitten in der Wüste entstanden war. Nicht einmal den Palast Nofretetes nahmen sie wahr, obwohl dieser sich wie ein mächtiger weißer Block gegen das vor Hitze blasse Blau des Himmels abhob. Er war umgeben von schattenspendenden Sykomoren, Dumpalmen, Weiden und Granatbäumen; eingefriedet in Rabatten von Papyrusstauden, Mohn und Kornblumen; geschmückt von einem kleinen Tempel und einem mit Mandragobüschen umstandenen Wasserbecken, das blaue Lotosblüten zierten. Auch den weiter südlich gelegenen, alles überragenden Aton-Tempel sahen sie nicht, vor dessen das Einzugstor flankierendem Pylon an hohen Flaggenmasten bunte Wimpel wehten. Selbst das imposante Zentrum der Metropole mit dem Königspalast erregte ihre Aufmerksamkeit nicht. Ihre wie vier schwarze Punkte über die Böschung zum Ufer hinunterstarrenden Augen waren in fiebernder Spannung auf einen rostbraunen Ichneumon gerichtet, der witternd im Röhricht stand. Sein Fell war mit dunklen Grannenhaaren überdeckt.

Millimeterweise bewegte sich das Raubtier, auch ›Ratte der Pharaonen‹ genannt, tiefer in das Ufergewächs hinein, das es mit einigen exakt angelegten Gängen durchzogen hatte. Seine Bewegungen waren so behutsam, daß sie kaum bemerkt werden konnten.

Plötzlich aber schnellte der Kopf des Ichneumons in die Höhe. Seine glänzenden Augen wurden starr, seine Nasenlöcher zuckten, sein Fell sträubte sich. Im nächsten Moment machte er einen Satz, als gelte es einen aufgeflogenen Vogel aus der Luft zu holen.

Doch das Bild täuschte. Von oben stürzte sich das Tier auf eine Sandrasselotter. Die Schlange aber reagierte, als habe sie den Angriff erwartet. Mit einer blitzschnellen Bewegung warf sie ihren Leib zurück, richtete den Vorderkörper hoch und stieß zischend auf ihren Feind hinab.

Der Ichneumon sprang aufheulend zur Seite.

»Es hat ihn erwischt!« keuchte der kleinere der beiden Jungen.

»Abwarten!« widersprach der neben ihm liegende Freund, Sohn eines höheren Beamten. »Der ›Nims‹ wird es der Viper schon zeigen!«

Das Raubtier griff die Otter erneut an und biß wütend in ihren unregelmäßig gezeichneten Nacken.

Die Schlange bäumte sich auf, und es begann ein Ringen um Leben und Tod. Der Viper gelang es jedoch nicht, ihren Giftzahn erneut zum Einsatz zu bringen.

Ihr erster Biß aber blieb nicht ohne Wirkung. Der Ichneunon gab sein Opfer mit einem Male frei und zog sich einige Meter zurück.

Die Sandrasselotter bewegte sich in die entgegengesetzte Richtung.

»Was habe ich gesagt!« triumphierte der Sohn des Hofbeamten.

»Sei leise!« zischte sein Spielkamerad. »Du vertreibst den Nims.«

Tatsächlich hob das Raubtier den Kopf und witterte nach allen Seiten, wobei es vernehmlich schnaufte. Als es sich vergewissert hatte, daß keine Gefahr drohte, bewegte es sich erneut auf die Schlange zu, lief dann jedoch unvermittelt zurück und wälzte sich im Schilf, als sei es von einer Tarantel gestochen worden. Über eine Minute dauerte dieser Zustand, dann setzte der Ichneumon mit zwei gewaltigen Sprüngen zur Otter hinüber, schlug seine Zähne in ihren Leib und zerfleischte ihn in wilder Raserei.

»Und es hat ihn doch erwischt!« begeisterte sich der kleinere der beiden Jungen. »Wenn du ihm jetzt mit dem Ruder über den Kopf schlägst, haben wir ihn.«

Sein Gefährte machte ein skeptisches Gesicht. »Schau dir nur an, wie er frißt. Da fliegen förmlich die Fetzen!«

»Eben, weil er Gift in sich hat. So gebärdet sich ein Nims normalerweise nicht.«

Der Kleine hatte recht. Eine kurze Weile nur noch fraß der Ichneumon wie in grenzenloser Wut, dann wurde er apathisch und brach zusammen.

Nun zögerte der Sohn des Hofbeamten nicht mehr. Er lief zu einem flußaufwärts gelegenen Boot, mit dem er und sein Freund über den Nil gesetzt hatten, ergriff das Ruder und eilte zum Röhricht zurück, wo er das arg mitgenommene Tier mit einem wohlgezielten Schlag über den Schädel tötete.

Der kleinere der beiden Jungen, der splitternackt war und keinen Schurz trug wie sein Kamerad, vollführte einen wahren Freudentanz.

»Weißt du, was wir tun?« rief er voller Seligkeit. »Wir lassen ihn einbalsamieren und begraben.«

Sein Freund lachte verächtlich. »Die Zeiten sind vorbei. Echnaton duldet solchen Blödsinn nicht. Er hat die Sitte, Tiere für heilig zu erklären und sie im Stadtzentrum zu vergraben, ebenso abgeschafft wie all die komischen Götter mit Tierköpfen. Nur einen Gott gibt es noch: Aton, die Sonne! Und Echnaton ist der Sohn Gottes. Darum hat er auch den Namen Amenhotep abgelegt und sich Ech-n-aton, ›Herrlich ist Aton‹, genannt. Das kannst du dir ruhig mal merken«, fügte er wichtigtuerisch hinzu und trat in das Röhricht, um den Ichneumon herauszuholen. Im nächsten Moment aber schrie er auf und blieb wie angewurzelt stehen. Keine fünf Meter von ihm entfernt trieb eine Leiche auf den Rand des Schilfes zu. »Ja sâlam!« schrie er und rannte auf die Böschung. »Ein Toter!«

Die Augen seines Kameraden weiteten sich. »Wo?«

Der Sohn des Hofbeamten wies zum Rand des Röhrichtes hinüber, wo die Leiche angeschwemmt wurde.

»Tatsächlich!« entfuhr es dem Kleinen. »Wir müssen sofort die Wache verständigen. Er ist ein Asiat. Man sieht es an seinem Bart.«

»Wahrhaftig!« rief der ältere der beiden. »Vielleicht ist er einer von den Babyloniern, die zur Zeit am Hofe sind. Komm, wir rudern zurück und verständigen die Palastwache.«

Wie Wiesel rannten die Jungen zu ihrem aus gebündelten Papyrusstauden gefertigten Boot, stießen es vom Ufer und wriggten mit erstaunlicher Schnelligkeit stromabwärts über den Nil, dessen Wasser im Licht der Nachmittagssonne jadegrün leuchtete und einen wirkungsvollen Kontrast zu den blendendweißen Häusern von Achet-Aton bildete, vor denen sich malerische Barken mit orangeroten Segeln flußauf- und -abwärts bewegten. Doch wie sehr sich die Jungen auch bemühten, es verging fast eine Stunde, bis sie den Palast Echnatons erreichten, wo sie nach einem hitzigen Wortgefecht mit dem Wachtposten zum Hauptmann der Leibgarde geführt wurden. Er saß in einer von Säulen getragenen Halle, auf deren Dach mächtige Luftschaufeln jeden Windzug einfingen, um ihn durch ein sinnvoll angelegtes System von Schächten in die Räume des Königspalastes zu leiten.

Hauptmann Phiops, dessen stattliche Figur, dunkle Hautfarbe und ausgeprägte Lippen den Nubier erkennen ließen, stutzte sichtlich, als der Sohn des Hofbeamten von der Leiche berichtete, die er am gegenüberliegenden Ufer entdeckt hatte. »Du weißt bestimmt, daß der Tote einen Bart trägt?« fragte er, als der Junge schwieg.

»Ganz bestimmt!«

Die samtweichen Augen des Hauptmanns verschwanden hinter engen Schlitzen. Kein Zweifel konnte darüber bestehen, daß es sich bei dem Toten um den seit drei Tagen spurlos verschwundenen Abgesandten des Königs Burnaburiasch von Babylon handelte. Im letzten Jahr hatte der Gesandte im Namen des asiatischen Herrschers für dessen Sohn um die Hand einer der sechs Töchter Echnatons angehalten, und nun war er in einer neuen Mission nach Achet-Aton gekommen. Welche Gefahr konnte durch sein aller Wahrscheinlichkeit nach nicht natürliches Ableben heraufbeschworen werden! Vor Jahresfrist war vereinbart worden, daß die dem Sohne Burnaburiasch' versprochene vierte Tochter Echnatons, die sechsjährige Nefer-nefru-aton, noch bis zu ihrer Reife in Achet-Aton bleiben sollte.

Hauptmann Phiops, der nur ein um die Hüfte geschlungenes plissiertes Leinen trug, griff kurz entschlossen nach seinem ledernen, mit bunten Steinen besetzten Schulterkragen. »Führt mich zu der Stelle, wo ihr den Toten gefunden habt«, forderte er die Jungen auf.

»Unser Boot ist zu klein für dich«, gab der ältere der beiden zu bedenken.

Das ernste Gesicht des Hauptmanns erhellte sich. »Wir fahren natürlich mit einer Militärbarke«, erwiderte er und legte sich den Schulterkragen um. Dann stülpte er sich seine Offiziersperücke auf, die wie ein Pagenkopf geschnitten war, und griff nach einer golddurchwirkten Peitsche, die ihn als Hauptmann auswies. »Kommt«, sagte er. »Wir wollen keine Zeit verlieren.«

Die Jungen hatten Mühe, ihm zu folgen. Ihre Augen glänzten, und ihr Stolz wurde grenzenlos, als sie wenig später ein Militärboot bestiegen und vom Hauptmann gebeten wurden, die Richtung zu weisen.

Während die beiden den Ruderern zuschauten, überlegte Hauptmann Phiops, was er in die Wege zu leiten habe, wenn sich seine Befürchtung bewahrheiten und der Tote der babylonische Gesandte sein sollte. Den König mußte er auf alle Fälle informieren.

Dieser Gedanke bedrückte ihn, da Echnaton in letzter Zeit vom Pech verfolgt war. Religiöse und politische Gründe hatten den Pharao veranlaßt, die Macht der allzu selbstherrlich gewordenen Priesterschaft von Theben dadurch zu brechen, daß er Aton zum einzigen Gott erklärte und ihm eine neue Metropole weihte: Achet-Aton, ›Lichtort der Sonne‹. Aber hatte die Verlegung der Verwaltung des Reiches von Theben nach Achet-Aton die Priesterschaft wirklich entmachtet? War nicht vielmehr er, Echnaton, zum Verbannten geworden, umgeben von Ehrgeizlingen, die ihm nur applaudierten, um Karriere zu machen? Was nützte es, wenn er die Wahrheit predigte, jedoch von Lüge, Laster und Korruption umgeben war?

Das Westufer des Nils wurde erreicht, und das Knirschen der auflaufenden Barke riß Phiops aus seinen trüben Gedanken.

»Drüben, wo das Schilf beginnt, liegt die Leiche«, rief einer der beiden Jungen.

»Ihr bleibt hier«, erwiderte der Hauptmann, sprang aus dem Boot und gab vier Soldaten den Befehl, ihm zu folgen.

Phiops Hoffnung, jemand anderen als den vermißten Babylonier aufzufinden, ging nicht in Erfüllung. Weitaus mehr aber als das fast faustgroße Loch im Schädel des Toten, das die Jungen nicht gesehen hatten, entsetzte ihn der Anblick eines blauen Skarabäus, den der Ermordete in seiner verkrampft geschlossenen Hand hielt. Fraglos hatte er das Medaillon seinem Widersacher im Kampf entrissen, und das in die Unterseite des Anhängers eingravierte Zeichen tat kund, daß der Mörder ein ›Sohn des Kep‹ war: Mitglied einer auserwählten Offizierskaste innerhalb des königlichen Palastes, der auch Hauptmann Phiops angehörte.

Achet-Aton, die erste von Architekten und Künstlern auf dem Zeichenbrett entworfene und auf Geheiß Echnatons innerhalb weniger Jahre in Mittelägypten mit einem unbeschreiblichen Aufwand errichtete Stadt, glich eher einem Traumgebilde denn einer von Menschenhand geschaffenen Wohnstätte. Seine blendendweißen, das Sonnenlicht reflektierenden Häuser waren von blühenden Gärten umgeben, die an schnurgerade und rechtwinklig sich schneidende Straßen grenzten, denen Dattel- und Nußpalmen, Ölbäume, Akazien und Sykomoren Schatten spendeten. In den Gärten wuchsen Tamarisken, Persea-, Granatäpfel- und Johannisbrotbäume. Überall waren kleine Teiche mit weißen oder blauen Lotosblüten. Efeuumrankte Pavillons zierten Rasenflächen, und Kornblumen, Mohn sowie Chrysanthemen bildeten farbige Kleckse, die im gleißenden Licht des Tages wohltuend wirkten.

Hauptmann Phiops sah nicht die gepflegten Straßen und Häuser, als er zum Königspalast zurückkehrte. Er bemerkte nicht einmal das aufreizende Gehabe einiger junger Mädchen, die entsprechend der neuen Mode mehr ent- als bekleidet waren und ihm unmißverständlich zu verstehen gaben, daß sie sich gerne an seine breite, wie Kupfer glänzende nubische Brust legen würden. Seine Gedanken kreisten um das Medaillon, das ihn mehr bewegte, als es die raffinierteste Entblößung eines Mädchenkörpers jetzt vermocht hätte. Wie würde Echnaton reagieren, wenn er erfuhr, daß der Mörder des Gesandten jener auserwählten Offizierskaste angehörte, deren Mitglieder auf Grund ihrer besonderen Erziehung das Reservoir der Elitebeamten bildeten!

Hauptmann Phiops dachte an die Probleme, die sich nun ergeben könnten, bis er nach dem Durchschreiten einer von Lotossäulen getragenen Eingangshalle in den Palastgarten eintrat, wo er Merit-aton, die elfjährige älteste Tochter Echnatons, in Gesellschaft ihrer Erzieherin an einem Zierfischteich sitzen sah. Sie gab sich wie eine Erwachsene und trug, wie ihre Begleiterin, außer einem kleinen Dreieck, das die Scham bedeckte und von einem über ihrer Hüfte liegenden Silberband gehalten wurde, nur einen hauchdünnen Umhang aus königlichem Leinen.

Phiops, der die Nacktheit der Landbevölkerung von Kindheit an gewöhnt war, lehnte sich innerlich gegen die neue Mode auf, die jede Phantasie im Keim erstickte. In diesem Augenblick jedoch empfand er nur Mitleid mit der Prinzessin, weil er wußte, daß sie von ihrem Vater ein Kind erwartete. Er konnte nicht begreifen, daß Pharaonen ihre Töchter schwängerten; im Interesse der Bluterhaltung, wie es hieß. Aber war ›Bluterhaltung‹ wirklich so wünschenswert? Wenn er den langgezogenen Schädel der Prinzessin betrachtete, kamen ihm erhebliche Zweifel. Dennoch faszinierte ihn die Lehre Echnatons, der sich als ›Sohn Gottes‹ bezeichnete. Es war schon erhebend, zu denken, daß es nicht mehrere Götter, sondern nur einen Gott gibt, für den alle Menschen gleich sind. Gewiß, Arme und Reiche gab es auch in Achet-Aton. Die Häuser der einfachen Handwerker waren aber ebenso von Gärten umgeben wie die Villen der höchsten Regierungsbeamten. Sie waren nur kleiner, verfügten jedoch ebenfalls über einen Dusch- und Salbraum sowie über eine an die Kanalisation angeschlossene Toilette.

Seine Gedanken beiseite schiebend, betrat Hauptmann Phiops den eigentlichen Königspalast und forderte den im kühlen Vorraum diensttuenden Offizier in knapper Form auf, ihn Seiner Majestät zu melden.

»In welcher Angelegenheit wünschst du ihn zu sprechen?« erkundigte sich der Wachhabende pflichtgemäß.

»In einer dringenden«, antwortete Phiops ausweichend, fügte nach kurzer Überlegung jedoch gedämpft hinzu: »Es betrifft den vermißten Gesandten.«

Der Wachhabende, der nur einen kurzen Schurz und die Wollperücke der niederen Offiziere trug, eilte davon, und Phiops, der einige Sklaven auf sich zukommen sah, schob das bei dem Ermordeten gefundene Medaillon in den Gurt seines um die Hüfte geschlungenen Shentis. Dann führte er seine Hände über eine von den Sklaven gehaltene Schale aus getriebenem Kupfer, um die vorgeschriebene Waschung vorzunehmen. Danach trocknete er seine Hände in einem blütenweißen, nach Myrrhe und Ginster duftenden Tuch, das ihm gereicht wurde.

Der Offizier kehrte zurück und meldete dem Hauptmann, daß der König ihn empfangen werde. Er möge sich in den Säulensaal begeben und dort warten.

Durch einen mit Wandgemälden geschmückten Gang begab Phiops sich in den gewiesenen Saal. Dort reichte ihm ein Diener eine aus Weihrauch und Honig geknetete Pille, die vor der Audienz einzunehmen war, um den Geruch des Atems zu verbessern. Während Phiops die Tablette kaute, betrachtete er die zwischen den Säulen stehenden Skulpturen, unter denen unschwer die entblößt dargestellte Gemahlin Echnatons, Nofretete, sowie seine Nebenfrau Kija zu erkennen waren. Die Nacktheit beider Frauen war von einer sublimen Sinnlichkeit und wirkte besonders eindrucksvoll, weil der Künstler als Werkstoff keinen gewöhnlichen grauen, sondern einen feinkörnigen, rotbraunen Quarzsandstein gewählt hatte.

Eine hohe, aus kostbarem Zedernholz gefertigte Tür wurde geöffnet, und Hauptmann Phiops erhielt das Zeichen, in den Arbeitsraum des Königs einzutreten. Er tat dies mit schnellen Schritten, blieb jedoch unmittelbar hinter der Schwelle stehen, um sich tief zu verneigen und die Hände in Kniehöhe vorzustrecken.

»Erhebe dich!« befahl Echnaton mit einer Stimme, die wie gesprungenes Glas klang.

Phiops richtete sich auf und sah den Pharao unweit vor sich stehen. Er trug nicht das bei den Würdenträgern des Hofes beliebte Obergewand mit Ärmeln, sondern einen fein plissierten

Schurz, der vorne zu einer Doppelfalte zusammengelegt war und von einem Gürtel gehalten wurde. Sein nackter Oberkörper zeigte, daß er zu Fettansatz neigte. Arme und Beine waren schlaff, und die fleischigen Polster an seinen Knien verstärkten noch den Eindruck von Verweichlichung.

In erstaunlichem Kontrast dazu stand das schmale und lange Gesicht des Königs, dessen nervösen Zügen alle Merkmale einer Überzüchtung anhafteten. Seine schräg gestellten Augen sowie die hängende Unterlippe seines wulstigen Mundes ließen ihn dekadent erscheinen. In seinem wie in die Ewigkeit gerichteten Blick aber lag etwas, das die Größe seines Wesens erkennen ließ. Gottkünder und Mensch, durchdrungen von der Gewißheit, der ›Sohn der von Aton gekommenen Ewigkeit‹ zu sein, ging der große Reformator dem unbedeutenden Hauptmann seiner Leibgarde mit dem Blick eines Mannes entgegen, dessen Geist in anderen Sphären schwebt.

»Was ist mit dem Gesandten?« fragte Echnaton. In seiner brüchigen Stimme schwang der Wunsch, nichts hören zu müssen.

Phiops straffte sich. »Er wurde erschlagen, Majestät. Zwei Knaben fanden ihn im Röhricht am Westufer.«

Um den Mund des Pharaos spielte ein krankhaftes Zucken. Seine Augen wurden zu Schlitzen. Er ballte die Fäuste, öffnete sie jedoch gleich wieder und ließ die Arme schlaff hängen. Ist das der Beginn eines Kesseltreibens, fragte er sich und blickte gequält zu Hauptmann Phiops hinüber. »Woher weißt du, daß er ermordet wurde?«

»In seinem Schädel klafft ein Loch, Majestät.«

So könnte eines Tages auch mein Ende aussehen, dachte Echnaton voller Bitterkeit und trat dicht an seinen Hauptmann heran. »Wer kann ein Interesse daran haben, den babylonischen Gesandten zu erschlagen? Doch nur jemand, der Burnaburiasch aufhetzen will! Der Zeitpunkt ist niederträchtig gut gewählt«, schrie er plötzlich mit sich überschlagender Stimme und stieß Phiops vor die Brust. »Der babylonische Abgeordnete kam, um im Namen seines Königs Beschwerde darüber zu führen, daß Nofretete es unterließ, ihm für die kostbare Halskette zu danken, die er ihr anläßlich der Verlobung unserer Tochter übersandt hatte. Des weiteren beklagte er sich darüber, daß meine Gemahlin es nicht für nötig erachtete, ihm Genesungswünsche zu übermitteln, als er krank darniederlag. Zu Recht beschwerte er sich! In beiden Fällen hätte Nofretete ihm eine Nachricht zukommen lassen müssen. Die Königin aber . . .« Er unterbrach sich und rang nach Luft. »Und jetzt wurde sein Gesandter erschlagen! Burnaburiasch muß glauben, wir hätten es mit der Verlobung unserer Tochter nicht ernst gemeint. Womöglich hat Nofretete . . .« Er stockte und verbarg sein Gesicht in den Händen.

Phiops blickte betroffen zu Boden. Wenn er auch das Vertrauen des Pharaos besaß, es war nicht gut, Zeuge eines Schmerzes zu sein, den der König zu verbergen suchte.

Echnaton ging auf eine zum Garten hinausführende Tür zu. »Welch herrliches Leben habe ich mit Nofretete geführt«, sagte er dabei in einem Tone, als wollte er die Vergangenheit heraufbeschwören. »Umschlungen fuhren wir im goldenen Wagen durch die Stadt. Vor aller Welt küßten wir uns. Die besten Künstler stellten uns dar. Aton senkte seine Strahlen auf uns herab. Und nun . . .?« Er drehte sich um. Seine Augen blickten fiebrig. »Sag die Wahrheit! Was redet man über Nofretete?«

Phiops wurde es heiß. Er wußte, daß der König die Wahrheit kannte und sie von ihm nur hören wollte, um seinen Schmerz in selbstquälerischer Lust zu steigern. Wenn er nicht Gefahr laufen wollte, von diesem Wahrheitsfanatiker als Feigling bezichtigt zu werden, mußte er aussprechen, was jeder wußte. »Man sagt, die Königin sei sich nach der Geburt ihrer fünften Tochter wie ein krankes Tier vorgekommen«, begann er und bemühte sich, seiner Stimme einen gleichgültigen Klang zu geben. »Ihre Enttäuschung darüber, wieder keinem Sohn das Leben geschenkt zu haben, soll ihr bitterer als der Tod gewesen sein. Sie spürte nicht mehr Atons Licht in ihrem Herzen. Gute, böse, fromme und häßliche Gedanken drängten sich ihr auf. Sie wollte Euch mit einem Sohn beglücken, vermutete nach allen Erfahrungen aber, daß Euer Samen ihr nur Töchter bescheren würde. Da soll sie sich einem anderen hingegeben haben.«

Echnaton stand plötzlich unmittelbar vor Phiops. »Wem?« keuchte er mit heißem Atem.

Hauptmann Phiops riß sich zusammen.

»Thot.«

»Dem Bildhauer?«

»Ja.«

»Und was sagt man vom Maler Imhotep?«

»Er soll nach der Geburt der sechsten Tochter . . .«

»Wirklich erst *nach* deren Geburt?« schrie Echnaton mit dem Blick eines Wahnsinnigen. »Erst nach Setepen Re soll er seinen Samen in Nofretete ergossen haben?«

»So sagt man. Ihre Majestät habe gehofft . . .«

»Ich weiß, ich weiß!« schrie der Regent mit abwehrend erhobenen Händen. »Einen Sohn wollte sie mir schenken! Einen würdigen Nachfolger für den ägyptischen Thron! Lust hat sie nie empfunden. Niemals! Im Gegenteil, sie hat sich elend gefühlt, wenn sie ihr Lager mit einem Mann aus dem Volke teilen mußte. Ich spüre förmlich, wie ihr dabei zumute gewesen sein muß. Spürst du es nicht auch, Hauptmann?« kreischte er mit sich überschlagender Stimme. »Stell dir vor, deine Frau würde sich für dich opfern, damit du einen schönen Jungen bekommst. Hättest du da nicht auch Mitleid mit ihr?«

»Ich bin nicht verheiratet«, antwortete Phiops ausweichend.

Echnaton stutzte.

»Warum nicht?«

Der Hauptmann machte eine hilflose Geste. »Die Frau, die ich liebe, hat mich abgewiesen, weil ich von der Richtigkeit Eurer Lehre überzeugt bin und den alten Göttern entsagte.«

Das Antlitz des Regenten entspannte sich. »Die Frau lebt in Theben?«

»Ja, Majestät.«

»Und wie heißt sie?«

»Isis, Majestät.«

»Hier hast du keine Geliebte?«

»Nein, Majestät.«

Echnatons Augen blickten mit einem Male verschleiert. »Leg deinen Schulterkragen ab, Hauptmann. Es ist entsetzlich heiß heute. Ich glaube, wir bekommen den Khamseen-Wind.«

»Das ist gut möglich«, erwiderte Phiops und tat, wie ihm geheißen.

Der Pharao sah ihn wohlgefällig an und klatschte in die Hände. »Du bist gut gewachsen. Ich werde uns Bier* bringen lassen. Setzen wir uns drüben hin.« Echnaton wies auf einige Hocker, die um ein Tischchen standen. »Ich weiß nicht warum, aber ich möchte mich mit dir unterhalten.« Er wandte sich an einen Diener. »Bring einen Krug Bier! Und ein paar in Honig eingelegte Vögel!«

Phiops wußte nicht, wie ihm geschah. Der König galt als außerordentlich zurückhaltend, und nun lud er ihn, den unwichtigen Hauptmann der Leibgarde, zu einem vertraulichen Gespräch ein?

Als hätte Echnaton die Gedanken seines Hauptmanns erraten, erklärte er, wie um sich zu entschuldigen: »Ich lebe normalerweise von der Hirse des Volkes und dem Wasser des Nils. Mich gelüstet es aber plötzlich, mit dir . . . Nein, das ist nicht wahr«, korrigierte er sich hastig. »Es ist auch nicht richtig, daß ich, wie ich eben sagte, nicht weiß, warum ich mich mit dir unterhalten will. Während du von der in Theben lebenden Frau deines Herzens sprachst, erkannte ich eine unerhörte Chance, die sich mir bietet, wenn ich dich zu meinem Vertrauten mache.«

Der Hauptmann glaubte nicht richtig zu hören.

»Meine Worte werden dich verwundern«, fuhr der König nach kurzer Pause fort. »Aber sag selber: Wird irgend jemand auf den Gedanken kommen, daß du in meinem Auftrage handelst, wenn du morgen nach Theben fährst, um noch einmal zu versuchen, die geliebte Frau für dich zu gewinnen? Verstehst du, worauf ich hinaus will? Als mein geheimer Vertrauter sollst du nach Theben reisen!«

In ungläubiger Verwunderung starrte Phiops den Pharao an, dessen Gesichtsausdruck mit jedem Wort verschlagener geworden war. Doch das bemerkte er kaum. Im Geiste sah er Isis vor sich, deren nilgrüne Augen er nicht vergessen konnte.

* Bier war schon vor Jahrtausenden das Alltagsgetränk der Ägypter. Sie stellten es her, indem sie Getreide zerstießen und – mit Sauerteig versetzt – in kleinen Fladen anbackten, die sie mit Wasser anreicherten, zerstampften und in Bottichen gären ließen. Den so gewonnenen Brei kneteten sie anschließend über einem Sieb, so daß das Bier abtropfte. Hopfen kannte man nicht.

»Nun, was sagst du dazu, Hauptmann?« fragte Echnaton gönnerhaft.

Phiops hob ratlos die Schultern. »Ich begreife nicht, wieso ich . . .«

»Das wirst du verstehen, wenn ich dir den Auftrag genannt habe, den du übernehmen sollst«, unterbrach ihn der König.

Gleich darauf wechselte er das Thema, weil das Bier und die in Honig eingelegten Vögel gebracht wurden.

Sklaven eilten herbei und übergossen die Hände des Pharaos und seines Gastes mit duftendem Wasser. Dann reichten sie Leinentüchter und verschwanden so lautlos, wie sie gekommen waren.

»Ich will dir sagen, warum ich einen geheimen Vertrauten brauche«, nahm Echnaton das Gespräch wieder auf, nachdem er und Phiops ein wenig gegessen und getrunken hatten. »Es sind Kräfte am Werk, die mich aus dem Verborgenen heraus bekämpfen, und solange ich diese nicht kenne, kann ich nichts gegen sie unternehmen. Deine Aufgabe soll es nun sein, herauszufinden, ob zwischen der verruchten Amon-Priesterschaft und Nofretete, die vor wenigen Tagen mit meinem erst neun Jahre alten Bruder Tut-ench-Aton nach Theben gereist ist, eine Verbindung besteht. Sie behauptet, ihren Vater Eje besuchen zu wollen, den ich zum Oberpriester des dortigen Aton-Tempels ernannte. Ich traue der Geschichte aber nicht. Ich traue überhaupt niemandem mehr. Nicht einmal meinem General, der in Memphis auf Vorposten steht.«

»Das hat Haremhab aber nicht verdient«, entfuhr es Hauptmann Phiops. »Gerade bei unserem letzten Zusammensein zitierte er ganze Partien Eures Lobliedes auf die Sonne.«

Echnaton blickte verklärt vor sich hin und deklamierte mit halber Stimme: »›Schön ist dein Erscheinen im Lichtort des Himmels, du lebender Aton, der du von Anbeginn lebtest!‹ – Ach, Hauptmann«, fuhr er wehmütig fort, »in schweren Stunden verkaufen Männer sogar ihre Frauen. Wie leicht ist es da für einen nach Siegen lechzenden General, seinem unkriegerischen König die Gefolgschaft aufzukündigen. Wenn Haremhab hört, daß der babylonische Gesandte hier ermordet wurde, wird er Morgenluft wittern. Wenn ich nur wüßte, wer die Tat begangen haben könnte.«

Phiops griff in den Gurt seines Shentis, hinter den er das Medaillon gesteckt hatte. »Ich habe Eurer Majestät noch zu melden, daß der Ermordete diesen Anhänger in der Hand hielt. Offensichtlich hat er ihn seinem Mörder im Kampf abgerissen. Wir wissen somit, wo der Täter zu suchen ist.«

Echnaton wurde aschgrau, als er den blauen, eine runde Scheibe haltenden Skarabäus erblickte. Der Täter mußte angesehenen Kreisen angehören, und der Gedanke, eine Persönlichkeit aus dem öffentlichen Leben zur Verantwortung ziehen zu müssen, lähmte ihn. »Ich will nicht wissen, wo der Täter zu suchen ist!« schrie er wie von Sinnen und hielt sich die Ohren zu.

Hauptmann Phiops blickte den König entgeistert an.

»Ich will es nicht wissen!« ereiferte sich der Pharao ein zweites Mal, nahm im nächsten Moment jedoch die Hände von den Ohren und starrte Phiops aus irr flackernden Augen an. »Bist du überzeugt, daß ich erfahren muß, was auf der Rückseite des Skarabäus eingraviert ist?«

»Majestät äußerten die Absicht, mich als geheimen Vertrauten nach Theben zu entsenden, um dort Feststellungen zu treffen, die unter Umständen sehr schmerzlich sein können«, antwortete Phiops, ohne zu zögern. »Soll ich bei meiner Rückkehr die unangenehmen Dinge verschweigen und nur Angenehmes berichten?«

Einen Augenblick lang war Echnaton verblüfft, dann ging er mit ausgebreiteten Armen auf Phiops zu. »Hauptmann, du bist nicht nur schön, sondern auch klug. Laß dich umarmen!«

Phiops überlief eine Gänsehaut. Schon mehrfach hatte er gehört, der König habe sich in seinem Schmerz über Nofretetes Untreue der Liebe zwischen Männern zugewandt.

Echnaton schnupperte an Phiops Hals. »Wie gut du duftest!«

»Und ich befürchtete schon, mir hafte der Geruch der aufgefundenen Leiche an«, entgegnete der Hauptmann im Bestreben, den Pharao zu schockieren.

Der Regent prallte zurück. Seine Augen glänzten fiebrig. »Du bist frech«, keuchte er mühsam beherrscht. »Sehr frech sogar!

Aber das gefällt mir an dir. Ich mag solche Männer, und darum wirst du in meinem Auftrag nach Theben reisen, um herauszufinden, was ich wissen muß.«

»Ich werde mir alle Mühe geben, Eure Majestät nicht zu enttäuschen«, erwiderte Phiops erleichtert. »Dies um so mehr, als die Gravierung auf der Rückseite des Skarabäus erkennen läßt, daß die Feinde Eurer Majestät bereits im Palast Fuß gefaßt haben. Es war ein ›Sohn des Kep‹, der den babylonischen Gesandten erschlug. Wahrscheinlich unmittelbar nach dem Fest, das Eure Majestät vor drei Tagen gab. An jenem Abend hatten alle ›Söhne des Kep‹ ihr Medaillon angelegt.«

Echnaton ließ sich auf einen Hocker sinken. »Ein ›Sohn des Kep‹?« stöhnte er verwirrt. »Das ist der Anfang vom Ende. Wenn die Elite schon . . .« Er sprang auf und raste wie von Sinnen durch den Raum, dessen Wände mit Szenen bemalt waren, die ihn im Kreise entschleierter Haremsdamen zeigten.

Traum und Wirklichkeit, dachte Hauptmann Phiops angesichts der Gegensätze, die sich ihm darboten. Aber dann erfaßte ihn Erbarmen mit dem Mann, der ein Träumer und Schwärmer war, ein Begnadeter, dessen Genialität sich dem Wahnsinn näherte, ein Poet, der Glaube und Hoffnung anbetete, ein König, der für ein Gottesreich predigte, ein Priester, dem es nicht gelang, das Feuer seines Leibes einzudämmen, ein Mensch, der mit keinem Maß auszuloten war.

Hauptmann Phiops wähnte sich fast in den Gefilden der Seligkeit, als er, die Sandalen in der Hand, durch den beginnenden Abend nach Hause ging. Nach Theben sollte er reisen! Im Auftrage des Königs sollte er eine Sondermission übernehmen! Es war nicht zu begreifen. Aton schien allen Glanz über ihn ausschütten zu wollen.

Aber wie ehrenvoll der Auftrag auch war, weit mehr bewegte Phiops der Gedanke, Isis wiederzusehen. Im Geiste erblickte er das sanfte Oval ihres mädchenhaften Gesichtes, ihren ein wenig verschleierten Blick, ihre weichen Lippen, ihre nilgrünen Augen und ihre ausdrucksvollen Hände.

Plötzlich verspürte er jedoch Angst. Bestand nicht die Möglichkeit, daß Isis sich inzwischen einem anderen zugewandt hatte? Sie hatte ihn zurückgewiesen, weil er an Aton glaubte und im Gefolge Echnatons bleiben wollte. Vor gut einem Jahr war das gewesen. Durfte er sich da noch Hoffnungen machen?

Phiops erinnerte sich der Stunde, in der er Isis zum ersten Male gesehen hatte. Es war beim Amon-Tempel gewesen. Nach einer planlosen Wanderung durch die im Halbdunkel liegenden mächtigen Säulenhallen hatte er sich dem dritten Pylon zugewandt, um über die Widdersphinxallee zum Mut-Tempel zu gehen, der inmitten von Palmenhainen lag. Kaum aber hatte er den Tempel verlassen, da mußte er, von dem auf ihn einfallenden Sonnenlicht geblendet, die Augen schließen. Dann ereignete sich etwas Merkwürdiges. Als er die Lider wieder öffnete, sah er ein von einem Strahlenkranz umgebenes junges Mädchen auf sich zukommen. Er glaubte an eine Sinnestäuschung, bis er erkannte, daß der phantastische Strahlenkranz nichts anderes als das vom Leinengewand des Mädchens reflektierte Sonnenlicht war.

Unwillkürlich lachte er, und in seinem Lachen lag etwas so Befreites, daß das junge Mädchen belustigt zu ihm hinüberblickte. Gleich darauf gingen beide wie von Magneten angezogen aufeinander zu und sahen sich an, als könnten sie nicht begreifen, voreinander zu stehen. Kein Wort kam über ihre Lippen. Ihre Augen aber drückten aus, was in Worte gekleidet leicht hätte banal klingen können.

Isis bildete sich ein, den vor ihr stehenden Mann durch und durch zu kennen. Sein samtweicher Blick, seine festen Lippen, seine kupferne Hautfarbe, seine athletische Gestalt und seine kräftigen Hände waren ihr absolut vertraut.

»Ich heiße Phiops«, hatte er ihr gesagt und gedacht: Woher kenne ich sie nur? Ich spüre, daß wir zusammengehören.

»Und ich heiße Isis«, hatte sie mit einer Stimme geantwortet, die wie ein behutsam angeschlagenes Sistrum schwang.

Er sah ihren ein wenig geöffneten Mund, ihre dunkel getuschten Wimpern, ihre mit Malachit blaugrün gefärbten Lider und ihren sanft geschwungenen Hals, der ihr von einer kurzen Perücke umrahmtes Köpfchen wie eine im Wind sich bewegende Blüte trug. Auch ihre junge Brust unter dem duftigen Leinengewand und ihre schmalen Hüften entgingen seiner Bewunderung nicht.

Ohne sich dessen bewußt zu sein, hatte er Isis bei der Hand genommen, und sie war ihm widerstandslos über die lange Widdersphinxallee zum Mut-Tempel gefolgt. Wie im Traum schritten sie dahin, durchdrungen von einem Glücksgefühl, das sie nie zuvor erlebt hatten. Wäre ihnen in dieser Stunde die Erde unter den Füßen fortgezogen worden, es hätte ihnen nichts ausgemacht; sie würden sich eine neue gebaut haben.

»Kannst du dir das erklären«, hatte Phiops gefragt, als sie sich in einem Hain niederließen.

Isis hatte verwundert zu ihm aufgeblickt. »Ich verstehe nicht, was du meinst.«

»Nun, daß du und ich . . .« Er suchte nach Worten. »Ich weiß nicht, wie ich es ausdrücken soll. Kaum hatte ich dich gesehen, da wußte ich, daß du es bist, auf die ich gewartet habe. Ich hätte dich zeichnen können.«

Ihre Nasenflügel vibrierten. »Mir erging es ebenso. Offensichtlich gibt es Dinge zwischen Himmel und Erde, die sich nicht erklären lassen und einfach hingenommen werden müssen.«

Isis und Phiops waren wie in einem Rausch. Ein jeder trank die Worte, Blicke und Gesten des anderen, bis das unerwartete Glück mit einem Male wie eine Wasserblase zerplatzte.

»Wir werden Mut, der Gemahlin des Königs der Götter, ein Opfer bringen«, hatte Isis, die Tochter des von Echnaton entthronten Oberpriesters von Theben gesagt und damit ahnungslos eine Debatte heraufbeschworen, die sie so schmerzte, daß sie schließlich weinend davongelaufen war und sich in den darauffolgenden Tagen hartnäckig weigerte, nochmals mit Phiops zu sprechen. Durch glückliche Umstände war es dann aber doch noch zu einem Treffen gekommen, das allerdings nur die Verschiedenheit ihrer religiösen Auffassungen verdeutlichte.

Für Isis war Amon der makellos schöne Gott, der vom Wind lebte, durch den Wind sprach und bereits Wind gewesen war, als die Erde aus dem Nichts erstand. Phiops hingegen erblickte in ihm den abstoßenden Stier, als der er ebenfalls dargestellt wurde: mit furchteinflößenden Hörnern und einem riesigen Geschlechtsteil, das seine übermenschliche Zeugungskraft versinnbildlichen sollte. Er versuchte deshalb, Isis das Beglückende der Lehre Echnatons zu vermitteln, der an Stelle der vielen Götter Ägyptens einen einzigen Gott gesetzt hatte: die Sonne, ohne die ein Leben nicht denkbar ist. Isis besaß jedoch nicht die Geduld, die Lehre des Pharaos zu durchdenken. Im Geiste vergangener Jahrhunderte erzogen, grenzte es für sie bereits an Frevel, den Namen Amons wie den eines Menschen auszusprechen, und der Gedanke, einen Mann zu heiraten, der an Aton glaubte und im Dienst des Ketzerkönigs stand, war ihr so unerträglich, daß sie Phiops schweren Herzens erklärte, lieber ein Leben lang allein bleiben zu wollen, als ihm nach Achet-Aton zu folgen.

Bei der Erinnerung an diese Worte vergaß Hauptmann Phiops die Sorge, Isis könnte sich einem anderen zugewandt haben. Ebensowenig wie es für ihn möglich war, eine andere Frau zu wählen, mußte es für sie möglich sein, einen anderen Mann zu heiraten. Beide waren sie zutiefst davon überzeugt, kraft höheren Waltens füreinander bestimmt zu sein. Wahrscheinlich machten sie im Augenblick nur eine Zeit der Prüfung durch, und irgendwann mußte etwas geschehen, das sie trotz ihres unterschiedlichen Glaubens zusammenführte. Der vom Pharao erteilte Auftrag, nach Theben zu reisen, war womöglich schon ein Eingreifen des Schicksals.

Ein unbeschreibliches Glücksgefühl überkam Phiops. An seinem Handgelenk klirrten die Silberreifen, die Echnaton ihm mit auf den Weg gegeben hatte. Ihr Gewicht betrug fast fünfzig Deben. Für die bevorstehende Reise war das nicht allzuviel; es reichte jedoch aus und entsprach der Summe, über die ein Hauptmann verfügen konnte, ohne Aufmerksamkeit zu erregen. Den wahren Lohn sollte er später erhalten.

Phiops schwenkte übermütig die Sandalen, die er in der Hand hielt wie alle anderen Offiziere und Beamten des Hofes. Er hoffte, sich bald einen ›Sandalenträger‹ leisten zu können.

Es gehörte zum guten Ton, Schuhwerk zu besitzen. Scheuernde Riemen aber liebte niemand. Da hatte es sich mit der Zeit ergeben, daß der ›Sandalenträger‹ zum Statussymbol des gehobenen Standes geworden war.

Phiops war so in Gedanken versunken, daß er die junge Frau nicht bemerkte, die sich ihm in den Weg stellte. Er gewahrte sie erst, als er gegen sie prallte und nach Myrrhe duftende Lippen sich auf seinen Mund legten.

»Hel!« rief er verwirrt. »Was machst du hier?«

Sie lachte, wobei sie eine Reihe prächtiger Zähne zeigte. Ihre Lippen waren rot gefärbt; ebenso die Nägel ihrer schlanken Finger und die ihrer Zehen. Eine kostbare, bis auf die Schulter herabfallende Perücke, die hinten schachbrettartig geflochten war, gab ihr ein mondänes Aussehen.

»Wenn ich nicht irre, stehen wir vor dem Garten *unseres* und nicht *deines* Hauses«, entgegnete sie und umarmte Phiops übermütig. »Mir scheint es somit eher angebracht, dich zu fragen, was du hier machst.«

Er versuchte sich von Hel zu befreien.

Sie lachte ihn aus. »Fühl ruhig einmal meinen Körper, du frauenverachtender Sohn der Göttin von Dendera.«

»Hel!« rief er vorwurfsvoll und drängte die Frau seines Freundes, der gleich ihm ein ›Sohn des Kep‹ war und im Dienste Nofretetes stand, gewaltsam zurück. »Daß du den Unsinn nicht lassen kannst!«

Ihre schwarzen Augen blitzten im Licht der untergehenden Sonne. »Unsinn nennst du, was andere mit Sehnsucht bezeichnen?«

Er schüttelte den Kopf. »Du bist unverbesserlich, Hel. Ich werde deinem Mann erzählen, wie du dich benimmst.«

»Tu das! Du mußt nur sehr laut rufen, sonst hört Ramose dich nicht. Er ist in Theben!«

Phiops Gedanken überschlugen sich. Wenn Ramose in Theben war, ergab sich vielleicht die Möglichkeit, von ihm einiges über die wahren Hintergründe der Reise Nofretetes zu erfahren.

»Komm mit in den Garten«, forderte Hel ihn auf.

Er folgte ihr und überlegte, ob es zweckmäßig sei, sich an Ramose zu wenden.

Hel stieß ihn an.

»Wo bist du mit deinen Gedanken?«

Phiops lachte verkrampft.

»Um ehrlich zu sein, bei deinem Mann. Ich fahre nämlich morgen ebenfalls nach Theben.«

Hel blieb stehen und schaute ihn erstaunt an. »Im Auftrage Echnatons?«

Er schüttelte den Kopf. »Ich habe Urlaub genommen.«

Sie warf ihren über der Brust zusammengehaltenen Leinenumhang zurück und hakte sich bei Phiops ein. »Dann kenne ich den Zweck deiner Reise: Isis!«

Er nickte. »Stimmt!«

Jetzt will ich doch mal sehen, ob sein Fischblut wirklich durch nichts in Wallung zu bringen ist, dachte Hel und schmiegte sich so an Phiops, daß ihre etwas üppige, aber wohlgeformte Brust seinen Oberarm berührte. »Hoffentlich erlebst du keine Enttäuschung!«

Seine Lippen spannten sich. »Damit muß ich natürlich rechnen. Ich habe jedoch ein gutes Gefühl.«

Hel ärgerte sich über seine Gelassenheit. Sie ließ sich aber nichts anmerken, sondern lächelte verbindlich. Und wenn es mich wer weiß was kostet, ich werde ihn zum Stolpern bringen, schwor sie sich und legte ihren Kopf in den Nacken. »Ist die Luft nicht herrlich, wenn Aton untergegangen ist?«

Phiops nickte und atmete tief durch. »Der Duft der Akazien und Minze verdrängt sogar den brachigen Geruch des Nils. Ich liebe diese Stunde.«

»Ich auch«, stimmte sie ihm zu und gab seinen Arm frei. »Zumal es die Stunde des Bades ist. Leiste mir Gesellschaft. Ich hole schnell die Fackel und etwas Dattelwein.«

Phiops hätte fast entgegnet: Bitte, nicht für mich. Ich habe eben mit dem Pharao getrunken. Aus Schreck darüber, daß er beinahe schon den ersten Fehler gemacht hatte, vergaß er, schnell zu erklären, daß er nicht bleiben könne und das abendliche Bad daheim nehmen wolle.

So kam es, daß er wenig später die Fackel, die Hel aus dem Haus holte, widerspruchslos übernahm und sie in der Nähe des teilweise mit Papyrusstauden eingefriedeten Teiches in einen dafür vorgesehenen Halter steckte. Dann entledigte er sich seines Schurzes, wie er es schon des öfteren im Garten seines Freundes getan hatte.

Phiops wollte eben die Stufen in das Wasser hinabsteigen, als er Hel mit zwei Bechern aus dem Haus herauskommen sah. Sie hatte ihren hauchdünnen Umhang, der ohnehin nichts verdeckte, bereits abgelegt. »Warte!« rief sie ihm zu. »Wir wollen das Fest der Liebe mit feurigem Wein zu höchster Glut entfachen.«

Wie schon auf der Straße, so schüttelte Phiops auch jetzt wieder den Kopf. »Du bist unverbesserlich, Hel! Wer dich nicht kennt, könnte meinen, du seiest ein verworfenes Geschöpf.«

»Ersteres stimmt«, erwiderte sie keck und reichte Phiops einen der Becher. »Manchmal möchte ich mich sogar an Knaben vergreifen.«

»Jetzt ist es aber genug«, empörte sich der Hauptmann.

Hel hob amüsiert ihren Becher.

»Auf Ramoses Wohl!«

»Endlich ein vernünftiges Wort«, entgegnete Phiops, leerte seinen Becher und reichte ihn zurück.

Hel warf ihn mit dem ihren achtlos auf den Rasen. »Gehen wir ins Wasser«, sagte sie und tastete nach Phiops Hand, als sehe sie die Stufen nicht richtig und bedürfe der Führung.

Der Schein der Fackel spielte auf ihren Körpern und tauchte sie in ein glutvolles Licht.

Phiops bemerkte, daß Hel das ihre Scham bedeckende Dreieck abgelegt hatte. Das war gegen die Spielregel. Er wollte ihr gerade seine Meinung sagen, als sie ein Straucheln vortäuschte und ihn im Fallen mit sich ins Wasser zog. Er stürzte über sie, fühlte die verführerischen Rundungen ihres Körpers und versuchte augenblicklich, sich zu erheben.

Hel aber umklammerte und küßte ihn.

»Bist du wahnsinnig?« keuchte er, über ihr Verhalten erbost.

»Sei kein Narr«, entgegnete sie und preßte sich an ihn.

»Hel!« rief er, rasend vor Zorn.

Sie griff in unbeherrschter Leidenschaft nach seinen Schenkeln.

»Komm! Liebe mich!«

Phiops verlor die Beherrschung. Er stieß Hel zur Seite und richtete sich auf.

»Was fällt dir ein?« ereiferte sie sich, wobei ihre dunklen Augen Blitze schleuderten. »Glaubst du, Ramose hätte keine Freundinnen? Er treibt es sogar mit Nofretete!«

»Schweig!« fuhr Phiops sie an. »Du läufst sonst Gefahr, daß ich dir . . .« Er unterbrach sich und wischte Wasser aus seinem Gesicht. »Du bist es nicht wert, Ramoses Frau zu sein. Er ist ein ›Sohn des Kep‹, du aber eine . . .«

»Eine was?« brauste sie auf und stemmte ihre Hände in herausfordernder Haltung in die Taille.

»Genau das bist du«, antwortete er, auf sie weisend. »Und darum gehe ich. Ich werde mich bemühen, das Erlebte zu vergessen.«

Der Schein der Fackel tanzte wie ein Irrlicht auf dem Wasser und warf magische Reflexe auf Hels Schenkel. Ihre naßglänzende Brust wogte vor Erregung, ihre Augen wurden zu Schlitzen, und ihre Stimme nahm einen drohenden Klang an, als sie voller Empörung entgegnete: »So einfach, wie du es dir denkst, liegen die Dinge aber nicht. Ich werde Ramose verständigen. Mit mir kannst du nicht machen, was du willst.«

Phiops, der sich bereits zum Gehen gewandt hatte, drehte sich ärgerlich zurück.

»Und was habe ich mit dir gemacht?«

»Wurdest du etwa nicht aufdringlich, nachdem ich dich in meiner Naivität zu einem harmlosen Abendbad eingeladen hatte?« rief sie triumphierend.

Phiops Stirnadern schwollen an. Hel hatte zum Gegenschlag ausgeholt, und sie konnte ihrer Sache sicher sein, da Ramose zweifellos eher seiner Frau als seinem Freund glauben würde. Unabhängig davon ergab sich für ihn die Frage, ob er Ramose überhaupt die Wahrheit sagen durfte. Bestand nicht die Gefahr, daß er damit das Glück des Freundes vernichtete! Gewiß, es war ein trügerisches Glück, aber ist das Glück nicht immer mehr oder weniger trügerisch?

Phiops kehrte Hel den Rücken, band sich seinen Schurz um und verließ den Garten in dem scheußlichen Bewußtsein, sich trotz allem falsch verhalten zu haben.

Die Sonne stieg hinter hochwirbelnden Sandfontänen über den Horizont, als Hauptmann Phiops sich am Kai von Achet-Aton an Menschen vorbeizwängte, die sich allmorgendlich hier drängten, wenn das Auslaufen der Schiffe vorbereitet wurde. An diesem Tage war die Unruhe jedoch besonders groß. Der heiße Khamseen-Wind war über Nacht eingefallen, und jeder wußte, daß Staub- und Sandwolken jetzt fünfzig Tage lang herrschen würden. Das Fruchtland am Westufer der Stadt, das sich bis zum Bahr Jusuf, dem einzigen Nebenfluß des Nils, erstreckte, war glücklicherweise fast völlig abgeerntet. Was noch nicht eingebracht worden war, ging nun verloren. Die täglich zunehmende Hitze versengt die Felder in kurzer Zeit so sehr, daß überall Risse entstehen. Und nicht nur das. Der lebenspendende Strom sinkt im gleichen Rhythmus so tief, daß sich im Flußbett Inseln bilden, die wie Krokodilsrücken aussehen. Die Schiffahrt muß dann eingestellt werden, und das jadegrüne Wasser des Nils gleicht schließlich einem schmutzigen Rinnsal.

In Gedanken war Phiops bereits in Theben. Immer wieder überlegte er, ob er Isis über den vergangenen Abend informieren müsse, falls es ihm gelingen sollte, sie für sich zu gewinnen. Er hielt es für richtig, ihr dann in aller Offenheit zu erzählen, was sich zugetragen hatte. Aber konnte er das verantworten? Bestand nicht die Möglichkeit, daß geistige oder seelische Belastungen zu einer Zerreißprobe geführt hatten, der Hel nicht gewachsen gewesen war? Das Nahen des Kahmseen-Windes konnte die Ursache gewesen sein. Auch war es denkbar, daß sie mit ihm nur hatte spielen wollen und daß aus dem Spiel plötzlich Ernst geworden war. Er hoffte, daß Hel zur Vernunft kommen und in ihrem eigenen Interesse schweigen würde.

Phiops schob seine düsteren Gedanken beiseite, als er das Schiff erreichte, das am Kai auf ihn wartete. Es war keine Galeere mit zwanzig und mehr Ruderern, die dafür sorgten, daß die beschwerliche Fahrt stromaufwärts weitgehend abgekürzt wurde. Er hatte sich nur eine Barke mieten können. Ihr breites, orangerotes Segel war geflickt und stand in krassem Gegensatz zu

Phiops' Aussehen, der seinen kostbaren Schulterkragen angelegt hatte und die golddurchwirkte Peitsche der Hauptleute unter dem Arm trug. Aber wie armselig das Schiff auch aussah, es war sauber, und sein Steuermann, der Vater eines in der Leibgarde Echnatons stehenden Schardanen, machte einen vertrauenerweckenden Eindruck. Sein Kopf war geschoren und bot keine Brutstätte für Läuse. Eine Perücke, die ihn vor der glühenden Sonne hätte schützen können, besaß er allerdings nicht.

Besonders erfreut war Hauptmann Phiops über die Kajüte auf dem hinteren Teil des Schiffes, die es ihm gestattete, während der Reise im Schatten zu liegen. Stromaufwärts dauerte die Fahrt immerhin fünf bis sechs Tage. Und es wurde eine höchst anstrengende Reise. Staub- und Sandwolken wehten den ganzen Tag über. Die Äcker vertrockneten. Nur selten waren Bauern zu sehen, die gebeugten Hauptes hinter von Ochsen gezogenen Holzpflügen einherschritten, mit denen sie erste Furchen in den Schlamm des sinkenden Nils zogen. Hin und wieder tauchten Palmenhaine auf, die niedrigen Lehmhütten Schutz boten. Solche Plätze wählte der Steuermann am Abend zum Anlegen.

Phiops benutzte die Ruhepausen zu Unterhaltungen mit der Uferbevölkerung. Im Hinblick auf Isis' Auffassung interessierte es ihn, zu erfahren, welche Einstellung diese einfachen Menschen zur Lehre des Königs hatten. Das Ergebnis bestürzte ihn. Fast keiner hatte Verständnis dafür, daß Echnaton den Gott Amon, der den Eltern, Großeltern und allen übrigen Vorfahren ein stets hilfreicher und guter Gott gewesen war, aus den Tempeln verbannt hatte und seinen Namen nun von allen Bauwerken, Denkmälern und Grabstätten fortmeißeln ließ. Daß dem Pharao kein Sohn geboren wurde, schien dem Volk bereits eine Strafe der Götter zu sein. Es sagte freilich nicht offen, was es dachte, bekannte sich vielmehr, um möglichen Schwierigkeiten aus dem Wege zu gehen, zu Echnatons Lehre, glaubte in Wahrheit aber unerschütterlich an Amon und dessen Priesterschaft.

Ich muß dem König reinen Wein einschenken, dachte Phiops. Man kann eine Religion nicht einfach verbieten und durch eine andere ersetzen. In Stunden der Verlassenheit bedarf der

Mensch des Haltes, und den findet er nicht im Glanz ferner Sterne, sondern in der Wärme und Vertrautheit eines überkommenen Glaubens.

Es war gut, daß Phiops viele Stimmen hörte, die wie Isis sprachen. Nicht, weil deren Auffassung ihm dadurch verständlicher wurde, sondern weil sich ihm die Intoleranz der Menschen in Religionsfragen aufdrängte. Er kam zu der Überzeugung, Isis nur dann gewinnen zu können, wenn es ihm gelänge, Gespräche über Gott und Götter zu vermeiden. Deshalb war er sich über sein Vorgehen absolut im klaren, als am Nachmittag des sechsten Tages am westlichen Horizont drei markante Berggipfel auftauchten.

»Die ewigen Wächter Thebens!« rief er und hob seine Hände, als wollte er den Himmel beschwören, ihm bei der Erfüllung der ihm auferlegten und sich selbst gestellten Aufgabe Hilfe zu gewähren.

Wenn Phiops es sich auch nicht eingestand, er liebte die ›Hunderttorige Stadt‹, die von hohen Ziegelmauern umgeben war. Auf dem Ostufer lagen die Tempel von Luksor und Karnak im Licht der sich langsam neigenden Sonne, während das am Westufer sich ausbreitende Fruchtland und die dahinter am Fuße des Gebirges sich erhebenden riesigen Paläste und Totentempel bereits im Schatten lagen.

Gebannt blickte Phiops auf die eindrucksvollen Zeugen glanzvoller Epochen, die zu jeder Tagesstunde ein anderes Aussehen haben. Das einfallende Licht gibt dem sich steil erhebenden thebanischen Gebirge, dessen oberster Gipfel einer gewaltigen Pyramide gleicht, immer wieder eine andere Färbung. Bei aufgehender Sonne erscheinen die Felsen gleichsam rosig, durchzogen von blauen Schattenlinien. Im grellen Tageslicht wirken sie gelb und verwischen sich ihre Konturen. Am Nachmittag legen sie ein graues Totengewand an, als ahnten sie, daß in ihren Tälern bedeutsame Pharaonen der Ewigkeit entgegenschlummern. Und kurz vor Einbruch der Dunkelheit leuchten sie blutrot, als wollten sie den falkengestaltigen Himmelsgott Horus zur Rache an seinem Vater aufrufen.

Phiops fieberte, als der Steuermann das Schiff nahe an das Ufer dirigierte, wo Gebiete mit armseligen Lehmhütten und

Stadtteile mit prächtigen Bauwerken in bunter Folge abwechselten.

»Wenn du noch näher herangehst, kann ich sehen, ob meine Bekannte sich im Garten aufhält«, rief Phiops dem Steuermann übermütig zu.

Der kahlköpfige Schiffer lachte, wobei zwei große Zahnlücken sichtbar wurden.

»Den Wunsch kann ich dir erfüllen, da es voraus keine Untiefen mehr gibt. Wo liegt der Garten?«

Hauptmann Phiops wies schräg nach vorne. »Siehst du die weiße Villa mit der überdachten Terrasse?«

»Die mit den Säulen?«

»Genau!«

»Bei Aton!« entfuhr es dem Steuermann. »Das ist aber eine phantastische Besitzung. Deine Bekannte muß mächtig reich sein.«

Phiops schüttelte den Kopf. »Nicht sie ist es, sondern ihr Vater. Er ist Oberpriester des Amon-Tempels.«

Der Steuermann erstarrte.

»Und den kennst du?«

»Noch nicht. Ich hoffe aber, ihn bald kennenzulernen.«

Der Schiffer verzog sein Gesicht und spuckte ins Wasser. »Ich ahne, was los ist. Du bist in seine Tochter verliebt.«

Phiops nickte.

»Das führt zu nichts Gutem«, erklärte der Steuermann mißmutig und spuckte vorsorglich nochmals ins Wasser; der krokodilköpfige Gott Scheck mochte es in den Hals bekommen. Dann blickte er zu dem am Mast befestigten Wimpel hoch. »Der Wind steht gut. Bis auf ein paar Meter werde ich am Garten entlangrauschen können. He, Jungens!« wandte er sich an seine Bootsmänner. »Laßt das Segel nach!«

Die Barke glitt dahin, als wäre ihr Bug so schlank wie der Hals des Ibisses.

Hauptmann Phiops starrte angespannt zu dem Grundstück hinüber, das der Schiffer mit verächtlicher Miene ansteuerte. Im Garten war niemand zu entdecken, aber wenn er sich nicht täuschte, saßen zwei Personen in einem kleinen Pavillon, der in der Nähe des Ufers im Schatten einiger hochgewachsener Dumpalmen stand. Sollte er das unwahrscheinliche Glück haben, Isis zu sehen, noch bevor er den Boden Thebens betreten hatte? Kein Zweifel konnte darüber bestehen, daß da zwei Frauen im Pavillon saßen. Ihre weißen Leinenumhänge unterschieden sie deutlich von Männern.

»Geh noch näher heran!« rief Phiops dem Steuermann zu, als die Barke das Grundstück fast erreicht hatte. Dann kletterte er behende auf das Dach der Kajüte, legte die Hände an den Mund und rief, so laut er konnte, Isis' Namen.

Sie hörte den Ruf, sprang auf und eilte aus dem Pavillon heraus. Ihre allem Anschein nach gleichaltrige Begleiterin rannte hinter ihr her.

»Isis!« rief Phiops erneut und schwang seine Arme wie Windmühlenflügel. »Isis!«

Sie winkte ihm zu und lief zum Fluß hinunter. »Phiops! Phiops!«

»Isis!« rief er aus Leibeskräften. »Ich bin gekommen, um mit dir zu sprechen!«

Seine Worte waren noch nicht verklungen, da blieb sie wie versteinert stehen. Ihre Hand, die eben noch lebhaft gewinkt hatte, sank ermattet herab, und ihr Gesicht wurde zur Maske. Dann wandte sie sich plötzlich um und rannte wie gehetzt auf das im hinteren Teil des Gartens gelegene Haus zu.

Phiops begriff nicht, was das zu bedeuten hatte. »Isis!« rief er wie in höchster Not.

Sie hielt sich die Ohren zu und lief weiter. Ihr Umhang flatterte wie die Flügel eines Schmetterlinges.

Indessen starrte ihre Begleiterin hilflos zu Phiops hinüber, der einen ratlosen Eindruck machte.

Der Steuermann grunzte bissig: »Nun dürfte alles klar sein, Hauptmann. Wenn du wegen der Kleinen hierhergereist bist, können wir gleich kehrtmachen.«

»Halt dein ungewaschenes Maul!« fuhr Phiops ihn wütend an und versuchte, Ordnung in seine Gedanken zu bringen. Wie ließ sich Isis' Verhalten erklären? Ihre erste Reaktion bewies unzweifelhaft, daß sie ihn nach wie vor liebte und sich keinem anderen Mann zugewandt hatte. Zweimal hatte sie seinen Namen gerufen, und ihre Stimme war voller Glück gewesen. Erst seine

Erklärung, gekommen zu sein, um mit ihr zu sprechen, hatte den jähen Wandel herbeigeführt.

Phiops ahnte, was in Isis vor sich gegangen war. Sein Hinweis hatte Angst in ihr ausgelöst. Angst vor unüberbrückbaren religiösen Auffassungen.

»Sag Isis, daß sie sich keine Sorge zu machen braucht«, rief er dem jungen Mädchen zu, das nach wie vor zu ihm hinüberschaute. »Ich werde wieder in der ›Herberge zur Doppelkrone‹ wohnen und bitte um Bescheid, wo und wann wir uns treffen können. Wirst du Isis das ausrichten?«

»Aber gewiß!« rief das Mädchen.

»Herzlichen Dank!« entgegnete Phiops, sprang von der Kajüte hinunter und wandte sich an den Steuermann, der griesgrämig zu ihm aufschaute. »Je eher du anlegst, um so besser. Ich habe dann nicht so weit zu laufen.«

Der Schiffer rieb seinen kahlen Schädel mit einem Wolltuch, das von morgens bis abends auf seinem Kopf lag. »Bis zum steinernen Ufer wirst du schon warten müssen.«

»Von mir aus darfst du sogar bis ›Zur goldenen Selket‹ fahren und dich da mit deinen Männern auf meine Kosten vollaufen lassen!«

Der Steuermann grinste. »Eine gute Idee. Dann weißt du wenigstens, wo wir zu finden sind, wenn die Andersgläubige dich sitzenläßt.«

Als Phiops wenig später durch die Straßen Thebens ging, war ihm elend zumute. Die ›Hunderttorige Stadt‹, die einstmals alle Welt fasziniert hatte, glich einem von der Räude befallenen Hund. Es war nicht zu begreifen, wie schnell ihr Aussehen sich verändert hatte. Straßen und Plätze erstarrten in Schmutz. Wo gepflegte Rasenanlagen gewesen waren, befanden sich zertrampelte Flächen. Blumen gab es nirgendwo zu sehen. In den Teichen faulte das Wasser. Viele der aus luftgetrockneten Ziegeln erbauten Häuser waren verlassen und dem Verfall preisgegeben. Nur die Villen der Reichen und der Amon-Priester prangten noch in altem Glanz. Gleißend und verführerisch wie Kurtisanen standen sie in einem Meer des Elends.

Als Echnaton Achet-Aton zum Regierungssitz erklärte, hatte er die korrupte und selbstherrlich gewordene Priesterschaft Thebens vernichten wollen. Das Volk aber hatte er getroffen. Der Handel war zusammengebrochen. Die Menschen hungerten, und ihre mißtrauischen und ängstlichen Blicke ließen Phiops erkennen, daß Mord und Totschlag an der Tagesordnung waren.

Um so verwunderter horchte er deshalb auf, als ihm beim Betreten der ›Herberge zur Doppelkrone‹ übermütiges Gelächter, Gekreische und Gegröle entgegenschlugen.

Der Schankraum war überfüllt von zechenden Männern und jungen Frauen, denen Lasterhaftigkeit ins Gesicht geschrieben stand. Eine Dunstglocke von Schweiß, abgestandenem Bier, saurem Wein und gebratenem Fisch vervollständigte das widerwärtige Bild, das sich Phiops bot. Hätte er Isis nicht ausrichten lassen, daß er in der ›Doppelkrone‹ absteigen werde, dann würde er auf der Stelle kehrtgemacht haben. So jedoch blieb er zögernd stehen und überlegte, was er tun sollte.

Ich kann unmöglich hier Quartier nehmen, dachte er gerade, als der Wirt, ein ehemaliger Soldat, der sein linkes Auge und einen Teil seiner Oberlippe in einem Gefecht vor Byblos verloren hatte, mit einem wahren Freudengeheul auf ihn zulief.

»Ist das die Möglichkeit!« rief er begeistert, stockte dann aber wie jemand, der sich eines Fehlers bewußt wird. Er verneigte sich schnell mit in Kniehöhe vorgestreckten Händen und krächzte verlegen: »Willkommen in meinem Haus.« Dann richtete er sich wieder auf und fügte mit einem verächtlichen Blick auf seine Gäste hinzu: »Komm in den Garten, Hauptmann. Dort ist alles wie früher. Du wirst auch den gleichen Raum erhalten.« Damit stieß er einige torkelnde Gestalten zur Seite und führte Phiops durch einen dunklen Gang in einen Hof, in dessen Mitte ein riesiger Feigenbaum wuchs, unter dessen knorrigen, hellgrauen Ästen mehrere Hocker und einige Pritschen standen, deren Papyrusmatten zum Ausruhen einluden.

Phiops warf sich auf eines der Lager. »Hier ist es wirklich wie früher. Aber was für Gesindel ist das da in deinem Schankraum?«

Der Wirt zupfte an der Binde, die seine leere Augenhöhle bedeckte. »Frag mich nicht. In einer Zeit wie der heutigen kann man sich die Gäste nicht aussuchen.«

»Und wie kommen die Kerle an das viele Geld, über das sie offensichtlich verfügen?«

Der ehemalige Soldat zuckte die Achseln. »Sie verkaufen Dinge, für welche die Händler aus Achet-Aton glänzende Preise zahlen.«

Hauptmann Phiops schnellte in die Höhe. »Was sind das für Dinge? Und woher stammen sie?«

Der Wirt machte eine wegwerfende Geste. »Was wird es schon sein? In Theben gibt es bekanntlich viele Tempel.«

Phiops trat dicht an den Einäugigen heran. »Es soll hier auch Grabplünderer geben. Denk einmal scharf nach. Befinden sich unter deinen Gästen . . .«

»Bei der Seligkeit meiner Ahnen«, unterbrach ihn der Wirt mit beschwörend erhobenen Händen. »Grabschänder würde ich niemals bewirten.«

»Wozu auch?« entgegnete Phiops abfällig. »Bei Tempelplünderern sitzt das Geld ja genauso locker.«

»Meine Gäste sind keine Plünderer!« ereiferte sich der ehemalige Soldat. »Sie handeln mit Amon-Priestern, die froh sind, wenn sie etwas Silber erhalten.«

»Und du bist der Nutznießer! Schämst du dich nicht? Deine Herberge ist zu einem Hurenhaus geworden.«

»Sonne, Mond und Sterne, das ist nicht wahr!« empörte sich der Wirt. »Bei mir gibt's nur zu essen und zu trinken.«

»Du meinst: zu saufen!« warf Hauptmann Phiops ärgerlich ein.

Der Wirt grinste. »Da hast du recht. Die Brüder zechen wirklich über Gebühr. Aber das ist nun einmal so. Wenn es den Menschen besonders gut oder besonders schlecht geht, fangen sie an zu saufen. Ich habe übrigens jetzt eine eigene Bäckerei; es ist somit stets frisches Bier im Hause.«

»Was angesichts der wenig frischen Mädchen, die in deinem Schankraum Liebesdienste erweisen, besonders erfreulich ist.«

Der Einäugige lachte. »Mach mich nicht für die heutigen Verhältnisse verantwortlich. Was in meinen Kräften steht, habe ich getan. Außer küssen und betatschen wird nichts geduldet. Alles andere muß außerhalb meines Hauses geschehen. Und der Garten hier steht nur meinen Herbergsgästen zur Verfügung.«

»Deine Fürsorge und Moral erdrücken mich«, entgegnete Phiops zynisch.

Er hatte es kaum gesagt, da wirbelte ein junges Mädchen wie ein Frühlingswind durch den Garten. Es hatte die dunkle Farbe der Nubier und trug große Silberreifen in den Ohren.

»Suti!« rief Phiops und breitete seine Arme aus.

Das Mädchen lief in sie hinein. »Wie schön, daß du wieder da bist, Hauptmann.«

»Ich freue mich ebenfalls, dich wiederzusehen«, erwiderte Phiobs, wobei er das Mädchen wohlgefällig betrachtete. »Du bist noch hübscher geworden. Aber was für einen Kittel trägst du?«

Sie lachte schallend. »Ärgert es dich, daß du meine Brüste nicht sehen kannst?«

»Vielleicht«, antwortete er, auf ihren Ton eingehend.

»Dann nimm bitte zur Kenntnis, daß ich nach wie vor in dich verliebt bin. Ein Wink genügt, und ich gehöre dir. Aber du wirst bestimmt wieder nur von deiner Angebeteten reden wollen.«

Phiops gab ihr einen Klaps. »Erraten! Du hast jedoch meine Frage nicht beantwortet. In einem so groben Kittel habe ich dich noch nie gesehen.«

Sutis Augen sprühten Funken. »Soll ich mich im Schankraum von jedem anfassen lassen?«

Phiops schaute wütend zum Wirt hinüber. »Suti arbeitet im Schankraum?«

Der Einäugige tippte sich an die Stirn. »Für wen hältst du mich? Sie versorgt nur die Herbergsgäste.«

»Was es leider mit sich bringt, daß ich ab und zu durch den Schankraum gehen muß«, ergänzte Suti. »Deshalb der Kittel. Bei diesen Schweinen kann meine Kleidung nicht dick genug sein.«

»Bist ein anständiger Kerl«, entgegnete Phiops und gab ihr einen Kuß auf die Wange.

Sie blickte verliebt zu ihm hoch. »Was nützt mir das? Du denkst ja doch nur an die andere. Warum liebst du nicht mich? Mich hast du doch eher kennengelernt. Weshalb hast du dich also nicht in mich verliebt?«

Phiops lachte amüsiert. »Ich kann es dir nicht sagen. Es gibt Dinge, die sich nicht erklären lassen. Vielleicht waren Isis und ich in einem früheren Leben schon einmal beisammen.«

»Du glaubst, wir leben mehrere Male?«

»Ich schließe diese Möglichkeit nicht aus. Unsere Priester behaupten zwar, das wahre Leben beginne erst nach dem Tode. Darum bauen wir unsere Grabstätten aus schweren, die Ewigkeit überdauernden Basaltsteinen, unsere Häuser hingegen aus Lehm oder luftgetrockneten Ziegeln, die nicht lange halten. In Asien lehren die Priester jedoch etwas ganz anderes. Sie behaupten, der Mensch komme nicht einmal, sondern mehrere Male auf die Erde. Ihrer Meinung nach werden wir so lange wiedergeboren, bis wir all unsere Fehler abgelegt haben und reif für die ewige Seligkeit sind. Wer will nun darüber entscheiden, ob unsere oder andere Priester recht haben?«

Suti sah Phiops aus großen Augen an. »Du weißt ungeheuer viel, Hauptmann. Ich würde gerne mal eine ganze Nacht hindurch bei dir liegen.«

Phiops drohte ihr mit dem Finger. »Bring uns lieber drei Becher Bier. Wir wollen das Wiedersehen feiern.«

Bis in den späten Abend wartete Hauptmann Phiops auf eine Nachricht von Isis, doch kein Bote erschien. Und da der Mond die Nacht verführerisch erhellte, verließ er die Herberge, um seine Unruhe durch einen Spaziergang entlang des Nils zu verscheuchen.

Silberblau leuchteten die Felsen des thebanischen Gebirges, dessen höchster Gipfel wie ein geschliffener Edelstein in den Himmel hineinragte. Auf dem schwarz glänzenden Strom tanzte das Mondlicht im Rhythmus des vom Wind gekräuselten Wassers. Der Palast Amenhoteps III., in dem sich zur Zeit Nofretete und Echnatons jüngster Bruder Tut-ench-Aton aufhielten, sah aus wie ein Märchenschloß.

Unwillkürlich erinnerte sich Phiops des Auftrages, den Echnaton ihm erteilt hatte, und während er noch über die Möglichkeiten nachgrübelte, die sich ihm boten, schob er den Plan, sich an seinen Kameraden zu wenden, endgültig beiseite. Der Gedanke, mit Ramose zusammenzutreffen, erweckte größtes Unbehagen in ihm. Am liebsten hätte er ihn überhaupt nicht gesehen. Aber das ließ sich nicht bewerkstelligen, da er als Hauptmann der Leibgarde gewisse Verpflichtungen zu erfüllen hatte und beim ›Gottvater‹ Eje, dem Oberpriester des Aton-Tempels, vorsprechen mußte. Seine Anwesenheit blieb dadurch nicht unbekannt, und was folgte, wenn Ramose von seinem Aufenthalt erfuhr, konnte er sich denken. Einladungen, Saufgelage und dergleichen waren dann an der Tagesordnung. Sein ehemaliger Mitschüler, der ein völliger Gegensatz zu ihm war, hatte sich nicht ohne Grund an den mit großem Aufwand geführten Hof Nofretetes gedrängt.

Phiops war so in Grübeleien versunken, daß er zusammenfuhr, als er plötzlich hinter sich eilige Schritte und Sutis Stimme hörte, die seinen Namen rief.

»Woher weißt du, daß ich hier spazierengehe?« fragte er verwundert, als sie herangekommen war.

Sie wies keuchend zu dem Haus hinüber, in dem Isis wohnte. »Welche Richtung wirst du schon einschlagen, wenn dich das Mondlicht nach draußen treibt? Eine alte Magd kam eben und sagte, du sollst noch heute in den Garten gehen und von einer versteckten Stelle aus das Geschrei der Jungen des heiligen Vogels nachahmen.«

Phiops umarmte Suti und drehte sich mit ihr im Kreise. »Nach Isis bist du das netteste Mädchen, das ich kenne.«

»Ein schwacher Trost«, erwiderte Suti, nach Luft ringend.

Er streifte einen Silberreifen von seinem Handgelenk und reichte ihn ihr. »Den hast du dir verdient.«

Sie legte ihre Hände auf den Rücken. »Ich nehme nichts, ohne etwas dafür zu geben. Was ich dir aber geben könnte, holst du dir ja bei der anderen.«

»Werde nicht frech«, wies Phiops sie zurecht.

»Ach, ist doch wahr!« erboste sich Suti und eilte davon.

Phiops schaute kopfschüttelnd hinter ihr her und schob den

Silberreifen wieder über die Hand. Was ging ihn Suti an. Isis erwartete ihn! Und sie hatte das Geschrei der jungen Ibisse, die in der Nähe ihres damaligen Treffpunktes genistet hatten, nicht vergessen.

Mit schnellen Schritten eilte er dem Garten entgegen, den er aufsuchen sollte. Das Herz klopfte ihm in der Kehle, als er die das Grundstück umgebende niedrige Mauer übersprang. Isis, dachte er, ich weiß, daß alles gut werden wird. Wir haben aufeinander gewartet und damit das Schicksal bezwungen. Es wird sich nun nicht mehr gegen uns stellen.

Ohne lange zu zögern, suchte er eine Tamariske in der Nähe des Pavillons auf. Ihre schuppigen Blätter und rosafarbenen Blüten glänzten im magischen Licht der Nacht wie von Tau überzogen. Der Schatten des Strauches lag auf der dem Haus abgewandten Seite und bot guten Schutz. Hier kann uns niemand sehen, dachte Phiops und legte die Hände an den Mund, um den schrillen Schrei der jungen Ibisse nachzuahmen. Danach wartete er eine Weile und wiederholte den Ruf.

Aus der Richtung des Hauses ertönte ein trotz verstellter Stimme reichlich hell klingendes »Gah, gah . . .!«

Sogleich ahmte er den dunklen Ruf der Alten nach, um unmittelbar darauf wieder in den schrillen Schrei zu verfallen, den junge Ibisse bei der Atzung von sich geben.

Wenig später verstummte er, da er zwei in Leinen gehüllte Frauen auf den Pavillon zugehen sah. Raffiniert, schoß es ihm durch den Kopf. Die Freundin wird warten, damit Isis jederzeit in Begleitung ihrer Vertrauten hervortreten kann, wenn jemand nach ihr Ausschau halten sollte.

Je näher die beiden Frauengestalten kamen, um so leiser gab Phiops den vereinbarten ›Richtlaut‹ von sich, und er verstummte ganz, als er Isis auf sein Versteck zugehen und ihre Begleiterin im Pavillon verschwinden sah. Nur wenige Schritte trennten sie noch. Er mußte sich beherrschen, nicht aus dem Schatten herauszutreten.

Als er Isis das erste Mal erblickt hatte, legte die Sonne einen Strahlenkranz um sie. Nun war es der Mond, der sie in ein unwirklich anmutendes Wesen verwandelte. Im diffusen Licht der Nacht sah es so aus, als gleite sie schwerelos über den Boden.

Phiops drohte zu ersticken, doch der befreiende Seufzer, der sich Isis' Brust entrang, als sich seine Arme um sie legten, erlöste ihn aus seiner Anspannung. Er hob sie auf, als wäre sie eine Feder.

Ihre Augen schlossen sich. Sie spürte Lippen, die ihren Hals, ihre Wangen, ihre Lider, ihre Stirn und schließlich ihren Mund küßten. Und ganz sanft vernahm sie zwischendurch ihren Namen. Alles war anders, als sie es sich vorgestellt hatte. Gleich einem Gespenst hatte die Angst sie durch die Nacht begleitet, und nun lag sie in Phiops' Armen. Es waren die ersten Küsse ihres Lebens. Wunderbar, daß er sie nicht fragte. Und wie kräftig er war. Seine Haut glich warmer Bronze, seine Lippen aber wurden allzu brennend.

»Nicht!« stöhnte sie mit letzter Kraft. »Ich verliere die Besinnung.«

Er küßte ihre Nasenspitze. »Schau mich an.«

Sie öffnete die Augen.

»Isis!« flüsterte er voller Zärtlichkeit.

»Phiops!«

Er stellte sich so, daß das Mondlicht in ihr Gesicht fiel. »Wie schön du bist.«

Sie lächelte. »Der Mond versilbert ja auch alles.«

»Dann kommt er aber zu spät«, entgegnete Phiops hintergründig. »Aton, die Sonne, hat dich längst vergoldet!«

Sie legte ihre Hände um seinen Hals. »Nimm dafür den ersten Kuß, den ich einem Mann gebe.«

»Es ist wie ein Traum«, sagte Phiops bewegt. »Aber ich habe gewußt, daß alles gut werden wird. Durch unser Warten aufeinander haben wir das Schicksal bezwungen. Es kann sich nicht mehr gegen uns stellen.«

Isis' Augen leuchteten. »Heißt das, daß du dem Aton-Glauben entsagt hast?«

»Das heißt es nicht«, antwortete Phiops mutig. »Dennoch wird es keinen Streit und keine Meinungsverschiedenheiten mehr zwischen uns geben.«

Der Ausdruck ihres Gesichtes, der sich für den Bruchteil einer Sekunde verdunkelt hatte, wurde wieder froh. »Und warum nicht?«

»Weil wir in Zukunft nicht mehr über Gott und Götter, sondern nur noch über uns und unsere Liebe sprechen werden. Ich habe über alles nachgedacht und finde es unverantwortlich, die Liebe, das größte Geschenk, das Menschen empfangen können, im Feuer von Religionsdebatten verbrennen zu lassen. Wenn wir es genau betrachten, ist es doch gleichgültig, ob wir diesen oder jenen Gott anbeten. Wichtig ist nur, daß unser Glaube echt ist. Und echter Glaube verlangt, daß wir alles beiseite schieben, was unserer Liebe gefährlich werden könnte.«

»Aber wir haben doch erlebt . . .«

»Wir waren noch unreif«, unterbrach Phiops sie hastig. »Ich hielt deinen Glauben für falsch; du den meinen. Wenn wir aber zu der Auffassung gelangen, daß die Religion des anderen nicht falsch, sondern nur anders als die eigene ist, dann akzeptieren wir den Glauben des anderen, und jede Gefahr ist gebannt.«

Isis sah ihn prüfend an. »Du leugnest nicht mehr die Möglichkeit, daß der Amon-Glaube der richtige sein könnte?«

»Das ist durchaus möglich«, antwortete Phiops ausweichend. »Mich interessiert aber einzig und allein nur noch die Liebe zu dir. Die Frage, welche Religion die wahre ist, stellt sich mir nicht mehr, seit ich zu der Einsicht gelangt bin, daß in jeder Religion etwas Wahres steckt. Und ich bin gewiß, daß auch du zu dieser Auffassung gelangen wirst. Meinst du nicht auch?«

Sie zögerte ein wenig, erwiderte jedoch schließlich: »Sicher hast du recht. An Religionen, die Menschen trennen, anstatt sie zu vereinen, ist zweifellos etwas nicht in Ordnung. Bevor ich dir aber eine klare Antwort gebe, will ich in Ruhe alles überdenken. Bitte, laß mir Zeit dazu.«

Phiops küßte Isis wie erlöst, und er spürte, daß ihre Zukunft glücklich sein würde.

Geschickter hätte Hauptmann Phiops nicht vorgehen können. Indem er in Isis die Frau weckte und gleichzeitig ihren Intellekt ansprach, räumte er Hindernisse beiseite, die Tradition und Erziehung errichtet hatten.

Nachdem sie einen neuen Treffpunkt vereinbart hatten, setzte Phiops mit einem schwungvollen Sprung über die Mauer. Isis indessen lief mit ihrer Freundin zum Haus ihres Vaters zurück. Ihr Herz hüpfte vor Freude. Immer wieder umarmte sie ihre Vertraute.

»Hoffentlich sieht man mir nicht an, wie glücklich ich bin«, sagte sie beim Erreichen des Hauses. »Wenn mein Vater Verdacht schöpft, wird er mich unter Aufsicht stellen. Ich könnte mich dann nicht mit Phiops treffen.«

Als Isis in das Haus eintrat, in dessen Eingangshalle zwei Fakkeln brannten, erkannte sie sogleich, daß sie unbesorgt sein konnte. Aus der Mittelhalle, die ihrem Vater als Empfangsraum diente, drang erregtes Stimmengewirr, und aus einer versteckt gelegenen Nische lief ein seines Gehörs und seiner Zunge beraubter Sklave auf sie zu und gab ihr durch lebhafte Gesten zu verstehen, daß sie sich zurückziehen und den Nebeneingang benutzen solle.

Isis entfuhr ein Seufzer der Erleichterung. Wenn ihr Vater eine Konferenz führte, die keinen Zuhörer duldete, bekam sie ihn an diesem Abend nicht mehr zu sehen. Die Gefahr, sich zu verraten, war damit gebannt und das Treffen mit Phiops nach menschlichem Ermessen gesichert.

Glücklich ging sie in ihr Zimmer und legte sich sogleich ins Bett. Sie besaß nicht mehr die Kraft, irgendwelche Überlegungen anzustellen. Wozu auch? Phiops hatte sie überzeugt, und es reizte sie nicht, zu ergründen, ob es seine Worte oder seine Küsse gewesen waren, die sie besiegt hatten. Wichtig erschien ihr einzig und allein, daß er ihr Weltbild nicht angetastet hatte.

Inbrünstig faltete sie die Hände, um Hathor, die Göttin der Liebe, des Tanzes und des Rausches, anzuflehen, sie Phiops' Frau werden zu lassen. Ihre verstorbene Mutter hatte ihr zwar gesagt, daß die Berührungen eines Mannes schamlos seien, aber das konnte sie nicht glauben. Ihr jedenfalls lief es heiß und kalt über den Rücken, wenn sie sich vorstellte, in Phiops' Armen zu liegen. Seit sie ihn zum erstenmal gesehen hatte, erging es ihr so. Mit einem unerklärbaren Gefühl der Freude betrachtete sie seither die sanften Schwellungen ihres noch mädchenhaften Körpers. Glutvolle Vorstellungen hatten sie im letzten Jahr oft nicht schlafen lassen, und nun war Phiops plötzlich wie der im Wind verborgene Gott Amon erschienen. Neben der Süße des Lebensgefühles, das er wie mit einem Zauberstab über sie ausgebreitet hatte, empfand sie nur wenig Beklommenheit bei dem Gedanken, ihren Vater in absehbarer Zeit verlassen zu müssen. Und das, obwohl sie wußte, wie schwer ihm die Trennung werden würde, träumte er doch davon, sie zur Priesterin des Amon-Tempels zu ernennen, sobald Echnaton nicht mehr regierte. Eine entsprechende Ausbildung hatte sie bereits erhalten. Doch was nützte das? Wie jeder Mensch, so war auch sie nur ein Spielzeug in den Händen der Götter.

An diesem Abend dachte Isis nicht über die verschiedenen Probleme nach, die nun zwangsläufig an sie herantreten mußten, und als sie am nächsten Morgen erwachte, erschien ihr die Welt rosig wie das thebanische Gebirge im Licht der aufgehenden Sonne. Keinen Augenblick bangte sie mehr darum, sich vor ihrem Vater zu verraten, und sie begrüßte ihn völlig unbefangen, als sie später mit ihm in der Haupthalle zusammentraf.

»Hast du gut geschlafen?« fragte sie ihn und gab ihm einen Kuß auf die Wange.

»Es geht so«, erwiderte er, wobei er nach Herzenslust gähnte und seinen glattrasierten Schädel massierte. »Wir hatten eine Besprechung bis tief in die Nacht hinein.«

Isis zog den Bund seines Schurzes hoch, der über den mächtigen Bauch nach unten gerutscht war. »Ich verstehe nicht, daß du dauernd ohne Gürtel herumläufst.«

Der Oberpriester wehrte die Hand seiner Tochter wie eine lästige Fliege ab. »Ich muß ohnehin gleich das Leopardenfell anlegen.«

Sie blickte verwundert auf. »Du erwartest hohen Besuch?«

Er nahm aus einer Alabasterschale einen Apfel und biß krachend in ihn hinein. »Sogar sehr hohen! Allmählich gelange ich an das Ziel meiner Wünsche. Wenn mich nicht alles täuscht, ist der Tag nicht mehr fern, an dem wir Amon wieder durch die Stadt tragen können. Weihrauch schwenkend werde ich dann wie in früheren Zeiten beten: ›Ich, ein Priester und Sohn eines Priesters, bin gekommen, um den Thron zu schmücken, auf dem du sitzen wirst, allmächtiger Amon!‹«

»Hoffentlich ohne Apfel im Mund«, entgegnete Isis anzüglich.

Ihr Vater lachte gut gelaunt und legte seinen Arm um sie. »Dafür, daß das nicht passiert, wirst du schon sorgen; denn schon in aller Kürze übernimmst du die Pflichten und Aufgaben der Ritual-Priesterin.«

Isis' Augen weiteten sich. »Soll das heißen . . .?«

»Ja!« fiel ihr Vater mit einer Stimme ein, die erkennen ließ, daß er nicht der alte Mann war, als der er sich gab. »Ich erwarte Nofretete! Sie wird selbstverständlich verkleidet und nicht offiziell erscheinen. Wir sind uns in der vergangenen Nacht über Echnatons Nachfolger einig geworden. Sein Bruder Tut-ench-Aton wird als Tut-ench-Amon Ägyptens Doppelkrone tragen!«

Isis' Gedanken überstürzten sich. Die Königin nahm die Verbindung zur Amon-Priesterschaft auf, während sie, die Tochter des Oberpriesters Amosis, drauf und dran war, den Weg in die umgekehrte Richtung einzuschlagen. Ich muß schnellstens heraus aus diesem Raum, dachte sie besorgt. Wenn wir jetzt weitersprechen, verrate ich mich. »Bei so hohem Besuch will ich lieber gleich gehen«, erwiderte sie, sich unbefangen stellend. »Ich hatte ohnehin vor, den Tempel der Hatschepsut aufzusuchen.«

Ihr Vater sah sie fragend an. »Aus besonderem Grund?«

Sie schüttelte den Kopf. »Mich fasziniert alles, was mit der einstigen Königin zusammenhängt.«

Der Oberpriester hob warnend den Finger. »Schaff dir aber keinen Geliebten an, wie Hatschepsut es tat!«

Isis schoß das Blut in den Kopf. Ihr Vater sah es und fragte verblüfft: »Bei Hathors Brüsten: ist es schon soweit?«

»Unsinn«, wehrte sie ihn ab, und sie hätte sich wegen dieser Lüge in die Zunge beißen mögen. Sie war sich darüber im klaren, daß sie ihrem Vater reinen Wein einschenken mußte, sie wollte dies jedoch erst tun, wenn sie sich ihrer Liebe ganz sicher war.

Der Oberpriester stocherte in seinen Zähnen herum. »Nichts für ungut, Isis. Ich vertraue dir.«

»Das kannst du auch«, erwiderte sie und fügte im Hinblick auf ihre zuvor ausgesprochene Lüge vorsorglich hinzu: »Du wirst der erste sein, den ich informiere, wenn sich mein Herz verirren sollte.«

Obwohl der Khamseen-Wind nachgelassen hatte, stieg mit jedem Schritt, den Hauptmann Phiops in Richtung von *Der el-bahri* ging, eine kleine Staubwolke von seinen Füßen hoch. Die Luft aber war klar, und die Sonne dörrte den Boden aus, in dem sich zum Teil schon große Risse bildeten. Das Licht des beginnenden Nachmittags legte einen goldenen Schimmer auf die Felsen des thebanischen Gebirges, deren senkrechte Schründe graublaue Schatten warfen.

Je mehr sich Phiops dem leuchtendweißen Terrassentempel näherte, den Königin Hatschepsut auf geniale Weise am Fuße eines dreihundert Meter steil aufragenden Felsens hatte errichten lassen, um so größer wurde seine Begeisterung.

Hatschepsut und ihr Architekt haben sich hier ein ewiges Denkmal gesetzt, dachte er gerade, als er nicht weit von sich entfernt eine in ein einfaches Gewand gehüllte Gestalt am Boden hocken sah, die sich zum Schutz gegen die Sonne ein Leinentuch über den Kopf gelegt hatte, das ihr Gesicht fast völlig verdeckte. Sollte das Isis sein, fragte er sich und rief auf gut Glück ihren Namen.

Die Gestalt sprang auf und winkte ihm zu. »Hast du mich gleich erkannt?«

Phiops lief ihr entgegen und schloß sie in die Arme. »Meine Augen können selbst das dichteste Leinen durchdringen.«

»Und was sehen sie dann?«

»Das ist recht unterschiedlich«, erwiderte er und küßte sie leidenschaftlich.

Isis schloß die Lider. Ihre Nasenflügel spannten sich. Sie preßte sich an ihn.

Er mußte sich zwingen, seine Leidenschaft zu unterdrücken. »Genug«, rief er, tief Luft holend. »Laß uns zunächst einmal zum Tempel gehen.«

Sie hängte sich an seinen Arm. »Ich bin ja so froh, daß du nach Theben gekommen bist.«

Phiops war es nicht entgangen, daß Isis unter ihrem einfachen Gewand den üblichen Umhang aus hauchdünnem Leinen trug. »Wie hätte ich nicht kommen sollen«, entgegnete er verliebt. »Deine Schönheit ließ mich doch täglich an dich denken.«

Sie schaute zu ihm hoch.

Ihr Charme faszinierte ihn. Es war unnachahmlich, wie sie den Kopf in den Nacken legte.

»Konntest du gestern gleich einschlafen?«

Er schüttelte den Kopf. »Ich habe fast die ganze Nacht wach gelegen. Wahrscheinlich, weil ich noch ein Bad nahm und mich gründlich salben ließ.«

»War das so spät noch möglich?« erkundigte sie sich verwundert.

Phiops nickte. »Suti steht mir Tag und Nacht zur Verfügung.«

Isis' Augen glichen plötzlich irisierender Perlmutter. »Suti? Wer ist das?«

»Eine reizende Magd in der ›Herberge zur Doppelkrone‹«, antwortete Phiops, dem der aggressive Unterton nicht aufgefallen war. »Sie ist eine Landsmännin von mir.«

»Und von ihr läßt du dich salben?«

Er blickte erstaunt zu Isis hinüber. »Ja, warum nicht?«

»Du bist doch dann nackt!«

»Nicht völlig«, erwiderte er unsicher. »Außerdem ist Suti eine Magd, wie ich dir sagte.«

»Und was Mägde alles tun, das weiß man ja«, ereiferte sich Isis.

Phiops lachte. »Ich will dir nicht widersprechen, aber in einer guten Herberge dient der Salbraum keinen galanten Zwecken.«

»Du selber hast gesagt, daß Suti ein reizendes Mädchen ist!«

»Ich sprach von einer reizenden Magd!« korrigierte Phiops mit Nachdruck und schloß Isis in die Arme. »Im übrigen finde ich es wunderbar, daß du eifersüchtig bist.«

»Ich soll eifersüchtig sein?« brauste sie auf.

»Es sieht zumindest so aus.«

Isis trommelte mit ihren kleinen, zu Fäusten geballten Händen gegen seine Brust. »Warum quälst du mich?«

Er küßte sie, bis sie nach Luft rang. »Ist jetzt alles wieder gut?«

»Nur wenn du versprichst, dich von Suti nie wieder salben zu lassen.«

»Nie wieder!« erklärte Phiops feierlich, nahm Isis bei der Hand und lief mit ihr über eine lange Sphinxallee auf den Pylon der äußeren Mauer des Hatschepsut-Tempels zu, vor dem in riesigen, mit schwarzer Erde gefüllten Behältern zwei herrliche Perseabäume standen*. »Es ist zu heiß, um hier zu bleiben«, sagte er nach einer kurzen Verschnaufpause. »Setzen wir uns oben in den Schatten der Säulen.«

Als sie die Kolonnaden der oberen Terrasse erreichten, legte Phiops den Arm um Isis und wies zum Nil hinüber, der einem glitzernden Band glich. »Es ist wirklich eine Schande, daß diese Stadt zur Bedeutungslosigkeit herabgesunken ist.«

Isis legte ihren Kopf an seine Brust. »Wie schön, daß auch du so empfindest.«

»Auch ich . . .?« fragte Phiops, obwohl er wußte, was Isis zum Ausdruck bringen wollte.

»Nun ja«, antwortete sie zögernd. »Du gehörst schließlich zur Gefolgschaft Echnatons, der diese Stadt vernichten will.«

»Das will er nicht«, entgegnete Phiops und entledigte sich seines Schulterkragens. »Nie im Leben hat Seine Majestät daran gedacht, Theben und seine Einwohner zu schädigen. Ihm ging und geht es nur darum, wieder ins Lot zu bringen, was andere Pharaone verschuldet haben. Aber willst du nicht deine grobe Verkleidung ablegen?«

Sie nickte und streifte ihr derbes Leinengewand ab. »Ich habe es mir von einer Magd geliehen.«

Phiops war sekundenlang verlegen, als er Isis im durchsichtigen Umhang vor sich stehen sah. Dann aber gewahrte er nur ihre Schönheit und nicht die Formen ihres Körpers. Dennoch sagte er: »Dein Vater wird von der heutigen Kleidung nicht gerade erbaut sein, oder?«

Isis lächelte. »Er war es, der mir das erste hauchdünne Gewand kaufte. Mein Vater ist überhaupt sehr aufgeschlossen, und wenn Echnaton nicht . . .« Sie unterbrach sich, da sie sich an Phiops' Worte über die Bestrebungen des Königs erinnerte. »Du erklärtest eben, Seine Majestät wolle etwas ins Lot bringen, das andere Pharaone verschuldet hätten. Was soll das sein?«

»Denk nur an den Schwund des Reichsvermögens, der dadurch entstand, daß die vor Echnaton regierenden Herrscher der

---

* Die Stümpfe beider Bäume sind noch heute, nach 3 500 Jahren, gut erhalten.

Priesterschaft viel zuviel zukommen ließen. Dem hiesigen Amon-Tempel gehörten allein vierhundertzwanzigtausend Stück Vieh. Dagegen wäre nichts einzuwenden, wenn große Vermögen nicht den Fehler hätten, Machtgelüste wachzurufen. Die Priesterschaft fing an, den Regenten so entscheidende Vorschriften zu machen, daß diese praktisch nichts mehr zu sagen hatten.«

»Da gebe ich dir recht«, bekannte Isis unumwunden. »Der Bogen wurde überspannt. Darum darf man aber doch nicht in ein noch schlimmeres Extrem verfallen. Mir ist es unverständlich, wie man einen Gott verbannen und seinen Namen überall ausmeißeln lassen kann.«

»Dafür habe auch ich kein Verständnis«, pflichtete Phiops ihr bei, um eine unter Umständen gefährliche Debatte im Keim zu ersticken. »Leider war es jedoch zu allen Zeiten so, daß Herrscher die Namen unliebsamer Vorgänger ausmerzten. Nimm nur diesen herrlichen Tempel. Nicht an einer einzigen Stelle ist der Name seiner Erbauerin zu finden. Und warum nicht? Weil ihr Nachfolger sich dafür rächte, daß sie ihn in seinen Jugendtagen verdrängt und sich selber zum Pharao gemacht hatte. Er ließ deshalb Hatschepsuts Namen überall fortmeißeln.«

Isis breitete das Leinengewand aus, das sie getragen hatte. »Ich werde nie begreifen, wie man so rachsüchtig sein kann. Aber laß uns von etwas anderem sprechen. Mich bedrückt die Vorstellung, daß es immer so weitergehen wird.«

Phiops setzte sich auf das Tuch und zog Isis an sich. »Ich wünsche mir nichts sehnlicher, als dich zu meiner Frau zu machen.«

Sie schmiegte sich an ihn. »Erzähl von Achet-Aton. Wie ist das Leben dort? Ist die Stadt wirklich so großartig, wie man behauptet?«

Das ist der Sieg, frohlockte Phiops insgeheim. Wenn Isis sich nach dem Leben in Achet-Aton erkundigt, trägt sie sich bereits mit dem Gedanken, mich zu begleiten. Diese Überlegung beflügelte ihn, die Stadt in ihren schönsten Farben zu schildern, und Isis war von seiner Erzählung so angetan, daß sie ihn plötzlich stürmisch küßte. Dabei verlor er den Halt und fiel zurück, wodurch sie nun unvermittelt über ihm lag.

Seine Hände ergriffen ihre Schultern.

Isis' nilgrüne Augen wurden starr.

Er fühlte ihre Schenkel.

Ihre Lippen öffneten sich.

Er küßte sie voller Leidenschaft.

In diesem Tempel würde ich gerne seine Frau werden, dachte Isis. Seine Küsse betörten sie.

Er versuchte, das Gefühl, das ihn durchströmte, zu ignorieren. »Willst du meine Frau werden?« fragte er unsicher.

Sie konnte nicht antworten, wußte nicht, ob sich seine Frage auf den Augenblick bezog.

»Wir müssen vernünftig sein«, sagte er mit einer Stimme, die stumpf wie Blei klang.

Isis schloß die Lider.

Seine Hände, die ihre Schultern noch immer hielten, drückten sie behutsam zurück.

Sie seufzte und wandte ihren Kopf zur Seite.

Er richtete sich auf und lehnte sich wie ermattet an eine Säule.

Das thebanische Gebirge warf erste blaue Schatten ins Tal.

Isis rückte an ihn heran. »War es schwer für dich?«

Er zog sie an sich. »Leicht war es nicht. Aber eben darum freue ich mich, nicht versagt zu haben. Ich möchte durch nichts belastet sein, wenn ich vor deinen Vater hintrete.«

»Zuerst spreche ich aber mit ihm«, entgegnete Isis.

»Hast du Angst, daß ich etwas falsch machen könnte?«

»Das nicht. Ich kenne jedoch meinen Vater und möchte ihn langsam vorbereiten. Zumal ich ihn heute morgen belügen mußte.«

Phiops sah Isis verwundert an, und sie erzählte ihm von dem Gespräch, das sie mit ihrem Vater geführt hatte.

»Und wie, glaubst du, wird er reagieren, wenn er erfährt, daß du einen Hauptmann des ›Ketzerkönigs‹ liebst?«

Sie wiegte ihr hübsches Köpfchen. »Es wird ihm bestimmt einen mächtigen Schock versetzen. Zur Zeit ist er aber in glänzender Stimmung. Der heutige Besuch von Nofre . . .« Sie unterbrach sich und blickte erschrocken auf.

»Nofretete?« fragte Phiops entgeistert. »Nofretete besucht deinen Vater?«

Isis rang die Hände. »Ich flehe dich an, vergiß, was ich sagte. Mein Vater würde mich davonjagen, wenn er erführe, daß ich einem Hauptmann der Leibgarde Echnatons . . .«

»Ich verstehe deine Aufregung nicht«, unterbrach Phiops sie hastig. Er hatte die Chance erkannt, die sich ihm bot, wenn es ihm gelang, Isis von ihrer Besorgnis zu befreien. Unter Umständen ergab sich die Möglichkeit, im Handumdrehen die Frage zu klären, die Echnaton beantwortet zu haben wünschte. »Wirklich, ich verstehe deine Aufregung nicht«, erklärte er nochmals. »Mich kann es doch gar nicht interessieren, welche Wege Nofretete geht. Gewiß, sie ist die Gemahlin des Pharaos, hat mit diesem aber nicht mehr das geringste zu tun. Weißt du das nicht?«

»O Phiops!« rief Isis erlöst. »Und ich dachte schon, ich hätte einen schrecklichen Fehler gemacht.«

»Ach wo«, entgegnete er wegwerfend. »Ich weiß doch, daß Nofretete sich in Theben aufhält. Einer meiner Freunde gehört zu ihrer Begleitung. Sie ist Gast bei ihrem Vater Eje, dem Seine Majestät den Titel ›Gottvater‹ verliehen hat.«

Isis unterdrückte ein Lachen. »Wenn es stimmt, daß Eje den Titel erhielt, weil er der Vater der ›göttlichen‹ Nofretete ist, dann müßte er ihn jetzt eigentlich ablegen.«

Phiops schmunzelte, wenngleich er sich wie ein Verräter vorkam. Doch was half es? Er mußte seine Rolle weiterspielen. »Meines Erachtens bekam Eje den Titel nicht, weil er der Vater Nofretetes ist, sondern weil er Echnaton und dessen Vater auf den im Tempel von Heliopolis verehrten Gott Aton aufmerksam machte und ihnen nahelegte, Amon durch Aton abzulösen, um sich auf diese Weise politisch von der Priesterschaft Thebens zu befreien.«

»Dann ist es aber eine unglaubliche Verlogenheit von ihm, heute freundschaftlich mit meinem Vater zu verkehren«, empörte sich Isis.

»Da gebe ich dir recht«, stimmte ihr Phiops in dem Bestreben zu, seine Erregung zu verbergen. Echnatons Vermutung bestätigte sich. ›Gottvater‹ Eje und Nofretete unterhielten Verbindung zum Oberpriester des Amon-Tempels, und er, Phiops, der den Auftrag erhalten hatte, diesbezügliche Ermittlungen anzustellen, liebte die Tochter des Oberpriesters und erfuhr von ihr, was der Pharao wissen wollte. In der Hoffnung, noch mehr zu erfahren, fügte er nach kurzer Überlegung gelassen hinzu: »Wie verlogen das Verhalten Ejes auch sein mag, unter den gegebenen Umständen erscheint es mir ganz natürlich, daß seine Tochter anläßlich ihres hiesigen Aufenthaltes deinen Vater aufsucht. Er ist ja schließlich das Oberhaupt der Amon-Gemeinde, und gewiß kennen sich die beiden schon von früher.«

»Das glaube ich nicht«, erwiderte Isis, ohne zu ahnen, daß sie rücksichtslos ausgehorcht wurde. »Soviel ich weiß, sehen sie sich heute zum erstenmal.«

»Und weshalb gerade heute?« erkundigte sich Phiops.

Isis zögerte einen Moment, antwortete dann aber unbesorgt: »Dir kann ich es ja sagen. Gestern hat eine Konferenz stattgefunden, in der Übereinstimmung darüber erzielt wurde, wer der Nachfolger Echnatons werden soll. So etwas muß ja frühzeitig festgelegt werden«, fügte sie in rührender Naivität hinzu. »Man hat sich auf Tut-ench-Aton geeinigt.«

Phiops gelang es nur unvollständig, sein Mienenspiel zu beherrschen. Nicht zuletzt, weil ihm wider Willen die Bemerkung entfuhr: »Erzähle bloß niemandem, daß du mir das gesagt hast!«

Isis sah ihn betroffen an. »Hätte ich das nicht tun dürfen?«

Um Zeit zu gewinnen, beugte Phiops sich über sie und gab ihr einen Kuß. »Ja und nein«, antwortete er verkrampft. »Wenn die Dinge liegen, wie du gesagt hast, wäre es nicht schlimm. Sollte aber mehr dahinterstecken, was ich zwar nicht glaube, als Möglichkeit aber ins Auge fassen muß, dann würde man, wenn man von unserem Gespräch erführe, bestimmt sofort versuchen, mich mundtot zu machen.«

Isis fuhr erschrocken zusammen.

»Sag also niemandem, daß du mich informiert hast«, erklärte er ihr nochmals, um sicherzustellen, daß sie über ihre unbedachte Äußerung keinesfalls mit ihrem Vater reden würde.

Ihre Augen glichen denen eines verwundeten Tieres. »Ich verstehe dich nicht. Wieso kann mehr hinter der Sache stecken?«

Er zog sie an sich. »Wäre es nicht möglich, daß hier Ränke geschmiedet werden? Wenn in einer Konferenz Einigkeit darüber erzielt wurde, wer der Nachfolger Echnatons werden soll, dann könnte ebenso Einigkeit darüber erzielt worden sein, denjenigen zu beseitigen, für den man einen Nachfolger gesucht und gefunden hat.«

Isis wurde aschgrau. »Wie kannst du so etwas sagen! Ein Amon-Priester würde solchem Plan niemals zustimmen!«

Phiops zweifelte nicht mehr daran, daß im Haus des Oberpriesters Ränke geschmiedet wurden. Doch das durfte er Isis nicht sagen. Er mußte ihr vielmehr schnellstens das Gefühl der Sicherheit zurückgeben, das er ihr in nüchterner Überlegung genommen hatte, um Zweifel in ihr zu wecken, die ihm helfen konnten, wenn ihr Vater sich gegen ihn stellen sollte. Und das war nach der Lage der Dinge anzunehmen. »Ich habe keinesfalls behauptet, daß ein Amon-Priester den von mir angedeuteten Plan ausführen würde«, entgegnete er und tippte auf Isis' Nasenspitze, um seinen Worten jede Wichtigkeit zu nehmen. »Als Offizier bin ich es nur gewohnt, viele Möglichkeiten zu erwägen; selbst solche, die unwahrscheinlich sind.«

Isis atmete erleichtert auf. »Ich muß schon sagen, du hast mich sehr erschreckt!«

»Was eigentlich beweist, daß du den Amon-Priestern doch einiges zutraust«, erwiderte er scherzend und küßte sie leidenschaftlich, um das verfängliche Thema bezüglich des Nachfolgers Echnatons endgültig zu verbannen.

Die Felsen des thebanischen Gebirges leuchteten bereits violett, und das Weiß des Tempels von *Der el-bahri* überzog sich mit einem blauen Schimmer, als Isis und Phiops den Nil erreichten, den sie in einer alten Felukke überquerten. Vorsorglich vermieden sie es, auf der Überfahrt miteinander zu sprechen, und als sie das Ostufer erreichten, gingen sie auseinander, als würden sie sich nicht kennen.

Isis schwelgte in Seligkeit. Sie liebte Phiops mit jener tiefen Inbrunst der ersten großen Liebe. Probleme der Gegenwart und Zukunft waren für sie in weite Ferne gerückt. Es zählten nur noch die Küsse und das Klopfen des Herzens, das zu zerspringen drohte. Am liebsten hätte sie ihre Verliebtheit hinausgeschrien.

Sie sehnte die Stunde herbei, da Phiops wieder, wie in der Nacht zuvor, hinter der Tamariske stehend den Ruf der Ibisse nachahmen und sie auf ihn zueilen würde, um ihn über den Ausgang ihrer Unterredung mit dem Vater zu informieren. Keine Sekunde dachte sie daran, daß ihr die Erfüllung ihres Wunsches verweigert werden könnte. Sie schwebte auf einer rosigen Wolke und sah nur noch den Himmel, der sich vor ihr aufgetan hatte.

Anders erging es Phiops, obgleich auch er über seine Liebe glücklich war. Ihm bereitete die Weiterentwicklung erhebliches Kopfzerbrechen, ganz zu schweigen von den Ränken, die offensichtlich im Haus des Oberpriesters Amosis geschmiedet wurden. So schnell wie möglich mußte er nach Achet-Aton zurückkehren und Echnaton informieren. Die Pflicht verlangte, daß er keine Zeit vergeudete. Seine Liebe aber fesselte ihn an Theben.

Er wollte eben das Ufer verlassen und eine Schenke aufsuchen, um seinen Durst zu stillen, als er in nicht allzu weiter Entfernung mehrere Boote mit schnellen Ruderschlägen auf eine knapp aus dem Wasser herausragende Sandbank zu steuern sah, auf der ein unförmiges Nilpferd stand, das gereizt schnaufte. Die in den Booten stehenden Männer schrien aus Leibeskräften, bis ihr Abstand von der Sandbank nur noch etwa zwanzig bis dreißig Meter betrug. Aus dieser Entfernung warfen sie plötzlich mit Steinen und Wurfhölzern nach dem Nilpferd, das mehrfach getroffen wurde und in eine wilde Raserei verfiel, sich dann jedoch unvermittelt ins Wasser stürzte und mit ruckartigen Bewegungen auf seine Angreifer losschwamm.

Gebannt schaute Phiops auf das vorderste der Boote, an dessen Bug ein breitschultriger, nur mit einem kurzen Schurz bekleideter Mann stand, der die Ruderer mit wütenden Flüchen zu äußerster Kraftanstrengung antrieb. Dabei ließ er das Nilpferd nicht aus den Augen, und als es sich unmittelbar vor seinem Boot befand, schleuderte er blitzschnell eine speerartige Harpune, an der sich ein Seil befand, in den Leib des Tieres.

»Heja, heja!« schrie er gleich darauf, und es sah aus, als wollte er auf das Nilpferd springen.

Sein Ruf ließ Phiops aufhorchen. Das ist doch Ramoses Stimme, durchfuhr es ihn.

Er täuschte sich nicht. Der verwegene Großwildjäger, der inzwischen das Seil ergriffen hatte und es zügig durch seine Hände gleiten ließ, um von dem plötzlich untergetauchten Tier nicht mitsamt der Mannschaft in die Tiefe gezogen zu werden, war tatsächlich sein ehemaliger ›Kep‹-Mitschüler Ramose, der als Hauptmann in Nofretetes Diensten stand.

Bewundernd blickte Phiops zu ihm hinüber. Nilpferdjagd, das paßte zu Ramose. Ohne Nervenkitzel konnte sein Kamerad nicht leben.

»Das Ungetüm kommt hoch!« schrie Ramose in diesem Moment und zerrte mit zwei Ruderern an der Leine, um den Abstand von dem Tier, das jeden Augenblick auftauchen mußte, zu verringern. Kaum aber wurde der Kopf des Nilpferdes sichtbar, da hatte er schon wieder eine Harpune in der Hand und schleuderte sie los.

Das Tier brüllte auf und verschwand erneut in den Fluten.

»Hat großartig geklappt!« frohlockte Ramose und ließ zum zweitenmal das Seil durch die Hände gleiten. »Oft wird das Monstrum nicht mehr hochkommen. Legt euch in die Riemen, wenn es soweit ist!«

Er täuschte sich. Ganz so schnell war das Nilpferd nicht zu überwältigen. Es tauchte noch sechs- oder siebenmal zum Luftholen auf, wurde aber jedesmal von einer weiteren Harpune getroffen, so daß es schließlich aus vielen Wunden blutend an Land gezogen werden konnte.

»Gratuliere!« begrüßte Phiops seinen Kameraden, als dieser schwer atmend aus dem Boot sprang. »Dein Mut ist wirklich imponierend.«

Hels breitschultriger und muskulöser Mann, dessen Nase an einen Raubvogel erinnerte, stutzte, als er Phiops erkannte. Über sein Gesicht glitt ein Schatten. Seine dunklen Augen wurden stechend, und seine ein wenig aufgeworfenen, sinnlichen Lippen spannten sich.

Phiops zwang sich, unbefangen zu lachen. »Du staunst wohl, mich hier zu sehen, was?«

Ramose fiel es sichtlich schwer, seine Verwirrung zu überwinden. »Bist du im Auftrage Seiner Majestät hier?«

Phiops schüttelte den Kopf. »Ihre Majestät hat mich gerufen.«

Sein Freund war wie erstarrt. »*Ihre* Majestät?«

»Jawohl, Ihre Majestät, meine Herzenskönigin!«

»Du Schuft!« brüllte Ramose und stieß Phiops vor die Brust. »Mich hereinzulegen! Dafür wirst du . . .«

». . . mich jetzt zu einem Umtrunk einladen«, kam Phiops ihm zuvor.

»Bei Toeris, dem trächtigsten aller Nilpferde: dir scheint es mächtig gut zu gehen.«

Phiops nickte. »Stimmt. Ich bin mit meiner Königin einig geworden. Es wird geheiratet!«

Ramose reichte seinem Kameraden die Hand. »Dann mußt auch du eine Runde zahlen!«

»Ehrensache!« erwiderte Phiops und schob den Gedanken fort, beiläufig zu erwähnen, daß er am Abend vor seiner Abreise mit Hel zusammengetroffen war.

Nach einem kurzen Weg, den sie plaudernd zurücklegten, erreichten sie ein Haus. Es war keine der üblichen Schenken. In durchgehenden, von Perlschnüren getrennten Räumen, die über kleine, unter der Decke gelegene Luftfenster verfügten, hielt sich eine Anzahl geschminkter, fast völlig unbekleideter junger Mädchen auf, die schmale Gürtel um die Hüfte trugen und sich bemühten, ihre Körper beim Gehen kokett zu verdrehen, wobei sie ihr Gesäß herausstreckten, was in besonders attraktiven Fällen den ungeteilten Beifall der Gäste auslöste, die auf Matten liegend Bier tranken und sich salben oder mit Blumen schmücken ließen.

»Na, wie gefällt es dir hier?« erkundigte sich Ramose, der Phiops mit hintergründigem Grinsen vor sich herschob. »Da drüben ist meine Ecke. Sie ist Tag und Nacht für mich reserviert.«

Hel scheint keineswegs übertrieben zu haben, dachte Phiops und antwortete achselzuckend: »Um ehrlich zu sein: in einer richtigen Kneipe würde ich mich wohler fühlen.«

Sein Kamerad feixte. »Ich weiß! Kenne dich ja schließlich. Aber heute hast du mich aufgefordert, dich zum Umtrunk einzuladen. Also bestimme ich. Später bist du an der Reihe. Nimm ruhig schon einige deiner Silberreifen vom Arm.«

»Einige?« fragte Phiops entgeistert.

Ramose lachte diabolisch. »Für zwei bekommst du hier gerade die Füße gekitzelt.«

Phiops ahnte, daß sein Freund sich einen zweifelhaften Spaß mit ihm erlauben wollte. Er entgegnete deshalb gelassen: »Du übertreibst das Vergnügen, das Weiber einem bereiten können. Im übrigen sehe ich hier nur Parasiten, die wie Flöhe im Fell von Hunden leben.«

Ramose überhörte den aggressiven Ton und ließ sich auf eines der für ihn reservierten Lager fallen. Dann klatschte er in die Hände und forderte Phiops auf, ebenfalls Platz zu nehmen.

Einige im wehenden Licht der Fackeln recht hübsch aussehende Mädchen eilten herbei.

»Kommt her!« begrüßte Ramose sie und schob vier seiner am Handgelenk baumelnden Silberreifen zum Oberarm hoch.

Die Mädchen traten kichernd an ihn heran und hielten ihre Hände unter seinen Arm.

Er ballte seine Hand zur Faust, und im nächsten Moment balgten sich die Mädchen um die Armreifen, die Ramose durch das Anspannen seiner Muskeln gesprengt hatte. »Das ist mein täglicher Einstand«, erklärte er protzend an Phiops gewandt.

»Ein Einstand, den der Hof bezahlt?«

Ramose lachte. »Nofretete ist großzügig.«

Phiops rieb sein Kinn. »Und wie wäre es jetzt mit einem Bier? Ich komme vom Hatschepsut-Tempel und vergehe vor Durst.«

»Sonst willst du nichts?«

Phiops schüttelte den Kopf.

»Du bist und bleibst ein Träumer«, erklärte Ramose belustigt. »Aber weshalb sich darüber erregen. Die Göttin Nut wird deinen Schlaf schon beschützen.«

Es war wie immer, wenn die beiden zusammentrafen. Sie waren grundverschieden, verstanden sich aber vielleicht gerade deshalb.

»Seit wann bist du in Theben?« erkundigte sich Ramose, nachdem das Bier, das am Tisch noch einmal geseiht wurde, gereicht worden war.

»Seit gestern«, antwortete Phiops.

»Und in der kurzen Zeit konntest du mit deiner Herzenskönigin alles regeln?«

Phiops strahlte. »Es war kein Problem, weil wir aufeinander gewartet hatten. Sie spricht jetzt mit ihrem Vater. Ich hoffe, ihn morgen aufsuchen zu dürfen.«

»Nervös?«

»Bis zum Abend bestimmt. Ich treffe mich dann mit ihr, um zu erfahren, wie ihr Vater die Geschichte aufgenommen hat.«

»Sie darf am Abend fortgehen?«

»Wo denkst du hin. Ich treffe sie hinter einer Tamariske ihres Gartens.«

Ramose verdrehte die Augen. »Wie romantisch!«

Phiops zuckte die Achseln.

Mit Flöten, Leiern, Harfen, Tamburins und Sistren ausgerüstete Spieler rückten heran und baten Ramose, ihnen zu sagen, was er hören wolle.

»Fragt lieber, *wen* ich hören will«, brüllte er wie ein Stier. »Ostris soll kommen!«

Er hatte es kaum gerufen, da schrien alle Gäste: »Ostris! Ostris! Ostris!«

»Wer ist das?« erkundigte sich Phiops.

Ramose spitzte die Lippen. »Eine begnadete Lautenspielerin, die angeblich niemanden an sich heranläßt. Aber da ist das letzte Wort noch nicht gesprochen. Das Nilpferd habe ich eigens ihretwegen erledigt. Sie behauptete nämlich, Toeris ließen sich nicht jagen.«

Die Gäste verstummten, und die Spieler bildeten eine Gasse, durch die ein Mädchen von unerhörter Schönheit schritt. Im Gegensatz zu den anderen trug sie einen schräg über die Schulter gelegten Schleier, der ihre Brüste verdeckte. Ihre tintenschwarze Perücke fiel in vielen Zöpfen über ihren Nacken. Als Schmuck trug sie eine taufrische Lotosblüte und einen silbernen Kamm im Haar. Ein vierreihiges Kollier aus Lapislazuli, Malachit, Amethyst und Karneol zierte ihren schlanken Hals. Ihre Ohren schmückten runde Goldscheiben, in denen das Licht der Fackeln wie ein Feuerwerk blitzte.

»Wenn sie spielt, wie sie aussieht, steht uns ein großer Genuß bevor«, sagte Phiops beeindruckt und hielt nach den Sängerinnen und Tänzerinnen Ausschau. Ostris begleitete aber weder Tanz noch Gesang. Sie untermalte mit ihrem Spiel ›Lebende Bilder‹, die von jungen Mädchen dargestellt wurden und großen Beifall erhielten.

Phiops hingegen konnte sich nicht begeistern. Was sollte es schon bedeuten, wenn über einem nackten Mädchen, welches sich so weit zurückbog, daß ihre Arme den Boden berührten, andere Mädchen ekstatische Bewegungen vollführten. ›Der Wind‹ wurde das Bild genannt, aber nur die von Ostris mit dem Plektron angeschlagene Laute war es, die den Wind in all seinen Phasen heraufbeschwor: vom Zephirsäuseln bis zum tobenden Orkan.

»Ein hübsches Mädchen und eine große Künstlerin«, gab Phiops unumwunden zu, als die Lautenspielerin nach tosendem Applaus gegangen war. »Ich freue mich, sie erlebt zu haben, und ich hoffe, daß du es mir jetzt nicht verübelst, wenn ich mich verabschiede.«

Ramose grinste. »Du tust mir damit sogar einen Gefallen. Das Sündigen macht in Gegenwart eines Heiligen nämlich wenig Spaß. Aber wollen wir uns nicht einmal über Tag treffen?«

»Gerne«, antwortete Hauptmann Phiops erleichtert. »Ich befürchte nur, daß ich keine Zeit finden werde. Ich möchte so schnell wie möglich zurückreisen, damit mir ein paar Urlaubstage zum Herrichten der Wohnung verbleiben.«

»Dann kann ich dir nur alles Gute wünschen«, entgegnete sein Kamerad. »Du solltest mir aber noch sagen, wie deine Herzenskönigin heißt.«

»Isis«, erwiderte Phiops mit weicher Stimme. »Sie ist die Tochter des hiesigen Amon-Oberpriesters.«

Ramose starrte ihn entgeistert an. »Du willst die Tochter von . . .« Er unterbrach sich, da er den Fehler erkannte, den er beinahe gemacht hatte. »Die Tochter eines Amon-Priesters willst du heiraten?«

»Warum nicht?« antwortete Phiops belustigt.

»Ja, warum nicht«, entgegnete Ramose, den Versonnenen spielend. »Amon-Gläubige sind schließlich auch Menschen. Grüß Isis also von mir und sage ihr, daß ich mich darauf freue, sie kennenzulernen.«

Während Hauptmann Phiops der ›Herberge zur Doppelkrone‹ entgegenstrebte, suchte Isis, deren Herz nun doch etwas schneller klopfte, ihren Vater auf, der in seinem Arbeitsraum eine Papyrusrolle studierte, die ihm kurz zuvor gebracht worden war.

»Was gibt es?« fragte er gut gelaunt, als er sah, daß ihn nicht irgendwer, sondern Isis in seiner Tätigkeit unterbrach.

»Ich muß dich sprechen, Vater«, erklärte sie formell.

Der Oberpriester horchte auf. »So feierlich?«

Sie nickte. »Es bedrückt mich, daß ich dir heute morgen nicht die Wahrheit gesagt habe.«

»Du hast mich belogen?«

Isis war es zumute, als schnüre sich ihre Kehle zu. »Ja«, antwortete sie mutig. »Und zwar, als du mich fragtest, ob ich, wie Königin Hatschepsut, einen Geliebten hätte. Den habe ich natürlich nicht«, fügte sie hastig hinzu, als ihr Vater sie entsetzt anstarrte. »Ich verschwieg dir jedoch, daß ich einen Mann liebe, der um meine Hand anhalten will. Wir lieben uns sehr und sind der Meinung, daß uns das Schicksal und nicht der Zufall zusammengeführt hat.«

Oberpriester Amosis brachte sekundenlang kein Wort über die Lippen. Sein mächtiger Bauch, von dem der Schurz wie gewöhnlich hinabgerutscht war, hob und senkte sich. »Ich kenne den Mann?« fragte er, nachdem er sich vom ersten Schrecken erholt hatte.

Isis schüttelte den Kopf.

»Er ist kein Priester?«

»Nein.«

Ihr Vater straffte sich wie jemand, der unter einer niederschmetternden Nachricht nicht zusammenbrechen will.

»Er ist Hauptmann«, erklärte Isis leise. »Hauptmann der Leibgarde Echnatons.«

Die Hände des Oberpriesters ballten sich. »Was hast du da gesagt?« schrie er wie von Sinnen und raste auf seine Tochter los. »Einen Ketzer willst du heiraten?« Er faßte sie bei der Schulter und schüttelte sie, daß ihr Kopf vor und zurück flog. »Den Glauben deiner Väter willst du aufgeben?«

»Nein!« rief sie. »Das würde ich niemals tun. Wir sind übereingekommen, daß jeder den Glauben des anderen achtet.«

Die Augen ihres Vaters brannten. Seine Lippen bebten und formten seltsame Sätze. »Heute ist der siebzehnte Choiak. Gut und böse regieren. Das Böse hat sich soeben zu erkennen gegeben. Wo ist nun das Gute? Ich muß es finden. Ich muß!« schrie er und rief im nächsten Moment mit unglaublicher Zungenfertigkeit Worte von abenteuerlichem Klang, die geheimnisvolle Kräfte wecken sollten: »Paparuka, paparuka! O Schauagateenagate! O Erukate! O Kauaruschagate! O Chum, Spender von Nil- und Quellwasser! Komm zu mir, du Bild von millionenmal Millionen!«

Isis bemühte sich, die Worte ihres Vaters nachzusprechen, bis er ihr unvermittelt zu schweigen gebot.

»Amon hat mich erleuchtet!« rief er erregt und massierte seinen glattrasierten Schädel. »Das Gute hat sich zu erkennen gegeben. Alles wird einfach werden. Die Zeit wird nunmehr wie ein Gepard hinter der Gazelle herrasen.«

Isis sah ihn verständnislos an.

Der Hauptmann der Leibgarde kommt mir wie gerufen, dachte Amosis zufrieden und legte den Arm um seine Tochter. In seinen Augen erlosch das beängstigende Feuer. Seine Stimme bekam einen weichen Klang. »Wenn ihr übereingekommen seid, daß jeder von euch den Glauben des anderen achtet, dann ist gegen eure Eheschließung nichts einzuwenden. Im Gegenteil, es könnte sogar außerordentlich bedeutungsvoll sein, wenn du, die Tochter des Amon-Oberpriesters, den Hauptmann der Leibgarde Echnatons heiratest. Wäre das nicht ein Symbol der Versöhnung zwischen Amon- und Aton-Gläubigen?«

»Du bist damit einverstanden, daß ich Phiops heirate?« rief Isis beglückt.

Ihr Vater lächelte. »Phiops heißt der Auserwählte?«

Sie umarmte ihn.

Er streichelte ihre Wange. »Versteh mich nicht falsch, Isis, aber ich habe nicht erklärt, daß ich einverstanden bin. Ich sehe nur die Möglichkeit, meine Einwilligung zu geben, werde meine Entscheidung jedoch nicht treffen, ohne zuvor Erkundigungen über Hauptmann Phiops eingezogen zu haben. Bis morgen wirst du dich also schon gedulden müssen.«

Isis gab ihrem Vater voller Seligkeit einen Kuß. Im nächsten

Moment aber dachte sie verwirrt: Bis morgen? Wie kann ein Amon-Oberpriester innerhalb eines einzigen Tages eine Auskunft über den Hauptmann der Leibgarde Echnatons erhalten? Das unverhoffte Glück verdrängte diese Überlegung jedoch und ließ Isis an Phiops denken, der sie gewiß heiß küssen würde, wenn er erfuhr, was sie bei ihrem Vater erreicht hatte.

Die Zeit verging ihr nun nicht mehr schnell genug, und als die ausgelaufene Wassermenge der Nachtuhr* ihr anzeigte, daß seit Sonnenuntergang zwei Stunden vergangen waren, da unternahm sie mit ihrer Freundin einen Spaziergang durch den vom Mondlicht erhellten Garten, in dem Phiops sie bereits hinter der vereinbarten Tamariske erwartete.

»Ich bin ja so glücklich«, frohlockte sie, als er seine Arme um sie legte. »Mein Vater wird uns keine Schwierigkeiten bereiten. Er ist mit unserer Heirat einverstanden, sofern ihm eine gute Auskunft über dich erteilt wird, die er bis morgen erhalten wird.«

Phiops glaubte seinen Ohren nicht trauen zu dürfen. »Bis morgen?« fragte er ungläubig.

Isis stutzte. Auch ihr hatte sich diese Frage aufgedrängt. »Ja«, antwortete sie unsicher. »Er sagte ungefähr wörtlich: Ich werde meine Entscheidung treffen, sobald ich über Hauptmann Phiops Erkundigungen eingezogen habe. Bis morgen wirst du dich also schon gedulden müssen.«

Phiops blickte nachdenklich vor sich hin. »Schildere mir eure Unterhaltung vom Anfang bis zum Ende«, erwiderte er schließlich. »Jedes Wort ist wichtig.«

Sie entsprach seinem Wunsche, doch als sie endete, wußte Phiops immer noch nicht, wie er die Reaktion ihres Vaters deuten sollte. Es wollte ihm nicht in den Kopf, daß der Oberpriester der Amon-Gemeinde von einer Versöhnung mit Aton-Gläubigen träumte und aus ebendiesem Grunde bereit sein sollte, seine Tochter dem Hauptmann der Leibgarde Echnatons zur Frau zu geben. Irgend etwas stimmte da nicht. Sie mußten auf der Hut

---

* Die Tageszeit lasen die alten Ägypter an den auch uns geläufigen Sonnenuhren ab. Die Bestimmung der Nachtzeit erfolgte mit Hilfe steinerner Becken, aus denen Wasser durch ein feines Loch abfloß. Es ›verrannen‹ die Stunden.

sein. Wie aber sollte er Isis das ausgerechnet in einem Augenblick klarmachen, da die Großzügigkeit ihres Vaters eine Welle der Dankbarkeit in ihr ausgelöst hatte. Mit jedem Wort der Warnung, das er an sie richtete, lief er Gefahr, als mißtrauischer Störenfried angesehen zu werden. Doch er mußte sprechen. Im Hinblick auf das, was in den nächsten Tagen eintreten konnte, durfte er seine Gedanken nicht für sich behalten. Er mußte behutsam vorgehen. Nach kurzer Überlegung sagte er: »Niemals hätte ich es für möglich gehalten, daß ein Amon-Priester so über den Dingen stehen kann. Wir wollen uns aber nicht zu früh freuen, da die Möglichkeit nicht von der Hand zu weisen ist, daß dein Vater eine schlechte Auskunft über mich erhält.«

»Das glaubst du doch selber nicht«, widersprach Isis lachend.

»Du täuschst dich«, entgegnete er mit Nachdruck. »Ich bin in Theben völlig unbekannt, und es kann durchaus sein, daß dein Vater eine unzulängliche Auskunft bekommt. Laß dann den Kopf nicht hängen. Im übrigen ist meine Befürchtung ebenso theoretisch wie die Überlegung, die ich heute nachmittag hinsichtlich der Beseitigung Echnatons anstellte. Ich bin eben sehr skeptisch und erwäge selbst die unwahrscheinlichsten Dinge. Dann bin ich wenigstens nicht enttäuscht, sondern gewappnet, wenn etwas schiefgeht.«

Phiops sagte dies alles, um zu erreichen, daß Isis sich an seine Worte erinnerte und ihrem Vater nicht bedingungslos glaubte, wenn Komplikationen eintreten sollten.

Entsprechend der mit Isis getroffenen Vereinbarung, sich am nächsten Tag aus taktischen Gründen nicht zu treffen, sondern zunächst die Entscheidung ihres Vaters abzuwarten, über die sie ihm unverzüglich einen Bescheid zukommen lassen wollte, begab Phiops sich zum Aton-Tempel, um ›Gottvater‹ Eje seine Aufwartung zu machen. Der geehrte Aton-Oberpriester ließ sich jedoch, wie Phiops einwandfrei feststellen konnte, verleugnen. Das hatte zur Folge, daß Phiops auf dem Rückweg zur Herberge über das unerklärliche Verhalten des Würdenträgers nachgrübelte und sich daran erinnerte, wie sehr Isis sich empört hatte, als sie erfuhr, daß Eje, der freundschaftlich mit ihrem Vater verkehrte, als der erste Vorkämpfer gegen den Amon-Glauben angesehen werden mußte.

Eje ist verlogen, schoß es Phiops durch den Kopf. Und niemand anders als er ist es, der Amosis über alles informiert. Wahrscheinlich, um sich rückzuversichern. Bei ihm laufen die Fäden zusammen. Wenn er sich vor mir verleugnen läßt, dann bestimmt, weil er keine gute, sondern eine schlechte Auskunft über mich erteilt hat. Für Phiops stand es plötzlich fest, daß die von ihm befürchtete Komplikation bereits eingetreten war. Er wunderte sich deshalb kaum noch darüber, daß er bis zum Sonnenuntergang keine Nachricht von Isis erhielt.

Ihr Vater wird sie mit irgendwelchen Ausreden hinhalten, überlegte er und nahm sich vor, sie bei nächster Gelegenheit zu überreden, unverzüglich und ohne väterlichen Segen seine Frau zu werden.

Es kam jedoch zu keinem erneuten Treffen, obwohl ein solches vorsorglich für zwei Stunden nach Sonnenuntergang verabredet worden war. Die Tamariske sollte wieder der Treffpunkt sein, aber noch bevor Phiops den Garten erreichte, erkannte er, daß etwas Außergewöhnliches geschehen sein mußte. Überall bewegten sich Fackeln wie suchend durch das Gelände, und als er näher kam, bemerkte er, daß die zum Ufer gelegene Mauer von zwei Männern bewacht wurde.

Seine Gedanken überschlugen sich. Die Dinge lagen wesentlich schlimmer, als er es befürchtet hatte. Sie mußten verraten worden sein; denn es war unwahrscheinlich, daß Isis den nächtlichen Treffpunkt preisgegeben hatte.

Was sollte er tun? Den Oberpriester aufsuchen und offen mit ihm reden? Wenn Eje gegen ihn gesprochen hatte, und daran war nicht zu zweifeln, mußte das zu einer Niederlage führen.

Eine diabolische Vorstellung drängte sich Phiops auf. Allem Anschein nach hatte Isis' Vater gehofft, mit einem Schwiegersohn, dem die Sicherheit Echnatons anvertraut war, gewisse Pläne beschleunigen zu können. Welche Ernüchterung mußte es für den Oberpriester gewesen sein, als er erfuhr, daß er sich falsche Hoffnungen gemacht hatte. Phiops hörte Eje förmlich sagen: Bist du wahnsinnig geworden, Amosis? Ich kenne den Hauptmann. Er ist ein getreuer Gefolgsmann Echnatons und wird uns nach dem Leben trachten, wenn er erfährt, was wir vorhaben. Schicke ihn den Nil hinunter, bevor es zu spät ist!

Ich werde den Nil hinunterfahren, dachte Phiops grimmig. Aber mit Isis und in der Absicht, der hiesigen Verschwörerbande das Handwerk zu legen.

Doch wie sollte er an Isis herankommen? Er ersann die verschiedensten Pläne, verwarf sie aber immer wieder, bis er einen Weg entdeckt zu haben glaubte, der seine Geliebte nicht gefährden konnte. Von diesem Augenblick an zögerte er nicht lange. Noch in der gleichen Stunde leitete er die ersten Schritte ein.

»Komm mit in den Hof«, forderte Phiops den einäugigen Wirt der ›Herberge zur Doppelkrone‹ auf, als er in sein Quartier zurückkehrte. »Und bitte Suti, uns Bier zu bringen.«

»Wird erledigt, Hauptmann«, antwortete der ehemalige Soldat. »Ich komme sofort.«

Phiops begab sich in den Garten, wo er sich auf eine der Pritschen unter dem Feigenbaum warf. Durch das sich schwarz gegen den seidigen Mondhimmel abhebende Blattgewirr schimmerten nur wenige Sterne.

Jetzt möchte ich ein Kheft sein und unbemerkt in das Haus des Oberpriesters eindringen können, dachte er und grübelte über sein weiteres Vorgehen nach, bis Suti sich ihm mit zwei Bechern näherte.

»Heute warst du aber lange bei Isis«, begrüßte sie ihn mit einem vorwurfsvollen Unterton in der Stimme.

»Leider irrst du dich«, erwiderte Phiops und wies neben sich. »Setz dich. Ich muß etwas mit euch besprechen.«

Der Wirt kam hinzu und ließ sich von Suti seinen Becher reichen. »Auf dein Wohl, Hauptmann.«

»Das kann ich gebrauchen«, entgegnete Phiops. »Etwas Beängstigendes ist passiert. Die Tochter des Oberpriesters darf allem Anschein nach ihr Elternhaus nicht mehr verlassen. Wir hatten verabredet, uns im Garten zu treffen. Dort aber lauerten Männer auf mich. Ich habe sie glücklicherweise noch rechtzeitig bemerkt.«

Der Einäugige nestelte an seiner Binde. »Ihr wollt heiraten?«

»Ja.«

»Und Amosis ist dagegen?«

»Es sieht so aus. Ich habe zwar keinen Beweis dafür, vermute jedoch, daß er seine Tochter daran hindert, mit mir in Verbindung zu treten.«

»Und was willst du tun?«

Phiops versuchte den Gesichtsausdruck des ehemaligen Soldaten zu ergründen. »Kann ich mich auf dich verlassen?«

»Ich gebe dir mein Wort.«

»Dann möchte ich zunächst einmal wissen, ob du einen der Lieferanten kennst, die den Haushalt des Oberpriesters mit Nahrungsmitteln versorgen.«

»Die kennen wir alle«, kam Suti dem Wirt zuvor. »Und ich kann mir schon denken, was du vorhast. Es sollen keine Nahrungsmittel mehr geliefert werden. Du willst den Oberpriester aushungern.«

Phiops mußte lachen. »So glänzend deine Idee ist, die Geschichte würde zu lange dauern. Mein Plan ist anders. Ich möchte, daß du im Auftrage von einem der Lebensmittelhändler Ware in das Haus des Oberpriesters bringst und dabei versuchst, entweder Isis oder jene alte Magd zu sprechen, die neulich den Bescheid brachte, ich solle in den Garten gehen und dort den Schrei der heiligen Vögel nachahmen.«

»Dafür bin ich gut genug«, entgegnete Suti schmollend. »Die andere aber nimmst du in die Arme.«

»Halte deinen Mund!« fuhr der Wirt sie ärgerlich an. »Der Hauptmann will nun mal die andere zur Frau.«

»Dabei kenne ich ihn viel länger«, maulte Suti verständnislos.

Phiops ergriff ihre Hand. »Du wirst mich doch jetzt nicht im Stich lassen?«

Sie warf ihren Kopf in den Nacken. »Sehe ich aus wie ein Schankmädchen? Sag mir lieber, was ich deiner Isis beziehungsweise der alten Magd ausrichten soll.«

Phiops drückte ihr die Hand. »Sie sollen dir erzählen, was geschehen ist. Vor allen Dingen muß ich wissen, ob Isis das Haus verlassen kann oder nicht. Wie immer die Verhältnisse aber auch liegen mögen, erkläre unmißverständlich, daß du wiederkommen wirst und daß ich Isis befreien werde, falls sie mit mir nach Achet-Aton fliehen will. Ist das klar?«

Suti nickte mit trauriger Miene. »Mir wäre es lieber, wenn du mich rauben würdest. Aber du kannst dich auf mich verlassen.«

Zwei Tage vergingen, bis die Dinge so weit geregelt waren, daß Suti das Haus des Amon-Oberpriesters aufsuchen konnte. Sie hatte einen billigen Schurz und einen ausgefransten, capeartigen Schulterkragen angelegt, der nur knapp über ihre Brust reichte. Anstelle ihrer Perücke bedeckte ein schäbiges Wolltuch ihr Haupt, welches ihr Gesicht seitlich so verbarg, daß ihr Profil nicht zu sehen war. Auf dem Kopf trug sie einen schlanken Krug.

Wenn Suti auch nicht befürchtete, irgend etwas falsch zu machen, so war sie doch ziemlich aufgeregt, als sie das Haus des Oberpriesters erreichte, vor dessen Haupt- und Nebeneingang je ein Posten Wache hielt. Im Geiste sah sie Phiops vor sich, der ihr eingeschärft hatte, wie sie sich verhalten sollte.

Seit zwei Tagen schon wartete der Hauptmann vergeblich auf eine Nachricht oder ein Lebenszeichen von Isis. Mehrere Versuche, in die Nähe ihres Hauses zu gelangen, waren gescheitert. Er flehte deshalb Aton an, Suti beizustehen und sie unbehelligt zurückkehren zu lassen.

Hätte Phiops hören können, mit welch frecher Antwort seine kesse Landsmännin einen Wächter beschied, der von ihr wissen wollte, in wessen Auftrag sie komme, dann würde er sich keine Sorge mehr gemacht haben.

Es war wirklich erstaunlich, mit welcher Sicherheit Suti ihren Auftrag erfüllte. Dabei kam ihr freilich zugute, daß sie den Weg, den sie innerhalb der Besitzung des Oberpriesters zurückzulegen hatte, genau kannte, da die Gebäude der hochgestellten Persönlichkeiten alle den gleichen Grundriß besaßen. Vom Dienstboteneingang brauchte sie sich nur nach rechts zu wenden, um in den Hof mit den Getreidesilos zu gelangen, die wie riesige Termitenhügel aussahen. Schritt sie dann nach Überquerung des etwa dreißig Meter langen Hofes links durch ein Tor, so befand sie sich im Wirtschaftsflügel des Hauses, in dem sie die alte Magd finden mußte, die Isis am ersten Abend in die Herberge geschickt hatte. Und Suti hatte Glück. Noch ehe sie das Tor zum Wirtschaftstrakt erreichte, sah sie die Alte am Ende des Hofes im Schatten eines Schuppens sitzen.

»Nanu«, wandte sie sich anzüglich an die an einem Bastkorb flechtende Magd. »Erwartet hier jemand ein Kind, das im Körbchen den Nil hinuntergeschickt werden soll?«

»Halt dein schändliches Maul!« erwiderte die Alte böse. »Wir sind ein anständiges Haus und verfügen über keinen Harem.«

»Dafür habt ihr aber eine Tochter, deren Liebhaber du heimliche Botschaften überbringst«, konterte Suti augenblicklich.

Die Magd ließ vor Schreck ihre Arbeit fallen.

»Schnell, wo steckt die Tochter?« drang Suti auf sie ein.

Die verarbeiteten Hände der Alten zitterten. »Was willst du von ihr?«

Suti trat dicht an sie heran. »Diesmal bin ich es, die eine heimliche Botschaft überbringt. Ist Isis im Hause?«

»Ja. Sie ist todunglücklich und weint sich die Augen aus.«

»Kann sie sich frei bewegen?«

»Nur innerhalb der Gebäude. In den Garten darf sie nicht. Überall sind Wächter aufgestellt. Es ist eine Schande. Aber der Mann, den sie liebt, soll ja ein Ketzer sein.«

»Das ist nicht wahr!« erklärte Suti auf der Stelle, um religiöse Bedenken im Keime zu ersticken. »Kannst du Isis holen?«

Die Augen der Alten flackerten. »Ich weiß nicht . . .«

»Wenn du sie nicht augenblicklich herholst, erfährt der Oberpriester von deinem unerlaubten Gang zur Herberge«, drohte Suti unnachsichtig.

»Aber ich weiß doch nicht . . .«

»Tu, was ich dir sagte«, kommandierte Suti rücksichtslos. »Und zwar sofort! Ich liefere inzwischen die Milch ab und verstecke mich dann hinter dem zweiten Getreidespeicher.«

Die Magd murmelte unverständliche Worte, erhob sich jedoch und schlurfte davon.

Wenn ich weiterhin so viel Glück habe, wird Phiops zufrieden sein, dachte Suti und begab sich in den Wirtschaftsflügel, in dem niemand Anstoß daran nahm, daß der Händler eine neue Magd geschickt hatte. Nach Ablieferung der Milch kehrte sie in den

Hof zurück und stellte sich hinter den Getreidesilo, dessen runde Form ihr die Möglichkeit bot, selbst dann unentdeckt zu bleiben, wenn jemand den Hof passieren sollte. Sie brauchte nur um den Speicher herumzugehen.

Es dauerte nicht lange, da erschien Isis und eilte auf das ihr bezeichnete Versteck zu.

»Hier!« zischte Suti und streckte einen Arm vor.

Isis sah sie aus großen Augen an. Ihr Atem ging schnell und verriet, daß sie gelaufen war. »Du kommst von Phiops?«

Suti nickte. »Der Hauptmann möchte wissen, was geschehen ist.«

»Wie soll ich das so schnell erklären?« erwiderte Isis nervös. »Sag ihm, ich befürchte, daß die von ihm angestellten Überlegungen der Wahrheit nahe kommen. Mein Vater führt zur Zeit viele staatspolitische Besprechungen. Ich bin verzweifelt und würde fliehen, wenn ich könnte. Der Weg ist mir jedoch versperrt. Sogar meine Freundin wird widerrechtlich festgehalten.«

»Sei unbesorgt«, entgegnete Suti aufmunternd. »Der Hauptmann hat mich beauftragt, dir zu versichern, daß er dich befreien wird, wenn du mit ihm nach Achet-Aton fliehen willst.«

»Und ob ich will!« frohlockte Isis.

»Leise!« warnte Suti vorwurfsvoll. »Und laß dir nicht anmerken, daß du eine gute Nachricht erhalten hast. Dein Vater würde sofort hellhörig werden.«

Isis umarmte Suti. »Gut, daß du mich darauf aufmerksam machst. Ich hätte bestimmt nicht daran gedacht. Doch wie soll es weitergehen?«

»Ich komme übermorgen um die gleiche Zeit wieder. Morgen geht es nicht, weil ihr nur alle zwei Tage Milch erhaltet. Wenn du mich siehst, versteckst du dich am besten sofort hinter diesem Speicher.«

»Und wie will Phiops mich befreien?«

Suti zuckte die Achseln. »Mach dir darüber keine Gedanken. Der Hauptmann weiß schon, was er tut. Aber jetzt muß ich laufen.«

Isis hielt Suti zurück. »Ich ahne, wer du bist. Phiops sprach einmal so nett von dir, daß ich eifersüchtig wurde. Diese Gefahr ist nun gebannt, und ich bitte dich, ihm einen Kuß zu überbringen, den ich dir geben möchte. Darf ich?«

Suti strahlte. »Dann muß der Hauptmann sich ja endlich einmal von mir küssen lassen!«

Phiops Niedergeschlagenheit wich mit einem Schlage, als Suti zurückkehrte und von ihrem Erfolg berichtete. Isis' Bereitschaft, ihm bedingungslos zu folgen, ließ ihn binnen weniger Minuten alles mit anderen Augen ansehen. Der Tag war für ihn plötzlich voller Farbe, und keinen Moment zweifelte er mehr daran, daß es ihm gelingen würde, seine Geliebte heimlich zu entführen. Aber wie sicher er seiner Sache auch war, er nahm nichts auf die leichte Schulter. Jede Kleinigkeit bedachte er, und nachdem er mit Suti alles besprochen und beim Wirt seine Verbindlichkeiten geregelt hatte, tat er Dinge, die seltsam anmuteten.

So gab er am nächsten Morgen seinem Steuermann den Auftrag, das Boot startbereit zu machen, da er Theben noch am Nachmittag verlassen müsse.

»Für eine Fahrt nach Achet-Aton ist das die schlechteste Auslaufzeit«, knurrte der Schiffer unwillig.

»Du tust, was ich dir sage!« wies Phiops ihn zurecht und fügte absichtsvoll hinzu: »Ich würde mich nicht einmal scheuen, noch kurz vor Sonnenuntergang abzulegen, wenn ich damit dem hiesigen Amon-Oberpriester ein Schnippchen schlagen könnte.«

Der eben noch ärgerlich dreinblickende Steuermann strahlte. »Wenn die Dinge so liegen, lichte ich sogar nachts den Anker.«

Phiops klopfte ihm auf die Schulter. »Ich rate dir aber dringend, dafür zu sorgen, daß die Kajüte sauber ist!«

Das vernarbte Gesicht des Schiffers wirkte plötzlich lüstern. »Wir bekommen Besuch?«

Phiops zuckte die Achseln. »Zunächst einmal wird ein Paket gebracht werden. Leg es in die Kajüte, damit niemand darüber stolpert.«

Nach dieser Anweisung verließ Phiops das Boot und setzte mit einer Felukke zum Westufer über. Von dort aus ritt er auf einem gemieteten Esel zum Palast Amenhotep III., um Ramose aufzusuchen, der dort wie ein Fürst residierte. Phiops traf seinen Kameraden jedoch nicht an und ließ ihm ausrichten, daß sich seine Hoffnungen leider nicht erfüllt hätten. Er trete deshalb noch an diesem Tage die Rückreise nach Achet-Aton an und bedaure, sich nicht persönlich verabschieden zu können.

Phiops hätte nicht anzugeben vermocht, warum er Ramose falsch informierte. Es war eine Vorsichtsmaßnahme, die er ergriff, weil er sich nicht erklären konnte, woher der Oberpriester seinen mit Isis vereinbarten Treffpunkt kannte. Sie und ihre Freundin waren bestimmt nicht so dumm gewesen, dieses Geheimnis preiszugeben. Er selbst aber hatte Ramose gegenüber erwähnt, daß er sich mit seiner Herzenskönigin im Garten ihres Vaters hinter einer Tamariske treffen wollte. Wenn Nofretete den Oberpriester aufsuchte, bestand auch die Möglichkeit, daß Ramose mit diesem zusammentraf.

Weitere Überlegungen gestattete Phiops sich nicht. Sein Kamerad war ein ›Sohn des Kep‹, und es kam einem Treuebruch gleich, anzunehmen, daß ein Mitglied dieser Elitegruppe Unrechtes tat. Aber war es nicht ein ›Sohn des Kep‹ gewesen, der den Gesandten des babylonischen Königs kurz vor Nofretetes Abreise ermordet hatte?

Nur nicht denken, beschwor sich Phiops, der sich wie gerädert fühlte, als er am Nachmittag in die ›Herberge zur Doppelkrone‹ zurückkehrte und eine Kleinigkeit aß. Suti bediente ihn und schilderte ihm belustigt, welche Anstrengungen der Steuermann unternommen hatte, um ihr zu gefallen.

»Hat er das Paket auch gleich in die Kajüte gelegt?« erkundigte sich Phiops.

»Das habe ich selber getan«, antwortete sie verschmitzt. »Ich wollte doch sehen, wo ihr euch demnächst aufhaltet.«

Wenig später verabschiedete sich Hauptmann Phiops von Suti, der er zwei Silberreifen schenkte, die sie nunmehr widerspruchslos entgegennahm. Dann begab er sich zu seinem Boot, wo ihm der Steuermann erwartungsvoll entgegenblickte.

»Wir segeln los«, sagte er ihm. »Und zwar unmittelbar am Ufer entlang, damit uns jeder sieht. Ist das klar?«

»Wie zweimal geseihtes Bier«, antwortete der Schiffer und brüllte Kommandos, als gelte es eine Galeere in Bewegung zu setzen.

Das wichtigtuerische Gehabe des Steuermannes kam Phiops gelegen. Er hoffte, daß seine Ausfahrt dem Oberpriester zur Kenntnis gebracht würde. Deshalb kletterte er auch nach dem Ablegen auf das Dach der Kajüte, um von jedem gesehen zu werden. Wie weit sein Täuschungsmanöver glückte, wußte er nicht. Er führte es eigentlich nur als zusätzliche Sicherheitsmaßnahme durch. In erster Linie ging es ihm darum, das Schiff aus Theben herauszubringen.

Da der Steuermann nach der vorhergegangenen Unterredung mit keinem normalen Fahrverlauf rechnete, nahm er es gelassen hin, als Phiops nach etwa einer Meile auf einen Palmenhain deutete und erklärte: »Wenn wir dort anlegen, sind wir zwar noch nahe bei der Stadt, können wegen des hinter uns liegenden Nilbogens jedoch nicht mehr gesehen werden.«

Der Schiffer wies auf einige fette Krokodile, die am Ufer lagen. »Hoffentlich stören die dich nicht, Hauptmann.«

Phiops lachte. »Ich will doch nicht baden.«

Der Steuermann grinste.

»Los, leg an.«

Die etwa sechs bis sieben Meter langen Krokodile flüchteten, als das Boot beidrehte.

»Und was geschieht, wenn wir Anker geworfen haben?« fragte der Steuermann neugierig.

»Das wirst du schon sehen«, antwortete Phiops und begab sich in seine Kajüte, aus der er wenig später völlig verändert aussehend zurückkehrte. Seine schmucke Offizierperücke hatte er abgelegt, und die Nacktheit seines kahlen Schädels konnte ein auf seinem Kopf liegendes Tuch nur dürftig verdecken. Anstelle des plissierten Shentis trug er einen einfachen Schurz. »Bin ich noch wiederzuerkennen?« fragte er und ahmte den schwerfälligen Gang der Arbeiter aus den Steinbrüchen nach.

Die Bootsleute klatschten Beifall. »Großartig, Hauptmann! Du könntest dein Geld als Schauspieler verdienen!«

»Im Augenblick habe ich andere Sorgen«, entgegnete Phiops. »Man hat das Mädchen, das ich heiraten möchte, gegen seinen Willen eingesperrt, und ich habe mich entschlossen, es zu befreien. Morgen um die zehnte Stunde soll das geschehen. Unmittelbar danach werde ich mit ihr am Nil entlang hierherlaufen. Wenn ich meiner Sache auch sicher bin, so möchte ich doch, daß zwei von euch uns auf etwa halbem Wege erwarten, um uns beizustehen, falls etwas Außergewöhnliches eintreten sollte.«

»Das Kommando übernehme ich«, krächzte der Steuermann.

»Du bleibst bei deinem Boot«, erklärte Phiops unmißverständlich. »Schließlich bist du der einzige, der uns sicher nach Achet-Aton bringen kann.«

Dieser Feststellung mochte der Schiffer nicht widersprechen, und so verabschiedete er Hauptmann Phiops mit der Zusicherung, ihm zwei seiner Männer entgegenzuschicken und das Boot in ständiger Auslaufbereitschaft zu halten.

Die Nacht brach urplötzlich herein, als Phiops das Haus des Amon-Oberpriesters erreichte, das er eigentlich nur aufsuchte, um für eine Weile das Gefühl zu haben, in der Nähe von Isis zu sein. Deutlich hoben sich die Umrisse des Gebäudes und der es umgebenden Mauer gegen den sternübersäten Himmel ab.

Phiops trat eben hinter ein Buschwerk auf der gegenüberliegenden Straßenseite, als jenseits der Mauer der Schein einer Fakkel auftauchte, der sich langsam dem Haupteingang näherte.

Amosis wird Gäste erwarten, dachte Phiops, der sich an Isis' Hinweis über die Konferenzen ihres Vaters erinnerte.

Das vor ihm liegende Gelände war gut zu überschauen, und es dauerte nicht lange, bis Pferdegetrampel laut wurde. Gleich darauf hielt vor dem Eingang des Hauses ein von zwei Fackelträgern begleiteter Wagen, dem mehrere Personen entstiegen. Die Silhouetten ihrer steif abstehenden Shentis und weiten Schulterkragen wiesen sie als hochgestellte Persönlichkeiten aus. Phiops glaubte einen Augenblick lang Ramose zu erkennen, doch dann wandte sich der Betreffende zur Seite und verlor jede Ähnlichkeit mit dem ehemaligen ›Kep‹-Mitschüler.

Ich muß mich getäuscht haben, sagte sich Phiops. Je länger er aber über alles nachgrübelte, was er in Theben gehört und gesehen hatte, um so naheliegender erschien es ihm, daß sein Kamerad im Hause des Amon-Oberpriesters verkehrte. Die sich daraus ergebenden Rückschlüsse waren ihm jedoch so zuwider, daß er sich jede weitere Überlegung verbat.

Trotzdem gelang es Phiops nur dürftig, Ramose aus seinen Gedanken zu verbannen. Immer wieder meinte er, sein Gesicht im flackernden Fackellicht vor sich zu sehen. Nicht einmal am nächsten Morgen, als er unauffällig hinter Suti herging, um ihren Weg zum Haus des Oberpriesters abzusichern, konnte er sich ganz von diesem Bild befreien. Es war, als sollte er auf eine schicksalhafte Verstrickung hingewiesen werden.

Dennoch galt Phiops' ganze Aufmerksamkeit Suti, die ihren Krug in stolzer Haltung auf dem Kopf trug. Nur wenige Meter noch durfte er ihr folgen, dann mußte er an dem Haus vorübergehen, das sie aufzusuchen hatte, um Isis' Befreiung einzuleiten.

Mit Bewunderung registrierte er, daß Suti in den Dienstboteneingang einbog, als gehe sie ihren täglichen Weg. Der Wachtposten schien sie nicht im geringsten zu irritieren.

Der Schein trog jedoch. Suti fühlte ihr Herz bis zur Kehle klopfen, als sie zu den Wirtschaftsräumen ging, um die Milch abzuliefern. Auf ihrem Gang über den Hof stellte sie allerdings mit Erleichterung fest, daß Isis bereits hinter dem zweiten Getreidesilo stand. Da sich niemand in der Nähe befand, ging sie dicht an ihr vorbei und flüsterte: »Wenn ich zurückkomme, wechseln wir unsere Kleidung.«

Isis war wie gelähmt. Sie begriff nicht, was Sutis Hinweis zu bedeuten hatte. War Phiops denn nicht abgereist, wie ihr Vater es behauptet hatte? Brachte ihr Geliebter es allen Widerständen zum Trotz doch noch fertig, sie zu befreien? Was wurde dann aber aus dem Fluch, den ihr Vater für den Fall ausgesprochen hatte, daß sie ihn verlassen sollte?

Isis erlebte Sutis Rückkehr mehr im Unterbewußtsein als in Wirklichkeit. Sie hörte eine Stimme, die sie aufforderte, sich zu beeilen, und unmittelbar darauf fühlte sie, daß ihr die Perücke abgenommen und ein Tuch über den Kopf gelegt wurde.

Das kann nicht gutgehen, dachte sie beklommen.

Suti gab ihr einen Stoß. »Begreif doch endlich! In meiner Kleidung und mit dem Milchkrug auf dem Kopf sollst du am Posten vorübergehen. Auf der Straße biegst du dann nach links ab, und schon an der nächsten Ecke bist du in Sicherheit. Dort erwartet dich der Hauptmann als Arbeiter verkleidet.«

»Und was wird aus dir?« fragte Isis, die kaum noch fähig war, einen vernünftigen Gedanken zu fassen.

Suti stülpte sich die Perücke auf den Kopf. »Ich hülle mich in dein köstliches Leinen und halte hier hinter dem Speicher ein Schläfchen, bis man mich findet. Ihr schwimmt dann längst auf dem Nil.«

»Und wenn man dich bestraft?«

Suti lachte und legte ungeniert ihren Schurz und ihren ausgefransten Schulterkragen ab. »Etwa dafür, daß du einmal Milchausträgerin spielen wolltest und mich gebeten hast, die Kleidung mit mir zu tauschen? Aber jetzt mußt du laufen!« fügte sie energisch hinzu. »Der Hauptmann wird sonst ungeduldig.«

Isis handelte wie in Trance. Eine ganze Nacht hindurch hatte sie versucht, mit dem Gedanken fertig zu werden, daß Phiops den Mut verloren habe, sie zu befreien. Sie hätte nun allen Grund gehabt, sich zu freuen. Der Schmerz der vergangenen Stunden hatte sie jedoch so abgestumpft, daß es ihr unmöglich war, irgend etwas zu empfinden. Sie glich einer Kranken, die nach wochenlanger Bettlägerigkeit das Gehen neu erlernen muß. Aber ihre Lethargie brachte es mit sich, daß sie den Weisungen Sutis wie eine Marionette folgte.

»Und nun nimmst du den Krug auf den Kopf und gehst am Wachtposten vorbei, als wäre er Luft«, sagte ihr Suti. »Und sollte der Kerl frech werden, dann kreischst du wie in höchster Not und rennst davon.«

Isis schaute zum Haus hoch, als wollte sie sich von ihm verabschieden.

»Nun geh schon!« drängte Suti unwillig. »Du darfst keine Zeit mehr verlieren.«

Ich danke dir«, preßte Isis mühsam hervor, wandte sich um und ging davon, als übernehme sie eine einstudierte Rolle.

Suti blickte wie gebannt hinter ihr her und flehte Selkis, die Schützerin des Lebens, an, den Wachtposten nichts merken zu lassen.

Isis hingegen spürte nicht die geringste Anspannung, als sie am Wächter vorüberschritt. Sie war so ruhig, daß sie sich selber nicht begriff. Die Fähigkeit zu denken und zu empfinden schien ihr genommen zu sein. Dann aber, nachdem sie auf der Straße nach links abgebogen war und etwa dreißig Meter zurückgelegt hatte, versagten ihr plötzlich die Knie. Ihre Nerven rebellierten. Es war ihr unmöglich, aufrecht weiterzugehen. Ohne sich dessen bewußt zu sein, nahm sie das Gefäß unter den Arm.

Phiops, der sich in der Nähe aufhielt, erkannte augenblicklich, daß Isis dem Zusammenbruch nahe war. Kurz entschlossen rannte er ihr entgegen, ergriff ihren Arm und keuchte: »Reiß dich zusammen! Sonst ist alles aus!«

Sie straffte sich unwillkürlich.

Er zog sie mit sich fort. »Du brauchst dir keine Sorge zu machen. Das Schlimmste liegt hinter dir. Du bist frei!«

Ihre Glieder, die eben noch schwer wie Blei gewesen waren, schienen ihr mit einem Male federleicht zu sein. »Phiops!« seufzte sie erlöst.

Er spürte, daß der Bann gebrochen war.

Ihre nilgrünen Augen hatten wieder den alten Glanz.

Phiops nahm Isis bei der Hand und beschleunigte seine Schritte.

Sie gab sich alle Mühe, ihm zu folgen.

»Geht es noch?« fragte er besorgt, als sie das Ufer erreichten.

Sie nickte. »Ich bedaure nur, daß ich meine Perücke zurücklassen mußte.«

Er warf den Krug in den Nil. »Sei unbesorgt. In unserer Kajüte ist eine neue. Und einen Umhang wirst du ebenfalls vorfinden.«

Isis blieb stehen und umarmte ihn.

3

Der Khamseen-Wind, der gelegentlich orkanartig anschwoll und der Schiffsbesatzung arg zu schaffen machte, störte Isis und Phiops nicht im geringsten. Sie waren vollauf mit sich beschäftigt und erzählten sich den ganzen Tag über von ihrem bisherigen Leben. Lediglich in den kühlen Morgen- und Abendstunden gingen sie ins Freie, um in der silbrigen Schleierluft des Nils den

Bauern zuzuschauen, die nun überall den fetten Schlammboden des absinkenden Flusses umpflügten und auf den Sandbänken Kürbisse, Melonen und ähnliche Früchte anpflanzten. Gelegentlich begegneten ihnen auch Barken, von denen der Klang einer Darabukka herüberschlug, und regelmäßig stimmten die Bootsleute dann Lieder an.

Die Rückreise verlief wesentlich schneller als die Fahrt flußaufwärts, und Isis sowie Phiops konnten sich über nichts beklagen, wenn sie davon absahen, daß der Steuermann seinen Kopf alle naselang durch das Kajütenfenster steckte und dabei wild lachend seine Zahnlücken zeigte.

Besonders glücklich war Phiops darüber, daß Isis, der er in aller Offenheit von seinem Geheimauftrag berichtete, es ihm nicht verübelte, daß er notgedrungen auch ihr gegenüber ein Doppelspiel getrieben hatte. Ihre tolerante Haltung ermutigte ihn, ebenfalls sein Erlebnis mit Hel zu erzählen.

Als er endete, fragte sie ihn verwundert: »Hast du nie daran gedacht, Hel aufzusuchen, um den Streit mit ihr zu bereinigen, bevor ihr Mann zurückgekehrt ist? Wahrscheinlich sieht sie die Dinge heute anders als damals und wäre froh, wenn die Geschichte aus der Welt geschafft werden könnte.«

»Du bist aber großzügig!« entgegnete Phiops erstaunt.

»Weniger, als du denkst«, erwiderte Isis. »Ich möchte lediglich vermeiden, daß mein neues Leben gleich wieder von einem Schatten verdunkelt wird.«

Ihre Klugheit beglückte Phiops. Er konnte plötzlich die Stunde nicht mehr erwarten, da Isis in sein Haus einziehen und vor dem Gesetz seine Frau werden sollte.

Am Nachmittag des vierten Tages tauchte Achet-Aton endlich am Horizont auf. Wenn von der Stadt auch noch nicht allzuviel zu sehen war, so erkannte Isis doch unschwer deren großzügige Anlage. Zwischen Palmenhainen, Wäldchen, Gärten und Parkanlagen standen Tempel, Regierungsgebäude, Paläste, Villen und kleine Häuser. Das leuchtende Weiß der Gebäude bildete einen malerischen Kontrast zum tiefen Blau des Himmels und saftigen Grün der Bäume.

Am Ufer lagen Hunderte von Barken, die Nahrungsmittel und Schätze aus aller Welt heranbrachten. Unmittelbar hinter dem

Kai befanden sich Gärten, in denen eilfertige Köche den Nilfahrern über Holzkohlebecken Fische, Geflügel und Rindfleisch zubereiteten.

Da Isis ein so buntes und sorgloses Treiben schon lange nicht mehr gesehen hatte, glaubte sie fast in ein fremdes Reich gekommen zu sein. Das Wunder des gepriesenen Gotteslandes tat sich vor ihr auf. Die der Sonne geweihte Stadt glich jener von Apis zwischen den Hörnern getragenen goldenen Kugel.

»Nun, wie gefällt dir Achet-Aton?« fragte Phiops, als das Boot auf die Kaimauer zu glitt.

»Ich bin sprachlos«, antwortete Isis überwältigt. »Aton scheint wirklich ein mächtiger Gott zu sein.«

Phiops legte seinen Arm um sie. »Er ist nicht stärker als Amon und hat zur Zeit nur das Glück, die Gunst des Pharaos zu besitzen.«

»Aber es sind doch nicht Herrscher, sondern Götter, die Gunst erweisen!« protestierte Isis.

»Zwischen ihnen bestehen wechselseitige Beziehungen«, entgegnete Phiops hintergründig. »Schon allein, weil jeder Pharao ein Nachkomme des falkengestaltigen Himmelsgottes Horus ist.«

»Phiops!« rief Isis freudig überrascht. »Du glaubst nicht nur an Aton?«

»Pssst!« machte er und legte seinen Zeigefinger auf den Mund. »Dir zuliebe werde ich noch ganz andere Dinge tun.«

»Zum Beispiel?«

»Echnaton bitten, mich für einige Tage zu beurlauben, damit wir in Ruhe regeln können, was nun geregelt werden muß.«

Isis umarmte ihn. »Ich kann es kaum erwarten, deine Frau zu werden.«

Hauptmann Phiops befand sich in einer nie zuvor erlebten Hochstimmung, als er am nächsten Morgen dem Palast Echnatons entgegenstrebte. Mit tausend Strahlen schien Aton das Glück auf ihn herabgesenkt zu haben. All seine Gedanken waren erfüllt von Isis, deren zauberhafte Sanftheit einer Leidenschaft Platz gemacht hatte, die er niemals für möglich gehalten hätte. Ihre nilgrünen Augen hatten im Feuer der Liebe geschliffenen Smaragden geglichen. Und wie zärtlich war sie gewesen! Er mußte den König bitten, ihn für einige Tage zu beurlauben.

Die Wache salutierte mit schräg gehaltenen Lanzen, als Phiops den Eingang zum Palast durchschritt, und dem Offizier, der ihm entgegeneilte, war anzusehen, daß er sich über die Rückkehr seines Vorgesetzten freute.

»Gab es besondere Vorfälle?« erkundigte sich Phiops, nachdem er die militärische Meldung entgegengenommen hatte.

»Nein!« antwortete der Wachhabende und fügte voller Stolz hinzu: »Seine Majestät hat über nichts Klage geführt.«

Hauptmann Phiops klopfte dem Offizier anerkennend auf die Schulter. »Dann melde mich dem König.«

Aus dem Hintergrund eilten Sklaven mit einer aus Kupfer getriebenen Schale herbei und gossen Wasser über Phiops Hände, die er anschließend in einem nach Myrrhe und Ginster duftenden Tuch abtrocknete. Dann begab er sich in den Säulensaal, wo ihm eine aus Honig und Weihrauch geknetete Pille gereicht wurde, auf der er noch nicht lange kaute, als die hohe, zum Raum des Pharaos führende Tür geöffnet wurde.

Augenblicklich verschluckte Phiops die aromatische Pille und trat mit schnellen Schritten in den Raum, hinter dessen Schwelle er stehenblieb, um sich tief zu verneigen und die Hände in Kniehöhe vorzustrecken.

»Erhebe dich!« befahl Echnaton mit freudig erregter Stimme.

Hauptmann Phiops richtete sich auf und sah den König mit ausgebreiteten Armen auf sich zugehen. Über den nervösen Zügen seines dekadenten Gesichtes lag ein verklärtes Lächeln.

»Ich freue mich, dich zu sehen, Hauptmann«, sagte er sichtlich bewegt und umarmte Phiops. »Darf ich aus der unerwartet schnellen Rückkehr schließen, daß deine Reise erfolgreich verlief?«

»Sie war es in doppelter Hinsicht, Majestät«, antwortete Phiops geradeheraus. »Um so schmerzlicher ist es für mich, daß das, was ich zu berichten habe, in Euren Ohren wie das Knurren des Krokodils klingen wird.«

Der Pharao duckte sich, als gelte es einem Hieb auszuweichen.

Seine Augen blickten mißtrauisch. »Und wer sagt mir, daß du mich nicht belügst?«

Hauptmann Phiops war es, als habe er einen Schlag erhalten. Sollte er beleidigt werden? Er mußte sich zwingen, ruhig zu bleiben. »Eure Majestät sind der Garant dafür, daß ich nicht lüge«, antwortete er nach kurzer Überlegung. »Ihr würdet mich gewiß nicht mit einer geheimen Mission betraut haben, wenn Ihr mich nicht für vertrauenswürdig hieltet.«

Echnatons Miene erhellte sich. »Großartig!« rief er anerkennend. »Ich habe ja schon vor deiner Abreise festgestellt, daß du nicht nur schön, sondern auch klug bist!«

Phiops verneigte sich.

Der König lächelte. »Berichte, mein Sohn. Was ist es, das in meinen Ohren wie das Knurren des Krokodils klingen wird?«

»Die Verlogenheit des Mannes, dem Ihr den Titel ›Gottvater‹ verliehen habt.«

Echnaton zuckte zusammen. »Gottvater Eje nennst du verlogen?« rief er empört und stieß Phiops vor die Brust. »Mit welchem Recht stellst du eine solche Behauptung auf?«

Hauptmann Phiops straffte sich. »Majestät, ich habe zu melden, daß ›Gottvater‹ Eje ein gern gesehener und häufiger Gast im Haus des Amon-Oberpriesters Amosis ist.«

Die Augen des Königs weiteten sich. »Woher weißt du das?«

Phiops zögerte, da er nun über Isis und sich selber sprechen mußte.

»Belüg mich nicht!« schrie Echnaton aufgebracht.

»Ich erfuhr es von der Tochter des Oberpriesters.«

Der Pharao war verblüfft. »Ist sie womöglich das Mädchen, das du für dich gewinnen wolltest?«

»Ja«, antwortete Phiops und fuhr lebhaft fort: »Ich habe sie aus dem Haus ihres Vaters entführt und hierhergebracht.«

Die wulstigen Lippen des Königs spitzten sich. »Dann sandte ich ja, ohne es zu ahnen, den für meinen Auftrag geeignetsten Auskundschafter nach Theben!«

Hauptmann Phiops lächelte verlegen. »Es war nicht meine Absicht, die Frau meines Herzens auszuhorchen. Der Zufall brachte es mit sich, daß sie mir Dinge erzählte, die für Eure Majestät von großer Wichtigkeit sind.«

»Was beweist, daß alles Geschehen auf Erden vorherbestimmt ist«, erwiderte Echnaton und nahm eine nachdenkliche Wanderung auf. »Du hast deine . . . Wie heißt sie noch?«

»Isis, Majestät.«

»Richtig. Isis! Wie die Mutter des Horus und Schwestergemahlin des Osiris.«

»Jawohl, Majestät.«

»Und Isis täuscht sich nicht? Ich meine, es besteht kein Zweifel, daß Eje im Haus ihres Vaters verkehrt?«

»Nein, Majestät.«

Echnaton fuhr sich über die Stirn. »Eje hätte es verdient, aufgehängt zu werden. Aber Verbrechen erzeugt Verbrechen, und ein Staatsmann, der seine Gegner beseitigt, ist ein Mörder wie jeder andere. Macht verleitet zwar dazu, sich besondere Rechte anzumaßen, doch . . .« Der Pharao unterbrach sich und blieb vor Phiops stehen. »Berichte von Nofretete. Konntest du ermitteln, ob sie mit der Priesterschaft . . .?« Er beendete den Satz, als erscheine es ihm müßig, die Frage zu stellen.

Hauptmann Phiops räusperte sich. »Die Vermutung Eurer Majestät, Nofretete könnte mit der Amon-Priesterschaft in Verbindung getreten sein, hat sich leider bestätigt. Angesichts der Tatsache jedoch, daß der Vater der Königin regelmäßig im Hause von Amosis verkehrt, dürfte dies kaum noch verwunderlich erscheinen. Schwerer dagegen wiegt die Tatsache, daß Eure Gemahlin dem Amon-Oberpriester einen Besuch abstattete, nachdem eine Konferenz zur Bestimmung Eures Nachfolgers stattgefunden hatte.«

Echnaton bäumte sich auf wie ein von der Lanze getroffener Stier. »Du lügst!« schrie er und schlug Phiops ins Gesicht. »Du lügst, du lügst . . .!« schrie er immer wieder. Schaum stand ihm vor dem Mund. Mit kraftlosen Bewegungen schlurfte er schließlich zu einem Hocker hinüber. »Nofretete!« stöhnte er und vergrub sein Gesicht in den Händen. »Wie kannst du mir das antun? Du weißt doch, daß ich von dir nicht loskomme. Tag und Nacht sehe ich deine ausdrucksvollen Augen, deine kühn geschwungenen Lippen, den herrlichen Bogen deiner Nase und deinen königlich schlanken Hals. Du kannst doch nicht . . .«

Phiops hielt sich die Ohren zu, um nicht weiter Zeuge dieses

Schmerzes zu sein. Er schloß die Augen und versuchte sich Isis vorzustellen. Dadurch bemerkte er nicht, daß der König sich erhob und an ihn heranschlich, um die Wangen zu küssen, die er in seiner Unbeherrschtheit geschlagen hatte.

»Majestät!« stammelte Phiops erschrocken, als er die weichen Lippen des Pharaos auf seiner Haut spürte.

»Schweig!« keuchte Echnaton. »Ich habe dich geschlagen und muß Abbitte leisten.«

»Zum Schlagen könnte es nochmals Gelegenheit geben«, entgegnete Phiops ohne zu zögern und rückte vom König ab. »Mein Bericht ist nämlich noch nicht zu Ende. Tut-ench-Aton wurde zu Eurem Nachfolger gewählt. Sein Name soll in Tut-ench-Amon umgewandelt und Eure Lehre verboten werden.«

In diesem Augenblick geschah etwas Erstaunliches. »Phantastisch!« rief Echnaton und streckte die Arme gen Himmel. »Aton, ich danke dir für diese Nachricht. Nun gibt es keine Unklarheiten mehr. Hauptmann!« wandte er sich überschwenglich an Phiops. »Aton hat sich deiner als Werkzeug bedient. Du bist gesegnet, und ich werde dich belohnen, sobald die Zeit reif ist und ich verkünden kann, welche Verdienste du dir erworben hast.«

Phiops begriff nicht, worauf der König hinauswollte. »Ich bitte um Vergebung«, wagte er einzuwenden. »Wäre es nicht notwendiger, jetzt zu überlegen, wie die in Theben geschmiedeten Ränke durchkreuzt werden können! Ich habe mir schon Gedanken gemacht und meine, daß General Haremhab von Memphis . . .«

». . . nach Theben verlegt werden soll?« fiel Echnaton belustigt ein. »Nein, Hauptmann. Verbrechen erzeugt Verbrechen, sagte ich vorhin. Kein Schwert wird erhoben. Wozu? Deine Nachricht gibt mir die Möglichkeit, die gegen mich gerichteten Pläne auf diplomatischem Wege zu durchkreuzen. Ich kann beispielsweise meine hier lebende Schwester, die größere Rechte als der Nachkömmling Tut-ench-Aton hat, zu meiner Nachfolgerin ernennen.«

»Man würde sie bestimmt nicht anerkennen«, entgegnete Phiops, der völlig vergaß, daß es ihm nicht zustand, seine Meinung zum Ausdruck zu bringen.

»So einfach geht das nicht«, widersprach Echnaton lebhaft. »Ich erinnere an Hatschepsut. Wurde sie etwa nicht zum Pharao gekrönt?«

»Gewiß, Majestät. Hatschepsut hatte aber die einmalige Idee, die Priesterschaft bezeugen zu lassen, daß sie die leibliche Tochter des Gottes Amon sei, der ihre Mutter, wie sie erklärte, auf wunderbare und geheimnisvolle Weise segnete. Ein zweites Mal läßt sich so etwas nicht behaupten.«

»Da magst du recht haben«, stimmte der Pharao zu. »Ich nannte auch nur ein Beispiel und verfüge über wesentlich bessere Möglichkeiten, die Pläne der Thebaner zunichte zu machen. Und weißt du, wie?« rief er mit plötzlich hinterlistig blickenden Augen. »Indem ich meinen Halbbruder Semenchkarê zu meinem Mitregenten mache! Noch heute werde ich seine Ernennung in die Wege leiten. Und meine älteste Tochter werde ich ihm zur Frau geben. Damit habe ich Thebens Pläne ein für allemal durchkreuzt. Und um den Ränkeschmiedern die letzte Freude zu verderben, werde ich auch Tut-ench-Aton verheiraten. Mit meiner dritten Tochter! Was sagst du dazu, Hauptmann?«

Phiops machte ein so entgeistertes Gesicht, daß es der zum Masochismus neigende Pharao nicht lassen konnte, seinen Schmerz über Nofretetes Verlust in selbstquälerischer Lust zu steigern.

»Woran denkst du?« fragte er den Hauptmann mit flackernden Augen. »Etwa an das, was über mein Verhältnis zu Semenchkarê erzählt wird?«

»Nein, Majestät«, antwortete Phiops, sich unbefangen gebend, um dem peinlichen Thema auszuweichen. »Ich dachte eben an Eure beiden Töchter.«

Der König stutzte. »Was ist mit denen?«

Hauptmann Phiops rückte seinen Schulterkragen zurecht. »Nichts Besonderes, Majestät. Ich habe mir nur vorgestellt, was zehn- und elfjährige Prinzessinnen empfinden mögen, wenn sie, um das Blut rein zu erhalten, zunächst ihren Vater und wegen der Nachfolge dann andere Mitglieder der Familie heiraten müssen.«

»Das sind Überlegungen, die dir nicht zustehen!« ereiferte sich Echnaton mit vor Empörung hochrotem Kopf. »Beantworte gefälligst meine Frage! Was wird über Semenchkarê und mich geredet?«

Phiops wußte, daß er nun nicht mehr ausweichen konnte. »Man sagt, daß Euch das Verhalten Eurer Gemahlin so große Schmerzen bereitet, daß ihr Euch betäuben müßt.«

»Ja, das ist wahr!« fiel der König freudig zustimmend ein. »Ich leide entsetzlich. Aber das ist meine Sache!« schrie er im nächsten Augenblick. »Du sollst mir sagen, was über mein Verhältnis zu Semenchkarê erzählt wird!«

»Man behauptet, daß Majestät Euren Halbbruder sehr lieben«, antwortete Phiops nun geradeheraus, da es keinen Zweck hatte, weiterhin um den heißen Brei herumzureden.

»Und hat man Verständnis für unsere Liebe?« bohrte Echnaton mit lüsterner Miene weiter.

Den Spaß werde ich dir versalzen, dachte Phiops erbost und antwortete: »Die meisten schenken dem Gerücht nicht den geringsten Glauben.«

Die Züge des Pharaos verzerrten sich. »Ich verstehe!« tobte er mit sich überschlagender Stimme. »Man hält mich für zu alt und für nicht schön genug, um von einem hübschen Jungen geliebt zu werden. Was weiß die Allgemeinheit schon von der großen Liebe, die Männer verbinden kann. Freundschaft, ja, das versteht man. Niemand bedenkt aber, daß Freundschaft eine Vorstufe zu jenem Erlebnis ist, das Frauen nur selten zu schenken vermögen, weil sie ihren Leib zumeist ohne Geist anbieten. Und weil ich mich der Wahrheit verschworen habe, werde ich nunmehr den Auftrag geben, mich mit Semenchkarê in einer jeden Zweifel ausschließenden Weise darzustellen*.«

---

* In seinem Schmerz über den Verlust seines ›Gegenpols‹ Nofretete entwickelte Echnaton einen solchen Hang zum Mystizismus, daß er sich tatsächlich in peinlicher Weise mit seinem zum Mitregenten ernannten Halbbruder darstellen ließ. Dies läßt (nach *Christiane Desroches-Noblecourt*) jedoch nicht den zwingenden Schluß zu, Echnaton und Semenchkarê seien ein Paar wie etwa Kaiser Hadrian und dessen schöner Freund Antinoos gewesen. Es ist vielmehr anzunehmen, daß der Pharao nichts weiter wollte, als ein Symbol für das von Aton geschenkte Leben zu erhalten, das seiner Meinung nach nur durch die Darstellung eines Paares und nicht einer Person erreicht werden konnte. Deshalb gab er Semenchkarê wahrscheinlich auch den Königsnamen Nofretetes: ›Nefer-Neferu-Aton‹ – ›Der Schönste der Schönen ist Aton‹.

Noch am gleichen Tage, da Phiops dem König Bericht erstattet hatte und wider Erwarten doch sehr huldvoll entlassen worden war, rief Echnaton seine Wesire zusammen und gab den Befehl, so schnell wie möglich die Vorbereitungen zur Krönung seines Halbbruders zum Mitregenten in die Wege zu leiten. Er selbst begab sich in den Park des Palastes von Nofretete, um einen Lustpavillon zu besichtigen, der als Semenchkarês Wohnsitz hergerichtet werden sollte.

Die Nachricht von der bevorstehenden Krönung Semenchkarês lief wie ein Lauffeuer durch die Stadt, die bald darauf zum größten Fest rüstete, das sie je gesehen hatte. Nur wenige Tage dauerte es, bis überall Tribünen errichtet wurden und ein Heer von Priestern mit der festlichen Ausschmückung des über siebenhundert Meter langen und fast dreihundert Meter breiten Sonnentempels begann, in dessen Mitte sich ein von Säulen getragener, alles überragender Altar befand. Die Hafenanlage wurde geräumt, um den Priestern und Zeremonienmeistern die Möglichkeit zu bieten, den Pharao würdig zu empfangen, wenn dieser nach der Anrufung Atons auf dem Nil mit der vergoldeten Gottesbarke am Kai anlegte. Dort mußte er die Trosse des heiligen Bootes persönlich am Ankerpfahl verknüpfen, um damit die innige Verbindung der Sonne mit der Erde zu symbolisieren.

Selbst der Palast wurde von den hektischen Vorbereitungen nicht verschont. Echnaton hatte den Bau eines riesigen Krönungssaales befohlen, der von einer unübersehbaren Schar von Arbeitern und Handwerkern förmlich aus der Erde gestampft wurde. Für die Leibgarde ergaben sich daraus Tage angestrengter Wachsamkeit, und Hauptmann Phiops, der davon geträumt hatte, sich zunächst um Isis und die Erledigung aller zur Eheschließung erforderlichen Formalitäten kümmern zu können, sah sich bitter getäuscht. Isis nutzte die Zeit, um aus dem Haus eines Junggesellen mit einfachen Mitteln eine Wohnung für sie beide zu machen, die Phiops jeden Abend aufs neue bestaunte.

Seine zärtliche Liebe hatte Isis wie eine Blume zur Entfaltung gebracht. Ihre grünen Augen glänzten, als lodere ein Feuer in ihnen. Der mädchenhafte Ausdruck ihres Mundes war in weichgeschwungenen Lippen untergegangen, deren nervöse Spannung entfachte Leidenschaft verriet. Mit allen Fasern ihres Seins gab sie sich Phiops hin. Ihr Herz klopfte, wenn sie ihn erwartete, es beruhigte sich jedoch nicht, wenn er da war. Im Gegenteil, ihre Nerven waren dann dem Zerreißen nahe.

Übergroß aber war ihre Freude, als Phiops eines Abends bei seiner Rückkehr eine Papyrusrolle schwenkte und schon von weitem rief: »Unser Traum ist in Erfüllung gegangen! Vor Aton und dem Gesetz sind wir ein Paar!«

»O Phiops!« seufzte sie glücklich und lief auf ihn zu, um sich in seine Arme zu stürzen.

Er blieb jedoch starr wie eine Säule stehen.

Sie schaute ihn erstaunt an.

»Ich kann mich nicht bewegen, wie ich will«, sagte er lachend. »Und weißt du, warum? Weil ich zwei Dinge in den Händen halte, die nicht beschädigt werden dürfen. Erstens unsere Eheurkunde. Zweitens ein Geschenk, das dich an den heutigen Tag erinnern soll.«

Ihre Augen weiteten sich. »Du hast mir etwas mitgebracht?«

Er nickte lebhaft.

»Zeig es mir!« rief sie ungestüm.

Phiops legte die Papyrusrolle fort und öffnete seine Hand, in der ein blauer Skarabäus lag.

»Ist das nicht dein Medaillon?« fragte sie verwundert.

Er schüttelte den Kopf und drehte den Anhänger um. »Du hast ja Lesen und Schreiben gelernt. Ist hier von einem ›Sohn des Kep‹ die Rede?«

Sie nahm das Amulett in die Hand. »Da steht ja ›Isis und Phiops‹!« rief sie überrascht.

Er umarmte sie. »Ab heute besitzen wir beide das gleiche Medaillon.«

Sie küßte ihn. »Es ist das schönste Geschenk, das du mir machen konntest. Als ich deinen Skarabäus zum erstenmal sah, war ich richtig neidisch. Nun habe ich den gleichen wie du. Woher hast du ihn? Diese Ausführung ist doch nicht zu kaufen.«

»Er stammt von einem Mann, der nicht mehr lebt«, erklärte Phiops, der sich vorgenommen hatte, nicht die ganze Wahrheit zu sagen. »Ich habe von Seiner Majestät die Genehmigung erhalten, das Zeichen des Kep fortschleifen und unsere Namen eingravieren zu lassen.«

Sie küßte ihn erneut. »Bitte, hänge ihn mir um.«

Er tat es.

Isis griff nach dem Medaillon, das knapp über ihrer wohlgeformten Brust lag. »Laß uns schon jetzt das Abendbad nehmen. Ich kann mich dann im Wasser spiegeln.«

Phiops war nur zu gerne bereit, diese Bitte zu erfüllen.

Der Sonnenuntergang tauchte Achet-Aton in ein aprikosenfarbenes Licht, als Isis und Phiops, die einen Abendspaziergang zum Nil gemacht hatten, zufällig mit Hel zusammentrafen. Im ersten Moment wußte Phiops nicht, wie er sich verhalten sollte, dann aber ging er forsch auf Ramoses Frau zu.

»Wie schön, dich zu sehen«, begrüßte er sie, sich unbefangen stellend, obwohl ihre Drohung ihm noch immer in den Ohren lag. »Ich hätte dir längst Grüße von Ramose überbringen müssen«, fügte er hinzu, um anzudeuten, daß er über das, was zwischen Hel und ihm vorgefallen war, kein Wort verloren habe. »Und mit meiner Frau wollte ich dich natürlich auch schon bekannt machen. Aber du weißt ja, wie das so geht. Die Vorbereitungen zum Krönungsfest lassen mich nicht zur Ruhe kommen.«

Hels Augen verloren die Kälte, mit der sie Phiops angesehen hatte. Sie richtete sogar einige verbindliche Worte an Isis.

»Auch ich freue mich, dich kennenzulernen«, entgegnete diese betont herzlich, um die möglicherweise auftauchende Frage, ob Phiops mit ihr über den leidigen Abend gesprochen habe, im Keim zu ersticken. »Deinen Mann habe ich in Theben leider nicht kennengelernt, aber ich habe so viel Imponierendes über ihn gehört, daß ich darauf brenne, seine Bekanntschaft zu machen. Er muß ja ein großartiger Nilpferdjäger sein.«

»Ein was?« fragte Hel überrascht, und Isis konstatierte mit Befriedigung, daß es ihr gelungen war, dem Gespräch eine unverfängliche Richtung zu geben.

»Du hast dich nicht verhört«, fiel Phiops lebhaft ein und berichtete ausführlich von dem Kampf, dessen Zeuge er zufällig geworden war.

Er täuschte sich jedoch, wenn er glaubte, daß Hel seiner Schilderung mit ungeteilter Aufmerksamkeit folgte. Ihr entging zwar nichts von dem, was er sagte, daneben aber fragte sie sich unablässig, ob sie nicht auf der Stelle wahrmachen sollte, was sie sich vorgenommen hatte, nämlich Phiops zu bezichtigen, sich ihr unsittlich genähert zu haben. Wenn sie es nicht augenblicklich tat, war es für immer zu spät. Sie verlor jede Glaubwürdigkeit, wenn sie sich von Phiops zunächst Geschichten erzählen ließ und danach erst ihre Klage vorbrachte.

Unschlüssig und unzufrieden mit sich selbst, wollte sie sich eben verabschieden, als Isis sie fragte, ob sie nicht Lust habe, gemeinsam mit ihnen zu Abend zu essen.

Isis' weich schwingende und an den zarten Klang einer Harfe erinnernde Stimme machte es Hel unmöglich, mit einem krassen Nein zu antworten. Unter keinen Umständen aber wollte sie mit Phiops zusammen sein. Sie bedankte sich deshalb für die Einladung und versprach Isis, ihr in den nächsten Tagen einen Besuch abzustatten. »Wir unterhalten uns bestimmt besser, wenn wir alleine sind«, fügte sie verkrampft lächelnd hinzu, da sie wußte, daß sie ihren Plan nun nicht mehr durchführen konnte. Wenn sie sich noch an Phiops rächen wollte, mußte sie einen anderen Weg wählen.

Weder Isis noch Phiops bemerkten, was in Hel vor sich ging. Sie trennten sich vielmehr von ihr in dem beruhigenden Gefühl, eine Gefahr gebannt zu haben.

Am Vortage zum Krönungsfest wurde Phiops überraschend zum Pharao beordert, der ihm in gereiztem Ton mitteilte, er habe soeben die Meldung erhalten, daß auf den Bergen südlich der Stadt Feuer entzündet seien.

»Das bedeutet, daß die Barke der Königin heranrückt«, erregte sich Echnaton. »Aller Voraussicht nach wird sie bereits gegen Mittag eintreffen. Du bist mir verantwortlich dafür, daß nur Personen aus dem Gefolge Nofretetes das Schiff verlassen. Wer nicht in Achet-Aton registriert ist, muß bis zur Beendigung der Feierlichkeiten an Bord bleiben. Meine Vorsicht mag übertrieben sein, aber nach den Vorkommnissen in Theben will mir die unangekündigte Rückkehr Nofretetes nicht gefallen.«

Hauptmann Phiops beeilte sich, seine Mannschaft zum Hafen zu beordern, wo die königliche Barke tatsächlich in der heißesten Mittagszeit eintraf.

Die Durchführung seines Auftrages verlangte viel Fingerspitzengefühl; nicht zuletzt deshalb, weil Nofretetes Leibgarde unter dem Kommando seines Kameraden Ramose stand.

Phiops hatte seine Schardanen gerade Aufstellung nehmen lassen, als das Schiff der Königin leicht wie eine Feder heranglitt. Es war aus kostbarem Zedernholz. Sein schnittiger Bug erinnerte an den vorgestreckten Hals der Störche im Flug. Zwanzig Sklaven bewegten die Ruder mit bewundernswerter Gleichmäßigkeit im Takt einer Trommel. Das Hinterschiff war zu einer großen, mit Intarsienarbeiten verzierten Kajüte ausgebaut, auf deren terrassenartigem Vorplatz Nofretete sich erregt mit dem Hauptmann ihrer Garde unterhielt.

»Ich sehe selber, daß da etwas nicht in Ordnung ist«, entgegnete Ramose anmaßend und nervös. »Ohne Grund läßt Hauptmann Phiops, der mich in Theben auf ebenso einfache wie geschickte Weise hereingelegt hat, die Soldaten des Pharaos nicht aufmarschieren. Ich empfehle Eurer Majestät, sich in die Kajüte zu begeben und dort das Weitere abzuwarten.«

Die Königin, die zwei Geparde an der Leine führte, wandte sich um und schritt mit unnachahmlicher Würde davon.

Phiops, der vom Ufer aus jede ihrer Bewegungen verfolgte, war wie schon so oft tief beeindruckt von der wahrhaft königlichen Haltung Nofretetes. Unglaubwürdig erschien ihm alles, was über sie erzählt wurde. Ihre Schönheit war faszinierend, wenngleich ihr Körper trotz größter Gepflegtheit nicht verbergen konnte, daß sie sechs Töchtern das Leben geschenkt hatte. Um so erstaunlicher war es, daß die enthüllende Mode auf ihre Initiative zurückging.

Hauptmann Ramose trat an die Reeling und rief seinem Kameraden zu: »Welche Überraschung, die Leibgarde des Pharaos hier zu sehen!«

»Betrachte sie als eine zum Empfang der Königin entsandte Ehreneinheit«, entgegnete Phiops diplomatisch.

Ich habe ihn unterschätzt, dachte Ramose verbissen. Die Tatsache, daß Phiops mir in Theben bestellen ließ, er reise unverrichteterdinge ab, beweist es. Er ist besser informiert, als wir ahnen. Wahrscheinlich von Amosis' Tochter. Bestimmt ist ihm meine Fühlungnahme mit dem Oberpriester bekannt. Sonst hätte er mir die falsche Nachricht nicht zugespielt. Aber das schwöre ich bei allen Göttern: In dieser Sache ist das letzte Wort noch nicht gesprochen!

Phiops riß Ramose aus seinen Gedanken. »Wann seid ihr in Theben ausgelaufen?«

»Vor drei Tagen.«

»Dann habt ihr euch aber beeilt.«

Ramose stützte sich auf die Reling. »Was sollten wir machen? Wir erfuhren erst vor drei Tagen, daß morgen die Krönung Semenchkarês ist. Ihre Majestät bat darum, alles in der Welt daranzusetzen, noch rechtzeitig hierherzugelangen.«

»Was euch ja gelungen ist«, erwiderte Phiops verbindlich.

Seine Worte gingen in Kommandos unter, die der Kapitän der königlichen Barke gerade erteilte. Gleich darauf legte das Schiff an. Einige Bootsmänner sprangen an das Ufer, um Planken überzulegen, die ein bequemes Aussteigen ermöglichen sollten.

Als erster ging Hauptmann Ramose von Bord.

»Willkommen in Achet-Aton!« begrüßte Phiops den Kameraden.

Der gab sich grimmig. »Mit dir habe ich noch zu reden! Du läßt mir bestellen, erfolglos abreisen zu müssen, und am folgenden Tag heißt es in Theben, die Tochter des Amon-Oberpriesters sei vom Hauptmann der Leibgarde Echnatons entführt worden!«

Da Phiops mit einer Anspielung auf seine falsche Information gerechnet hatte, erwiderte er schmunzelnd: »Ich weiß, daß ich dich belogen habe.«

»Und warum?«

»Das kann ich nicht genau sagen«, antwortete Phiops mit solcher Unschuldsmiene, daß Hauptmann Ramose davon überzeugt war, in diesem Augenblick nicht getäuscht zu werden. »Weder Isis noch meinem Steuermann habe ich an jenem Tag die Wahrheit gesagt. Wahrscheinlich, weil ich Angst hatte, daß etwas schiefgehen könnte, wenn ich vorher über meine Pläne reden würde.«

Sollte er doch nicht so raffiniert sein, wie ich schon glaubte, überlegte Ramose überrascht. Deshalb fragte er geradeheraus: »Und was macht die Mannschaft des Pharaos hier? Ihr seid ja wohl nicht zufällig zum Hafen gekommen, oder?«

Phiops lachte. »Wie klug du bist. Ich bin tatsächlich nicht zufällig hier.« Damit dämpfte er seine Stimme. »Du kennst meinen Aufgabenkreis und weißt, daß morgen das Krönungsfest stattfindet, bei dem Seine Majestät sich frei durch die Stadt begeben muß. Da habe ich entsprechende Vorsichtsmaßnahmen ergriffen.«

»Das verstehe ich«, entgegnete Ramose. »Aber es sieht ja so aus, als wolltest du das Schiff Ihrer Majestät kontrollieren.«

Ein schlechtes Gewissen macht mißtrauisch, dachte Phiops belustigt und spielte den Erstaunten. »Hältst du so etwas für möglich?«

Seinem Kameraden fiel ein Stein vom Herzen. »Natürlich nicht. Ich frage mich nur nach dem Grund deines Erscheinens?«

»Der ist schnell genannt«, antwortete Phiops ohne Umschweife. »Ich möchte wissen, ob sich an Bord der Barke Personen befinden, die nicht in Achet-Aton registriert sind.«

Hauptmann Ramose schüttelte den Kopf. »Gefolge und Besatzung sind die gleichen geblieben.«

»Dann ziehe ich mich mit meinen Männern zurück, sobald alle Passagiere ausgestiegen sind und das Schiff zur Verankerung das gegenüberliegende Ufer aufsuchen kann. Der Hafen muß bis morgen abend geräumt bleiben.«

»Das ist mir klar. Ich möchte jedoch vorschlagen, die Barke nicht am gegenüberliegenden Ufer, sondern unmittelbar vor dem Palast Ihrer Majestät zu verankern. Da liegt sie doch niemandem im Wege.«

»Einverstanden«, erwiderte Phiops zuvorkommend. »Die Wache wird dann aber von mir gestellt.«

Beim Kriegsgott Month, ich habe ihn doch unterschätzt, fluchte Ramose insgeheim, entgegnete aber lächelnd: »Bitte, das ist deine Sache.«

Jetzt weiß er, daß ich ihn durchschaue, dachte Phiops zufrieden, grüßte militärisch und ging zu seinen Männern.

Achet-Aton schien aus den Fugen zu geraten. Unübersehbare Menschenmengen wogten durch die Stadt. Sie eilten Plätzen entgegen, auf denen Rinder an Spießen gebraten wurden. Andere versuchten auf Tribünen zu gelangen, an denen der Pharao mit seinem künftigen Mitregenten vorbeifahren würde. Überall, im Hafen, am Sonnenaltar und vor dem königlichen Palast, wurde um Plätze gekämpft, die Hunderte von Fahnenträgern absicherten.

Die Sonne stand schon hoch am Himmel, als Echnaton und Semenchkarê erschienen. Beide hatten den steif nach vorne stehenden Königsschurz und einen Umhang aus hauchdünnem Leinen angelegt. Anstelle der roten und weißen Doppelkrone, die in Zukunft geteilt getragen werden sollte, hatte der König die ›Cheperesch‹ aufgesetzt, die blaue Sturmhaube mit der Uräusschlange, die seine kampffreudigen Vorfahren auf ihren Feldzügen bevorzugt hatten. Aber zog nicht auch er an diesem Tage in den Kampf? Was wußten die Menschen schon von seinem Ziel. Sie redeten über seine Liebe zu Semenchkarê, während er erreichen wollte, was seinem Vater Amenhotep III. vorgeschwebt hatte, als dieser ihn zu seinem Mitregenten machte. Doch vielleicht war es ganz gut, daß das Volk nichts von den Plänen wußte, die er nun behutsam in die Wege zu leiten gedachte.

Umgeben von der Pracht des Hofstaates, bestieg Echnaton mit seinem Halbbruder den zweirädrigen goldenen Wagen, in dem er früher oftmals mit Nofretete durch die Stadt gefahren war und die Königin vor aller Welt umarmt und geküßt hatte. Vorbei, vorbei! Sein ›Gegenpol‹ hieß nun Semenchkarê, mochten die Menschen reden, was sie wollten.

Echnaton ergriff die Zügel der feurigen Hengste, die von kräftigen Pferdehaltern geführt wurden. Zu beiden Seiten wurde der Wagen von der Leibgarde begleitet, die ebenfalls die Fahrzeuge der Prinzessinnen, der Würdenträger und der hohen Offiziere flankierte.

Die Palasttore waren noch nicht ganz geöffnet, da brauste der Jubel von Tausenden auf, die fasziniert dem in der Sonne funkelnden goldenen Wagen entgegenblickten. Der glücklich strahlende Pharao legte seinen Arm wie schützend um Semenchkarê. Ihrem Wagen folgten die glanzvoll geschmückten Fahrzeuge der

Wesire, die über und über mit Schmuck behängt waren. Daneben liefen Diener mit farbigen Wedeln. Die Federbüsche der Pferde leuchteten in bunten Farben. Der Fahrtwind ließ die hauchdünnen Gewänder der Frauen verführerisch zurückwehen. Es war ein großartiges Bild, das sich der Menge bot, und jeder hatte das Gefühl, einer glücklichen Zeit entgegenzugehen, wenngleich bei den nachfolgenden feierlichen Handlungen zur Verwunderung vieler die überlieferten thebanischen Gesetze beachtet wurden. Einer verhangenen Barke mit dem Bild des Gottes Aton ging ein weißer Stier voraus, das Sinnbild der Fruchtbarkeit. Im Tempel trugen hohe, in karmesinrote Umhänge gehüllte Geistliche die Statuen der Könige von Ober- und Unterägypten auf Semenchkarê zu, der von maskierten Priestern einem Reinigungsbad unterzogen wurde. Danach setzte man ihm die weiße Krone auf und führte ihn zu Echnaton, der mit der roten Krone unter einem hohen Baldachin Platz genommen hatte.

Es folgte ein Fest, das elf Tage dauerte. Elf Tage lang ruhte jede Arbeit und gab sich die gesamte Bevölkerung dem Vergnügen hin.

Phiops war in dieser Zeit in denkbar bester Stimmung. Der König hatte ihm seine Anerkennung für die geleisteten Sicherheitsvorkehrungen ausgesprochen und ihn vor aller Augen in den Garten des Palastes geführt, wo er ihn in besorgtem Ton aufforderte, seinem Mitregenten den tüchtigsten Offizier und die besten Schardane zuzuteilen, über welche die Leibgarde verfüge.

»Wähle nach Möglichkeit unverheiratete Männer«, hatte Echnaton hinzugefügt. »Semenchkarê wird viel unterwegs sein müssen, was Soldaten mit Familie unzufrieden machen dürfte.«

»Das glaube ich kaum«, hatte Phiops zu entgegnen gewagt. »Männer der Leibgarde werden niemals unzufrieden sein.«

Der Pharao war in ungewöhnlich gelöster Stimmung an ihn herangetreten. »Das höre ich gerne. Stell dir aber einmal vor, ich würde dich morgen zum Schutz Semenchkarês nach Theben schicken. Wärest du dann nicht unglücklich?«

»Gewiß, Majestät«, gab Phiops unumwunden zu. »Ich bin erst seit wenigen Tagen verheiratet. Den Befehl aber würde ich auf der Stelle durchführen, denn die Sicherheit des Mitregenten . . .« Er unterbrach sich und sah den König betroffen an. »Habe ich richtig gehört? Euer Mitregent soll nach Theben reisen?«

Echnatons Züge veränderten sich. »Ich will dir meine Pläne und Absichten anvertrauen«, sagte er nach kurzer Überlegung. »Mein Vater machte mich zu seinem Mitregenten, damit ich, ohne daß sich die Amon-Priesterschaft gleich darüber erregte, Aton zum einzigen Gott erklären konnte. Für die Priesterschaft war ich ja nur der Mitregent, von dem man glaubte, ihn nicht ernst nehmen zu müssen. Die von meinem Vater angestrebte langsame und stete Entwicklung auf einen einzigen Gott zu wurde aber nicht erreicht, weil ich zu ungeduldig war. Alles entwickelte sich viel zu schnell, und das, was ich bislang als einen Sieg ansah, scheint mir ein Bauwerk ohne Fundament zu sein. Ich erkannte dies, als ich deinen Bericht hörte, und ich ernannte Semenchkarê zu meinem Mitregenten, damit er die Rolle, die ich einmal spielte, nun im umgekehrten Sinne übernimmt. Er soll Aton nicht fördern, wie es meine Aufgabe war, sondern einer Versöhnung das Wort reden. Unser Volk ist in zwei Lager gespalten, und ein Regent, der in einer solchen Situation nicht bereit ist, neben der von ihm als richtig erachteten Wahrheit auch die Wahrheit anderer anzuerkennen, vertieft entstandene Gräben und reißt Dämme ein, die letzten Schutz zu gewähren vermögen.«

Hauptmann Phiops glaubte nicht richtig zu hören. Echnaton wünschte Aussöhnung mit der Amon-Priesterschaft? Welch ein Segen mußte daraus erwachsen! Er sah den wie in die Ewigkeit gerichteten Blick des Königs und fragte sich, ob ihn innere Größe oder jene Vernunft leite, die einen Eselstreiber beim Anblick eines knospenden Dornenstrauches schneller gehen läßt, um zu verhindern, daß seine Tiere sich die Mäuler blutig reißen.

»Ich strebe freilich nicht ausschließlich Versöhnung an«, fuhr Echnaton mit dem Ausdruck des Gottkünders fort. »Mir geht es darum, mein Werk zu vollenden, das heißt, zu verkünden, daß wir nicht nur vor dem Allmächtigen, sondern auch im Diesseits absolut gleich sind. Arm und reich soll es nicht mehr geben.«

Diese Vorstellung bewegte Phiops so sehr, daß er in eine gehobene Stimmung geriet, die sich ebenfalls auf Isis übertrug, als er ihr erzählte, was Echnaton ihm anvertraut hatte.

»Das würde ja bedeuten, daß wir meinen Vater aufsuchen und ihn um seinen Segen bitten können!« rief sie überglücklich.

Phiops schloß sie in die Arme. »Wir werden diese Aussicht gebührend feiern.«

Für Isis wurden die nächsten Tage die schönsten ihres Lebens. Alles, was sie sich gewünscht hatte, war in Erfüllung gegangen. Ein Leben ohne Phiops schien ihr nicht mehr möglich zu sein.

Um so stärker bedrückte sie ein zufälliges Treffen mit Hel und Ramose an einem der nächsten Tage in der Stadt. Hel sah phantastisch wie immer aus, und Isis beneidete sie insgeheim um ihr Geschick, sich zurechtzumachen. Den Kameraden ihres Mannes aber wagte sie kaum anzusehen. Die Unverfrorenheit, mit der er sie von oben bis unten betrachtete und ihre Augen, Lippen, Schultern, Brust, Taille, Hüfte und Schenkel musterte, war so unverschämt, daß es ihr kalt über den Rücken lief.

»Mein Kompliment«, sagte er genüßlich an Phiops gewandt. »Daß ein Träumer wie du eine so reizvolle Frau erringen kann, hätte ich nicht für möglich gehalten.«

Da Phiops die lüsternen Blicke seines Kameraden bemerkt hatte, erwiderte er anzüglich: »Darum brauchst du sie noch lange nicht mit den Augen zu verschlingen.«

»Verschlingen ist das richtige Wort!« entgegnete Ramose aufgekratzt. »Wenn Isis nicht deine Frau wäre, würde ich sie auf der Stelle mit Haut und Haaren fressen.«

»Guten Appetit!« entgegnete Isis trocken. »Trinken der Herr dazu Bier oder Wein? Und soll als Nachspeise die eigene Frau gereicht werden?«

Ramose konnte seine Überraschung nicht verbergen. »Wenn ich geahnt hätte, wie schlagfertig du bist, hätte ich mich zurückgehalten.«

Isis sah ihn herausfordernd an. »Dann kann ich mir Ermahnungen für die Zukunft ja ersparen und mich mit der Feststellung begnügen, daß dir Auseinandersetzungen mit Nilpferden wesentlich besser liegen. Wirklich, nachdem ich dich kennengelernt habe, muß ich gestehen, daß Nilpferde ausgezeichnet zu dir passen.«

Hel und Phiops brachen in schallendes Gelächter aus, während Ramose plötzlich verblüfft das Medaillon betrachtete, das Isis trug. »Das ist doch . . .« Er stockte und mußte sich beherrschen, nicht zu sagen: mein Skarabäus! Keinen Zweifel gab es für ihn. Auf der linken Schulter des Käfers befand sich im Glasfluß der gleiche dunkle Punkt, der sein Amulett gekennzeichnet hatte. Wie aber kam Isis in den Besitz des Medaillons, das er erst vor kurzem verloren hatte? Um sich keine Blöße zu geben, wiederholte er, sich verwundert stellend: »Das ist doch ein Skarabäus, wie er uns ›Söhnen des Kep‹ überreicht wird.«

»Stimmt!« entgegnete Phiops augenblicklich. »Seine Majestät machte ihn mir zum Geschenk und erteilte mir die Genehmigung, auf der Rückseite unsere Namen eingravieren zu lassen.«

Merkwürdige Geschichte, dachte Ramose skeptisch. Er ließ sich jedoch nichts anmerken. Die Möglichkeit, daß er seinen Anhänger im Palast des Pharaos verloren hatte, war nicht von der Hand zu weisen. Ein Diener mochte ihn gefunden und dem König übergeben haben, der ihn dann seinem Günstling, dem Hauptmann der Leibgarde, schenkte. Doch nicht das war es, was ihn erregte. Bei Bastet und Sechmet, den Göttinnen der Furcht-Liebe-Natur: War es nicht ein unübersehbares Omen, daß sein Medaillon die Brust der bildhübschen Isis schmückte!

Der Ausdruck seiner pechschwarzen Augen wurde lauernd, und Isis atmete erleichtert auf, als sie sich endlich von Hel und Ramose verabschieden konnte.

»Dein Kamerad ist mir unheimlich«, sagte sie bedrückt, als sie mit Phiops allein war. »Du bist es aber nicht minder. Zwischen euch beiden stimmt etwas nicht. Abgesehen davon, daß Ramose mich betrachtete, als wäre ich Freiwild, achtete er wie ein Luchs auf jedes Wort, das du sagtest. Und das offensichtlich nicht ohne Grund; denn du hast ihn belogen! Oder solltest du mir die Unwahrheit gesagt haben, als du erklärtest, das Medaillon stamme von einem Verstorbenen?«

Phiops zog Isis an sich. »Ich habe Ramose und nicht dich belogen, kann dir den Grund meiner Lüge aber nicht nennen. Das alles hängt mit einem Verdacht zusammen, den ich in einer bestimmten Sache habe, über die ich nicht sprechen darf.«

Sie sah ihn prüfend an. »Besteht ein Zusammenhang mit den Ereignissen in Theben?«

Er schüttelte den Kopf. »Es geht um völlig andere Dinge.«

Isis seufzte erlöst. »Dann bin ich beruhigt. Jedenfalls was dich anbelangt. Ramose aber wird mir unheimlich bleiben.«

In Achet-Aton schien alles anders als anderswo zu sein. Die Farben waren klarer, die Linien markanter, und sogar das stachelig Durchsichtige der Akazie, die auf den gelbgebrannten Flächen Ägyptens vielfach fast gespenstisch wirkt, ließ zwischen den Palästen, Regierungsgebäuden und Villen der Metropole an feine Filigranarbeiten denken.

Auch die Menschen von Achet-Aton waren nicht mit den Bewohnern anderer Städte zu vergleichen. Ihre Gesichter verrieten höfische Beamte, wie sie in der Atmosphäre von Palästen zu Hause sind: aalglatte Ehrgeizlinge, die mit hochfahrenden Reden verdecken, daß sie unwissend sind; Gestalten von kalter Rücksichtslosigkeit. In seltsamer Weise verkörperten sie und die Natur das widersprüchliche Wesen Echnatons, der ein häßlicher Mischtyp von hoher Intelligenz war, dessen Absonderlichkeiten sich aber nicht mit den Merkmalen jener Überfeinerung deckten, welche ihn liebenswert machten und die von ihm beeinflußte Kunst so erstaunlich reifen ließ.

Wenn Phiops und Isis über den Pharao sprachen, waren sie selten einer Meinung. Ihre gegensätzlichen Auffassungen führten jedoch zu keinen Streitereien; sie waren vielmehr das Salz, das die Süße ihrer Begegnungen erst erträglich machte. Völlige Einigkeit bestand allerdings darüber, daß Echnatons Wunsch, sich mit der Amon-Priesterschaft zu versöhnen, dem Land den Frieden zurückgeben und den Handel zu neuer Blüte führen würde.

Im Gegensatz zu ihnen blickten die meisten Bewohner Achet-Atons, die durch Speichelleckerei oder auf andere zweifelhafte Weise die Gunst des Regenten errungen hatten, mit scheelen Augen nach Theben. Ihnen konnte es nicht gleichgültig sein, ob es Semenchkarê gelang, die vom König angestrebte Versöhnung zuwege zu bringen. Es gab ungezählte Beamte in Theben, die ihre Fähigkeiten am Hofe Amenhotep III. unter Beweis gestellt hatten und die nur nicht bereit gewesen waren, den Gott ihrer Väter zu verleugnen. Im Falle einer Versöhnung mußte mit einer Rehabilitierung vieler Fachkräfte gerechnet werden, was nur zur Folge haben konnte, daß die Position derer gefährdet wurde, die den alten Glauben mutig über Bord geworfen hatten.

Es war deshalb nicht verwunderlich, daß die Reise des jungen Regenten von wenig guten Gedanken begleitet wurde. Kaum waren er und sein glanzvolles Gefolge mit der königlichen Barke aufgebrochen, da schwirrten bereits die wildesten Gerüchte durch die Stadt. Die einen prophezeiten einen unglücklichen Verlauf des Unternehmens, weil dieses am 14. Tybi angetreten sei, dem Tag, an dem die Göttinnen Isis und Nephthys den ermordeten Osiris beklagten. Andere sagten eine Katastrophe voraus, weil Semenchkarê es unterlassen hatte, beim Besteigen des Schiffes den Krokodilen mit einem geeigneten Spruch einen Schrecken einzujagen. Wiederum andere erklärten, der Mitregent werde nicht zurückkommen, weil der Kapitän der Barke beim Auslaufen kein Ei aus Ton in der Hand gehalten habe, welches einzig und allein auftauchendes Unheil verbannen könne.

Vielleicht war es die Summe aller bösen Wünsche und Wahrsagungen, die das Unheil wie eine Sturmflut über Achet-Aton hereinbrechen ließ. Einen Vorboten sandte es in Gestalt eines Schardanen der Leibgarde Semenchkarês. Mit in Trauergebärde erhobenen Händen sprang er von Bord einer Barke an Land und eilte wehklagend zum Königspalast, dessen Tore bald darauf hastig geschlossen wurden.

Den Befehl hierzu hatte Phiops gegeben, weil er in der Eile nicht festzustellen vermochte, ob das, was der Kurier zu melden hatte, der Besatzung des von ihm benutzten Schiffes bekanntgeworden war und verbreitet werden konnte. Eine Katastrophe ungeheuren Ausmaßes bahnte sich an. Semenchkarê und der ihn ständig begleitende Offizier waren ermordet worden, und das Volk von Theben, das Echnatons Botschaft über die Gleichheit aller Menschen begeistert aufgenommen hatte, war sogleich dazu übergegangen, die Idee der neuen Gesellschaftsform durch Plünderungen in die Tat umzusetzen. Viele Menschen rasten wie im Blutrausch durch die Stadt, um die Schuldigen an der Ermordung des Mitregenten, die in Kreisen der Vermögenden vermutet wurden, der gerechten Strafe zuzuführen. Versöhnung mit der Amon-Priesterschaft und die Schaffung eines Staates, in dem alle Menschen Brüder sein sollten, war Echnatons Wunsch gewesen, den Kampf aller gegen alle aber hatte er entfacht. Menschen, die ihn gestern noch verflucht hatten, priesen plötzlich seine Weisheit mit weinumnebelten Köpfen. Faulenzer, Tagediebe, Huren und befreite Strafgefangene waren zu Parteigängern des Königs geworden. Aus dem Streit um Gott und Götter hatte sich ein Kampf entwickelt, der überall dort Nahrung fand, wo jemand weniger als sein Nachbar besaß.

Der König fiel wie ein gefällter Baum zu Boden, als Hauptmann Phiops ihm Bericht erstattet hatte. Kein Wort kam über seine bleich gewordenen Lippen. Er wälzte sich herum und vergrub sein Gesicht in den Händen.

Phiops fragte sich, ob er den Hofarzt rufen lassen sollte. Doch wozu? Bei Schwächeanfällen wußte der Quacksalber ohnehin nichts Besseres zu tun, als zur Ader zu lassen. Wichtiger war es jetzt, darüber nachzudenken, was umgehend in die Wege geleitet werden mußte. General Haremhab ist auf schnellstem Wege nach Theben zu entsenden, überlegte er eben, als ihm ein niederschmetternder Gedanke kam. Mußte Echnaton unter den gegebenen Umständen nicht den Befehl erteilen, mit Isis' Vater kurzen Prozeß zu machen?

Der Pharao erhob sich und schlurfte auf Phiops zu, der sich nicht zu rühren wagte. »Hauptmann«, stöhnte er und griff nach den Schultern seines Gardeoffiziers. »Das ist der Anfang vom Ende. Bring dich und deine Frau in Sicherheit. Man wird dir vorwerfen, mir treu ergeben gewesen zu sein.«

Hauptmann Phiops hörte die Worte kaum. Er sah nur die Augen des Königs, die oft wie ein Irrlicht geflackert und alle Leidenschaften widergespiegelt hatten, die seine Genialität und seinen Wahnsinn auf geheimnisvolle Weise miteinander verbanden. Stumpf und leer blickten sie nun in eine Welt, der zu entfliehen ihm wie eine Erlösung erschien.

»Wie immer man dereinst auch urteilen mag«, fuhr Echnaton wie im Selbstgespräch fort, »verdammen wir keine Menschen. Nicht einmal diejenigen, die für den Tod meines Mitregenten verantwortlich sind. Ihr Vergehen ist nicht größer als die Schuld, die ich auf mich lud; denn ich bedachte nicht, welche Folgen es haben muß, wenn arm und reich von heute auf morgen gleichgestellt sein sollen. So etwas braucht Zeit. Jetzt aber muß erst einmal der Frieden wiederhergestellt werden, und du, Hauptmann, der du durch deine Frau verwandtschaftlich mit dem Amon-Oberpriester verbunden bist, wirst unverzüglich nach Theben reisen und mir ein Garant dafür sein, daß keine Rache genommen und der Leichnam Semenchkarês in würdiger Weise hierher übergeführt wird.«

Achet-Aton glich einem brodelnden Kessel. Für Hauptmann Phiops war es nicht leicht, gelassen zu bleiben und klare Anweisungen zu geben. Am liebsten wäre er nach Hause geeilt, um Isis zu informieren und zu verhindern, daß sie durch eine übertriebene Darstellung der Ereignisse unnötig in Schrecken versetzt wurde. Er konnte sich jedoch nicht freimachen, da Echnaton ihm befohlen hatte, spätestens am nächsten Morgen mit der königlichen Flotte und einer Streitmacht von dreihundert Mann, die ihm kurzerhand unterstellt wurde, nach Theben aufzubrechen. Vergeblich hatte Phiops versucht, den völlig veränderten und in seiner Ruhe sowie Ausgeglichenheit fast unheimlich wirkenden Regenten zu bewegen, einen anderen Offizier zu entsenden, doch der Pharao blieb bei seinem Entschluß und versüßte den heiklen Auftrag mit der Empfehlung, Isis mit nach Theben zu nehmen, wo sie als Tochter des Amon-Oberpriesters gute diplomatische Dienste leisten könne.

Über die taktvoll begründete Genehmigung, seine Frau mitzunehmen, konnte Phiops sich nur bedingt freuen. Zu offensichtlich war die Gunst, die ihm zuteil wurde. Das mußte ihm Feindschaften eintragen. Um so mehr, als die königliche Streitmacht niemals zuvor einem Hauptmann der Leibgarde unterstellt gewesen war. Und an Bord eines Kriegsschiffes hatte es noch nie eine Frau gegeben.

Da Phiops in einer eilends einberufenen Besprechung die Auflehnung der ihm unterstellten Offiziere spürte, bemühte er sich, einen kameradschaftlichen Ton anzuschlagen und erkennen zu lassen, daß er keinen Wert darauf lege, Kommandant der Expedition zu sein. Es gelang ihm auch, die Stimmung weitgehend zu verbessern. Dennoch war er bedrückt, als er am Abend nach Hause zurückkehrte und Isis, die ihn schon in heller Aufregung erwartete, mit wenigen Worten schilderte, was in Theben geschehen war und wie der König auf die verheerende Nachricht reagiert hatte. »Seine Majestät wünscht keine Vergeltung, sondern Ruhe und Frieden für das Volk«, fügte er mit Nachdruck hinzu. »Und du sollst mich begleiten, um die Kontaktaufnahme zu deinem Vater zu erleichtern.«

»Wann werden wir in Theben sein?« fragte Isis sichtlich erleichtert.

»In drei bis vier Tagen«, antwortete Phiops. »Der Nil steigt bereits wieder, was die Geschwindigkeit verringert. Unsere Flotte wird aber schnell vorwärts kommen, da sie aus Galeeren mit je vierzig Ruderern besteht.«

Er hatte es kaum gesagt, da wurden im Vorhof plötzlich Schritte laut.

»Wer mag das sein?« fragte Isis ihren Mann.

Der zuckte die Achseln und trat auf den dämmrigen Gang hinaus.

»Bist du es, Phiops?« rief eine ihm wohlbekannte Stimme.

»Ramose?« entgegnete er überrascht.

»Ja!«

»Komm herein! Ich zünde sofort eine Fackel an. Bin eben erst nach Hause gekommen.«

Die Umrisse des Kameraden wurden sichtbar. »Von mir aus brauchst du kein Licht zu machen. Ich gehe gleich wieder. Wollte nur hören, was an den umherschwirrenden Gerüchten wahr und was übertrieben ist.«

»Ich bringe die Fackel«, warf Isis ein, noch bevor Phiops antworten konnte.

»Außerdem möchte ich wissen, ob es stimmt, daß du beauftragt bist, unverzüglich nach Theben zu reisen?« fuhr Ramose wißbegierig fort.

Phiops nickte. »Du bist gut informiert.«

»Wie immer!« entgegnete sein Kamerad selbstzufrieden.

Er möchte meinen Auftrag kennenlernen, dachte Phiops und berichtete über die Ermordung des Mitregenten und die Plünderungen.

»Seine Majestät hat also tatsächlich die Gleichstellung aller Menschen verkündet?« entgegnete Ramose aufgebracht.

Isis kehrte mit einer Fackel zurück.

»Paßt dir das nicht?« fragte Phiops zynisch und bedeckte seine Augen vor dem einfallenden Licht.

»Das ist doch Wahnsinn!« erregte sich sein Kamerad. »Wahnsinnig wie so manches, was Seine Majestät von sich gibt. Ich wundere mich, wie du es an seiner Seite aushältst. Du mußt doch merken . . .«

»Schweig!« unterbrach Phiops ihn energisch. »In meinem Haus wird nicht gegen den König gesprochen. Unabhängig davon halte ich das, was Echnaton erreichen will, durchaus nicht für wahnsinnig. Er hätte die Dinge nur langsam wachsen lassen sollen, wie er inzwischen selber eingesehen hat. Das kann mich aber nicht daran hindern, seine Gedanken zu bejahen und sein Streben zu bewundern.«

Ramose blickte grinsend zu Isis hinüber. »Angesichts deiner Intelligenz und der Tatsache, daß du die Tochter eines Oberpriesters bist, hättest du deinem Mann eigentlich schon klarmachen können, daß Staatsmänner und Priester nichts miteinander gemein haben. Dekorativ wirken sie zwar beide. Im Gegensatz zu Priestern werden Staatsmänner aber nicht an Gedanken, sondern an in die Tat umgesetzten Ideen gemessen.«

Isis hätte Ramose die Augen auskratzen können. Gegen seine Feststellung war nichts einzuwenden. Mundtot wollte sie sich aber nicht machen lassen. Sie erwiderte deshalb etwas spitzfindig: »Nicht Priester, sondern Denker werden nach ihren Gedanken beurteilt. Im übrigen sagte Phiops nicht das geringste über den Staatsmann aus, als er das Streben Seiner Majestät bewunderte und seine Ideen bejahte. Er meinte ausschließlich den Menschen.«

Ramose war plötzlich eifersüchtig auf Phiops. Mehr aber noch ärgerte es ihn, daß Isis es auf geschickte Art verstanden hatte, sich für ihren Mann einzusetzen. Ich werde ihm schon noch einen Denkzettel verpassen, schwor er sich. Der Tag ist nicht mehr fern, an dem die Welt der Träumer zu Ende geht. Bestimmt versäume ich dann nicht, meinen ›Bruder des Kep‹ an sein heutiges ›Schweig!‹ zu erinnern.

In der bleiernen Mittagsglut des vierten Fahrtages erreichte die vom König entsandte Flotte das einst von Lebenslust erfüllte Theben, über dem nun in makabrem Gegensatz zum Glanz der Sonne der dunkle Gong des Todes schwang. Hunderte von Leichen waren in den letzten Stunden den Galeeren entgegengetrieben. Angesichts dieser stummen Zeugen eines grausamen Geschehens fiel es Phiops schwer, sich ins Gedächtnis zu rufen, daß Echnaton ihn verpflichtet hatte, sein Augenmerk nicht auf die Bestrafung, sondern auf die Verhinderung weiterer Verbrechen zu richten. Wie sollte er angesichts der von Krokodilen umgebenen Leichen seine Offiziere und Soldaten anhalten, Mord und Totschlag ungestraft zu lassen? Er spürte unüberwindliche Schwierigkeiten auf sich zukommen.

Sie begannen damit, daß an die tausend trunkener Männer und Frauen, die ihre schmutzigen Leiber in kostbare Kleider gehüllt hatten und ungeniert gestohlenen Schmuck zur Schau stellten, den eintreffenden Soldaten wie Befreiern zujubelten. Woher hätten sie auch wissen sollen, daß die Truppe den Auftrag hatte, weitere Plünderungen zu verhindern und Ruhe und Ordnung wiederherzustellen. Für sie waren die anrückenden Krieger Schardane des Königs, dessen Erklärung, alle Menschen seien gleich, wie der Klang von Harfen in ihren Ohren lag. Sie glaubten, Echnaton sende seine Soldaten, um diejenigen niederzukämpfen, die sich gegen seine Lehre auflehnten: nämlich die Reichen!

Gewalt scheint wirklich Gewalt zu erzeugen, dachte Phiops, als er erkannte, daß neben den bereits bestehenden Kämpfen zwischen arm und reich nun auch noch mit Auseinandersetzungen zwischen der Truppe und einem Teil der Bevölkerung gerechnet werden mußte. Und es dauerte nicht lange, bis die ersten Soldaten, die einem Bäcker beistanden, der seinen Getreidevorrat nicht herausrücken wollte, durch die Straßen gehetzt wurden.

»Wenn wir nicht unnachsichtig durchgreifen und alle niederknüppeln, die an der Getreideplünderei beteiligt waren, dann haben wir für immer verloren!« beschworen die Truppenoffiziere ihren Hauptmann.

Phiops ließ sich nicht von seiner Weisung abbringen. »Ich bin anderer Auffassung«, entgegnete er wider besseres Wissen. »Wir werden niemanden niederknüppeln, sondern alles daransetzen, das gestohlene Getreide zurückzubekommen.«

Die Offiziere muckten auf, Hauptmann Phiops aber blieb hart, wobei er allerdings seinen Befehl, demzufolge Patrouillen grundsätzlich nur zu zweit durchgeführt werden sollten, dahingehend änderte, daß sich künftighin stets fünf Gruppen von je zwei Mann in Sichtweite befinden mußten.

In Begleitung von Isis und zehn Soldaten begab er sich nach Regelung der dringendsten Angelegenheiten zum Haus des Amon-Oberpriesters, mit dem er ein gutes Gespräch zu führen hoffte. Von weitem aber schon erkannte er mit Schrecken, daß in dem Haus Kämpfe stattgefunden hatten. Die Tore waren aus den Angeln gehoben.

Isis lief wie gehetzt über den Vorhof auf das Wohnhaus zu, dessen Türen aufgebrochen waren. In den Räumen herrschte Chaos. Skulpturen lagen zertrümmert am Boden, Wandmalereien waren beschmiert, Möbel und sonstige transportable Gegenstände fortgeschafft worden.

Als Isis das Konferenzzimmer ihres Vaters erreichte, war sie dem Zusammenbruch nahe. Wo der Arbeitstisch des Oberpriesters gestanden hatte, befand sich eine eingetrocknete Blutlache.

»Vater!« schrie sie voller Entsetzen, doch schon im nächsten Moment verstummte sie. Voller Empörung und Auflehnung stand sie da. Ihre Augen glichen denen der Kriegsgöttin Neith. Wen trifft die Schuld, fragte sie sich. Den, der eine neue Lehre verkündet, oder diejenigen, die in Traditionen erstarrt sind und alles Neue bekämpfen?

Phiops spürte Isis' Erschütterung. Er hielt es für richtiger, sie aus dem Arbeitszimmer ihres Vaters herauszuführen. Aber kaum hatte er einige Schritte mit ihr getan, da drangen Männer und Frauen mit haßerfüllten Blicken in den Raum und gingen ungeachtet der anwesenden Soldaten in drohender Haltung auf Isis zu.

»Vatermörderin! Hure! Verräterin!« schrien sie wild durcheinander. »Alle Bemühungen deines Vaters, die Götter unserer Vorfahren zu schützen, hast du zunichte gemacht. Nur weil du mit dem Hauptmann des Ketzerkönigs schlafen wolltest. Jedes geheime Wort hast du ihm verraten, und Echnaton rächt sich nun, indem er die Armen auffordert, die Reichen zu erschlagen und ihren Besitz unter sich aufzuteilen!«

»Seid ihr von allen guten Geistern verlassen?« fuhr Phiops die Meute an. »Wie kommt ihr dazu, derartige Behauptungen aufzustellen?«

»Uns kannst du nicht einschüchtern!« schrie eine der Frauen. »Wir gehörten zur Dienerschaft des Oberpriesters, der seine Tochter im Sterben verflucht und wörtlich erklärt hat, was wir eben sagten.«

Isis fühlte ihre Knie weich werden. Vor ihren Augen bildeten sich Schleier. Ihr Herz setzte sekundenlang aus. Warum schrie sie nicht auf? Es war doch etwas Endgültiges geschehen. Eine Tür hatte sich für immer geschlossen.

»Komm«, sagte Phiops und führte sie aus dem Haus.

Isis folgte ihm wie in Trance. Sie versuchte zu verstehen, was geschehen war. Undeutlich erfaßte sie, daß ihr die Heimat für alle Zeiten versperrt sein würde. Sie fürchtete plötzlich, auch das Paradies zu verlieren, das Phiops ihr im ungewohnten Licht der Fremde errichtet hatte. Ohne sich dessen bewußt zu sein, schaute sie zu ihm hoch. Der Ausdruck seines Gesichtes war rätselhaft, seine weichen, dunklen Augen aber sagten ihr, daß sie über ein Tor verfügte, welches sich ihr niemals verschließen würde.

Für Isis und Phiops begannen bittere Wochen. Qualvoll liefen die Tage dahin. Die Zukunft ließ Dunkles ahnen.

Nur unvollständig gelang es den Soldaten, die Plünderungen, die in Theben bereits zur Tagesordnung gehörten, zu unterbinden, daheim aber verwarf der König alle Gesuche seines Hauptmannes, Standgerichte abhalten zu dürfen. Den Aufstand sollte Phiops niederschlagen, die dazu erforderlichen Maßnahmen wurden ihm jedoch verweigert. Die erste Weltstadt der Geschichte, die von Zypern und Kreta, aus Babylonien, Syrien und Arabien wertvolle Metalle, Seiden, Weine und Früchte erhalten hatte und vom Süden nubische Hölzer, Edelsteine, Gold und Sklaven bezog, war am Ende ihrer Kraft.

»Jetzt gibt es nur noch einen, der Theben retten kann«, wetterten die Truppenoffiziere, als Phiops den Befehl des Pharaos bekanntgab, weiterhin Gnade vor Recht ergehen zu lassen. »General Haremhab! Er ist die letzte Rettung! Du mußt ihn verständigen, Hauptmann!«

»Hinter dem Rücken Seiner Majestät?«

»Warum nicht? Es geht um die Existenz unseres Volkes und nicht um Fragen des Gehorsams!«

»Die Existenz eines Volkes *ist* eine Frage des Gehorsams!« entgegnete Phiops verbissen. »Solange ich das Kommando führe, wird nichts geschehen, was dem Willen Seiner Majestät zuwiderläuft.«

Jetzt gab es niemanden mehr, der Verständnis für Phiops Haltung aufbrachte. Die Offiziere waren gegen ihn, weil er sich über die Anweisungen des Königs nicht hinwegsetzte. Die Soldaten verwünschten ihn, weil er ihnen die Erlaubnis verweigerte, für jeden ermordeten Kameraden eine Anzahl Bürger aufzuknüpfen. Das Volk verdammte ihn, weil er die Plünderungen erschwerte. Die Vermögenden sehnten seine Vernichtung herbei, weil er nicht mit der ihnen notwendig erscheinenden Strenge gegen die Armen vorging. Und die Amon-Gläubigen beschworen ihre Götter, den niederträchtigen Hauptmann und dessen verworfene Ehefrau dem Höllentier zum Fraß vorzuwerfen.

»Das Schicksal will prüfen, ob wir uns bewähren«, tröstete Phiops seine Frau, als sie ihm eines Abends erklärte, nicht mehr den geringsten Sinn in dem sehen zu können, was um sie herum geschehe. »Wenn wir jetzt nicht durchhalten, sind wir verloren.«

Verloren? Isis blickte ihren Mann an und sah im Geiste Ramose neben ihm stehen: männlich, selbstbewußt, unbeschwert. Verwirrt schaute sie zu den Sternen empor, deren Glanz ihre

Sehnsucht nach neuen Ufern verstärkte. »Stehen wir nicht auf der falschen Seite?« fragte sie unvermittelt und fügte mutig hinzu: »Nimm es mir nicht übel, Phiops, aber mir drängt sich immer öfter die Frage auf, ob mein Vater und seine Freunde nicht weitblickender waren.«

»Als wer?« fragte er streng.

Isis zögerte, bevor sie antwortete: »Als du!«

Phiops sah sie verständnislos an.

»Bitte, überleg einmal, was aus uns wird, wenn Echnaton eines Tages nicht mehr ist«, beschwor sie ihn. »Du bist ihm so bedingungslos ergeben, daß sein Ende auch das deine, also das unsere sein wird.«

»Soll ich ihm etwa die Treue brechen?« erregte er sich.

Isis schüttelte den Kopf. »Ich möchte dir lediglich empfehlen, nicht mehr bedingungslos wider dein besseres Wissen zu handeln.«

Über diese Worte dachte Phiops lange nach, und er erinnerte sich oft an sie, wenn er das ›Haus der Kraft‹ aufsuchte, in dem er, einer Weisung Echnatons zufolge, die Mumifizierung des ermordeten Mitregenten zu überwachen hatte. Zweimal täglich mußte er das Totenhaus aufsuchen, in dessen Nähe es schon im Freien nach Lauge und Leichen roch.

Wochenlang wurde der Hingeschiedene von Spezialisten einer eingehenden Behandlung unterzogen, die ihm die verlorengegangene Kraft zurückgeben und es ihm ermöglichen sollte, am Ende wie die Sonne nach dunkler Nacht wiederaufzuerstehen.

Glücklicherweise war die Gehirnmasse Semenchkarês bereits durch dessen Nasenlöcher entfernt worden, als Phiops das ›Haus der Kraft‹ zum erstenmal aufsuchte. Er erlebte jedoch das feierliche Füllen des Schädels mit aromatischen Medikamenten, die dafür sorgten, daß sich zurückgebliebene Hirnreste völlig auflösten. Auch die inneren Organe waren bereits entfernt und in vier dickleibige Vasen gelegt worden, deren Verschlußdeckel die Köpfe eines Menschen, eines Affen, eines Schakals und eines Falken zeigten: Sinnbilder der vier Söhne des Gottes Horus.

Nachdem durch das Entfernen der Eingeweide die Gefahr gebannt war, daß der Dahingeschiedene Hunger oder Durst bekommen konnte, begann die säuberliche Auswaschung und Füllung der Bauchhöhle mit zerstoßener Myrrhe, Kassia und anderen Duftstoffen.

Der Prozeß der Mumifizierung war damit jedoch nicht beendet. Phiops kostete es viel Kraft, zuschauen zu müssen, wie grünbleiche Männer, die nicht das geringste Empfindungsvermögen zu besitzen schienen, den Toten zunächst von oben bis unten rasierten und ihn dann in eine Lauge legten, in welcher er mit Hilfe von Stangen täglich bewegt und gedreht wurde, um schließlich nach dreißig Tagen von geübten Kräften mit Haken herausgehoben und für weitere vierzig Tage in trockenes Natron eingebettet zu werden, das die letzte Feuchtigkeit aus seinem Körper herausholen sollte. Nach dieser Behandlung wurde der Leichnam noch einmal gewaschen und zum Trocknen auf ein Lager gelegt, dessen Höhe so bemessen war, daß die Einbalsamierer ihre Arbeit bequem verrichten konnten. Hunderte von Metern feinstes Leinen wurden dazu benötigt, und Phiops, der nun schon gelassen zusah, wie zunächst jeder Finger und jede Zehe, dann jedes Glied und endlich der ganze Körper eingewickelt wurden, wünschte sich am Schluß der Prozedur, Echnaton möge ihn so vermögend machen, daß er Isis und sich selber dereinst ebenfalls eine so erstklassige Mumifizierung gestatten könne.

Zunächst hatte ihn alles sehr abgestoßen, jetzt aber konnte er sich gut vorstellen, welch beruhigendes Gefühl es sein muß, zu wissen, irgendwann einmal für ewige Zeiten ausgesorgt zu haben. Das bedingte freilich den Bau einer Grabkammer mit prächtigen Bildern und Gegenständen, die das Leben im Jenseits verschönern helfen, und es verlangte auch, daß im Leinen des Leichnams einige *Uschebtis* versteckt wurden: kleine Figuren mit Hacke und Körbchen, deren Aufgabe es ist, sofort zu antworten und alle Arbeiten zu verrichten, zu denen das Jenseits im Verlauf der Ewigkeit aufruft.

Besonders beeindruckt aber war Phiops von einem Skarabäus, der Semenchkarê dorthin gelegt wurde, wo sich sein Herz befunden hatte. Auf seiner Unterseite war die Weisung eingraviert, auf Befragen des Jenseits nichts Belastendes gegen seinen Besitzer auszusagen. Zwei solche Skarabäen wollte Phiops für Isis und sich selber schneiden lassen.

Dazu sollte es jedoch nicht mehr kommen. Noch bevor Semenchkarês Mumifizierung beendet wurde, erreichte Theben eine Nachricht, die drohend wie das Rollen eines Donners über Ägypten hinwegging: Echnaton, der für ein Gottesreich predigende König, war ermordet worden.

Die Ereignisse überstürzten sich. Noch bevor Hauptmann Phiops sich von seinem ersten Schrecken erholt hatte, erklärten ihn die Offiziere der königlichen Truppe für abgesetzt und verhaftet.

Nur mühsam gelang es Phiops, sich zu beherrschen. Ihm war zumute, als trete er in die Halle des Jüngsten Gerichtes ein, um zusehen zu müssen, wie sein Herz gegen die Wahrheit aufgewogen wird. Am liebsten hätte er den vor ihm stehenden Sprecher der Offiziere auf der Stelle niedergeschlagen. Er hätte schreien mögen vor Schmerz über den Tod Echnatons und vor Empörung über das Verhalten derer, die glaubten, ihre Zeit sei jetzt gekommen.

Sein Gesicht brannte wie Feuer. Er sehnte sich nach kühlen Händen, nach einem guten Wort, einem verständnisvollen Blick.

Über der Galeere schrie gellend ein Vogel. Phiops wünschte sich Isis herbei, war gleichzeitig aber froh darüber, daß sie sich in der Kajüte aufhielt und die Stunde der Schmach nicht miterleben mußte.

Der Gedanke, daß seine Frau in Gefahr geriet, wenn er festgesetzt wurde, gab ihm plötzlich eine ungeahnte Kraft. Ohne lange zu überlegen, erklärte er den Truppenoffizieren in einem zunächst gezwungen wirkenden, dann jedoch immer freier werdenden Tonfall: »Meine Verhaftung beweist, daß ich richtig handelte, als ich das plündernde Volk gerade nur so scharf anfaßte, wie es der Schutz der Bürgerschaft erforderte. Ich durfte niemanden bevorzugen. Der neue Regent ist noch jung und muß sich auf die gesamte Bevölkerung stützen können, auch wenn ›Gottvater‹ Eje und Ihre Majestät, die Königin Nofretete, die Geschäfte für ihn erledigen werden.«

Die Offiziere glaubten nicht richtig zu hören. »Von wem sprichst du?« riefen sie erregt.

»Von Tut-ench-Aton, der nun als Tut-ench-Amon zum Pharao gekrönt werden wird und sich gezwungen sehen dürfte, den Regierungssitz nach Theben zurückzuverlegen«, antwortete Phiops mit der Sicherheit eines Mannes, der gut informiert ist. »Vielleicht versteht ihr jetzt, warum ich es nicht zulassen konnte, in dieser Stadt das von euch geforderte Blutbad zu veranstalten. Echnatons Befehl hatte nichts damit zu tun; er diente mir nur als willkommener Vorwand.«

»Und woher hast du dein Wissen?« fragte einer der Offiziere mit skeptischer Miene.

Hauptmann Phiops spürte, daß sein intuitiv begonnenes Spiel bereits zur Hälfte gewonnen war. »Auf diese Frage möchte ich nicht antworten«, entgegnete er nach kurzem Zögern. »Es mag euch genügen, wenn ich sage, daß Tut-ench-Aton im Haus meines Schwiegervaters, des ermordeten Amon-Oberpriesters Amosis, zum Nachfolger Echnatons gewählt wurde und daß ›Gottvater‹ Eje im Auftrage Ihrer Majestät der Beschlußfassung beiwohnte.«

Wie auf ägyptischen Wandgemälden alles bis ins kleinste Detail wahrheitsgetreu wiedergegeben ist, das Gesamtbild jedoch wegen der profilhaften Darstellung nur wenig der Wirklichkeit entspricht, so hatte Phiops mit der Wahrheit eine verzerrte Wirklichkeit hervorgezaubert, die es den Offizieren angeraten erscheinen ließ, sich schnellstens für ihr unbedachtes Vorgehen zu entschuldigen.

Phiops hätte nun triumphieren können, er wußte jedoch, daß heißes Blut sich nicht im kalten Licht ferner Sterne kühlen läßt. »Wir wollen die Sache vergessen und werden noch heute die Anker lichten«, erwiderte er im Bestreben, so schnell wie möglich der Gefahr zu entgehen, daß irgendwer den wahren Sachverhalt erfuhr. Dabei dachte er nicht an sich, sondern ausschließlich an Isis. Wenn er sich nicht durchsetzte, mußte sie das Schiff verlassen. Keinesfalls aber durfte sie in Theben bleiben, dessen Bewohner sie auf der Stelle gesteinigt haben würden.

Aus diesem Grunde hatte Isis sich in den vergangenen Wochen auch niemals in die Stadt begeben. Von morgens bis abends war sie in ihrer Kajüte geblieben; wie niemand sehnte sie deshalb die Abreise herbei. Als Phiops aber in ihren Raum stürzte und mit einer ihr unbegreiflichen Lebhaftigkeit von der Ermordung Echnatons berichtete und ihr die unmittelbar bevorstehende Rückreise ankündigte, fror sie trotz der herrschenden Gluthitze. Sie starrte ihn an, als sei er ein fremdes Wesen.

Er umarmte sie wie in höchster Not.

Ihr Blick fiel durch das Kajütenfenster auf die trostlosen Ziegelsteinbauten der Uferstraße, und unwillkürlich fragte sie sich: Welchem Ziel mag Phiops mich nun wohl entgegenführen? Sie selbst hatte keinen Willen mehr. Ihr genügte es, Theben zu verlassen und wieder schlafen zu können, ohne von Schreckgespenstern gejagt zu werden.

Phiops hob sie auf und legte sie auf ihr Lager. »Ich komme, sobald die Leinen gelöst sind.«

Sie nickte ihm zu und genoß zum ersten Male das leise Auf und Nieder des Schiffes, gegen dessen Rumpf das Wasser wie ein Lockruf plätscherte. Ganz leicht fühlte sie sich plötzlich. Ihr Herz befand sich wieder im Gleichklang mit dem Atem der Natur.

Später aber, als Phiops ihr erzählte, mit welcher List es ihm gelungen war, seinen Kopf aus der Schlinge zu ziehen, spürte sie das Stocken ihres Pulses und gab sie sich keinen Illusionen mehr hin. Spätestens in Achet-Aton mußte sein verwegenes Spiel aufgedeckt werden.

Nach einer Sturmfahrt von knapp drei Tagen erreichte die königliche Flotte die Hafenanlage von Achet-Aton, welche nicht mehr ausreichte, alle Schiffe aufzunehmen, die jetzt die Metropole ansteuerten. Bis weit im Norden und Süden der Stadt lagen entlang des Ufers zwei bis drei Barken nebeneinander vertäut, und die heimkehrenden Galeeren würden keinen Anlegeplatz gefunden haben, wenn den Militäreinheiten nicht ein besonderer Kai vorbehalten gewesen wäre.

Hauptmann Phiops stand mit seiner Frau an der Reling und beobachtete das Einlaufen mit gemischten Gefühlen. In den letzten Stunden hatten ihm einige Feuer auf den östlich des Nils gelegenen Hügeln gezeigt, daß die Rückkehr der Flotte nach Achet-Aton gemeldet wurde. Irgendwer bediente sich des königlichen

Rechtes, sich Meldung erstatten zu lassen. Möglicherweise Nofretete. Vielleicht hatte auch General Haremhab die Macht an sich gerissen.

Isis spürte die Nervosität ihres Mannes. Um ihn zu beruhigen, legte sie ihre Hand auf die seine.

Er warf ihr einen dankbaren Blick zu und rückte näher an sie heran.

Sie schaute zur Seite, um festzustellen, ob sie beobachtet wurden. Die Offiziere und Mannschaften interessierten sich jedoch ausschließlich für das wegen der starken Strömung schwierige Anlegemanöver. Die günstige Situation ausnutzend, gab sie Phiops einen Kuß und flüsterte ihm zu: »Was immer auch kommen mag: ich liebe dich!«

Er drückte ihre Hand. »Und ich preise mich glücklich, dein Mann zu sein.«

Während das Ufer näher heranrückte, verglich Phiops das triste Aussehen der einstmals glorreichen Stadt Theben mit dem prächtigen Bild, das Achet-Aton bot. Seine leuchtenden Paläste, Tempel, Parkanlagen und Gärten, in denen sich die Villen wie verstreute Edelsteine ausnahmen, waren Zeugen des grandiosen Werkes, das Echnaton binnen weniger Jahre geschaffen hatte. Aber ging nicht auch das erbarmungswürdige Aussehen und das Elend der ›Hunderttorigen Stadt‹ auf sein Konto? Er war es doch gewesen, der Theben dem Verfall preisgegeben und nichts dagegen unternommen hatte, daß Ägyptens Ansehen immer mehr verblaßt war. Überall, im Lande wie an den Grenzen, zeigten sich Risse und Sprünge, die nur eine starke Hand noch zu schließen vermochte.

Haremhab hätte die Kraft dazu, dachte Hauptmann Phiops gerade, als Isis erregt zum Kai hinüberwies.

»Die Leibwache tritt an!«

Phiops Augen weiteten sich. An genau der Stelle, an der er gestanden hatte, als Nofretete mit ihrer Barke von Theben zurückkehrte, befehligte Ramose die Garde Ihrer Majestät. Und er war gewiß nicht gekommen, um ihm, dem Kommandanten der königlichen Flotte, einen Ehrenempfang zu bereiten.

Phiops Kehle war wie zugeschnürt. Eine unnatürliche Stille breitete sich aus. Etwas Lauerndes lag in der Luft. »Du bleibst vorerst an Bord«, flüsterte er Isis zu. »Ramose ist offensichtlich in offizieller Mission hier.«

Sie blickte zum Kameraden ihres Mannes hinüber, dessen kraftvolle Erscheinung ihr imponierte. Es war, als gingen Strahlen von ihm aus. Sie haßte und bewunderte ihn. Er ließ sie schaudern und träumen.

Die Galeere legte an, und Hauptmann Phiops hob seine Peitsche zum Gruß.

Ramose erwiderte die Ehrenbezeigung betont lässig.

Erleichtert ging Phiops mit schnellen Schritten auf seinen Kameraden zu. »Welch eine Ehre . . .«

»Schweig!« unterbrach ihn Ramose mit eisiger Stimme. »Ich hoffe, du erinnerst dich daran, daß du mir befahlst, zu schweigen, als ich meine Verwunderung über dein Verharren an Echnatons Seite zum Ausdruck brachte.«

Seine Worte weckten Phiops' Kampfgeist. »Ich entsinne mich sogar sehr genau«, entgegnete er, sich unbesorgt stellend. »Niemals hätte ich es jedoch für möglich gehalten, daß mir das die Ehre eines Empfanges einbringen würde.«

»Schweig!« brüllte Ramose mit nunmehr wutverzerrter Miene. »Wenn meine Garde dich abführt, wirst du nicht mehr von der Ehre eines Empfanges reden, sondern dich fragen, welches Spiel ich wohl mit deiner süßen kleinen Isis treiben werde. Sie sieht übrigens wieder ganz reizend aus«, fügte er diabolisch grinsend hinzu. »Ich bin von ihr begeistert und verspreche dir, daß ich mich mit großer Hingabe um sie kümmern werde.«

Laß dich nicht provozieren, beschwor sich Phiops und entgegnete wie nebenbei: »Interessanter wäre es für mich, wenn du mir zunächst einmal sagen würdest, weshalb mich deine Garde abführen soll.«

Ramose schlug seine Peitsche klatschend gegen sein Bein. »Du wirst beschuldigt, dem nunmehr glücklicherweise verstorbenen Narren von Achet-Aton hinterbracht zu haben, daß Ihre Majestät, die Königin Nofretete, dem Amon-Oberpriester Amosis einen Besuch abstattete.«

Phiops nickte. »Das stimmt. Isis erwähnte den Besuch, ohne zu ahnen, was sie damit anrichtete.«

»Du leugnest nicht?«

»Warum sollte ich?«

»Mir scheint, du ahnst nicht, welche Folgen das hatte?«

»Aber gewiß: Semenchkarê wurde zum Mitregenten ernannt, um das Konzept der Amon-Priesterschaft zu durchkreuzen.«

»Dann bist du dir hoffentlich auch darüber im klaren, daß du die Schuld daran trägst . . .«

». . . daß Semenchkarê ermordet wurde?« fiel Phiops seinem Kameraden ins Wort. »Nein, mein Lieber, wenn du einen Dummen brauchst, mußt du ihn dir anderswo suchen.«

Ramose wurde rot vor Zorn. »Deine Frechheit wird niemanden darüber hinwegtäuschen, daß du alles unternahmst, was in deinen Kräften stand, um ein morsches Regime zu stützen, während andere ihre Gesundheit und ihr Leben riskierten, um unser Volk von einem Irren zu befreien. Gegen das Volk hast du gekämpft! Aus niedrigen Motiven hast du es verraten!«

Phiops sah Ramose gelassen an. »Was nennst du niedrige Motive?«

»Hast du für deine Spionagetätigkeit etwa kein Geld bekommen?«

»Nicht einen Deben! Überzeugung leitete mein Handeln! Ich habe an Aton und Echnaton geglaubt wie andere an Amon und dessen Priester. Ihr werdet ja wohl nicht damit beginnen wollen, Menschen für ihren Glauben zu bestrafen, oder?«

Ramoses Lippen bogen sich verächtlich herab. »Nicht wegen deines Glaubens, sondern wegen deiner Taten werden wir dich vor Gericht stellen.«

Wie ein Raubtier witterte Phiops den Geruch der Gefahr. Laß dich nicht erschrecken, sagte er sich und versuchte das Bild des ermordeten babylonischen Gesandten heraufzubeschwören. Gab es nicht gewisse Anhaltspunkte dafür, daß Ramose der Täter war? »Nun gut«, entgegnete er kurz entschlossen. »Wenn ihr mich wegen meiner Taten vor Gericht stellt, werde ich dich als Zeugen dafür benennen, daß ich nicht einmal einen Mörder verraten habe.«

Ramose erstarrte. Phiops verdächtigte ihn des Mordes? »Bist du wahnsinnig geworden«, schrie er außer sich. »Wie kommst du dazu, mich eines solchen Verbrechens zu bezichtigen?«

Hauptmann Phiops wurde unsicher. Hatte er sich zu weit vor-gewagt? Seine Augen fieberten. Gab es im Gesicht seines Gegen-übers nichts Verdächtiges zu entdecken?

»Antworte!« brüllte Ramose aufgebracht. »Wie kommst du dazu, mich einen Mörder zu nennen?«

Die von Ramose gewählte Formulierung bot Phiops die Mög-lichkeit, sich entweder herauszureden oder Klarheit zu gewin-nen. »Mit keinem Wort habe ich dich einen Mörder genannt«, antwortete er beschwichtigend. »Ich dachte vielmehr an einen politischen Mord.«

Ramose stutzte. Politischer Mord? Was wußte Phiops?

Der sah die veränderte Miene seines Kameraden, und sein In-stinkt befahl ihm, auf der Stelle nachzustoßen. »Entsinnst du dich des babylonischen Gesandten?«

Ramoses Augen wurden brennend. »Worauf willst du hin-aus?«

Phiops registrierte mit Befriedigung die Veränderung im Ge-sichtsausdruck seines Gegenübers. Keine Sekunde zweifelte er mehr daran, daß Ramose der Mörder des Gesandten war. »Wor-auf sollte ich schon hinauswollen?« antwortete er im Bestreben, seine Erleichterung zu verbergen. »Ich wollte dir nur zeigen, daß ich gegebenenfalls beweisen kann, nichts gegen dich unternom-men zu haben, als ich feststellte, daß du einen politischen Mord verübt hast.«

Phiops' Sicherheit raubte Ramose die Kraft, widersprechen zu können. »Unterstellen wir, du hättest recht«, erwiderte er nach einer verdächtigen Pause. »Warum hast du mich dann nicht an-gezeigt?«

»Sollte ich einen ›Sohn des Kep‹ verraten?«

Ramose bekam sich wieder in die Gewalt. »Und wie willst du herausgefunden haben, daß ich der Täter war?«

Phiops lächelte hintergründig. »Der Ermordete hielt ein Me-daillon mit dem Skarabäus der ›Söhne des Kep‹ in seiner erstarr-ten Hand!«

Hauptmann Ramose erkannte blitzschnell die Chance, die sich ihm bot. »Dann ist es also mein Amulett, das die Brust deiner hübschen Frau ziert?«

Phiops schoß das Blut in den Kopf. »Damit berührst du einen

wunden Punkt. Ich wäre froh, wenn ich diesen Fehler rückgängig machen könnte.«

»Und warum tust du es nicht?«

»Weil ich Isis dann mitteilen müßte, daß ich das Medaillon in der Hand eines Mannes fand, den du erschlagen hast.«

»Mich würde das nicht stören«, entgegnete Ramose unbewegt. »Im Gegenteil, es wäre mir eine Genugtuung, wenn sie es wüßte.«

Ramoses teuflischer Wunsch erschreckte Phiops nicht so sehr wie der lauernde Blick seines Kameraden. »Ich möchte Isis aber nicht aufklären«, erwiderte er ausweichend.

Ramose lachte spöttisch. »Ich dafür um so mehr. Und ich werde es tun!«

Phiops ballte die Hände zu Fäusten. Sollte der Skarabäus, der ihm zunächst geholfen hatte, plötzlich eine verhängnisvolle Rolle spielen? Er brauchte nicht darüber nachzudenken, warum sein ehrenwerter ›Bruder des Kep‹ wünschte, Isis davon in Kenntnis zu setzen, daß das auf ihrer Haut liegende Medaillon einst seine Brust geschmückt hatte. »Mach mit mir, was du willst«, antwortete er mühsam beherrscht. »Ich schwöre dir aber, daß ich dich bis an das Ende der Welt verfolgen werde, wenn du Isis nicht aus dem Spiele läßt.«

Ramose rieb sein Kinn. »Nun gut«, entgegnete er nach kurzer Überlegung. »Ich werde schweigen, wenn du mir als Ersatz dafür, daß Isis heute mein Amulett trägt, eine Entschädigung bietest.«

»Du kannst sofort meinen Skarabäus haben«, erklärte Phiops bereitwillig.

Ramose lachte schallend. »Was bist du doch für ein Träumer! Eine Entschädigung, habe ich gesagt! Darunter würde ich beispielsweise eine muntere Nacht mit Isis verstehen.«

Phiops wurde aschgrau. »Mir ist nicht zum Scherzen zumute!«

»Denkst du mir?« erwiderte Ramose und blickte zu seiner Garde hinüber. »Meine Schardanen sollten dich ja eigentlich abführen. In Anbetracht der Tatsache jedoch, daß du mich seinerzeit nicht verraten hast, muß ich wohl darauf verzichten. Du siehst, ich bemühe mich, gerecht zu sein, und aus ebendiesem

Grunde will ich auch die Geschichte mit dem Medaillon unter uns belassen. Aber dann stehe ich nicht mehr in deiner Schuld, einverstanden?«

»Ich bewundere deinen Großmut«, antwortete Phiops, obgleich er deutlich spürte, daß sein einstiger ›Kep‹-Mitschüler mit ihm spielte. Und er täuschte sich nicht. Schon im nächsten Moment forderte Ramose ihn im Namen Ihrer Majestät auf, ihm die golddurchwirkte Peitsche der Hauptleute zu übergeben.

»Eine Erklärung darf ich mir wohl ersparen«, fügte er kalt hinzu. »Rang und Amt sind dir genommen.«

Phiops war unfähig, sich zu rühren. Entgeistert starrte er seinen Kameraden an.

»Na, wird es bald?« zischte Ramose.

Phiops hätte in den Boden versinken mögen. Das Schlimmste, was einem Offizier geschehen konnte, wurde ihm vor Hunderten von Soldaten, Galeerensklaven und Hafenarbeitern angetan. Schweiß trat auf seine Stirn. Wenn Isis nicht gewesen wäre, würde er Ramose einen Striemen durch das Gesicht gezogen haben. Er durfte seine Frau jedoch nicht gefährden und übergab deshalb die Peitsche.

Ramose nahm sie mit maskenhafter Miene entgegen. »Bestell deiner Frau . . .« Er unterbrach sich und schaute ärgerlich zum Schiff hinüber, wo plötzlich Unruhe entstanden war.

Isis, die sich nicht mehr hatte beherrschen können, wurde von einigen Offizieren mit Gewalt daran gehindert, sich Ramose zu nähern. Doch vergebens. Sie machte sich frei und schrie den Kameraden ihres Mannes mit zornfunkelnden Augen an: »Du wagst es, einem ›Sohn des Kep‹ die Peitsche abzunehmen?«

»Ich sah mich leider dazu gezwungen«, antwortete Ramose im Tonfall tiefen Bedauerns. »Aber wenn du willst, werde ich mich dafür einsetzen, daß Phiops sie zurückerhält. Ich überlasse das ganz dir und werde die Peitsche unter meiner Kopfrolle aufbewahren, damit du weißt, wo sie zu finden ist.«

Das Zypergras blühte blutrot und erweckte in Isis und Phiops unheimliche Erinnerungen an Theben, wenn sie in den Abendstunden am Ufer des Nils saßen, wo sie einen Platz ausfindig gemacht hatten, an dem sie sich ungestört aufhalten konnten. Ihr Leben war eng geworden. Eingekeilt zwischen Verachtung, Schadenfreude und Gehässigkeit lebten sie dahin. Wie Aussätzige wurden sie behandelt; auch von denen, die mit Phiops befreundet gewesen waren. Mit erschreckender Deutlichkeit trat plötzlich zutage, was für Menschen Echnaton um sich versammelt hatte. Jetzt, da sie sich nicht mehr zu verstellen brauchten, glichen sie jenen in Bildhauerwerkstätten umherliegenden Gipsmasken, die das wahre Gesicht des Menschen in voller Schärfe zeigen. Phiops wunderte sich, daß er nicht schon früher erkannt hatte, in welcher Gesellschaft er sich befand. Die Lehre Echnatons schien ihn blind gemacht zu haben. Nun sah er, daß Menschen, die er für zielbewußt gehalten hatte, in Wirklichkeit Gestalten von erschreckender Rücksichtslosigkeit waren, Typen, die nicht militärische Zucht und Ordnung verkörperten, sondern zu Gewalt und Verbrechen neigten. Nicht die geringste Überwindung kostete es sie, den veränderten Verhältnissen Rechnung zu tragen. Mit frecher Stirn erklärten sie, schon immer gegen Echnaton gewesen zu sein. Den pompösen Aufbau von Achet-Aton hatten sie ebenfalls verdammt. Ihr Schlachtruf lautete nun: »Zurück nach Theben!« Und wenn man ihren Reden Glauben schenken durfte, litten sie ernstlich darunter, daß die geschichtsträchtige Metropole so lange dem Verfall preisgegeben war. Um Gesprächen über die eigene Vergangenheit aus dem Wege gehen zu können, lobten sie die ›Hunderttorige Stadt‹ in den höchsten Tönen. Menschen aber, die wie Phiops ihr Amt verloren hatten, beschimpften sie aus Leibeskräften. Auf diese Art und Weise ließ sich bequem dartun, welch anderer Geist doch in einem selber steckte. Im übrigen beeilte sich jeder, so schnell wie möglich nach Theben umzusiedeln. Man mußte rechtzeitig zur Stelle sein, wenn es an die Neuverteilung der Ämter ging.

Für Phiops und Isis war es deprimierend, erleben zu müssen, wie Familie um Familie die Stadt verließ. Aber daran war nichts zu ändern. Die Verlegung des Regierungssitzes war beschlossene Sache. Nicht zuletzt, weil die Bewohner der alten Metropole, die so vieles durchgemacht hatten, darauf bestanden, daß nun Achet-Aton dem Untergang geweiht werde. Und Eje, der von

Echnaton zum ›Gottvater‹ erhobene Oberpriester des Aton-Tempels, hatte es geschickt verstanden, in Theben alle Fäden an sich zu ziehen.

Mochte der neunjährige Tut-ench-Aton auch als Tut-ench-Amon zum Pharao gekrönt werden, über den wahren Regenten konnte kein Zweifel bestehen.

Wenige Wochen nur dauerte es, bis über Echnaton, dessen Leichnam spurlos verschwunden war, nicht mehr gesprochen wurde. Und es vergingen keine zwei Monate, bis Achet-Aton einer toten Stadt glich. Schiff auf Schiff legte im Hafen an, um fortzuschaffen, was nicht niet- und nagelfest war. Die Straßen wurden nicht mehr gereinigt. Abflußrohre verstopften. Blumen, Sträucher und Bäume welkten dahin. Wenn man davon absah, daß im Palast Nofretetes das Leben in gewohntem Stile weiterging, gab es in Achet-Aton nur noch eine Anzahl von Steinmetzen, die den Auftrag hatten, den Namen des ermordeten Königs und des von ihm gepriesenen Gottes von allen Regierungsgebäuden und Tempeln zu entfernen.

Angesichts der Abwanderung fragte Phiops sich oftmals, was Nofretete wohl veranlassen mochte, weiterhin in Achet-Aton zu residieren. Er fand keine Erklärung, bis ihn eines Nachts ein ihm treuergebener Schardan aufsuchte, der berichtete, Ihre Majestät erwarte in den nächsten Tagen General Haremhab, dessen Einheiten von Memphis nach Theben verlegt worden seien. Der Königin gehe es darum, sich der Unterstützung des Generals für den Fall zu versichern, daß ihr der Chetiterkönig, einer an ihn gerichteten Bitte entsprechend, einen seiner Söhne als Gatten schicke. Sie beabsichtige, ihn zum rechtmäßigen Pharao ernennen zu lassen, so daß sie, Nofretete, weiterhin als Regentin fungieren könne.

Es beginnen bereits die Machtkämpfe, dachte Phiops und bat den Soldaten, ihn sofort zu verständigen, wenn der General in Achet-Aton eingetroffen sei.

Phiops' ganze Hoffnung konzentrierte sich von diesem Tage an auf General Haremhab, wenngleich er sich darüber im klaren war, daß ihn der Oberbefehlshaber der ägyptischen Truppen niemals in Theben einsetzen konnte. Das wünschte er sich auch ebensowenig wie Isis. Beide wollten zufrieden sein, wenn sie irgendwo, und sei es in einer kleinen Grenzfeste, eine Lebensmöglichkeit fanden. Ihre Ersparnisse gingen zu Ende. Sie wußten nicht, wovon sie weiterhin leben sollten.

In verzweifelten Augenblicken hatten sie sogar über Ramoses frivoles Angebot gesprochen. Nicht offen, sondern Phiops sagte beispielsweise: »Ich könnte den Schurken wie einen Kürbis spalten. Es ist doch eine unglaubliche Frechheit, dir nahezulegen, durch Hingabe deines Körpers . . . Das ist wirklich das letzte, was sich ein Mensch an Gemeinheit ausdenken kann.«

»Gewiß«, hatte Isis ihm zugestimmt und dabei mühsam gegen eine eigentümliche Heiserkeit angekämpft. »Seine Frechheit ist unbeschreiblich. Wahrscheinlich hat aber schon manche Frau tun müssen, was er von mir erwartet.«

»Könntest du es?« hatte Phiops mit klopfendem Herzen gefragt.

Ihre Augen hatten einen unsteten Ausdruck angenommen. »Wie soll ich dir sagen können, ob ich mich jemandem aus Berechnung hingeben könnte oder nicht. Natürlich kann ich es nicht. Aber was eine Frau aus Liebe alles zu tun vermag, grenzt oft ans Unnatürliche.«

Sie würde es tun, dachte Phiops betroffen, doch schon im nächsten Moment schämte er sich dieses Gedankens. Er zitterte darum, Isis zu verlieren, bangte aber ebenso vor der Möglichkeit, mit ihr im Elend leben zu müssen.

Isis glaubte zu wissen, welche Überlegungen ihren Mann veranlaßten, mal auf diese, mal auf jene Weise an das Problem heranzugehen. Ramose überschattete ihre Tage, wenngleich die Vorstellung, einen Opfergang antreten zu müssen, keine Untergangsstimmung in ihr auslöste. Viel bedrückender empfand sie die Tatsache, daß der Gedanke, sich Ramose hingeben zu müssen, erregende Gefühle in ihr erweckte. Sie begriff dies um so weniger, als sie ihm seit dem Tage, da er Phiops degradiert hatte, abgrundtief haßte. Vielleicht lag aber gerade in ihrem Haß jene Bewunderung, die seine unbeugsame und kämpferische Männlichkeit ihr abverlangte. Doch was immer es auch sein mochte, mit jedem Gedanken an Ramose steigerte sich ihre Liebe zu Phiops.

Aber je hoffnungsloser die Situation wurde, um so gelassener blickten Isis und Phiops der Zukunft entgegen. Was konnte ihnen schon noch geschehen? Sie lebten in einer Stadt, die man als tot bezeichnen mußte, obwohl die Königin sich in ihrem Palast die Zeit mit rauschenden Festen vertrieb. Wochenlang wartete Nofretete auf die Antwort des Chetiterkönigs Subbiluljuma, der ihre Bitte schließlich erhörte und ihr einen seiner Söhne als Gemahl schickte. Das Schicksal aber war gegen die Königin. Der Prinz wurde auf dem Wege nach Achet-Aton von unbekannter Hand ermordet.

Damit waren Nofretetes ehrgeizige Pläne zunichte gemacht und der Weg für den neunjährigen Tut-ench-Amon frei. Der Tod des Prinzen hatte des weiteren zur Folge, daß über Nacht die Gefahr eines gegen Ägypten gerichteten Straffeldzuges der Chetiter heraufzog, und diese Aussicht erweckte in Phiops neue Hoffnungen. Unschwer war vorauszusehen, daß die Verteidigung der Grenzen erfahrene Offiziere verlangte. Es erfüllte ihn deshalb mit tiefer Befriedigung, als General Haremhab ihm über einen Mittelsmann mitteilen ließ, daß er ihn unverzüglich einstellen und als Ausbildungsoffizier einsetzen würde, wenn er es erreichen könne, daß Ihre Majestät, die Königin Nofretete, seine Degradierung aufhebe.

Dieser Bescheid ließ Isis spontan erklären: »Noch heute gehen wir zu Ramose, um ihn zu bitten, den unsinnigen Streit zu beenden. Schon morgen kann der gesamte Hofstaat abgereist sein. Angesichts des rettenden Ufers soll uns das Wasser nicht noch verschlingen.«

Phiops gab sich keinen großen Hoffnungen hin. Er sah jedoch ein, daß er die letzte Chance ergreifen und versuchen mußte, sich mit Ramose auszusöhnen. In Begleitung von Isis machte er sich auf den Weg, noch bevor die Sonne sich dem Horizont näherte. Um dem Besuch einen offiziellen Charakter zu geben, hatte er seinen mit Steinen besetzten Schulterkragen angelegt und seine Sandalen in die Hand genommen.

Isis trug eine mit silbernen Fäden durchzogene Perücke, um neben der stets attraktiv zurechtgemachten Frau Ramoses nicht allzusehr zu verblassen. Auch hatte sie ihr Medaillon angelegt, obwohl Phiops sie dringend gebeten hatte, an diesem Tage auf das Schmuckstück zu verzichten.

Was er befürchtete, trat aber nicht ein. Im Gegenteil, gerade das Medaillon war es, das seinen Widersacher im entscheidenden Augenblick besänftigte.

Ramose saß mit seiner Frau im Schatten einer Sykomore nahe jenes Teiches, den Phiops in denkbar schlechter Erinnerung hatte, als er Isis an der Seite ihres Mannes hinter seinem Haus hervorkommen und auf sich zugehen sah. Sekundenlang verschlug es ihm die Sprache, doch dann schrie er aufgebracht: »Was fällt euch ein, hier einfach zu erscheinen?« Im nächsten Moment entdeckte er ›sein‹ Amulett, und augenblicklich besann er sich eines Besseren.

Isis' mädchenhafter Körper gaukelte Ramoses Phantasie Träume von unendlicher Süße vor. Bei ihr glaubte er, zärtlich sein zu können und nicht mit brachialer Gewalt nehmen zu müssen, was andere Frauen ihm bis zum Überdruß anboten.

Phiops zwang sich, Ramoses Zurechtweisung zu ignorieren. »Ich verstehe deine Erregung«, entgegnete er beherrscht und ging weiter auf ihn zu. »Ich muß dich aber dringend sprechen. Es ist unerhört wichtig für mich.«

Ramose sah nur noch Isis und das Medaillon auf ihrer Brust. »Interessant«, entgegnete er wie abwesend.

Hel erhob sich von der Matte, auf der sie gelegen hatte.

Phiops grüßte linkisch zu ihr hinüber und sagte, an ihren Mann gewandt: »Durch die bedrohlich gewordene politische Lage bietet sich mir die Möglichkeit, als Truppenoffizier Anstellung zu finden, wenn meine Degradierung aufgehoben wird. Ich bitte dich deshalb, mit Ihrer Majestät . . .«

»Für derlei Dinge bin ich zuständig«, unterbrach ihn Ramose und lächelte Isis zu. »Deine Schönheit ist verwirrend. Und wie prächtig das Medaillon auf deiner seidig schimmernden Haut liegt!«

»Dann laß mich nicht durch Kummer unansehnlich werden«, entgegnete sie schlagfertig. »Hilf Phiops! Wir sind am Ende unserer Kraft.«

Ramose konnte plötzlich nicht der Lust widerstehen, Isis zu quälen. »Ausgerechnet du bittest mich? Du bist ja nicht einmal bereit, ein lächerliches Opfer für Phiops zu bringen.«

Isis wollte aufbegehren.

Phiops hielt sie zurück. »Das ist jetzt meine Sache.«

»Deine Sache?« fragte Ramose belustigt. »Weißt du immer noch nicht, daß die Geschichte nur zwischen Isis und mir zu bereinigen ist!«

Hel trat zu Isis: »Was ist zwischen euch zu bereinigen?«

Ramose schob sie zur Seite. »Das geht dich nichts an.«

»Ich glaube, doch«, erwiderte Hel in aller Ruhe und wandte sich an Phiops, den sie mit einer Mischung von Verachtung und Mitleid ansah. »Haben die beiden in Theben miteinander geschlafen?«

Ramose lachte schallend.

Isis machte ein entgeistertes Gesicht.

Phiops sah Hel betroffen an. »Wie kommst du darauf?«

»Weil Ramose eben erklärte, die Geschichte sei nur zwischen Isis und ihm zu bereinigen!«

Ihr Mann krümmte sich vor Lachen.

Hel stampfte unwillig mit dem Fuß auf. »Jetzt möchte ich aber wissen, was los ist!«

Phiops schaute unsicher zu Ramose hinüber. »Ich glaube, dein Mann machte nur einen Scherz.«

Ramose stemmte seine Hände in die Hüfte. »Was bist du doch für ein Angsthase! Wagst es nicht einmal, meiner Frau zu sagen, unter welchen Bedingungen ich mich bereit erklärte, dir die Hauptmannspeitsche zurückzugeben.«

»Alles Weitere kannst du dir ersparen«, fiel Hel augenblicklich ein. »Den Rest kann ich mir denken.«

Ihr Mann grinste sie an. »Dann wirst du hoffentlich auch keine Fragen mehr stellen.«

Hel hatte eine scharfe Entgegnung auf der Zunge. Sie hielt sich jedoch zurück und sah Isis prüfend an. »Bist du bereit, Ramoses Forderung zu erfüllen?«

Eine beklemmende Stille trat ein.

Phiops klopfte das Herz in der Kehle. Sie *ist* bereit, dachte er.

Isis sah Ramoses brennende Augen. »Erst wenn es keinen anderen Ausweg mehr gibt, werde ich mich bereit erklären«, antwortete sie mit spröder Stimme. »Ich hoffe immer noch . . .«

Ramose unterbrach sie mit herrischer Geste. »Die Hoffnung kannst du aufgeben. Ich bleibe bei dem, was ich sagte, und wenn du dich nicht beeilst, verlierst du die letzte Chance. In zwei Tagen geht es nach Theben. Dann ist es aus für dich!«

Isis blickte zu Phiops hinüber.

Der stand wie versteinert da.

Lauf mit mir davon, flehte sie insgeheim. Von mir aus in den Nil hinein!

Phiops rührte sich nicht. Statt seinem Widersacher an die Kehle zu springen, empfand er Mitleid mit seiner Frau. Und mit sich selber.

Ich gebe mich geschlagen, dachte Isis und wandte sich an Ramose. »Bediene dich, wenn du möchtest.«

»Eine ernüchternde Formulierung, die mich jedoch nicht daran hindern soll, aus der leidigen Geschichte ein kleines Fest zu machen«, entgegnete er süffisant. »Zunächst aber werde ich einen erstklassigen Wein holen.«

Hel verstellte ihm den Weg. »Du willst hier und in meiner Gegenwart . . .?«

Er wies zum Haus hinüber. »Dort, und nicht in deiner Gegenwart. Hier nehmen wir nur unser Bad, an dem du selbstverständlich teilnehmen kannst.«

Dein Vergnügen werde ich dir versalzen, dachte Hel und entgegnete trocken: »Herzlichen Dank. Ich werde deiner Einladung gerne Folge leisten und dafür sorgen, daß auch Phiops mit von der Partie ist.«

Ramose verschlug es die Sprache. Hatte seine Frau den Verstand verloren? Wollte sie ihn um den Genuß bringen? Er schaute zu Isis hinüber, die einer gehetzten Antilope glich. Der Duft ihrer Haut verwirrte ihn, und im selben Moment interessierte Hel ihn nicht mehr. Mochte sie tun, was sie wollte.

Isis und Phiops glichen Menschen, die in ein fremdes Land gelangt sind und sich nicht zurechtfinden. Der Boden unter ihren Füßen schien zu schwanken. In ihren Ohren dröhnte es.

Ramose und Hel begaben sich ins Haus, um Fackeln, Wein und irdene Becher zu holen.

Die Nacht legte sich wie ein Trauerlaken über die Erde.

Ramose kehrte gut gelaunt zurück und schenkte Wein ein. »Trinken wir auf unsere Zukunft«, sagte er. »Und auf noch einiges dazu.«

Isis stieß mit ihm an und leerte ihren Becher mit einer Gier, als wolle sie sich betäuben.

Phiops' Hand zitterte.

Ramose beugte sich über Isis und küßte sie.

Wozu sich wehren, dachte sie und forderte Ramose auf, ihren Becher nachzufüllen.

»Recht so!« rief er zustimmend.

Hel trat an Phiops heran.

»Und was ist mit uns?«

Er hätte schreien mögen, stieß jedoch mit ihr an und trank wie ein Verdurstender.

»Vergessen wir unseren Streit«, rief Ramose ihm zu und nestelte an der Schleife von Isis' Umhang.

Sie ließ ihn gewähren.

»Wenn du wüßtest, wie sehr ich diese Stunde herbeigesehnt habe, wärest du eher gekommen«, flüsterte er ihr zu, streifte seinen Lendenschurz ab und hob Isis leicht wie eine Feder empor.

Hel küßte Phiops Wange. »Hättest du gedacht, daß wir beide ein zweites Mal hier stehen würden?«

Er zuckte die Achseln. »Ist es schön, auf diese Weise Rache zu nehmen?«

»Um Rache geht es mir nicht«, erwiderte sie und ließ ihren Umhang fallen. »Ich will nur dich!«

Phiops schaute zu Isis hinüber, die von Ramose zum Wasser hinabgetragen wurde. Der Schein der Fackel ließ ihr Gesicht glühen; ihr Körper hatte einen verführerischen Glanz.

Hel zog Phiops an sich. »Wie wäre es, wenn auch du dich entkleiden würdest?«

Phiops war plötzlich wie von Sinnen. Er riß Hel an sich und küßte sie so sehr, daß sie aufschrie. Er gab sie jedoch nicht frei, gebärdete sich vielmehr wie ein Tier. Es war, als wollte er Isis entsetzen. Sie sah ihn, erschrak und hastete mit Ramose aus dem Teich.

Später, Phiops wußte nicht, wie lange er neben Hel im Gras gelegen und mit ausgebranntem Herzen zu den Sternen emporgeblickt hatte, sah er Isis schemenhaft auftauchen. Sie beugte sich über ihn und legte ihm die Hauptmannspeitsche in die Hand.

Etwas rührend Hilfloses lag in ihrer Geste. Doch was nutzte das? Er wußte, daß nichts wieder werden würde, wie es gewesen war. Ihre Existenz hatten sie gesichert, ihre Liebe aber preisgegeben.

Isis fühlte sich elend, als sie am nächsten Morgen erwachte. Die Luft war erfüllt von den Dünsten des Nils und dem faulen Geruch, der aus den verlassenen Häusern von Achet-Aton aufstieg. Sie blickte um sich und bemerkte, daß Phiops nicht neben ihr, sondern auf dem Boden schlief. Vor ihm lag seine Peitsche. Ihr Herz verkrampfte sich. Hatte sie sich wirklich Ramose hingegeben? Schwindel erfaßte sie. Wie sollte sie vergessen und vergessen machen, was geschehen war?

Angst, Trauer, zärtliche Zuneigung und der Wunsch, Phiops nahe zu sein, trieben Isis von ihrem Lager. Sie beugte sich über ihn, als wolle sie ihn beschützen. In Wahrheit aber sehnte sie sich nach einem guten Wort von ihm. Sie hatte sich Ramose nur hingegeben, weil sie ratlos geworden war und nicht mehr weiter gewußt hatte. Seine unbeugsame Art hatte sie zwar beeindruckt, und sie konnte auch nicht leugnen, daß sie Lust empfunden hatte, als er sie in die Arme nahm. Dennoch hatte sie alles nur getan, um das Unrecht abzuwenden, das ihnen zugefügt worden war. Phiops wußte das. Auch hatte er keinen Grund, ihr Vorwürfe zu machen. Er selbst hatte sich plötzlich von einer Seite gezeigt, die ihr unbekannt gewesen war. Empörung und Entsetzen hatte sie erfaßt, als er und Hel . . . Sie wollte ihm deshalb keine Vorhaltungen machen, doch es war beklemmend zu wissen, wie unbeherrscht er sein konnte.

Noch während Isis sich über Phiops beugte, öffnete er die Augen. Einen Moment lang schien er überrascht zu sein, seine Frau neben sich zu sehen. Dann aber richtete er sich jäh auf und stieß sie zur Seite.

Isis stockte der Atem. Nie zuvor hatte Phiops sie so kalt angesehen.

»Was willst du von mir?« fragte er böse.

»Ich . . .?«

»Ja, du! Oder solltest du grundlos neben mir gehockt haben?«

Sie warf sich über ihn und schluchzte. »Bitte, laß uns den gestrigen Abend vergessen.«

»Und wann willst du dich dem nächsten hingeben?« rief er verächtlich.

Isis rang nach Luft. »Phiops! Du weißt doch, daß ich es nur getan habe, um . . .«

»Ja, ja, ja!« unterbrach er sie unbeherrscht. »Bilde dir aber nicht ein, daß mir entgangen ist, mit welcher Lust du dich von Ramose hast forttragen lassen!«

»Und mit welcher Lust hast du dich auf Hel gestürzt?« schrie Isis aufgebracht.

Keiner glaubte dem anderen mehr. In beiden kämpfte Eifersucht, Enttäuschung und Bitterkeit gegen das Eingeständnis, ihre Liebe leichtfertig aufs Spiel gesetzt zu haben. Stunden vergingen, bis sie so weit vernünftig wurden, daß sie schwiegen und das Geschehene nicht mehr untersuchten, sondern sich naheliegenderen Dingen zuwandten. Dazu zählte, daß sie den Hausrat zusammenpackten und auf ein kleines Papyrusboot luden, welches Phiops bereits vor Wochen erstanden und an einer günstigen Stelle im Schilf des Nils verborgen hatte. Flußabwärts konnten sie sich also bewegen, und General Haremhab, den es nun aufzusuchen galt, befand sich in Memphis. In fünf bis sechs Tagen konnten sie die Stadt mit dem einfachen Boot erreichen.

Die Fahrt aber, die sie schon am nächsten Morgen antraten, wurde zu einer einzigen Qual. Die Luft war wie zum Zerreißen gespannt. Die Sonne stach, als schleudere sie glühende Lanzen. Und immer wieder tauchten Krokodile auf, die dem leichten Boot gefährlich werden konnten. Das alles bedeutete jedoch nichts gegen die Leere, die sich in Isis und Phiops ausgebreitet hatte und jedes Wort im Keim erstickte. Beide sehnten sie sich nach Trost. Ihre mißhandelte Liebe aber verdeckte die Erinnerung an alles, was sie an Gutem und Schönem miteinander erlebt hatten. Wie sehr sie es auch versuchten, es gelang ihnen nicht, einen Schleier über das Gestrüpp zu legen, das über Nacht emporgeschossen war. Ein Dschungel von Empfindungen hielt sie gefangen, und keiner vermochte einen Ausweg zu finden. Nur die Zeit konnte ihnen noch helfen.

Doch am Mittag des dritten Fahrtages verdunkelte sich das

Licht der Sonne plötzlich, ohne daß ein Grund dafür erkennbar gewesen wäre. Weit und breit war keine Wolke am Himmel zu sehen. Die gelben Hügel zu beiden Seiten des Nils nahmen innerhalb weniger Sekunden eine seltsame, blaßblaue Farbe an.

Der unheimliche Lichtwechsel ließ Phiops das Steuer herumwerfen, um so schnell wie möglich an das rettende Ufer zu gelangen.

Isis, die gedankenverloren vor sich hin geblickt hatte, fuhr erschrocken zusammen. »Was ist geschehen?« rief sie wie in höchster Not.

Verzweifelt bewegte Phiops das Steuer. Das Boot aber, das voll in der Strömung trieb, reagierte nicht. Er wollte gerade etwas erwidern, als die Luft unversehens einen mattgelben Schimmer annahm. »Wirf dich zu Boden!« schrie er und umklammerte einen Balken, als befürchtete er, fortgeweht zu werden. Mit zusammengekniffenen Augen blickte er der braunen Wolke entgegen, die auf sie zujagte. Sekunden nur dauerte es, bis sie den Nil erreichte. Dann entstand ein Getöse, als öffneten sich die Pforten der Hölle. Der Himmel verdunkelte sich. Glühender Sand schoß durch die Luft. Heulend fegte versengender Sturm über das Boot. Fontänen wirbelten hoch. Isis drängte sich an Phiops.

Er starrte wie gebannt auf ein Seil, das zu zerreißen drohte. Dschinni, der böse Geist der Sandstürme, schien sich gegen sie verschworen zu haben. Wenn der Strick riß, waren sie verloren.

Der Sturm peitschte Wasser in das Boot. Wogen schlugen hoch. Isis klammerte sich an Phiops.

Der versuchte das Ufer zu erspähen, konnte es wegen der umherjagenden Sandmassen jedoch nicht entdecken. War für sie die letzte Stunde gekommen? Sollte der Bote des Jenseits schon unterwegs sein?

Das leichte Papyrusboot war den entfesselten Gewalten nicht gewachsen. Unter der Wucht eines orkanartig dahinrasenden Wirbels bäumte es sich auf und versank in den Fluten.

»Phiops!« schrie Isis gellend. »Phio . . .!«

Er preßte sie an sich. Wasser schlug über sie hinweg. Wir werden uns vor Osiris wiedersehen, dachte er und verlor das Bewußtsein.

Mit der ›Barke der Nacht‹ gelangten die Seelen von Isis und Phiops ins Jenseits, das sich ihnen jedoch nicht so darbot, wie sie es erwartet hatten. Es gab weder den Totenrichter Osiris noch den schakalköpfigen Anubis, weder die Waage der Gerechtigkeit noch den krokodilköpfigen Höllenhund. Das Jenseits war antlitzlos, und es klagte:

Das Höchste, was dem Menschen anvertraut werden kann, wurde euch gegeben: die große Liebe. Ihr aber habt sie verraten. Um eure Existenz sicherzustellen, verkauftet ihr eure Liebe. Ihr habt damit die euch gestellte Prüfung nicht bestanden und werdet den Nachweis der Bewährung in einem anderen Dasein führen müssen; denn ohne Bewährung gibt es keine Erlösung.

In eurem künftigen Leben werdet ihr nichts von eurer Vergangenheit wissen. Euch wird jedoch ein Zeichen gesandt werden, das euch nachdenklich stimmen soll. Etwa, wenn ihr vor einer Sache steht, von der ihr wißt, sie nie zuvor gesehen zu haben, und ihr kennt sie doch. Achtet darauf!

ISIDORA UND PHILIPPUS

1

Während Senator Philippus die Nova Via überquerte und dem auf der Höhe des palatinischen Hügels gelegenen Palast Kaiser Neros entgegenstrebte, stieg Poppaea, die zweite Gemahlin des römischen Imperators, mit der Sicherheit und Anmut einer Göttin aus ihrem porphyrgekachelten Bad. Sie blickte in drei bis zum Boden hinabreichende Spiegel aus poliertem Silber, die so angeordnet waren, daß sie sich mühelos von allen Seiten betrachten konnte. Täglich genoß sie es aufs neue, ihren vollendet schönen Körper zu bewundern, wenn sie die schwarz glänzende Wanne verließ und auf ihrer Haut der opalisierende Schimmer der Eselsmilch lag, in der sie allmorgendlich zu baden pflegte.

Zwei Dienerinnen mit goldlackierten Spanholzschachteln näherten sich der Kaiserin, um ihren Körper mit den Daunen junger Schwäne zu trocknen, die allein ihr eine Garantie dafür zu bieten schienen, daß ihre samtweiche Haut keinen Schaden erlitt. Für Poppaea war es ein sinnliches Vergnügen, die duftigen Daunen gleich Flocken über ihre Haut gleiten zu fühlen und dabei von Dingen zu träumen, die der junge, zur Brutalität neigende Imperator ihr nicht zu bieten vermochte. Aber sie war Kaiserin geworden, und es störte sie nicht im geringsten, daß ihr Triumph Octavia, der ersten Gattin Neros, und seiner Mutter Agrippina das Leben gekostet hatte. Sie hatte ja nur indirekt etwas mit deren Ermordung zu tun gehabt.

Während Poppaea sich auf ein weiches Ruhebett niederließ, um sich von ägyptischen Sklavinnen massieren zu lassen, grübelte sie darüber nach, warum Nero sie an diesem Morgen so plötzlich zu einer Besprechung gebeten hatte. Außer dem ihr verhaßten Ersten Staatssekretär sowie dem Befehlshaber der prätorianischen Garde sollte der sehr zurückgezogen lebende Senator Philippus an der Audienz teilnehmen. Wenn Poppaea auch wußte, daß dem Kaiser der Geist, die Eleganz sowie die Gelassenheit dieses kaum dreißigjährigen Senators sehr imponierten, so konnte sie doch nicht begreifen, wieso er ihn zu einer Besprechung im kleinsten Kreise hinzuzog.

Diese Frage beschäftigte ebenfalls Seneca, den ehemaligen Erzieher Neros, der zum Ersten Staatssekretär avanciert war. Senator Philippus? Er hatte ihn vor kurzem kennengelernt und sich über seine geschliffene Ausdrucksweise gefreut, wußte von ihm aber lediglich, daß er nach einem Prokonsulat in Palästina als auffallend stiller Mensch zurückgekehrt war. Auf einem Hügel im Stadtteil Carina, also gar nicht weit vom Forum entfernt, sollte er sich ein luxuriöses Haus gebaut haben, in dem er, wie es hieß, niemals Gäste empfange. Andere wiederum behaupteten, in seinem Haus fänden seltsame Feste statt. Seneca fragte sich deshalb besorgt, was den Kaiser veranlaßt haben mochte, den geheimnisumwitterten Senator, den er angeblich während seines letzten Aufenthaltes im Urlaubsort Antium kennengelernt hatte, zu einer internen Besprechung hinzuzuziehen. Trat hier ein neuer, zwielichtiger Berater auf den Plan?

Während der Staatssekretär seine mit Purpurstreifen eingefaßte Toga mit geschickten Griffen um seinen üppigen Leib wickelte, der so gar nicht zu dem als glühenden Verfechter des kargen Lebens geltenden Philosophen und Gelehrten paßte, fragte er sich erwartungsvoll, was sein Freund Burrus wohl zu der seltsamen Einladung des Senators sagen würde.

Wie vermutet, traf er den stämmigen und untersetzten Befehlshaber der Garde auf dem Forum vor der Rostra, wo der Prätorianer den Rednern, die ihm eine willkommene Gelegenheit boten, seinen goldenen Brustharnisch zur Schau zu stellen, nur zu gerne zuhörte. Er war ein kauziger, bei jeder Gelegenheit lospolternder Haudegen, der krumme Wege verabscheute und stets unumwunden sagte, was er dachte.

Seneca schätzte den Kommandeur der Leibgarde, der seine Bestrebungen, die üblen und zum Teil psychopathischen Neigungen des erst sechsundzwanzigjährigen Herrschers in ungefährliche Bahnen zu lenken, weitgehend unterstützte und alles tat, um Intrigen vom Hofe fernzuhalten. Nach der hinterhältigen

Ermordung der Mutter des Kaisers und dessen erster Frau waren die beiden Männer fest entschlossen gewesen, ihren Abschied zu nehmen. Ihre Befürchtung jedoch, daß dann alles noch schlimmer werden würde, hatte sie zum Ausharren bewogen.

Seneca, der das riesige römische Weltreich, das Britannien, Gallien, Germanien und alle an das Mittelmeer grenzenden Staaten umfaßte, seit Jahren ungehindert nach eigenem Gutdünken regierte, trat von hinten an seinen Freund heran. »Heil dir, großer Präfekt!« begrüßte er ihn, wobei er seine Hand auf die Schulter des Befehlshabers legte.

Der drehte sich überrascht um. »Heil auch dir, mein großer Staatssekretär!«

»Es wird langsam Zeit, den Palast aufzusuchen.«

»Hast du eine Ahnung, warum uns der ›Göttliche‹ sprechen will?« erkundigte sich Burrus ohne lange Vorrede. »Und was bedeutet die Hinzuziehung des Senators Philippus?«

Seneca hob die Schultern. »Ich hatte gehofft, von dir Näheres zu erfahren.«

»Ich weiß nicht das geringste!« krächzte der Prätorianer. »Erfuhr lediglich, daß Philippus in politischer Hinsicht einer unbeschriebenen Wachstafel gleicht. Habe mich gleich heute morgen erkundigt. Er erbte ein beachtliches Vermögen, brachte ein noch größeres aus Palästina mit und baute sich hier und in Antium zwei ansehnliche Villen, in denen er ein undurchsichtiges Leben führen soll. Genaues weiß niemand.«

Der Erste Staatssekretär zog seinen Freund von der Rostra fort.

»Er besitzt auch in Antium ein Haus?«

»In unmittelbarer Nähe des Sommersitzes von Nero, der schon kräftig mit ihm getafelt haben soll. Es wird sogar behauptet, daß Neros neuerliches Interesse an der ägyptischen Göttin Isis, der er nach dem Tode seiner nur ein paar Wochen alten Tochter die Errichtung eines neuen Tempels gelobte, auf ein Gespräch mit unserem Senator zurückzuführen sei. Und an dem Aberglauben der Kaiserin, die plötzlich für die Riten der Juden schwärmt und sich an der Vorstellung erwärmt, es könnte nur einen Gott geben, soll der Senator ebenfalls nicht ganz unschuldig sein. Fest steht auf jeden Fall, daß er sich mit religiösen Fragen beschäftigt, und ich sage dir, daß so etwas zu nichts Gutem führt.«

»Da bin ich anderer Meinung«, entgegnete Seneca beinahe unwirsch. »Aber wie die Dinge auch liegen, es scheint mir angebracht zu sein, Senator Philippus sorgfältig beobachten zu lassen. Unkontrollierbare Einflüsse am Hofe müssen unbedingt unterbunden werden.«

»Sehr richtig!« pflichtete ihm der Kommandeur der Prätorianer bei. »Der Wahnsinn des ›Göttlichen‹ macht uns gerade genug zu schaffen.«

Senator Philippus wäre keineswegs erstaunt gewesen, wenn er das Gespräch der beiden Staatsbeamten, die ihm auf der Nova Via in einem Abstand von wenigen hundert Metern folgten, hätte hören können. Er wußte, daß die unsinnigsten Gerüchte über ihn im Umlauf waren, und er hatte sich damit abgefunden, daß ihm abwechselnd Einsiedelei, Homosexualität, bacchantische Gelage, Orgien mit Sklavinnen und ähnliche Ausschweifungen nachgesagt wurden. Angesichts der Feste der Großen des Reiches, die ihre extravaganten Zügellosigkeiten in aller Öffentlichkeit zur Schau stellten, setzten ihn derartige Gerüchte weniger in Verwunderung als die Einladung des Kaisers zu einer Audienz. Nie zuvor hatte er eine solche Aufforderung erhalten, doch wie ehrenvoll sie auch sein mochte, er konnte sich nicht darüber freuen. Seine Intelligenz warnte ihn, den zufällig gefundenen Kontakt zum Herrscher zu vertiefen. Es war mehr als genug, wenn man sich in Antium in Stunden der Erholung gelegentlich sah und sprach. Auch besaß er nicht den Ehrgeiz, im Rampenlicht zu stehen. Er liebte es, bis weit in den Morgen hinein zu schlafen und sich nachts dem Studium seiner Bücher hinzugeben.

Eine Sonnenuhr an der Einmündung der Nova Via in den Clivus Palatinus zeigte Senator Philippus, daß ihm noch reichlich Zeit blieb. Er raffte deshalb seine weiße, mit Purpurstreifen eingefaßte Senatorentoga und nahm auf einer Steinbank Platz, von der aus er zum Capitolinischen Hügel hinüberblicken konnte, dessen Burg und Junotempel das Stadtbild beherrschten. Seine Gedanken aber weilten bereits auf dem Palatinus.

Er grübelte darüber nach, was den Kaiser bewogen haben mochte, ihn zu einer Besprechung zu bitten, fand jedoch keine Erklärung.

Das war nicht weiter verwunderlich, denn der Senator hatte die Einladung erhalten, weil Nero in seinem Schmerz über den Verlust seiner Tochter, der er in seinem Wahn bereits den Titel Augusta, Kaiserin, verliehen hatte, sich eines Gespräches mit Philippus über pharaonisches Brauchtum entsann, das ihn sehr beeindruckt hatte. Die Erinnerung an diese Unterhaltung hatte den Wunsch in ihm geweckt, den kultivierten Senator, der sein Haar wie Gaius Julius Caesar in die Stirn gekämmt trug, zu einer Besprechung mit seinem Ersten Staatssekretär und dem Befehlshaber der prätorianischen Garde hinzuzuziehen. Ein untrügliches Gefühl sagte ihm, daß der junge und großzügig denkende Patrizier, dessen stattliche Erscheinung und offener Blick Sicherheit ausstrahlten, seinen Plänen mehr Verständnis entgegenbringen würde als seine alten Ratgeber, deren Ansichten er kaum noch ertragen konnte.

Senator Philippus war so in Gedanken versunken, daß er die beiden auf ihn zukommenden Würdenträger erst gewahrte, als diese unmittelbar vor ihm standen.

»Erfreulich, Sie hier zu treffen«, begrüßte ihn Seneca mit einer Stimme, die Unzufriedenheit verriet.

»Ja, das ist wirklich erfreulich«, stimmte ihm sein stämmiger Begleiter lebhaft zu. »Da können wir gleich erfahren, weshalb Nero Sie zu der Sitzung eingeladen hat. Sie werden es ja wohl wissen, oder?«

Der Senator erhob sich und verneigte sich mit weltmännischer Geste. »Erlauben Sie mir zunächst, Ihnen zu versichern, daß ich mich glücklich preise, einem Gespräch mit Ihnen für würdig befunden worden zu sein. Um so bedauerlicher ist es für mich, Ihre Frage nicht beantworten zu können.«

Der Gesichtsausdruck der beiden Staatsbeamten wurde skeptisch.

»Ich habe gerade selber überlegt, wie ich zu der unverhofften und mir ein wenig lästigen Ehre komme, vom Kaiser zu einer Audienz gebeten zu werden«, fuhr Philippus unbeirrt fort. »Ich finde jedoch keine Erklärung.«

Senecas Augen wurden zu Schlitzen. »Ein wenig lästige Ehre, haben Sie gesagt?«

»Bitte, mißdeuten Sie diese Formulierung nicht«, erwiderte der Senator unbefangen. »Ich stehe dem Kaiser selbstverständlich jederzeit gerne zur Verfügung, will aber froh sein, wenn er meiner nicht bedarf.«

»Sie haben kein Interesse, als Ratgeber oder dergleichen tätig zu werden?« fragte der Staatssekretär überrascht.

Senator Philippus konnte ein Schmunzeln nicht unterdrücken. »Solange von Ratgebern oder dergleichen mehr Geschicklichkeit als Geist verlangt wird, möchte ich darauf verzichten.«

Seneca sah den offenen Blick seines Gegenübers und war geneigt, ihm zu glauben. Seine Skepsis hielt ihn jedoch zurück, eine entsprechende Bemerkung zu machen. Zu oft hatte er erfahren müssen, daß die größten Schauspieler nicht im Theater, sondern am Hofe und in der Politik zu finden sind. »Kommen Sie, meine Herren«, sagte er im Bestreben, das Gesprächsthema zu wechseln. »Der Kaiser dürfte uns in die Verbannung schicken, wenn wir ihn warten lassen.«

Plaudernd begaben sie sich zum Palast des Herrschers, vor dessen Eingang sie vom Praefectus empfangen und durch eine Vorhalle in ein lichtes *Peristyl* geführt wurden, in einen von drei Säulenreihen umgebenen Innenhof, in dem mehrere Springbrunnen aus weiß, blau und scharlachrot blühenden Verbenenbeeten aufstiegen. Inmitten des Peristyls, von dem aus man direkt in die Empfangshalle gelangen konnte, stand ein großer vergoldeter Vogelbauer mit zierlichen, den ganzen Tag über singenden gelben Vögeln.

Die Empfangshalle war ein Kuppelgewölbe mit hellen Marmorsäulen, die sich in dem schwarzen Portormarmor des Fußbodens wie in einem See spiegelten. Leuchtendfarbige Mosaiken mit überladenen Ornamenten bedeckten die Wände bis zum Deckenfries hinauf, der mit Nymphen geschmückt war.

Der Praefectus hatte die Gäste gerade zu zwei mit üppigen Seidenkissen ausstaffierten Ruhelagern auf einer kleinen Empore geführt, als sich eine mit schwerer Bronze beschlagene Tür öffnete und Nero, gefolgt von seiner Gemahlin, den Saal betrat.

Der Kaiser war nicht groß, neigte zur Korpulenz und trug eine mit goldenen Sternen bestickte Purpurtoga. Poppaea hatte eine *Palla* angelegt, ein bis über die Füße hinabreichendes Gewand aus hellblauer Seide, welches so geschickt gerafft war, daß das Prunkstück ihrer Kleidung, ein aus dem Osten eingeführtes, mit Gold- und Silberfäden durchwirktes Leibchen, das ihre Brüste hob, voll zur Geltung kam. Neros rötliches und stark gelocktes Haar war wenig vorteilhaft, paßte aber gut zu seinen wasserblauen, hervortretenden Augen.

Gemessen an seinem Aussehen war Poppaea, deren exakt in Locken gelegtes Haar mit Safranpuder bestäubt worden war, um ihm einen warmen Bernsteinton zu verleihen, eine überaus hübsche Frau, wenngleich der sie beherrschende Ehrgeiz sie kalt und hart erscheinen ließ. Nero hingegen machte einen weichen, verträumten und melancholischen Eindruck, der so gar nicht zu der Brutalität paßte, die ihm nachgesagt wurde. Lediglich der unstete und zeitweilig wie ein Irrlicht flackernde Ausdruck seiner Augen ließ die Verworrenheit eines von Leidenschaften gehetzten Geistes erkennen.

Ohne den sich vor ihm verneigenden Gästen Beachtung zu schenken, schritt der Kaiser seinem Ruhelager entgegen und streckte sich dort mit einem vernehmlichen Seufzer aus.

Als hätte er damit das Kommando gegeben, fielen Tausende von taufrischen Rosenblättern aus eigens dafür in der Decke befindlichen Spalten auf ihn herab, und das gleiche Schauspiel wiederholte sich, als Poppaea auf ihrem Lager Platz genommen hatte.

Obwohl Senator Philippus schon viel über diese seltsame ›Huldigungszeremonie‹ gehört hatte, die ihren Höhepunkt darin fand, daß nach dem Rosenblattregen Duftwasser auf das göttliche Paar hinabgestäubt wurde, mußte er sich beherrschen, nicht zu lachen.

»Nun, ihr Fürsorger meines Reiches . . .«, sagte Nero mit wohltönender Stimme und hob seine Hand, als die Rosen- und Parfümberieselung beendet war.

Staatssekretär Seneca und der Befehlshaber der Prätorianer traten näher an die Ruhelager heran und gaben Senator Philippus das Zeichen, ihnen zu folgen.

Der kurzsichtige Kaiser blickte durch einen riesigen Smaragd* zu Philippus hinüber. »Ich danke Ihnen für Ihr Kommen und hoffe, daß Ihre Unbekümmertheit uns helfen wird, das Problem zu lösen, das ich heute zur Debatte stellen muß.« Damit ließ er sein Einglas sinken und schaute zur Kaiserin hinüber. »Verzeih, meine Liebe, wenn ich nun in einer schmerzlichen Wunde wühle; ich sehe mich aber leider gezwungen, den Tod unserer göttlichen Tochter zu erwähnen. Du weißt, daß ich schon alles eingeleitet hatte, um sie nach pharaonischer Sitte zu meiner Nachfolgerin zu ernennen, doch das Schicksal . . .« Er ließ seine Stimme beben und griff nach seiner Toga. »Unser Verlust . . .« Mit einem Aufschluchzen verbarg er sein Gesicht. »Der Schmerz ist so groß, daß ich . . .« Stöhnend sank er zurück.

Welche Wonne mag ihm dieses Selbstmitleid wohl wieder bereiten, fragte sich Seneca angewidert.

Verdammter Komödiant, fluchte der Befehlshaber der prätorianischen Garde insgeheim.

Wenn er nicht Kaiser wäre, hätte ein großer Schauspieler aus ihm werden können, schoß es Philippus durch den Kopf.

Nero richtete sich langsam wieder auf und rief mit theatralischer Geste: »Ihr Fürsorger meines Reiches! Der Schmerz des erlittenen Verlustes lähmt mich. Gebt mir eine Aufgabe, die mich ablenkt und für immer vergessen läßt, was ich verloren habe.«

»Ihr wollt Euch nicht mehr den Wagenrennen widmen?« fragte der Erste Staatssekretär betroffen. Die Vorstellung, der Kaiser könnte die Absicht haben, sich intensiv mit Regierungsgeschäften zu befassen, trieb ihm augenblicklich den Schweiß auf die Stirn.

»Wagenrennen sind mir zu langweilig«, antwortete Nero mißmutig und zupfte an einem Armband aus Schlangenhaut, das er seit seiner Kindheit trug.

Zu gefährlich sind ihm die Rennen, dachte der stämmige Prätorianer höhnisch, und er hatte recht damit. Denn der Kaiser,

---

* Der Smaragd ist ein Beryllium-Aluminium-Silikat, das schon der griechische Philosoph Theopharastos ›Beryllos‹ nannte. Unser Wort ›Brille‹ soll auf den großen Beryllos zurückzuführen sein, den Nero als Monokel benutzte.

der sich jenseits des Tibers auf dem Ager Vaticanus* einen eigenen Übungsrennplatz hatte bauen lassen, um unbeachtet trainieren zu können, war bei seinem ersten öffentlichen Auftritt im Circus Maximus schwer verunglückt und wäre gewiß zu Tode gekommen, wenn er nicht die Geistesgegenwart besessen hätte, im entscheidenden Augenblick die um seinen Leib gewickelten Zugseile der Außenpferde mit dem Kappmesser zu durchschneiden**.

»Viel zu langweilig sind mir die Wagenrennen«, betonte Nero nochmals und betrachtete den pompösen Ring, den er an seinem linken Zeigefinger trug.

Staatssekretär Seneca wurde klar, daß der Kaiser auf etwas Bestimmtes hinauswollte. Er entgegnete deshalb: »Ich verstehe, daß Wagenrennen Euren Tätigkeitsdrang nicht zu befriedigen vermögen. In dieser Hinsicht hatte ich ja von Anfang an meine Bedenken. Aber welche Aufgabe könnte Euch reizen und Euer würdig sein?«

Nero nahm den Ring vom Finger und rieb ihn an seiner Toga. »Das ist eine Frage, über die ich lange nachgedacht habe. Ihre Beantwortung ist schwierig, weil ich nicht irgendeine, sondern eine göttliche Aufgabe übernehmen möchte. Um es kurz zu machen: Ich habe mich entschlossen, dem Römischen Reich eine neue Hauptstadt zu schenken!«

»Eine was?« entfuhr es dem stämmigen Prätorianer.

* Der ›Ager Vaticanus‹ war ein von Grotten durchzogener Hügel, auf dem seit undenklichen Zeiten Wahrsager hausten, deren Gesänge dem Hügel den Namen Vaticanus gaben: Vatis cantus. Später benutzten die Christen diese alte Kultstätte für ihre Zwecke, und so entstand auf dem Ager Vaticanus der ›Vatikan‹.

** Bei den Rennen wurden sechs und mehr Pferde vor einen zweirädrigen Wagen gespannt, mit dem der Lenker sieben Runden (etwa vier Kilometer) in der ovalen Bahn zurücklegen mußte. Dabei war es notwendig, zwei steinerne Wendemarken zu umfahren, deren schnelle Umrundung entscheidend von der Behendigkeit der außen laufenden Kampfrosse abhing. Um diesen die erforderliche größere Bewegungsfreiheit zu geben, ließ man sie nicht im Zuggeschirr, sondern an Zugleinen laufen, die sich der Lenker um die Taille band. Wurde nun eine Kurve zu eng genommen, so zerschellte der Wagen an der steinernen Wendemarke, und der Fahrer konnte sich nur noch durch augenblickliches Kappen der Seile retten.

»Eine neue Metropole! ›Neropolis‹ soll sie heißen und die schönste Stadt auf Erden werden. Rom ist es nicht würdig, weiterhin der Mittelpunkt der Welt zu sein. Ohne jede Planung wurde diese Stadt erbaut. Ins Unermeßliche ist sie gewachsen. Sie stellt eine Zusammenballung von Mietskasernen dar, deren Gestank zum Himmel emporschlägt. Trotz der Bestimmung von Augustus, keinesfalls über achtzehn Meter Höhe zu bauen, sind die Häuser heute vielfach bereits acht Stockwerke hoch. Die Straßen aber sind enge Gassen geblieben, in denen jeder Verkehr zum Erliegen kommt. Anderthalb Millionen Menschen leben in Rom ohne Wasserleitung und Kanalisation, obwohl diese Errungenschaften zur Verfügung stehen könnten. Und warum ist das so? Weil einflußreiche Familien sich jeder Neuordnung widersetzen, um nur ja keinen Zentimeter Boden und keine Sesterze ihrer Rendite zu verlieren. Beim Herkules! In dieser Stadt verschwindet jeder im Senat eingebrachte Antrag auf Modernisierung. Patrizier und Spekulanten wünschen es so. Wozu sich also noch um Rom kümmern? Bauen wir eine neue Stadt, einen Regierungssitz, der unserem Imperium würdig ist. Wie gefällt Ihnen mein Plan? Ist er nicht göttlich?«

»Gewiß, gewiß!« stimmte Seneca eilig zu, und er brauchte sich nicht einmal zu verstellen. »Wer aber soll die Mittel aufbringen, die der Bau einer solchen Stadt kosten würde?«

Nero wälzte sich zur Seite und blickte zu Poppaea hinüber. »Ist er nicht langweilig?«

Sie lächelte. »Du bist wunderbar!«

»Haben Sie das vernommen?« fuhr der Kaiser seinen Ersten Staatssekretär an. »Doch zurück zu Ihrer seltsamen Frage. Das Volk wird natürlich die Mittel aufbringen müssen; denn die Stadt soll ja nicht für mich, sondern für das Volk gebaut werden.«

»Das dann ausgeblutet ist und nicht mehr in sie einziehen kann«, entgegnete Seneca unbeirrt. »Nero Caesar, Ihr macht Euch allem Anschein nach eine völlig falsche Vorstellung über die Summe, die ein grandioser Plan wie der Eure verschlingen würde.«

Der Kaiser wandte sich an Philippus. »Ist das auch Ihre Meinung?«

»Ich möchte zunächst einmal bekennen, daß Euer Plan mich zutiefst beeindruckt«, antwortete der Senator mit achtungsvoller Verneigung in dem Bestreben, seine folgende Stellungnahme weitgehend zu mildern. »Rom erlebt beinahe jede Woche Brände, die, so hart es klingen mag, Platz schaffen. Bei der Errichtung der Ersatzbauten werden die Straßen und Gassen jedoch niemals auch nur um eine Handbreit erweitert. Eine neue Metropole wäre also wünschenswert, aber es ist leider so, daß deren Bau mit ziemlicher Gewißheit zum Staatsbankrott führen wird, was zur Folge hätte, daß das wirtschaftliche Wohlergehen der Bürger in Frage gestellt werden würde. Wirtschaftliches Wohlergehen aber vermittelt dem Herrscher eine Macht, die er nicht aufs Spiel setzen sollte.«

Staatssekretär Seneca und Präfekt Burrus atmeten insgeheim auf.

Nero machte einen betroffenen Eindruck. Seine Macht durfte keinesfalls geschmälert werden. Vielleicht hatte er sich wirklich alles zu leicht vorgestellt.

»Aber ich muß doch eine Aufgabe haben!« rief er im Tonfall eines trotzigen Kindes.

Sein theatralisches Gebaren erinnerte Philippus daran, daß der Kaiser sich gerne einen großen Künstler nannte, nur weil er über eine recht annehmbare Stimme verfügte und bei einem Kitharisten das Spiel auf der Lyra und der Harfe erlernt hatte. »Ich hätte eine Idee«, sagte er, ohne lange zu überlegen. »Wie wäre es, wenn Ihr es Euch zur Aufgabe machen würdet, die Kunst zu neuer Größe zu erwecken!«

Neros wäßrige Augen flackerten. »Die Kunst zu neuer Größe . . .?« wiederholte er fasziniert. »Wie könnte ich das?«

»Indem Ihr Poeten, Sänger, Schauspieler, Ballettkünstler und Artisten aller Art um Euch versammelt und Vorführungen arrangiert, die dem Volk neben Gladiatorenkämpfen und Wagenrennen auch künstlerische Dinge bieten: Gesänge, Schauspiele, Tänze, Akrobatik und dergleichen mehr.«

Der Kaiser sprang auf. »Ein großartiger Gedanke! Unser Volk weiß ja überhaupt nicht, was Kunst ist. Es wird mit blutigen Spielen gefüttert, während den Griechen«, er wechselte in deren Sprache über, die er mit reinem attischen Akzent beherrschte,

»stets geistige Nahrung geboten wird. Senator, ich ernenne Sie zu meinem Berater in künstlerischen Fragen. Wir werden die Kunst zu neuer Größe führen, und ich selbst werde singend vor mein Volk hintreten. Mit von mir gedichteten und komponierten Weisen werde ich es beglücken. Auch als Schauspieler werde ich auftreten. Das Volk soll jubeln!«

»Aber Nero Caesar!« warf Staatssekretär Seneca betroffen ein. »Ein Kaiser kann unmöglich als Sänger und Schauspieler agieren!«

»Und warum nicht?« ereiferte sich der Herrscher. »Meine Wagenrennen haben Sie niemals beanstandet.«

»Weil das Wagenrennen ein ritterlicher Sport ist«, verteidigte sich Seneca. »Ich sehe keinen Grund, der einen Regenten daran hindern könnte, zu dokumentieren, wie geschickt, ausdauernd und todesmutig er ist. Aber singen . . .«

»Verzeihen Sie, wenn ich mich einmische«, widersprach Senator Philippus, der die Chance erkannte, den von seiner Göttlichkeit durchdrungenen Kaiser in eine für den Staat ungefährliche Bahn zu lenken. »Warum sollte Nero Caesar nicht persönlich auftreten, wenn sogar Apollo, der Sohn des Zeus und Gott des Lichtes, zur Leier sang. Auch Sophokles hat es nicht verschmäht, als Schauspieler aufzutreten. Und König Miltiades ermunterte seinen Sohn, bei feierlichen Anlässen seine Stimme ertönen zu lassen.«

Ich wäre ja froh, wenn wir den ›Göttlichen‹ auf so einfache Weise aus den Regierungsgeschäften heraushalten könnten, dachte Seneca voller Unruhe und entgegnete: »Ich gebe Ihnen recht, Senator. Gegen ein Auftreten des Kaisers wäre nichts einzuwenden, wenn nicht mit der Möglichkeit gerechnet werden müßte, daß Nero Caesar eines Tages, um nur ein Beispiel zu nennen, in keiner guten Verfassung ist, schlecht singt und – Verzeihung – ausgepfiffen wird. Staatspolitisch wäre das eine Katastrophe!«

»Da stimme ich Ihnen zu«, erwiderte Philippus augenblicklich. »Die von Ihnen angedeutete Gefahr läßt sich aber spielend beseitigen. Ich könnte mir denken, daß Präfekt Burrus einigen Kohorten seiner Garde die Weisung erteilt, sich in der Arena unter das Volk zu mischen und nach dem Vortrag des Kaisers kräftig zu applaudieren und Begeisterungsstürme zu entfachen. Glauben Sie, daß die Masse dann still sitzen bleiben wird?«

»Richtig, vollkommen richtig!« begeisterte sich Nero und klatschte vor Freude in die Hände. »Wir werden Wettkämpfe zur Ermittlung der besten Sänger und Schauspieler veranstalten, die zum Lohn den Siegeslorbeer erhalten sollen, und ich bin gewiß, daß er stets mir zufallen wird. Euripides lehrte: ›Das Wort ist mächtiger als das Schwert!‹ Mit Worten und Liedern werde ich kämpfen. Panem et circenses! Brot und Spiele! Das Volk soll in einen noch nie dagewesenen Begeisterungstaumel fallen.«

Als Senator Philippus mit seinem Wagen aus Rom herausfuhr, begegnete er einem offenen Bauernfuhrwerk, hinter dessen Bock der hünenhaft gewachsene, temperamentvolle Bildhauer Raimundus und seine meist sehr stille, zierliche Frau Isidora saßen. Sie hatten ihre beiden Kinder zu einem Pädagogen gebracht, der am Fuße der Albaner Berge lebte. In dem Augenblick, als die Wagen aneinander vorbeifuhren, zerriß die Frau des Bildhauers infolge einer plötzlichen Kippbewegung des Fahrzeuges ihr goldenes Halskettchen, mit dem sie gedankenverloren gespielt hatte. Seit ihrem Hochzeitstag vor fast acht Jahren hatte sie das an dem Kettchen hängende Medaillon, ein altes ägyptisches Schmuckstück mit einem blauen Skarabäus, niemals abgelegt, und nun, ausgerechnet an dem Tage, an dem sie und ihr Mann sich vorgenommen hatten, die häufigen Verstimmungen der letzten Zeit zu vergessen, die durch unterschiedliche Auffassungen über die Erziehung ihrer Kinder eingetreten waren, ausgerechnet an diesem Tage mußte der Anhänger reißen. War das ein böses Omen?

Isidoras grünblaue Augen suchten besorgt das Gesicht des neben ihr sitzenden Mannes, der eine schlichte braune Toga trug und einen willensstarken Eindruck machte.

»Schau, was mir passiert ist«, sagte sie und zeigte ihm die gerissene Kette.

Er legte den Arm um seine Frau und griff nach einem mit Wein gefüllten Krug. »Mach dir nichts draus. Wir kommen auf dem Weg nach Hause durch die Gasse der Goldschmiede und lassen den Schaden schnell beheben. Genieße also den Blick auf die Berge, die sich gerade wunderschön verfärben. Ich wollte, ich könnte diese Stimmung festhalten: seidiger Himmel, fließender Horizont, trunkene Felder, schützende Pinien, betende Zypressen ... Es ist ein Jammer, daß ich nur Bildhauer bin.«

»Versündige dich nicht!« ermahnte ihn Isidora, die über einer ärmellosen Tunika eine Stola trug, deren leuchtendes Blau ihre Zartheit noch unterstrich. »Wie oft wird dir gesagt, daß du ungewöhnlich talentiert bist!«

»Mit meinem Talent konnte weder Clau – Clau – Clau ...«, Raimundus ahmte Claudius, den stotternden Vorgänger Neros, nach, »etwas anfangen, noch weiß unser ›Göttlicher‹ meine Fähigkeiten zu schätzen. Griechische Skulpturen werden verlangt, gleichgültig, ob es sich um Originale oder Nachbildungen handelt. Römische Bildhauer werden von griechischen Firmen verdrängt, die Hunderte von Steinmetzen beschäftigen. Wer den Kopf der Daidameia oder den Diskuswerfer haben will, kann ihn in spätestens einer Woche in genau der von ihm gewünschten Größe erhalten. Venus gefällig? Sofort lieferbar. Apollo von Belvedere? Du kannst ihn bekommen, und er unterscheidet sich um keinen Millimeter von seinem Vorbild in Neros Garten. Ich könnte sie umbringen, diese schillernden Griechen«, fuhr Raimundus erregt fort. »Überall machen sie sich unentbehrlich. Notfalls würden sie sogar ihre eigene Mutter verkaufen.«

Isidora lachte. »Bleib auf der Erde, du Gott unter Göttern.«

Raimundus nahm einen Schluck Wein und wischte sich über den Mund. »Hast recht. Erfreuen wir uns an dem herrlichen Bild, das der Monte Cavo jetzt bietet. Und an der Via Appia, die bedeutsamer und großartiger als alle anderen von Menschenhand geschaffenen Monumente ist.«

Seine Frau machte eine bedenkliche Miene. »Ist das nicht etwas übertrieben? Denke nur an die Pyramiden der Ägypter, die so gewaltig sind, daß sie niemals verwittern können.«

»Glaubst du, die Via Appia würde jemals zu Staub werden?« ereiferte sich Raimundus. »Und ist sie etwa nicht gewaltig? Hunderte von Meilen ist sie lang. Hunderttausende bewegen sich unaufhörlich über sie dahin. Geschaffen von Menschen, dient sie den Menschen. Kannst du das von den Pyramiden behaupten? Das Gegenteil ist der Fall. Ihre Errichtung brachte ein Volk an den Bettelstab und kostete Legionen das Leben.«

Wie recht er hat, dachte Isidora, und sie empfand es plötzlich als besonders schmerzlich, daß ihre Ehe in den letzten Jahren immer problematischer geworden war. Wenn sie die große Liebe auch nie kennengelernt hatte, so war sie ihrem Mann doch sehr zugetan. Und nicht nur das. Seine Klugheit und sein Können bewunderte sie ebenso wie seinen unermüdlichen Fleiß und die Besessenheit, mit der er arbeitete. Aus ihrer Bewunderung war eine Achtung erwachsen, die sie vergessen ließ, daß nicht Liebe, sondern eine Absprache zwischen ihren Eltern zu ihrer Eheschließung geführt hatte. Raimundus war dreißig, sie jedoch erst fünfzehn Jahre alt gewesen, als sie heirateten, und sie hatte Angst vor seinem ungebärdigen Wesen gehabt. Wenn er sie in die Arme nahm, verlor er förmlich die Beherrschung. Er stürmte dann mit einer solch elementaren Gewalt auf sie ein, daß sie glaubte, den Verstand verlieren zu müssen. Hinterher streichelte er sie wie ein Kind, und es war gewiß nur ihrem stoischen Naturell zu verdanken, daß sie das eine wie das andere als etwas Gegebenes hinnahm.

Wahrscheinlich würde Isidora immer gut mit Raimundus ausgekommen sein, wenn mit dem Größerwerden ihrer Kinder nicht etwas eingetreten wäre, das den Bestand ihrer Ehe ernstlich gefährdete. Ihr Mann vergötterte seinen nunmehr siebenjährigen Sohn und seine um ein Jahr jüngere Tochter so sehr, daß diese tun und lassen konnten, was sie wollten. Zwangsläufig ergaben sich daraus Konflikte. Die Kinder wandten sich an ihren Vater, wenn die Mutter sich durchzusetzen versuchte, und der hünenhafte Raimundus, der keiner Fliege etwas zuleide tun konnte, geriet in Raserei, sobald er eines seiner Kinder weinen hörte.

Isidora war es schließlich zuviel geworden. Sie konnte die Auflehnung ihrer Sprößlinge, die ihr durch das Verhalten ihres Mannes schon völlig entfremdet worden waren, nicht mehr ertragen und hatte unmißverständlich erklärt, das Haus zu verlassen, falls keine entscheidende Änderung herbeigeführt werde.

Raimundus bemühte sich ernstlich, dem Wunsche seiner Frau

zu entsprechen. Vergebens. Es gelang ihm nicht, den Kindern gegenüber hart zu werden. Er war aber selbstkritisch genug, dies als Fehler zu erkennen, und aus Sorge, Isidora zu verlieren, hatte er sich schließlich entschlossen, die Kinder für eine Weile einem Pädagogen anzuvertrauen, der in Frascati ein angesehenes Internat unterhielt.

Isidora wie Raimundus waren daher in hoffnungsfroher Stimmung, als sie ihre Kinder fortgebracht hatten und nach Rom zurückkehrten, das sie am frühen Nachmittag erreichten. Vor der Stadtmauer mußten sie den Wagen allerdings verlassen, da über Tag kein Fuhrwerk in die Metropole einfahren durfte, um den in den schmalen Straßen und Gassen bereits unerträglich gewordenen Verkehr nicht restlos zum Erliegen zu bringen*. Vor allen Toren Roms befanden sich ausgedehnte Plätze, auf denen die Fahrzeuge bis zum Einbruch der Nacht abgestellt wurden. Mit Beginn der Dämmerung glich die Stadt dann einem Tollhaus. Das Poltern der Räder, Knarren der Wagen, Klappern der Hufe, Geschrei der Pferdeknechte und Fluchen der Kutscher schwoll zu einem Höllenlärm an, in den sich das Muhen der Rinder, Blöken der Schafe und Meckern der Ziegen, die zu den Marktplätzen getrieben wurden, zu einem infernalischen Crescendo steigerte. Die Versorgung von anderthalb Millionen Einwohnern mußte ausschließlich in der Nacht erfolgen, und Rom glich zwangsläufig bis in die frühen Morgenstunden einem Heerlager, das sich im Aufbruch befindet. An Schlaf war nicht zu denken. Selbst in den Straßen, die zur Verhinderung von Blockierungen nur in einer Richtung befahren werden durften, kam es oftmals zu wüsten Schlägereien, weil das Entladen der Fuhrwerke den Bewegungsstrom der nachfolgenden Fahrzeuge für eine Weile zum Erliegen brachte. Gegen Morgen begann dann ein Kampf um das rechtzeitige Herauskommen aus der Stadt, da Fahrzeuge, die sich bei Sonnenaufgang noch in Rom befanden, die Stadt erst am darauffolgenden Morgen verlassen durften.

Doch auch tagsüber war das Durcheinander in den Straßen und Gassen unbeschreiblich; abgesehen von einigen ruhigen

* Diese Anordnung wurde von Gaius Julius Caesar erlassen; sie war also zu Neros Regierungszeit schon über hundert Jahre alt.

Vierteln, in denen Patrizier, Senatoren, Präfekten und sonstige Notablen in vornehmer Zurückgezogenheit lebten. Im Zentrum war der Verkehr so groß, daß man selten ohne Tuchfühlung mit anderen Menschen ging. Und der Gestank war so penetrant, daß die Behörde an manchen Stellen aromatische Stoffe wie Weihrauch verbrennen ließ.

Raimundus und Isidora hielten sich Tücher vor das Gesicht, als sie die Gasse der Goldschmiede verließen, in der sie das gerissene Kettchen hatten reparieren lassen. Sie kannten den abscheulichen Geruch des Velabrum, das sie durchqueren mußten, um über die Aemilius-Brücke zu ihrem Haus auf dem westlichen Tiberufer zu gelangen, das von einem hübschen Garten umgeben war, dessen Südseite an Raimundus' Werkstatt grenzte. Im Velabrum, dem Stammplatz der Ölhändler und Käseverkäufer nicht weit von der ›Cloaca Maxima‹, gab es trotz des schier unerträglichen Gestankes Hunderte von Männern, die in Gruppen zusammenstanden und miteinander debattierten. Für Raimundus war dies ebenso unbegreiflich wie das Herumlungern der Stutzer und Gecken in den vornehmen Bedürfnisanstalten, wenngleich diese Einrichtungen einer gewissen Eleganz nicht entbehrten und sich besonders dadurch auszeichneten, daß die Wände, die den im Kreis angeordneten Sitzen gegenüber lagen, künstlerisch gestaltet und mit Motiven aus dem Götter- und Heldenleben bemalt waren.

Aufatmend erreichten Isidora und Raimundus die zum Pons Aemilius führende Straße, die so überfüllt war, daß sie kaum vorwärts kommen konnten. Die Kleidung der Passanten ließ erkennen, daß die wenigsten von ihnen Römer waren, denen allein das Recht zustand, die Toga zu tragen. Unter den zum Teil sehr vermögend gewordenen Freigelassenen dominierten die Griechen ebenso wie unter den Sklaven, welche in der Hoffnung, für ihren Fleiß eines Tages belohnt und freigelassen zu werden, von morgens bis abends schufteten und es den Römern ermöglichten, ein Faulenzerdasein zu führen. An Arbeitskräften gab es aber auch viele Araber, Gallier, Juden, Spanier und Germanen, deren unterschiedliche und zum Teil bunte Kleidung das Bild der Straße belebte.

Fast zwei Stunden brauchten Isidora und Raimundus, um zu

ihrem Haus zu gelangen, das ihnen nach der Durchquerung Roms wie ein Paradies erschien. Die in der Werkstatt beschäftigten Skarpellini hatten bereits Feierabend gemacht, und Raimundus schloß seine Frau erlöst in die Arme, als sie in das Atrium eingetreten waren, um das sich die anderen Zimmer gruppierten.

»Dem Himmel sei Dank!« rief er überschwenglich und hob Isidora wie eine Feder in die Höhe. »Ist es nicht herrlich daheim? Bereite uns schnell ein kleines Essen. Wir wollen das Alleinsein feiern und versuchen . . .« Er unterbrach sich unvermittelt und blieb wie angewurzelt stehen. »Mir kommt ein toller Gedanke! Ich werde eine Plastik schaffen, die zwei Liebende darstellt. Es ist doch zu verrückt, daß wir stets nur einzelne Männer und Frauen aus unseren Blöcken herausschlagen. Warum nicht einmal ein Paar, das sich umarmt?«

»Du kannst doch die Umarmung nicht darstellen«, widersprach Isidora betroffen.

Raimundus lachte. »So habe ich es nicht gemeint. Ich denke an ein junges Paar, das sich umschlungen hält und küßt.« Damit setzte er seine Frau ab und legte seine Arme um sie. »Etwa so. Nein, die Haltung ist nichts«, korrigierte er sich und zog Isidora mit sich fort. »Laß uns gleich einmal feststellen, wie man es machen könnte.«

Seine Frau protestierte. »Kaum sind wir angekommen, da willst du schon wieder dein Atelier aufsuchen?«

»Nur für einen Moment«, beschwichtigte er sie. »Ich möchte mich lediglich einmal mit dir vor den Spiegel stellen.«

»Das können wir doch morgen machen.«

»Dann würde ich die ganze Nacht nicht schlafen.«

»Aber es ist doch gleich dunkel!«

»Sind neben dem Spiegel etwa keine Lampen?«

Isidora gab es auf. Sie kannte ihren Mann und wußte, daß es keinen Sinn hatte, ihn umstimmen zu wollen. Nachdem ihm der Gedanke gekommen war, ein Liebespaar darzustellen, hatte die Welt den Atem anzuhalten.

Tatsächlich nahm Raimundus seine Umgebung kaum noch wahr. Er raste durch den Garten, als seien Furien hinter ihm her, und kaum hatte er die Werkstatt erreicht, da trat er an einen

Feueranzünder heran. »Hol die Lampen aus dem Atelier«, forderte er seine Frau auf.

Sie gehorchte wie ein wohlerzogenes Kind und begab sich in den Arbeitsraum ihres Mannes im Hintergrund der Werkstatt.

Indessen führte Raimundus ein angespitztes Anzündholz in die Bohrung einer kleinen, mühlradähnlichen Scheibe, die er durch ein Tretwerk in Umdrehung versetzte. »Nun komm schon«, rief er ungeduldig, nachdem er mehrere Male in die Bohrung geblasen hatte und das Holz durch Reibungshitze Feuer fing.

»Mehr als beeilen kann ich mich nicht«, erwiderte Isidora unwillig, als sie in die von vielen Steinblöcken verstellte Werkstatt zurückkehrte.

»Es war nicht so gemeint«, entgegnete ihr Mann und führte den brennenden Span an den Docht einer der Öllampen. »Du kennst mich doch.«

Sie nickte.

Er entzündete auch die zweite Lampe, übernahm dann beide und ging in sein Atelier, dessen Wände glatt verputzt waren und vor Beginn jeder neuen Arbeit frisch gekalkt wurden, so daß sich auf ihnen großformatige Kohleskizzen anfertigen ließen. An einer der Wände befand sich eine fast zwei Meter hohe und ein Meter breite polierte Kupferplatte, die als Spiegel diente und Raimundus die Möglichkeit gab, seine Modelle nicht nur von vorne, sondern gleichzeitig auch von hinten zu betrachten.

»Komm her«, sagte er zu Isidora, nachdem er die Öllampen auf zwei Sockel neben der Kupferplatte gestellt hatte. »Gib dich jetzt einmal ganz verliebt und küß mich, wobei ich versuchen will, uns im Spiegel zu beobachten.« Damit stellte er sich so, daß er sich sehen konnte.

Isidora schüttelte den Kopf. »Wenn du uns beobachtest, kann ich dich nicht küssen.«

»Wieso nicht?« fragte er verwundert.

»Bei unserem Größenunterschied kann ich deinen Mund unmöglich erreichen, wenn du in den Spiegel schaust und dich nicht zu mir herabneigst.«

Er lachte. »So viel Phantasie habe ich schon, daß ich mir den Kuß vorstellen kann. Du sollst nur so tun, als küßtest du mich.

Ich möchte herausfinden, welche Haltung am ausdrucksvollsten ist. Leg deinen Kopf in den Nacken.«

Sie tat es.

»Noch ein bißchen mehr«, bat er und drehte sich mit ihr zur Seite. »Nein, das ist nichts«, ereiferte er sich. »Leg deine Hände um meinen Hals, als wolltest du mich zu dir hinabziehen.«

Isidora entsprach seinem Wunsche.

Raimundus schnitt eine Grimasse. »Auch nicht das Richtige. Wir müssen es anders machen. Dreh dich um, so daß du den Spiegel vor dir hast, und leg deinen Kopf dann schräg zurück und schau zu mir hoch.«

Sie tat, wie ihr geheißen.

Er umschlang sie von hinten, zog sie an sich und starrte wie gebannt auf das Bild, das sich ihm bot. »Den Kopf noch etwas schräger legen und mehr meinem Gesicht zuwenden. Ja, so ist es richtig. Und nun die rechte Hüfte ein wenig heben. Glänzend! Die Haltung ist großartig. Wenn ich mich jetzt über deinen Mund beuge und . . .« Er unterbrach sich. »Schnell, probieren wir es.« Damit rückte er von Isidora ab und zog einen Zipfel seiner Toga unter dem rechten Arm hervor.

»Willst du dich etwa ausziehen?« fragte sie verblüfft.

»Natürlich. Und du wirst das gleiche tun. Die Haltung ist betörend schön. Ich muß nur noch das Zusammenspiel der Arme und Beine prüfen.«

Sie warf ihm einen flehenden Blick zu. »Raimundus, die Fahrt und der Weg durch die Stadt haben mich angestrengt. Ich bin zum Umfallen müde. Laß uns morgen . . .«

»Nun zieh dich schon aus«, unterbrach er sie ungewollt heftig. »In ein paar Minuten sind wir fertig. Ich will doch nur sehen . . .«

»Schon gut«, beruhigte sie ihn, da sie wußte, daß alles Reden jetzt sinnlos war.

Er warf seine Toga auf einen Hocker und nahm Isidoras Stola und Tunika entgegen. »Ich verspreche dir, nicht lange herumzuprobieren, sondern lediglich die Haltung von eben zu kontrollieren. Dann gehen wir, und ich helfe dir, das Abendbrot zu bereiten.«

Sie stellte sich auf die Zehenspitzen und gab ihm einen Kuß.

Er streichelte ihre Wange. »Dreh dich um.«

Isidora blickte in den Spiegel und geriet angesichts ihrer hübschen Figur, der man nicht ansah, daß sie zwei Kindern das Leben geschenkt hatte, in eine gelöste Stimmung.

Raimundus trat dicht hinter sie, so daß ihre Körper sich berührten. »Lehn dich an mich und leg den Kopf wieder in den Nakken.«

Sie tat es und beobachtete sich selber.

»Nicht in den Spiegel, sondern zu mir heraufschauen!« ermahnte er sie.

Isidora änderte ihre Haltung.

»Und nun versuch deine Arme um meinen Hals zu legen, wobei du dich natürlich ein wenig zurückbeugen mußt. Ja, so ist es richtig. Hervorragend!« Er führte eine Hand unter ihre Brust und neigte sich über ihren Mund. »*Amor eternus – Die ewige Liebe* werde ich die Plastik nennen. Ich garantiere dir, daß sie Aufsehen erregen wird.«

Wie immer, wenn Raimundus ein neues Werk plante oder in Angriff nahm, war er zutiefst davon überzeugt, etwas ganz Außergewöhnliches zu schaffen. Im Geiste sah er sich dann schon neben berühmten griechischen Bildhauern wie Skopas und Praxiteles stehen. Römische Meister, denen er jedes Empfinden absprach und den Vorwurf machte, mit ihren Skulpturen die Beschauer nicht anzuregen, sondern ihnen ihre schmerzliche Erdgebundenheit vor Augen zu führen, ließ er nicht gelten. ›Triumphbogenhauer‹ und ›Architektenhandlanger‹ nannte er sie, was zur Folge hatte, daß er von allen Kollegen gemieden wurde. Aber das machte ihm nichts aus. Er war ein Besessener, der vom eigenen Feuer lebte, und deshalb konnte er in den nächsten Stunden von nichts anderem als von seiner neuen Skulptur reden. Isidora hörte ihm geduldig zu und machte nicht den Versuch, ihn auf ein anderes Thema zu bringen. Ein einziges Mal hatte sie so etwas gewagt; mit dem Erfolg, daß Raimundus' Begeisterungsfähigkeit ins Negative umgeschlagen war und sich wie ein Gewitter über sie entladen hatte.

»Ich werde noch einmal in die Bibliothek des Asinius Pollio

gehen und mir die Stiergruppe der Rhodesier ansehen«, sagte er im Verlauf des Abends. »Es ist unglaublich, welche Bewegung in der als Dirke dargestellten Frau steckt. Die Drehung ihrer Hüfte . . . Apollonius und Tauristeos müssen ein hervorragendes und äußerst geduldiges Modell gehabt haben.«

Isidora gab sich empört. »Verdiene ich solche Attribute etwa nicht?«

Raimundus legte seinen Arm um sie. »Natürlich! Aber woher nehme ich ein gleichwertiges und dazu noch in seiner Größe zu dir passendes männliches Modell? Ich grüble schon die ganze Zeit darüber nach, wer unter unseren Bekannten dafür in Frage kommen könnte.«

Ihre Augen weiteten sich. »Du willst mich neben einen anderen Mann stellen?«

Er sah sie verwundert an. »Hast du etwa gedacht, wir beide könnten das vor dem Spiegel erledigen?«

Isidora rückte von Raimundus ab. »Also, das sage ich dir, ich stehe mit keinem Mann Modell. Besorg dir für diesen Zweck gefälligst eine andere Frau. In der Theaterschule findest du genügend.«

»Bist du von Sinnen?« brauste er auf. »*Amor eternus* ist für mich undenkbar, wenn du nicht Modell stehst. Dann brauche ich gar nicht erst anzufangen. Eine x-beliebige Frau inspiriert mich nicht. Und was deinen Partner anbelangt, kannst du unbesorgt sein. Meine Anwesenheit bietet eine hinreichende Garantie dafür, daß der Bursche sich nicht die geringste Frechheit erlaubt.«

Isidora hob die Hände. »Ich bitte dich, Raimundus . . .«

Er schlug mit der Faust auf den Tisch. »Sei nicht kindisch! Du bist die Frau eines Künstlers und nicht die eines Spießers. Ich verstehe überhaupt nicht, was in dich gefahren ist. Du bist doch sonst nicht prüde.«

»Das bin ich auch jetzt nicht«, entgegnete sie aufgebracht. »Es ist aber ein Unterschied, ob ich allein Modell stehe oder mich unbekleidet von einem Mann umfassen und küssen lassen soll.«

Raimundus griff nach dem Weinkrug. »Natürlich ist da ein Unterschied. Er ist aber bedeutungslos, solange wir uns lieben und du zu mir gehörst.«

Isidora schüttelte den Kopf. »Ich bin nicht unanfechtbar. Die

Gefahr, daß ich in den Armen eines fremden Mannes plötzlich etwas empfinde, ist auch bei mir gegeben.«

Raimundus lachte schallend. »Wenn du glaubst, mich unsicher machen zu können, dann täuschst du dich. Ich kenne dich und weiß, daß du weder leichtfertig noch unanständig bist. Eher würdest du die Kinder verlassen, als mich hinter meinem Rücken zu betrügen.«

»Soll das eine Beleidigung oder ein Kompliment sein?« entrüstete sie sich.

Raimundus zog sie an sich. »Weder das eine noch das andere. Ich wollte lediglich zum Ausdruck bringen, wie sehr ich davon überzeugt bin, daß du mir niemals Hörner aufsetzen wirst. Du würdest vorher zu mir kommen und mir sagen, wie es um dich steht.«

»Und was würdest du dann tun?«

Raimundus zuckte die Achseln. »Das weiß ich nicht. Ich glaube, ich . . .« Er schwieg und strich sich über die Stirn. »Kehren wir zum Ausgangspunkt unseres Gespräches zurück. Bestehst du wirklich darauf, daß ich ein anderes Modell nehme?«

Isidora sah ihn prüfend an. »Würdest du mir den Wunsch erfüllen?«

Seine Augen brannten. »Nein! Ich würde die Arbeit dann eben nicht in Angriff nehmen.«

»Das ist Erpressung!« begehrte sie auf. »Du weißt genau, daß ich es nicht ertragen könnte, dich von morgens bis abends bedrückt umherlaufen zu sehen.«

»Dann sei vernünftig. *Amor eternus* soll etwas ganz Außergewöhnliches werden, und du müßtest das meiste Verständnis dafür haben, daß ich dich und nur dich in dieser Plastik verkörpern möchte.«

Isidora seufzte. »Wenn es denn nicht anders geht . . . Aber endgültig lege ich mich erst fest, wenn du mir gesagt hast, wer der Partner sein soll.«

»Ich habe eben an meinen neuen Schüler Horatius gedacht«, erwiderte Raimundus werbend.

Isidora verschlug es die Stimme.

»Wäre er nicht der Richtige? Er ist doch ein netter Kerl, und ich halte ihn auch für sehr talentiert. Doch das spielt im Augenblick keine Rolle. Jetzt ist nur wichtig, daß er gut gewachsen ist, mehr jungenhaft als athletisch wirkt und die richtige Größe hat, um seinen Kopf neigen zu müssen, wenn er hinter dir steht und dich küssen soll. Ich könnte mir denken, daß ihr beide ein ideales Paar seid. Meinst du nicht auch?«

Isidora wußte nicht, was sie dazu sagen sollte. »Schon möglich«, antwortete sie ratlos und wunderte sich darüber, daß sie sich nicht mehr auflehnte.

Raimundus strahlte. »Du wirst also Modell stehen?«

»Ja«, antwortete sie kaum hörbar und dachte: Der Himmel mag wissen, wohin das führt.

Horatius war ein blonder, beinahe germanisch aussehender Jüngling, der zu Raimundus wie zu einem Gott aufsah. Für den Bildhauer war es dadurch nicht allzu schwer, seinen noch nicht ganz achtzehnjährigen Schüler, dem die Lauterkeit ins Gesicht geschrieben stand, dazu zu überreden, ihm für die geplante Skulptur als Modell zur Verfügung zu stehen. Horatius wurde allerdings sehr verlegen und unsicher, als er hörte, daß Isidora, die er insgeheim verehrte, seine Partnerin sein würde. Der Gedanke, nackt vor sie hintreten zu sollen, trieb ihm das Blut in die Wangen. Am liebsten hätte er auf der Stelle seinen Meister gebeten, ihn von der Aufgabe zu entbinden. Doch wie sollte er eine solche Bitte begründen? Er befürchtete, ausgelacht zu werden.

Als Isidora von Horatius' Bereitschaft erfuhr, wurde sie starr. Sie kam sich wie ausgehöhlt vor. Sollte sie nicht doch noch einmal versuchen, ihren Mann umzustimmen?

Raimundus rieb sich vor Begeisterung die Hände. »Wir wollen gleich heute nachmittag mit dem Skizzieren beginnen. Paßt dir das?«

Sie nickte. »Die Kinder sind ja nicht da; ein überaus glückliches Zusammentreffen.«

Ihr Tonfall ließ ihn aufhorchen. »Ist etwas nicht in Ordnung?«

Isidora schüttelte den Kopf.

Raimundus war zufrieden und griff nach dem amtlichen Mitteilungsblatt*. »Wir haben Glück gehabt, daß wir gestern nicht früher zurückgekehrt sind«, sagte er, nachdem er eine Weile gelesen hatte. »Der Vicus Jugarius war für zwei Stunden gesperrt, um der Bevölkerung die Möglichkeit zu geben, das Hinabstürzen von fünf Senatoren zu beobachten**.«

»Ich begreife nicht, wie man bei Hinrichtungen zuschauen kann«, entsetzte sich Isabella.

»Und mir ist es unverständlich, daß Nero fünf ehrbaren Männern das Leben nehmen läßt, nur weil sie über seinen ausschweifenden Lebenswandel geredet haben. Als er das erstemal ein Todesurteil unterzeichnen mußte, rief er aus: ›Ich wünschte, das Schreiben nie gelernt zu haben!‹ Heute hingegen . . . Aber vielleicht geht es nicht anders«, fuhr Raimundus wie im Selbstgespräch fort. »Caesar, Augustus, Tiberius, Caligula und Claudius wurden ermordet, was beweist, daß alle bisherigen römischen Kaiser zumindest eine Person zuwenig umbringen ließen.«

»Sprich von etwas anderem«, bat Isidora und stellte eine irdene Schüssel auf den Tisch. »Mir vergeht sonst der Appetit.«

Raimundus legte sich der römischen Sitte entsprechend so auf eine neben dem Eßtisch stehende Ruhebank, daß sein Oberkörper vom linken Arm gestützt wurde und er mit der rechten Hand essen konnte.

Isidora nahm die gleiche Haltung auf einer gegenüberliegenden Bank ein.

»*Amor eternus* wird Aufsehen erregen«, erklärte Raimundus selbstzufrieden, nachdem er in ein Hühnerbein gebissen hatte. »Ich habe noch nie eine Plastik so deutlich vor mir gesehen. Köstlich, dieses Fleisch«, fuhr er in einem Atemzuge fort. »Ich befürchte nur, daß wir mehr Pausen als sonst einlegen müssen. Durch die Schräglage des Kopfes wird dein Nacken schnell steif werden. Auf eine Unterbrechung mehr oder weniger soll es mir

* Es gab zur Zeit Neros bereits eine Art Zeitung, die ›Acta diurna‹, auch ›Diurnalis‹ genannt, die 59 v. Chr. von Gaius Julius Caesar eingeführt wurde und zunächst dazu bestimmt gewesen war, die Verhandlungen des Senates und der Comitien festzuhalten.
** Verbrecher oder solche, die dafür erklärt wurden, stieß man von dem an der südlichen Spitze des Capitolinischen Hügels gelegenen ›Tarpejischen Felsen‹ in den Abgrund. Heute steht dort die Kirche ›Santa Maria della Consolazione‹.

aber nicht ankommen. Das Essen ist wirklich wieder ganz vorzüglich.«

Isidora freute sich über das Lob und den Appetit ihres Mannes, obwohl sie selbst kaum etwas zu sich nehmen konnte. Immer wieder mußte sie an den jungen Horatius denken. Sie hatte Angst, sich ihm unbekleidet zu zeigen, war aber auch von einer gewissen Neugier erfüllt.

Raimundus lachte plötzlich und sagte, als hätte er Isidoras Gedanken erraten: »Du hättest Horatius sehen sollen, als ich mit ihm sprach. Rot ist er geworden, als er erfuhr, daß du seine Partnerin sein wirst. Wie ein Bauernjunge schwitzte er mit einem Male. Und weißt du, was er als erstes getan hat, als ich ihn entließ? Er ist zum Tiber hinuntergelaufen und hat sich von oben bis unten geschrubbt! Ist das nicht köstlich?«

Isidora entgegnete nichts. Die Art, mit der Raimundus die Angelegenheit behandelte, mißfiel ihr immer mehr. War es denn möglich, daß er sich keinerlei Gedanken machte?

Raimundus trank einen Schluck Wein und stellte seinen Becher geräuschvoll zurück. »Am meisten hat es mich natürlich gefreut, zu sehen, daß der Junge die richtige Figur hat.«

Isidora hätte schreien mögen. Sie wollte von *Amor eternus* und dem Schüler ihres Mannes nichts mehr hören. Doch sie sollte an diesem Tage noch ganz anderen Belastungen ausgesetzt werden.

Zunächst verlief allerdings alles wesentlich unproblematischer, als Isidora es angenommen hatte, und zweifellos war dies Horatius zu verdanken, der seine Tunika als erster ablegte und sich so stellte, daß Isidora sich unbeobachtet entkleiden und ohne von ihm gesehen zu werden an ihn herantreten konnte. Seine Rücksichtnahme machte es ihr leicht, zu tun, wovor sie Angst gehabt hatte, und sie würde sich völlig frei gefühlt haben, wenn sie nicht bemerkt hätte, daß ihr Mann über das behutsame An-sich-Herantasten seiner Modelle hämisch grinste. Dadurch wurde sie wieder unsicher, bis sie sich in ihrer Verärgerung so sehr gegen Raimundus auflehnte, daß ihr sein Verhalten nichts mehr ausmachte. Nur einen Gedanken hatte sie noch: ihre Aufgabe auf elegante Weise zu lösen. Von diesem Augenblick an war es ihr möglich, ohne die geringste Hemmung zu verspüren, an ihren Partner heranzutreten. Sie stellte sich mit dem Rücken vor ihn hin, legte den Kopf in den Nacken und schaute zu ihm hoch.

Horatius sah sie an, als wollte er sagen: Sei unbesorgt. In seinen Augen aber lag ein heimlich glimmendes Feuer.

»Die Arme hoch!« forderte Raimundus seine Frau auf, wobei er die Stellung des Paares aus zusammengekniffenen Augen prüfte. »Du weißt doch, daß du die Hände um seinen Hals legen mußt.«

Isidora tat, wie ihr geheißen.

»Deine Haltung ist zu steif«, korrigierte er sie. »Hingebungsvoll mußt du wirken.«

Während sie versuchte, seinem Wunsche durch eine leichte Drehung ihrer Hüfte zu entsprechen, dachte sie überrascht: Warum habe ich nie gesehen, was für schöne Augen Horatius hat?

»Nein, nein, nein, so geht das nicht!« rief Raimundus unwillig und schob seinen Schüler zur Seite. »Du sollst keine Bohnenstange, sondern einen jungen Mann verkörpern, der seine Geliebte in verhaltener Leidenschaft umfaßt. So etwa. Schau es dir an.« Damit legte er seine Arme um Isidora, zog sie an sich und neigte seinen Kopf über sie.

Wie brennend seine Augen sind, ging es ihr durch den Sinn.

»Ich hoffe, dir ist jetzt klar, wie du es machen sollst«, sagte Raimundus an seinen Schüler gewandt und schob ihn an seine Frau heran.

Isidora lächelte Horatius aufmunternd zu. »Leg ruhig deine Arme um mich. Es ist doch alles nur Spiel.«

Von diesem Augenblick an konnte Raimundus seine Modelle dirigieren, wie er wollte: sie nahmen genau die Haltung ein, die er sich wünschte. Zufrieden aber war er nicht. »Weiß der Teufel, woran es liegt«, knurrte er mißmutig und ging von einer zur anderen Seite, um seine Frau aus den verschiedensten Positionen zu betrachten. »Deine Haltung ist ausgezeichnet, aber irgend etwas stimmt nicht.« Er ging in die Hocke, um den Gesichtswinkel zu verändern, nagte eine Weile an seinen Lippen und rief mit einem Male: »Ich hab's! Dein Haar ist zu lang! Du mußt es abschneiden lassen. Kurz muß es sein. Und seitlich muß es nach vorne gelegt werden. Wie von einem Windstoß verweht muß es aussehen. So hat es keinen Zweck, mit dem Skizzieren zu beginnen. Laß dir dein Haar nach der neuen Mode zurechtmachen.«

Isidora glaubte nicht richtig zu hören. »Mir scheint, du hast den Verstand verloren«, begehrte sie auf. »Du kannst doch nicht verlangen, daß ich mein schönes Haar abschneiden lasse.«

Er nahm ihre Tunika vom Hocker und reichte sie ihr. »Bitte, keinen Streit. In solchen Dingen weiß ich besser Bescheid als du. Deine Frisur paßt nicht zu meinem Liebespaar. Glaub es mir. Unabhängig davon kommt das schönste Haar nicht zur Geltung, wenn es unmodern frisiert ist. Am besten gehe ich mit, um zu erklären, wie es geschnitten werden soll.«

Isidora war dem Weinen nahe. Sie wußte, daß es keinen Zweck hatte, sich aufzulehnen. Wenn sie sich von Raimundus nicht trennen wollte, mußte sie ihn nehmen, wie er war. Und sie wollte sich nicht von ihm trennen. Es blieb ihr also nichts anderes übrig, als zur nächsten Friseuse, einer geschickten Alexandrinerin, zu gehen, die sogleich begriff, welche Frisur ihrem Mann vorschwebte. Wie ein Opferlamm kam Isidora sich vor. Als sie aber eine Stunde später in den silbernen Spiegel schaute, der ihr gereicht wurde, konnte sie nicht umhin, sich einzugestehen, daß ihr Aussehen auf seltsame Weise gewonnen hatte.

»Wer hat nun recht gehabt?« triumphierte Raimundus. »Bis jetzt erinnertest du mich an eine erblühte Rose, nun gleichst du einer taufrischen Knospe. Aus deinem Kopf wurde ein Köpfchen, und dein herrlich schlanker Hals kommt endlich zur Geltung.«

Isidora schloß für einen Moment die Augen. Wie reizend er sein kann, dachte sie beglückt. Wenn er mich nur nicht immer so atemlos machen würde. Ständig befürchte ich, die Nerven zu verlieren.«

»Nun komm schon«, forderte Raimundus sie auf. »Nur nicht in Träumereien verfallen. Mit frischer Kraft geht es jetzt wieder an die Arbeit.«

Isidora sah ihn bittend an. »Laß uns morgen weitermachen. Mit der neuen Frisur bin ich mir so fremd, daß ich nicht weiß, wie ich mich benehmen soll.«

Er lachte und schob sie vor sich her aus dem Raum. »Um eine

Ausrede bist du nie verlegen. Aber heute hilft sie dir nicht. Ich muß meine Stimmung ausnutzen. Du ahnst ja gar nicht, wie erregend dein verändertes Aussehen für mich ist.«

Es hat keinen Sinn, gegen ihn anzureden, dachte Isidora gottergeben und kehrte am Arm ihres Mannes ins Atelier zurück, wo Horatius sie zunächst fassungslos, dann aber mit strahlender Miene betrachtete.

Ihre Augen glänzten beinahe nilgrün. »Gefällt dir die Frisur?«

»Und wie!« antwortete der Schüler ihres Mannes begeistert. »Im ersten Moment war ich erschrocken, doch dann, als ich sah . . .«

Raimundus klatschte in die Hände. »Unterhalten könnt ihr euch später. Versucht nun die Haltung von vorhin wieder einzunehmen.«

Horatius stellte sich vor Isidora und streifte seine Tunika ab, so daß sie sich erneut ungestört entkleiden und vor ihn hintreten konnte. Und bedeutend schneller als zuvor war Raimundus mit der Haltung seiner Modelle zufrieden. Er geriet förmlich in Extase und warf mit schnellen Strichen die ersten Skizzen an die Wand.

»Schade, daß du nicht sehen kannst, wie dein Köpfchen jetzt wirkt«, rief er überglücklich. »Einfach phantastisch! Da muß man ja Lust bekommen, dich zu küssen. Habe ich nicht recht, Horatius?«

Der antwortete nicht, sondern blickte Isidora unsicher in die Augen.

Es ist unverantwortlich, so frivol zu reden, dachte sie entrüstet.

»Die Lippen jetzt einmal zusammenführen!« rief Raimundus und fegte mit seiner Kohle über die getünchte Wand.

Isidora spürte die weichen Barthaare ihres Partners und schloß die Augen. Ich könnte mich verlieren, dachte sie betroffen. Nein, das könnte ich nicht, korrigierte sie sich sogleich.

Horatius überkam ein verdächtiges Zittern.

Isidora öffnete die Augen und erschrak. Kein Zweifel, der Schüler ihres Mannes kämpfte mit sich, seine Erregung zu überwinden. Und dann spürte sie klopfenden Herzens, daß es ihm

164

nicht gelang. Ohne etwas zu sagen, ließ Horatius sie plötzlich los, ergriff seine Tunika und rannte aus dem Raum.

Raimundus, der im ersten Augenblick wie erstarrt gewesen war, krümmte sich vor Lachen. »Hast du das gesehen?« rief er und schlug sich auf die Schenkel. »Nein, so etwas! Ihn hat die Lust gepackt!«

Isidora verlor die Beherrschung. Mit einem Satz war sie bei ihrem Mann und schlug ihm ins Gesicht. »Das ist dafür, daß du dich über etwas lustig machst, das deinem Schüler die Tränen in die Augen treiben wird. Tränen der Scham, Raimundus! Und damit ist das Kapitel *Amor eternus* für mich erledigt. Besorge dir gefälligst ein anderes Modell. Und lasse auch Horatius aus dem Spiel.«

2

Innerhalb weniger Stunden war die von den nördlichen Bergen herabkommende frische *Tramontana*, die Rom stets klares Wetter schenkt, einem aus Süden heranrückenden *Scirocco* gewichen, der die Luft mit Wasserdampf füllte und den Menschen das Leben unerträglich machte. Seinem verheerenden Einfluß schrieb Raimundus die heftige Reaktion Isidoras zu. Auf den Gedanken, daß er einen Fehler gemacht haben könnte, kam er nicht. Er wußte nur, daß etwas geschehen war, das sich nicht ohne weiteres aus der Welt schaffen ließ. Seine Frau hatte ihn geohrfeigt und ihm unmißverständlich erklärt, daß sie für die Plastik *Amor eternus* nicht mehr Modell stehen wolle.

Raimundus' innerer Aufruhr legte sich nicht, obgleich er immer wieder versuchte, Isidoras Verhalten mit ihrer Wetterempfindlichkeit zu erklären. Sein Stolz war zu sehr verletzt. Darüber hinaus erwuchs in ihm der unbändige Wunsch, unter Beweis zu stellen, daß er die geplante Skulptur auch ohne seine Frau schaffen konnte. Gewiß, er hatte behauptet, dazu nicht in der Lage zu sein, aber da waren die Verhältnisse noch andere gewesen.

Bereits am nächsten Mittag verpflichtete Raimundus zwei gut

aussehende Modelle, die allerdings keinerlei Ähnlichkeit mit Isidora und Horatius besaßen. Während diese eine sublime Sinnlichkeit verkörpert hatten, strahlte das neue Paar eine vordergründige Erotik aus, die Raimundus anzusprechen schien. Jedenfalls skizzierte er ungewöhnlich leidenschaftlich, und wenn er gewisse Partien des etwas üppigen Körpers seines neuen, ausgesprochen attraktiven weiblichen Modells zeichnete, dann geriet er in eine beinahe wollüstige Raserei, die sich in den darauffolgenden Wochen, in denen er den lebensgroßen Entwurf aus Lehm formte, manchmal bis zur Unerträglichkeit steigerte.

In diesen Wochen, die dazu hatten dienen sollen, ein durch Erziehungsprobleme gestörtes Eheleben wieder in geordnete Bahnen zu lenken, sprach Raimundus nur das Allernotwendigste mit Isidora. Sein ganzes Denken drehte sich um die Arbeit, die ihn so sehr beschäftigte, daß er nicht einmal bemerkte, welche Anstrengungen sein neues Modell unternahm, um ihn in seine Netze zu locken. Es war eine hübsche und lebenshungrige Frau namens Helena, die nicht zögerte, es der Göttin Helena gleichzutun, als sie erkannte, daß sie ihr Ziel auf herkömmliche Weise nicht erreichen konnte: sie stiftete Unfrieden. Aber auch hier blieb der Erfolg weit hinter ihren Erwartungen zurück, da Raimundus keinen Wert darauf legte, sich mit Isidora völlig zu überwerfen.

Wenn Helena ihr Ziel auch nicht erreichte, ihre Intrigen hinterließen Wunden, die zur Folge hatten, daß Isidora eines Morgens, als Raimundus sie in Gegenwart seines Modells wegen einer belanglosen Sache heftig kritisierte, kurzerhand das Haus verließ. Nicht um etwas zu demonstrieren. Sie wollte lediglich für eine Weile allein sein. Als sie jedoch durch die Straßen ging, wurde sie durch Tausende von Menschen, die zum Circus Maximus drängten, daran erinnert, daß Kaiser Nero an diesem Tage zum erstenmal vor sein Volk hintreten wollte, um es mit seinem ›göttlichen‹ Gesang zu beglücken. Das Verlangen, die bedrückende Atmosphäre daheim zu vergessen, trieb Isidora in den Strom der Menschen, und ehe sie es sich versah, gehörte sie der riesigen römischen Familie an, die sich im fast zweihundert Meter langen und sechzig Meter breiten Circus Maximus versammelte, um sich auf Kosten des Herrschers von ihm und seinen

Gladiatoren unterhalten zu lassen. ›Totam hodie Roman Circus capit‹ – ›Heute nimmt der Circus ganz Rom gefangen‹, lautete der Wahlspruch des Tages, und er war nicht übertrieben. Das Volk fieberte dem Gesang des jungen Imperators entgegen.

Nicht zuletzt deshalb, weil es die Organisatoren meisterhaft verstanden, das Volk in Stimmung zu versetzen. Auf dem Weg zum Circus verteilten efeubekränzte Bacchuspriesterinnen in Honig getauchte Kuchen, und der erst vor wenigen Jahren von Claudius mit einem Marmorgeländer ausgestattete Circus Maximus war über und über mit Blumen geschmückt. Und überall standen schmucke Prätorianer, die Plätze anwiesen und jede nur erdenkliche Hilfestellung leisteten.

Isidora hatte das Glück, an einen Gardisten zu geraten, der über besonders günstige Plätze verfügte, die er vorzugsweise jungen Frauen und Mädchen ohne Begleitung zuteilte. Was immer er sich davon erhoffen mochte, Isidora war ihm aufrichtig dankbar, als er sie zu einem Platz führte, der unmittelbar hinter den für die Ritterschaft reservierten Reihen lag und keine zwanzig Meter vom *Pulvinar* entfernt war, der mit Kissen ausgelegten kaiserlichen Loge.

Über hunderttausend Zuschauer fanden im Circus Maximus Platz, und ihr Tempérament entlud sich gleich einem Gewitter, als der Kaiser kurz vor dem Einmarsch des Festzuges in seiner Loge erschien. Er war in eine purpurne, mit goldenen Sternen und Palmzweigen bestickte Toga gekleidet, die seine Körperfülle ebenso geschickt verdeckte wie seine reichlich dünn geratenen Beine. Neben ihm schritt Poppaea in einer mit Perlen bestickten pompösen Robe, die im Licht der Sonne wie pures Gold glänzte und ihre fraulichen Reize gebührend betonte. Dem kaiserlichen Paar folgten der Erste Staatssekretär sowie andere hohe Würdenträger, unter denen sich auch Senator Philippus befand.

»Ne-ro! Ne-ro! Ne-ro!« erscholl es in nicht enden wollendem Rhythmus, bis Fanfaren die Ankunft des traditionellen Festzuges ankündigten.

Isidora hörte weder die ohrenbetäubenden Rufe noch das Schmettern der Fanfaren. Sie sah weder das glücklich strahlende Kaiserpaar noch den vom *Aedil*, dem höchsten Polizeibeamten, angeführten Einmarsch der Wagenlenker und Gladiatoren. Wie angewurzelt stand sie da und schaute unentwegt zu Senator Philippus hinüber, der sich durch seine Größe und Zurückhaltung von allen Würdenträgern im Pulvinar unterschied. Er war der einzige im Gefolge Neros, der dem jubelnden Volk nicht zuwinkte, sondern vor sich hin starrte, als sei ihm der Aufenthalt in der Loge des Kaisers peinlich. Die zeitweilig hervortretenden Backenknochen seines schmalen und fein gezeichneten Gesichtes ließen erkennen, daß er die Zähne aufeinanderpreßte – geradeso, als müsse er sich beherrschen, nicht davonzulaufen.

Isidora fühlte sich auf für sie unerklärliche Weise zu dem eigenwilligen Senator hingezogen. Sie glaubte, ihn zu kennen, und kannte ihn doch nicht. Noch nie hatte ihr Herz so ruhig geschlagen wie in dieser Minute. Ein Gefühl der Geborgenheit überkam sie. Ihr war, als käme sie von einer langen Wanderung nach Hause.

Wenn Gedanken übertragen werden können, dann war es Isidora, die den Senator veranlaßte, den Kopf zu wenden und in ihre Richtung zu blicken. Er sah ihre Augen, die wie zwei schillernde Punkte auf ihn gerichtet waren, und im selben Moment meinte er, eine Hand auf seinem Herzen zu verspüren. Träume ich, fragte er sich verwirrt. Die Frau, die seit Jahren als Wunschbild in meiner Vorstellung lebt, existiert wirklich und wahrhaftig? Ihr kastanienbraunes, wie von einem Windstoß nach vorn gewehtes Haar, ihre an Jade erinnernden grün schimmernden Augen und ihre wie zum Hilferuf geöffneten Lippen hatte er im Geiste schon tausendmal geküßt!

Isidora spürte Wellen der Zuneigung über sich hinwegschlagen, und es erfüllte sie mit tiefer Befriedigung, zu wissen, daß Senator Philippus und sie wahrscheinlich die einzigen in der weiten Runde waren, die nur mit halbem Herzen an dem Wagenrennen teilnahmen, das den Beginn der Wettkämpfe eröffnete.

Vier Rennställe, die nach ihren Farben die Weiße, Rote, Blaue und Grüne Partei genannt wurden, traten zum Kampf an. Grün war die Farbe des kaiserlichen Gestütes, und ein Mißgeschick wollte es, daß ausgerechnet der Lenker dieser Partei seine Pferde nicht gut vom Start wegbrachte. Er geriet auf den letzten Platz und besaß damit kaum noch eine Chance, das Rennen zu gewinnen, da er nun in der sichtraubenden Staubwolke seiner Konkur-

renten fahren mußte. Diese Behinderung, die mit dem fragwürdigen Vorteil verbunden war, nicht befürchten zu müssen, vor
den Wendemarken nach außen gedrängt zu werden, machte der
Lenker des kaiserlichen Rennstalles kaltblütig zu seiner Geheim-
waffe. Er holte das Letzte aus seinen Pferden heraus und dirigierte sie dabei, jeder Vernunft widersprechend, mehr und mehr
auf die weitere Außenbahn, die jedoch den Vorteil hatte, völlig
frei zu sein. Sein Tempo steigerte sich dadurch beachtlich, und
die im ersten Moment von allen Seiten ertönenden Tadelspfiffe
verstummten jäh, als er trotz starker Sichtbehinderung aufholte
und plötzlich, kurz vor einem der Wendepunkte, an seinem auf
dem dritten Platz liegenden Konkurrenten vorbeischoß, der damit in die peinliche Lage geriet, sein Tempo verringern zu müssen, um nicht kläglich an der steinernen Säule zu zerschellen.

Das Volk schrie auf vor Begeisterung, und Nero, der bis zu
diesem Zeitpunkt mit einem Seidenshawl um den Hals und einem kräutergetränkten Tuch vor dem Mund auf seinem Ruhelager gelegen hatte, um seine Stimme nicht zu gefährden, richtete sich auf und schaute in die Arena.

»Prasina! Prasina!« feuerten hunderttausend Kehlen den
Lenker des grünen Wagens an, und es dauerte nicht lange, bis
dieser sein Manöver wiederholte und sich unmittelbar vor der
Wendemarke auf den zweiten Platz setzte. Jetzt galt es nur noch
den Rennstall der Albata, der Weißen, auszuschalten. Das Volk
aber, das sich einen möglichst harten Endkampf wünschte,
feuerte nunmehr den die Spitze haltenden Fahrer mit rhythmi-
schen Albata-Rufen an. Daraufhin änderte der Lenker des kaiserlichen Rennstalles seine Taktik. Er dirigierte seine Pferde unvermittelt in die Innenbahn hinein und arbeitete sich so nahe
an seinen Gegner heran, daß dieser aus der Sorge heraus, die
Räder seines Wagens könnten die seines Verfolgers berühren,
die Zügel der Außenrosse ein wenig anzog. Diese Vorsichtsmaßnahme wurde ihm schlecht gedankt. Der unorthodoxe Rennfah-
rer stieß rücksichtslos nach und nahm es kaltblütig in Kauf, am
Wendestein zu zerschellen. Die Menschen sprangen auf, doch
die Katastrophe blieb aus, da der für die Albata kämpfende Lenker im entscheidenden Moment die Nerven verlor und in die
Außenbahn einschwenkte, wodurch der Weg um die Wende-

marke frei wurde und sein Gegner einem sicheren Sieg entgegenjagte.

Isidora, die dem Kampf nur mit halbem Herzen gefolgt war, atmete erleichtert auf und schaute zum Senator hinüber, dessen dunkel und samtweich blickende Augen ihr das wohlige Gefühl der Geborgenheit vermittelt hatten.

Da Philippus schon lange darauf gewartet hatte, daß die Frau seiner Träume erneut zu ihm hinübersähe, legte er wie zufällig seine Hand an die Brust und deutete eine Verneigung an.

Isidora fühlte ihr Herz schneller schlagen. Welch dezente Geste, dachte sie. Der Senator ist das Gegenteil von Raimundus, dessen dynamische Männlichkeit mich immer wieder erdrückt.

Philippus überlegte, was er unternehmen könnte, um das zauberhafte junge Wesen, das ihn in den Bann geschlagen hatte, kennenzulernen. Er mußte sie sprechen. Aber wie und wo sollte er sich ihr nähern? Für ihn glich sie einer Blume im Morgentau. Auf der Stelle hätte er sie heiraten mögen. Sollte er vielleicht . . .

Harte Trompetenstöße kündigten einen selbst in Rom nur seltenen Kampf an. Entsprechend den geltenden Bestimmungen, denen zufolge Gladiatoren sich nur mit unterschiedlichen Waffen gegenübertreten durften, also mit dem Schwert gegen die Streitaxt oder mit der Keule gegen die Lanze, wurde einem Krieger, der wegen unbotmäßigen Benehmens zum Tode verurteilt worden war, die Chance gegeben, um sein Leben zu kämpfen, das ihm geschenkt sein sollte, wenn es ihm gelingen würde, einen berühmten thessalischen Wettkämpfer, der nur mit einem dreizackigen Fischfangspieß und einem einfachen Netz focht, vermittels seines Schwertes zur Strecke zu bringen. Zur Verteidigung wurde ihm ein Schild zugebilligt. Gebannt starrten die Zuschauer auf die ungleichen Gladiatoren, als diese zum Pulvinar schritten, um dem Kaiser mit den Worten: »Die Todbereiten grüßen Euch!« ihre Huldigung darzubieten. Danach kehrten sie in die Mitte der Arena zurück und warteten auf das Hornsignal, das den Beginn des Kampfes ankündigte.

Der Krieger, ein erfahrener Legionär, der sich schon in vielen Schlachten bewährt hatte, rührte sich nach dem Ertönen der Trompeten nicht von der Stelle und behielt den Fischstecher sorgfältig im Auge, während dieser gelassen damit begann, den Schwertträger durch tänzerisches Umkreisen zu einer Fehlreaktion zu verleiten. Der Thessalier wartete darauf, seinen gefährlichen Dreizack anwenden zu können, um dann im Augenblick der Abwehrbewegung des Gegners sein Netz über ihn zu werfen, ihn bewegungsunfähig zu machen und zu töten.

Der schlachterprobte Haudegen ließ sich jedoch nicht irritieren, und der Fischstecher versuchte ihn zu schwächen, indem er den Spieß immer wieder auf gut Glück vorschnellen ließ, was ihn selber wenig Kraft kostete, den Legionär aber zwang, seinen schweren Schild jedesmal blitzschnell in die entsprechende Richtung zu bewegen.

Der Krieger erkannte die ihm drohende Gefahr der Ermattung und ging zum Angriff über. Er rannte plötzlich wie ein Stier auf den hochbezahlten Thessalier los, stieß ihn mit seinem Schild zu Boden und ließ augenblicklich sein Schwert folgen. Vergebens! Seine Waffe bohrte sich in den Sand. Der bereits dreiundzwanzigmal siegreich gewesene Gladiator kannte alle Tricks und hatte sich mit einem Überschlag nach hinten gerettet, ohne dabei seinen Dreizack und sein Netz zu verlieren.

Der zum Kampf auf Leben und Tod verurteilte Legionär war so enttäuscht, daß er sekundenlang wie gelähmt dastand. Er begriff nicht, wie es ihm hatte passieren können, sein Schwert in den Boden zu stoßen. Dann aber packte ihn eine verzweifelte Wut. Mit einem Schrei stürzte er sich mit erhobenem Schwert auf den Fischstecher, hieb zu und schlug ihm den Spieß aus der Hand. Er wollte schon frohlocken, doch da flog das Netz durch die Luft und fiel über ihm zusammen. Glücklicherweise war es nicht exakt genug geworfen. Noch bevor der Werfer es zuziehen konnte, hatte der Krieger sich wieder befreit und raste auf seinen Gegner los, dem keine Gelegenheit mehr blieb, sich in Sicherheit zu bringen. Was folgte, war ein gellender Aufschrei und der entsetzliche Anblick eines durch die Luft sausenden, abgetrennten Armes.

Die Zuschauer tobten vor Begeisterung. Endlich wurde dem Netzkämpfer gezeigt, was ein römischer Legionär zu leisten vermag. »Den Todesstoß!« schrie die Menge. »Den Todesstoß!«

Der Krieger aber wollte seinen Sieg in vollen Zügen auskosten, und das konnte er nur, wenn er den Thessalier zu Boden warf, seinen Fuß auf ihn stellte, das Schwert an seine Kehle setzte und zur Loge des Kaisers emporblickte, um diesen über Leben und Tod entscheiden zu lassen.

Der Fischstecher war nicht mehr in der Lage, Widerstand zu leisten, die Zuschauer aber waren zutiefst enttäuscht, als sie erkannten, daß der Legionär seinen Gegner schonte. Sie wußten, daß Nero den Daumen noch nie nach unten gekehrt hatte, wenn ihm die Entscheidung zufiel, und es lag auf der Hand, daß er sich angesichts seines ersten Gesangsauftrittes nicht anders als sonst verhalten würde.

Isidora schaute erwartungsvoll zur Kaiserloge hinüber und sah mit Befriedigung, daß Nero seine Hand mit nach oben gehaltenem Daumen vorstreckte. Den Bruchteil einer Sekunde nur gewahrte sie das erlösende Bild, dann richtete sie ihren Blick auf den Senator, der sich so gesetzt hatte, daß er, ohne den Kopf merklich wenden zu müssen, zu ihr hinübersehen konnte. Allem Anschein nach tat er nichts anderes mehr, als sich mit ihr zu beschäftigen, und Isidoras Wangen röteten sich vor Erregung, als er ihr mit einem Lächeln zu verstehen gab, daß er über das Ende des Wettkampfes ebenso erleichtert war wie sie selber. Sie deutete sein Lächeln jedenfalls in diesem Sinne, und er spürte, daß sie verstand, was er ihr hatte sagen wollen. Denn sie antwortete mit einem unauffälligen Nicken.

Er strich daraufhin mit einem Finger über seine Lippen.

Sie ahnte, daß er wissen wollte, ob sie sie würde sprechen können, und sogleich flüsterte sie im Geiste: Ich kann es kaum erwarten.

Ein freudiges Aufblitzen seiner Augen sagte ihr, daß er sie verstanden hatte.

Sie lächelte.

Er hob die Schultern: wo?

Sie legte den Kopf zurück: draußen.

Zu ihrer eigenen Verwunderung gelang es ihnen, mit kaum bemerkbaren Gesten und Blicken zu verabreden, den Circus nach dem Gesangsvortrag des Imperators zu verlassen. Für Isidora bereitete dies keine Schwierigkeit, da die Ausgänge nach Neros Auftritt für eine Weile geöffnet wurden. Wie aber wollte der Senator die kaiserliche Loge verlassen, ohne unliebsames Aufsehen zu erregen?

Während Isidora hierüber noch nachgrübelte, schritt der für den ordnungsgemäßen Verlauf der Spiele verantwortliche Aedil mit einem schweren Elfenbeinstab in der Hand auf das Pulvinar zu, um den Kaiser in die Arena zu bitten, in deren Mitte innerhalb weniger Minuten eine von Rosen bekränzte Bühne errichtet worden war.

Jubelnder Applaus brauste auf, als Nero in die Kampfbahn hinabstieg. Er trug die von Schauspielern geschätzten Kothurne, deren dicke Sohlen und hohe Absätze ihn größer erscheinen ließen, als er war. Sein Gesicht bedeckte eine goldene Maske, und niemand konnte ihm ansehen, daß sein Selbstbewußtsein ihn plötzlich verlassen hatte. Wenn er auch davon überzeugt war, ein gottbegnadeter Künstler zu sein, so kannte er doch die Launen des Glücks. Unabhängig davon litt er unter der krankhaften Vorstellung, unversehens seine Stimme zu verlieren.

Seine Sorge war unbegründet, und das Volk wäre nur zu bereit gewesen, über kleine Mängel hinwegzuhören. Doch Nero hatte eine recht gute Stimme, und er verstand es glänzend, schwierige Passagen rezitierend zu überbrücken und dabei kräftig in seine aus Silber und Gold gefertigte Lyra zu greifen.

Die Wirkung seines Vortrages war so groß, daß die von dem stämmigen Befehlshaber der prätorianischen Garde geschickt verteilte ›Claque‹, die den Auftrag erhalten hatte, für kräftigen Applaus zu sorgen, nicht in Aktion zu treten brauchte. Kaum war der letzte Laut verklungen, da brandete tosender Beifall auf. Das Volk schrie sich die Kehlen heiser und warf die zur festlichen Ausstattung der Arena überall angebrachten Blumenarrangements auf die Bühne. Nero breitete strahlend die Arme aus und nahm die überwältigende Ovation mit Tränen in den Augen entgegen. Lange genoß er den nicht enden wollenden Sturm der Begeisterung. Dann schritt er winkend und Kußhände werfend in seine Loge zurück, wo die Kaiserin ihn gerührt umarmte und junge Hofdamen erschauernd den Saum seiner Toga küßten.

»Nun, was sagt ihr zu meinem Erfolg?« fragte der Imperator seine Staatsbeamten, nachdem ihm der Schweiß von der Stirn abgetupft worden war.

Jeder lobte den Herrscher, und Senator Philippus beeilte sich, zu versichern, daß die unübertreffliche Leistung des Kaisers den Wunsch in ihm geweckt habe, noch in der gleichen Stunde eine Amphore des erlesensten Weines zu spendieren, der in den letzten fünfzig Jahren auf der ägäischen Insel Chios gekeltert worden sei.

»Es gibt nur noch eine einzige Amphore dieses köstlichen Tropfens«, fügte er, an Nero gewandt, hinzu. »Mein Vater hinterließ sie mir mit der Verpflichtung, sie erst bei einer ganz außerordentlichen Gelegenheit zu öffnen, und ich meine, daß es einen besseren Anlaß nicht geben kann. Gestattet mir deshalb, daß ich den unter besonderem Verschluß aufbewahrten Wein auf der Stelle hole.«

Diesem Wunsch konnte der Kaiser schlecht widersprechen. »Laufen Sie, Senator«, antwortete er gönnerhaft. »Aber bringen Sie das edle Getränk nicht hierher, sondern zum Palatin, wo wir meinen Erfolg, den ich nicht zuletzt Ihrer Anregung verdanke, gebührend feiern wollen.«

Isidora beobachtete das offensichtlich herzliche Gespräch mit wachsender Spannung. Sie spürte, daß der Senator etwas unternahm, um sich auf elegante Weise aus dem Pulvinar entfernen zu können, und es setzte sie deshalb keineswegs in Verwunderung, als Philippus sich von Nero verabschiedete. Danach verließ er die Loge mit einem schnellen Blick zu ihr hinüber.

Wie strahlend seine Augen sein können, dachte sie beglückt und erhob sich mit der Gewißheit, draußen mit dem Senator zusammenzutreffen.

Isidora täuschte sich nicht. Kaum hatte sie den Circus Maximus verlassen, da sah sie den Senator, den seine weiße, mit Purpurstreifen eingefaßte Toga aus der Masse heraushob, auf sich zugehen. Das Herz klopfte ihr im Halse. Hatte er etwa vor, sie vor aller Augen anzusprechen?

Philippus erkannte Isidoras Sorge und legte, noch bevor er sie erreichte, seine Hand zum Gruß an die Brust. »Wie schön, Sie wieder einmal zu treffen«, sagte er dabei mit freudig erregter Stimme. »Doch zunächst möchte ich mich nach dem Befinden Ihrer geschätzten Eltern erkundigen. Geht es ihnen gut?«

Isidora mußte zweimal schlucken, bevor sie antworten

konnnte. Dann aber schaute sie den Senator lächelnd an. »Danke, es geht ihnen ausgezeichnet. So hoffe ich wenigstens«, fügte sie gedämpft hinzu, als er ihr die Hand reichte.

Philippus schaute fasziniert in ihre grünblauen Augen, die einen erregenden Kontrast zu ihrem kastanienbraunen Haar bildeten. »Wie soll ich das verstehen?«

Sie legte ihren Zeigefinger auf den Mund. »Das erkläre ich Ihnen später. Darf ich mich inzwischen nach dem Ergehen Ihrer werten Eltern erkundigen?«

Senator Philippus hätte Isidora umarmen mögen. »Herzlichen Dank für die gütige Nachfrage«, erwiderte er schmunzelnd und setzte gleich darauf leise hinzu: »Sie leben schon seit vielen Jahren nicht mehr.«

»Oh!« entfuhr es Isidora. »Das tut mir leid. Aber dann besteht die Möglichkeit, daß unsere Eltern sich gelegentlich einmal begegnen.«

Seine Augen weiteten sich. »Auch Sie haben Ihre Eltern schon verloren?«

Isidora nickte.

Er wies zu einer Parkanlage westlich vom Circus Maximus hinüber. »Nachdem unsere Familienverhältnisse eine so unerwartet schnelle Klärung gefunden haben, sollten wir eigentlich einen Spaziergang machen. Einverstanden?«

»Könnte ich es wagen, dem Vorschlag eines Senators zu widersprechen?«

»Solche Ergebenheit weiß ich wohl zu schätzen«, entgegnete er mit gespielter Würde. »Darf ich mich vorstellen: mein Name ist Philippus.«

»Und ich heiße Isidora«, erwiderte sie, wobei sie das Gesicht ihres Gegenübers betrachtete, als gelte es dort etwas Bestimmtes zu entdecken.

»Wollen wir gehen?«

»Gerne.«

Der Senator schlug die von ihm gewiesene Richtung ein.

»Können Sie mir erklären, was mit uns geschehen ist?« fragte Isidora, nachdem sie die Straße überquert hatten und sich nur noch wenig Menschen in ihrer Nähe befanden.

»Sie meinen, daß wir so vertraut miteinander sind?«

»So vertraut, daß wir, ohne miteinander zu sprechen, ein Treffen vereinbaren konnten!«

Senator Philippus blickte gedankenverloren vor sich hin. »Es gibt rätselhafte Dinge zwischen Himmel und Erde, und zu ihnen gehört zweifellos die nicht zu leugnende Tatsache, daß wir keinen Einfluß darauf haben, wen wir sympathisch oder unsympathisch finden. Ein einziger Blick vermag Liebe oder Haß heraufzubeschwören, und niemand kann sagen, woran das liegt. Vielleicht durchwandern wir wirklich, wie manche glauben, mehrere Leben, und unser Unterbewußtsein erkennt den geliebten Menschen oder den Feind aus einem früheren Leben.«

Isidora blieb betroffen stehen. »Sie halten so etwas für möglich?«

Senator Philippus wandte sich nach ihr um. »Die Möglichkeit besteht immerhin. Natürlich nicht im Sinne einer periodischen Entwicklung wie bei den Insekten.«

»Eigentlich ein schöner Gedanke, mehrmals zu leben«, entgegnete Isidora versonnen und nahm den Spaziergang wieder auf.

Philippus war beeindruckt von ihrer Natürlichkeit und fragte ungeniert: »Was empfanden Sie eigentlich in dem Moment, da wir uns das erstemal ansahen?«

Sie lachte vor sich hin. »Da sah ich im Geiste einen Falter.«

»Einen was?«

»Einen Schmetterling! Das ist ein Kompliment«, fügte sie schnell hinzu, da der Senator ein entgeistertes Gesicht machte. »Wenn ich einen Falter sehe, fühle ich mich augenblicklich wohl. Es liegt so etwas Unbeschwertes und Sorgloses in seinem Flug, etwas Romantisches, das nichts mit der Emsigkeit anderer Insekten zu tun hat. Bei seinem Auftauchen breitet sich unwillkürlich eine heitere und friedliche Atmosphäre aus. Sein Anblick ist schön, sein Flug geräuschlos, und er ist das einzige Flügeltier, das seine Schwingen nach dem Flug nicht anlegt, sondern wie Hände zum Gebet faltet. Darum sah ich im Geiste einen Falter, als wir uns das erstemal anblickten. Ich fühlte mich wohl und war frei von allen Sorgen.«

Senator Philippus glaubte noch nie einem offeneren Menschen begegnet zu sein. »Isidora!« sagte er und blieb stehen, um ihr in die Augen zu sehen. Dabei fiel sein Blick auf das Medaillon, das an ihrem Goldkettchen hing. Träumte er? Das Schmuckstück hatte er doch schon gesehen. Aber wo? In Palästina? Dort waren ihm mehrfach Skarabäen angeboten worden, niemals jedoch einer, der eine runde Scheibe hielt. Und dennoch: das Medaillon war ihm vertraut, als hätte er es bereits in der Hand gehalten.

»Warum schauen Sie so merkwürdig?« fragte Isidora, da sie sich den Gesichtsausdruck des Senators nicht erklären konnte.

Philippus strich sich über die Augen, als müsse er etwas fortwischen. »Verzeihen Sie, ich sah Ihren hübschen Anhänger und überlegte, woher ich ihn kenne. Besitzen Sie ihn schon lange?«

Isidora griff unwillkürlich nach dem Medaillon. »Mein Mann kaufte das Amulett von einem Legionär und schenkte es mir zur Hochzeit. Es ist hübsch, nicht wahr? Auf seiner Rückseite sind Hieroglyphen eingraviert, die man leider nicht entziffern kann.«

Senator Philippus hörte nur immer wieder die Worte: Mein Mann . . .! Mein Mann . . .! Die Kehle war ihm wie zugeschnürt. Ausgerechnet die Frau, die so absolut seinen geheimen Wünschen entsprach, war verheiratet?

»Fast acht Jahre trage ich den Anhänger schon«, plauderte Isidora unbefangen weiter. »Ich habe ihn nie abgelegt, nur neulich einmal, als sein Kettchen riß. Mein Mann hat es aber noch am gleichen Tage reparieren lassen.«

Philippus fühlte sich wie vor den Kopf gestoßen. Seit acht Jahren war Isidora, die er für ein junges Mädchen gehalten hatte, verheiratet? Wie reimte sich das mit ihrem Verhalten ihm gegenüber zusammen? Gehörte sie zu jenen Personen, die auf Abenteuer ausgehen? Das erschien ihm unmöglich. Warum aber hatte sie ihn im Circus Maximus so unmißverständlich angesehen, warum sich mit ihm getroffen? Voller Auflehnung stellte er diese Frage.

Isidoras Gesichtsausdruck verkrampfte sich. Sie glich plötzlich einer vom Wind gezerrten Blume. »Warum ich mich mit Ihnen traf?« fragte sie ratlos und schaute den Senator an, als wanke der Boden unter ihren Füßen. »Ich weiß es nicht. Oder doch. Ihre Anwesenheit hatte etwas unsagbar Beruhigendes für mich. Ich fühlte mich mit einem Male geborgen.«

Seine Backenknochen traten kantig hervor. »Und an Ihren Mann haben Sie nicht gedacht?«

»An meinen Mann?« wiederholte Isidora wie jemand, der nicht begreift, wovon die Rede ist. »Weshalb hätte ich . . . Ach, ich verstehe«, unterbrach sie sich. »Sie halten es für möglich, daß ich . . .«

Senator Philippus erkannte, was er angerichtet hatte. »Entschuldigen Sie«, sagte er hastig. »Keinesfalls habe ich etwas Negatives zum Ausdruck bringen wollen. Ich fragte mich lediglich, warum Sie sich auf ein Treffen mit mir eingelassen haben, wenn Sie verheiratet sind.«

Isidora schaute wehmütig zu ihm hoch. »Ich bedaure, Ihnen gestehen zu müssen, daß ich bis eben weder an meinen Mann noch an meine Kinder gedacht habe. Auch nicht daran, daß ich etwas Unrechtes tun oder Gefahr laufen könnte, einen zweifelhaften Eindruck zu erwecken. Ich hatte nur den Wunsch, mit Ihnen zu sprechen; ich kann es mir selber nicht erklären. Und nach diesem für eine verheiratete Frau recht seltsamen Geständnis scheint es mir angebracht, mich schnellstens zu verabschieden.«

»Aber nicht doch!« ereiferte sich Senator Philippus und trat dicht an Isidora heran. »Es ist vielmehr meine Aufgabe, Sie um Verzeihung dafür zu bitten, daß ich in meiner Enttäuschung über, über . . . nun, ja, über Ihre Verehelichung mein Gleichgewicht verlor. Nach unserer geheimnisvollen und erregenden Verständigung im Circus Maximus hoffte ich, endlich den Menschen gefunden zu haben, den ich seit Jahren suche. Bitte, Isidora, ich darf Sie nicht wieder aus den Augen verlieren. Ich muß . . . Nein, lassen wir das. Unterhalten wir uns lieber über andere Dinge.«

Wenn Isidora nicht von einer geradezu unerklärlichen Zuneigung erfaßt gewesen wäre, würde sie den Senator jetzt verlassen haben. Die Fragwürdigkeit ihres Verhaltens war ihr zu bewußt geworden. Daß ein innerer Zwang sie getrieben hatte, konnte ebensowenig als Entschuldigung gelten wie die unbestreitbare Tatsache, daß ihr keinen Augenblick lang der Gedanke gekommen war, eine unerlaubte Schwelle zu überschreiten.

Bedrückt ging sie neben Senator Philippus, bis dieser plötzlich energisch sagte: »Also, so kommen wir nicht weiter. Wir spüren doch beide, daß uns etwas bindet, dem wir nicht entfliehen können. Sollten wir da nicht versuchen, das uns nicht Erklärbare dadurch zu entschleiern, daß wir uns näher kennenlernen?«

Isidora sah ihn unsicher an. »Wie soll ich Sie noch anschauen können, ohne an meinen Mann denken zu müssen? Das Gefühl, etwas Unrechtes zu tun, wird mich nicht mehr loslassen.«

»Aber Sie tun doch nichts Unrechtes!«

»Heute nicht. Was aber ist morgen? Sie haben mich aus einem Traum gerissen und mir die Augen geöffnet.«

»Das kann Sie nur vor Enttäuschung bewahren«, erwiderte Philippus leichthin und überlegte fieberhaft, wie er Isidora in die Stimmung zurückversetzen könnte, in der sie gewesen war. Ihre Wege durften sich nicht wieder trennen. Isidoras Geradlinigkeit beeindruckte ihn beinahe noch mehr als ihre faszinierende Schönheit. Im Bestreben, sie auf ein anderes Thema zu bringen, stellte er die banale Frage: »In welchem Stadtteil wohnen Sie eigentlich?«

»Im Trans Tiberim«, antwortete Isidora wie geistesabwesend.

»Ah, auf dem gegenüberliegenden Ufer. Dort ist die Luft wenigstens besser als oben auf dem Palatin, wo sich die Nähe der ›Cloaka Maxima‹ zeitweilig höchst unangenehm bemerkbar macht.«

»Das glaube ich gerne«, entgegnete Isidora, über den Themenwechsel erleichtert. »Darum möchte Nero die Stadt ja auch am liebsten abreißen und neu aufbauen lassen.«

»Woher wissen Sie das?« fragte der Senator erstaunt.

Isidora nestelte an ihrer Stola. »Von meinem Mann. Er ist Künstler und fleht Jupiter an, dem Kaiser die Möglichkeit zu geben, seinen Plan zu verwirklichen. Im Geiste sieht er schon breite und gerade Straßen mit Hunderten von Skulpturen vor sich. Er ist Bildhauer.«

Philippus war es, als würde seinem Herzen ein Stich versetzt. »Vielleicht kenne ich Ihren Gatten«, erwiderte er beherrscht. »Wie ist sein Name?«

»Raimundus.«

»Raimundus?« rief der Senator überrascht. »Ich habe schon

viel von ihm gehört. Er soll außerordentlich talentiert sein, allerdings auch ebenso schwierig. Stimmt das?«

Isidora lachte. »Sie sind gut informiert. Aber welcher Künstler ist nicht schwierig?«

»Und das macht Ihnen nichts aus?«

»O doch«, antwortete sie ohne zu zögern. »Störender ist es jedoch für mich, über diesen Punkt sprechen zu müssen.«

Obwohl Senator Philippus sichtlich betroffen war, entgegnete er anerkennend: »Das nenne ich eine verdiente Zurechtweisung. Ihre Schlagfertigkeit ist bewundernswert.«

»Danke für das Kompliment«, erwiderte Isidora versöhnt. »Und ich freue mich darüber, daß Sie Widerspruch vertragen können.«

»Solange er begründet ist, jederzeit.«

»Dann werden wir uns gut verstehen.«

»Den Eindruck habe ich auch«, entgegnete Philippus erleichtert. »Und damit jede Komplikation von vornherein unterbunden wird, möchte ich darum bitten, Ihren Gatten gleich morgen aufsuchen zu dürfen. Ich bin in der glücklichen Lage, mich ihm als Sonderberater des Kaisers in künstlerischen Fragen vorstellen zu können. Die Möglichkeit einer ersprießlichen Zusammenarbeit ist somit gegeben.«

Isidoras Wangen röteten sich. »Werden Sie unser heutiges Gespräch erwähnen?«

»Nicht seinem vollen Inhalt nach«, antwortete der Senator bedächtig. »Ein kleines Geheimnis sollten wir behalten. Ich möchte aber kein Hehl daraus machen, daß wir uns heute kennenlernten und mein Besuch eine Folge unseres Gespräches ist.«

Isidora atmete erleichtert auf. »Ich werde meinen Mann gleich verständigen. Unsere stumme Zwiesprache im Circus Maximus werde ich, wenn Sie nicht anderer Auffassung sein sollten, ebenfalls als Geheimnis betrachten. Sind Sie damit einverstanden?«

Senator Philippus deutete eine Verneigung an. »Ich bin es um so mehr, als es Ihnen unmöglich sein dürfte, ein Gespräch zu schildern, bei dem keine Worte fielen. Erzählen Sie alles so, wie es war: Ich ging auf Sie zu und begrüßte Sie. Es lag eine Verwechslung vor.«

Während Isidora und Senator Philippus zwischen den Thermalanlagen des Mons Aventinus promenierten und über alltägliche Dinge plauderten, brachte Raimundus die letzten Korrekturen an der aus fein geschlämmtem Lehm geformten Plastik *Amor eternus* an, die ihm die beste seiner bisherigen Arbeiten zu sein schien. Drei Wochen lang hatte er täglich bis zur Erschöpfung an dem lebensgroßen Entwurf gearbeitet und dabei manchmal seine beiden Modelle bewundert, die sich ihre Sesterzen nicht gerade leicht verdienten. Während der ganzen Zeit hatte er an nichts anderes als an seine Arbeit gedacht, wenn man von den Augenblicken absieht, in denen Horatius im Atelier erschien, um den Lehm durch Anfeuchten geschmeidig zu erhalten. Beim Anblick seines Schülers spürte Raimundus immer wieder die Ohrfeige, die Isidora ihm gegeben hatte, und erneut bäumte sich dann alles in ihm gegen sie auf. Dabei liebte er sie, und oftmals, wenn er sein Modell Helena betrachtete, deren Üppigkeit durchaus dazu angetan war, ihn zu erregen, erschien vor seinem geistigen Auge der zierliche Körper seiner Frau. Er sehnte sich danach, in Frieden mit ihr zu leben, fand jedoch nicht die Kraft, über seinen eigenen Schatten zu springen. Und wenn Isidora sich um ihn bemühte, weckte dies merkwürdigerweise die Lust in ihm, sie zu quälen.

Die Folge war eine unerträgliche Nervenbelastung, die Raimundus immer gereizter werden ließ, bis er am Nachmittag des Tages, an dem seine Frau die Wohnung verlassen hatte, an der neuen Plastik nichts mehr entdecken konnte, was einer Verbesserung bedurft hätte.

»Finis!« erklärte er aufatmend und schleuderte voller Übermut einen Klumpen Lehm an die Wand. »*Amor eternus* ist fertig!«

Helena lief auf ihn zu, ohne sich eine Tunika überzuwerfen. »Gratuliere, großer Meister!« rief sie girrend und umarmte ihn.

Raimundus, der mit einem solchen Überfall nicht gerechnet hatte, stieß sie schroff zurück.

Ihre Augen weiteten sich und glichen denen einer Katze. »Darf ich dich daran erinnern, was du gesagt hast, als deine Frau das Haus verließ?«

»Rede nicht soviel, sondern zieh dich an«, entgegnete Raimundus aufgebracht.

»Du hast erklärt . . .«

»Beim Zeus, du sollst deinen Mund halten. Ich war heute morgen wütend. Da sagt man mehr, als man verantworten kann.«

Sie lachte verächtlich. »Deine Frau scheint dich immer noch am Gängelband zu halten.«

»Gib's auf, Helena!« entgegnete er im Bestreben, die Auseinandersetzung zu beenden. »Du weißt, daß ich dich gerne mag, ganz zu schweigen davon, daß du als Modell unübertrefflich bist. Wenn du aber weiterhin versuchst, dich zwischen meine Frau und mich zu drängen, ist es aus mit einer künftigen Zusammenarbeit.«

»Hast du mir nicht erzählt, daß ihr kaum mehr miteinander redet!«

»Ich habe dir eben erklärt, daß man in der Wut viel Unverantwortliches sagt!«

»Und wer hat mich neulich so verlangend geküßt?«

Raimundus hob beschwörend die Hände. »Hätte ich es doch nicht getan! Seit jener Minute bildest du dir Dinge ein, die es nicht gibt. Zugegeben, ich war damals verrückt nach dir. Das ist aber auch alles. Ich bin verheiratet, Helena! Begreif das endlich!«

Sie wandte sich um und ging zu einem Hocker hinüber, auf dem ihre Kleidung lag. »Und was ist mit dem Versprechen, mich mit in die Albaner Berge zu nehmen?«

»Das Versprechen halte ich«, antwortete Raimundus in der Hoffnung, Helena damit zu versöhnen. »Von mir aus können wir schon morgen fahren. Den Gipsabdruck vom Entwurf machen meine Leute besser als ich, und ich kann es kaum erwarten, meine Kinder wiederzusehen. Doch jetzt trinken wir erst einmal einen guten Falerner. He, Horatius!« rief er in die Werkstatt hinein. »Lauf zu meiner Frau und sage ihr, sie soll schnell herkommen. Ich hätte eine Überraschung für sie. Und bringe einen Krug Wein mit!«

Sein Schüler strahlte über das ganze Gesicht. Wenn er Isidora holen sollte, war alles wieder gut. »Ich beeile mich, Meister!« rief er beflissen und eilte davon.

Raimundus stemmte seine Hände in die Taille und betrachtete sein neues Werk, wobei er versuchte, sich vorzustellen, wie die Skulptur aussehen würde, wenn Isidora und Horatius Modell gestanden hätten. In ästhetischer Hinsicht wäre einiges wahrscheinlich besser geworden, sagte er sich. Die Ausstrahlung aber dürfte durch Helenas Körper eine beachtliche Steigerung erfahren haben. Ihre Sinnlichkeit geht unter die Haut.

Unwillkürlich wanderte sein Blick zu Helena hinüber, die in eine tyrischrote Tunika geschlüpft war und ihr Haar vor der als Spiegel dienenden Kupferplatte ordnete. Sie gleicht dem fleischigen Kelch exotischer Blumen, dachte er. Ihr betörender Duft legt sich wie ein Fieber auf die Sinne, wohingegen Isidora mich an eine im silbernen Licht des Mondes stehende wunderschöne, aber aus Stein gehauene Venus erinnert.

Raimundus war noch in Gedanken versunken, als Horatius zurückkehrte. »Ich habe Ihre Frau nicht finden können«, sagte er und stellte den mitgebrachten Weinkrug in einen ringförmigen Halter. »Sie scheint Besorgungen zu machen.«

Raimundus erschien es unbegreiflich, daß seine Frau noch nicht zurückgekehrt sein sollte. Schon am Mittag hatte es ihn beunruhigt, sie nicht anzutreffen. Nun aber überfiel ihn eine beklemmende Angst. War es möglich, daß sie ihn verlassen hatte? »Hast du überall nachgesehen?« fragte er seinen Schüler mit klopfendem Herzen.

»Ja, natürlich«, antwortete Horatius, dem die Unruhe seines Meisters nicht entging.

Mit einem Gesichtsausdruck, als wollte er jemanden umbringen, trat Raimundus an den Weinkrug, stieß einen stilettartigen Meißel in seinen Wachsverschluß und sprengte ihn mit leichtem Hebeldruck ab. Dann kippte er das auf dem Wein schwimmende Konservierungsöl mit einer schlenkernden Bewegung fort und füllte zwei große Becher, die traditionsgemäß nach Beendigung eines jeden neuen Werkes in seinem Atelier die Runde machten. »Auf *Amor eternus*!« rief er und reichte Helena den zweiten Trinkbecher. »Auf die ewige Liebe!«

Spätestens in diesem Augenblick hätte Isidora erkannt, daß Raimundus sich betrinken wollte, und tatsächlich gab er seinen Becher nicht weiter, sondern leerte ihn trotz seiner Größe in einem Zuge. Dann schleuderte er das Gefäß in die Richtung, in der die soeben fertiggestellte Plastik stand. Der Becher flog nur knapp an den Köpfen der ›Liebenden‹ vorbei, und es war zweifellos Helenas seltsam ruhigem und umsichtigem Verhalten zu verdanken, daß die Katastrophe gebannt und Raimundus daran gehindert wurde, sein gelungenes Werk in einem Anfall von selbstzerstörerischer Wut zu vernichten. Und Helena war auch so klug, Raimundus vom Atelier in den Garten zu führen, wo sie ihm im Licht der untergehenden Sonne klarzumachen versuchte, daß Isidoras Reaktion verständlich sei und er sich wegen ihrer Rückkehr keinerlei Gedanken zu machen brauche.

»Spätestens bei Anbruch der Dunkelheit wird deine Frau erscheinen«, prophezeite sie ihm. »Und wenn wir morgen zu euren Kindern fahren, dann wirst du alles vergeben und vergessen haben.«

»Ich denke nicht daran«, widersprach er aufsässig. »Nichts wird vergeben und vergessen. Isidora soll mir dafür büßen, daß sie . . . Wir beide fahren allein nach Frascati. Und ich werde die Kinder nicht besuchen, wie ich es vorhatte, sondern sie auf der Stelle zurückholen! Seitdem Franciscus und Babina nicht mehr im Hause sind, ist alles nur noch schlimmer geworden. Und warum? Weil Isidora keine Aufgabe mehr hat!«

Die Dinge laufen besser, als ich hoffte, dachte Helena zufrieden und beeilte sich, Raimundus' Haus zu verlassen. Wenn Isidora zurückkehrte, sollte ihr Mann mit ihr allein sein und kein Blatt vor den Mund nehmen müssen.

Isidora fühlte sich leicht wie eine Feder, als sie sich an der nur wenig benutzten alten Sublicius-Brücke von Senator Philippus verabschiedet hatte und ihrem Heim entgegenstrebte. Keine Sekunde mehr dachte sie an die peinliche Frage, die ihr der Senator zu Beginn des Gespräches gestellt hatte. Die Erinnerung an den Anfang der Unterhaltung war wie ausgelöscht. Zurück blieb eine weich tönende Stimme, die gleich einem behutsam angeschlagenen Gong nachklang und Isidora in einen Mantel einhüllte, der ihr jene Geborgenheit schenkte, nach der sie sich seit Jahren vergeblich gesehnt hatte. Nie hatte sie sich über ihre Ehe beklagt; jetzt aber schien sie ihr ein Wesen mit zwei Köpfen zu sein. Für Raimundus bedeutete Liebe Besitz, für sie Hingabe.

Noch in Gedanken versunken, beschleunigte Isidora ihre Schritte. Da es später geworden war, als sie gedacht hatte, mußte sie mit einem unfreundlichen Empfang rechnen. Im Geiste hörte sie Raimundus bereits poltern, doch das bedrückte sie nicht. Im Gegenteil, sie freute sich darauf, ihm von Senator Philippus und den beruflichen Möglichkeiten zu berichten, die sich aus ihrer zufälligen Bekanntschaft ergaben. Gewiß würde er begeistert sein, wenn er erfuhr, daß Neros Kunstberater schon im Laufe des nächsten Tages erscheinen wollte, um sein Atelier zu besichtigen.

Das war das Merkwürdige an Isidora: sie war erfüllt von Senator Philippus, übertrug ihre freudig erregte Stimmung jedoch auf ihren Mann, dessen seit Wochen währenden Unmut ihr wie ein Stein auf dem Herzen lag. Ihrer widersprüchlichen Reaktion war sie sich freilich nicht bewußt und konnte sie sich nicht bewußt sein, weil ihre Zuneigung zu Philippus keinen Hintergedanken kannte. Sie gehörte zu jenen Frauen, die sich von Gefühlen nicht treiben lassen und in der Hingabe ihre Unschuld nicht verlieren.

So war es nicht verwunderlich, daß Isidora sich in glänzender Stimmung befand, als sie nach Hause kam. Sie rechnete zwar mit einem ungnädigen Empfang, wäre aber niemals auf den Gedanken gekommen, daheim einen Vulkan der Empörung anzutreffen. Raimundus gebärdete sich, als habe er den Verstand verloren, bis er sich schließlich ermattet auf seine Ruhebank sinken ließ.

Da Isidora bis zu diesem Augenblick alles widerspruchslos über sich hatte ergehen lassen, nutzte sie die Gelegenheit, das Wort zu ergreifen. »Darf ich nun einmal etwas sagen?« fragte sie in aller Ruhe.

Ihr Mann machte eine abwehrende Bewegung. »Ich will nicht wissen, wo du dich herumgetrieben hast.«

»Das wollte ich dir auch nicht erzählen, wenngleich ich bekennen muß, daß ich im Circus Maximus gewesen bin«, erwiderte sie unbeirrt.

Raimundus glaubte nicht richtig zu hören. »Während ich hier schuftete und mein neues Werk beendete, hast du dich im Circus Maximus vergnügt?«

Isidoras Augen strahlten.

»*Amor eternus* ist fertig?«

»Ja! Und ich Idiot schickte Horatius in die Wohnung, um dich holen zu lassen, als es soweit war. Versöhnen wollte ich mich mit dir!«

»Dann ist doch alles gut!« rief Isidora und umarmte Raimundus.

Der stieß sie abrupt zurück. »Nichts ist gut! Im Circus hast du dich herumgetrieben! Und weshalb liefst du dorthin? Weil du keine Aufgabe mehr hast, seit die Kinder fort sind. Das wird jetzt aber anders. Schon morgen hole ich Franciscus und Babina zurück.«

Isidora war außer sich vor Freude. Ungeachtet der Auflehnung ihres Mannes küßte sie ihn.

»Raimundus«, stammelte sie voller Seligkeit. »Ich wäre ja so froh, wenn wir die Kinder wieder hier hätten. Du ahnst nicht, wie sehr sie mir fehlen. Vielleicht wurden die zurückliegenden Wochen dadurch die schlimmsten, die wir miteinander verlebten.«

»Eben, weil du nichts zu tun hattest!« trumpfte er bissig auf.

Sie lächelte nachsichtig. »Ich will dir nicht widersprechen, sondern glücklich darüber sein, daß Franciscus und Babina zurückkehren. Nur morgen können wir sie nicht holen.«

Raimundus schnellte, wie von einer Spirale getrieben, in die Höhe. »Willst du mir etwa vorschreiben, wann ich meine Kinder hole?«

»Natürlich nicht«, beschwichtigte sie ihn.

»Und *wir* hast du gesagt?« fuhr er gereizt fort. »Wenn du damit dich und mich meinst, täuschst du dich gewaltig. Nicht du, sondern Helena wird mich begleiten. Zum Dank dafür, daß sie nie auf den Gedanken kam, das Atelier zu verlassen, um sich im Circus Maximus zu amüsieren.«

Isidora war außer sich. Wie groß Raimundus' Verstimmung auch sein mochte, die Kinder durfte er nur mit ihr abholen. »Das wirst du mir nicht antun«, entgegnete sie erregt.

Raimundus sah die ungläubig geweiteten Augen seiner Frau, doch obwohl er sie am liebsten in die Arme genommen hätte, konnte er es nicht unterlassen, sie zu quälen.

»Und was hast du mir angetan?« schrie er aufgebracht. »Nein, meine Liebe, dir bleibt jetzt nichts anderes übrig, als Verständnis dafür aufzubringen, daß ich mit dir abrechne, indem ich die Kinder nicht mit dir, sondern mit meinem hübschen Modell abhole.«

Isidora war den Tränen nahe. Noch nie hatte Raimundus sich von dieser Seite gezeigt. Sein Verhalten entsetzte sie so sehr, daß sie nicht die Kraft fand, ihn zu bitten, daheim zu bleiben und Senator Philippus zu empfangen. Sie schwieg auch noch, als sie sich beruhigt hatte und der Verstand ihr sagte, daß die Nachricht vom bevorstehenden Besuch des hohen Würdenträgers ihren Mann augenblicklich umstimmen und veranlassen würde, sich eines Besseren zu besinnen. Ihr lag plötzlich nichts mehr daran, ihn zurückzuhalten. Sie sehnte sich nach der Geborgenheit, die sie in der Gegenwart des Senators empfunden hatte, und diese Sehnsucht ließ sie schweigen. Mochte Raimundus die Kinder mit seinem üppigen Modell abholen. Der Gedanke, eine Stunde mit dem Senator allein zu sein, verdrängte ihren Schmerz wie berauschender Wein.

Nach seiner Rückkehr vom Palatin, wo der Gesangserfolg des Kaisers in gebührender Form gefeiert worden war, begab sich Senator Philippus in den Empfangswohnraum seines auf einem Hügel des Stadtteiles Carina errichteten Hauses, wo er sich vorstellte, mit welchem Staunen Isidora die Pracht der Sammlung betrachten würde, die er aus Palästina mitgebracht hatte.

Während er den Innenhof hinter dem *Tablinum* aufsuchte, der von einem dorischen Säulengang umschlossen und in der Mitte mit einem großen, in einer Rasenfläche eingebetteten Wasserbecken ausgestattet war, dachte er sehnsüchtig: Werde ich hier jemals mit Isidora baden können?

Senator Philippus war nicht wiederzuerkennen. Unablässig kreisten seine Gedanken um die Frau des Bildhauers Raimundus. Überall sah er ihre grünblauen Augen, die das Licht des Himmels eingefangen zu haben schienen. Im Geiste sah er die hohen Bogen ihrer zarten Brauen, ihr kastanienfarbenes Haar, das in der Sonne wie Kupfer glänzte, ihre weichgeschwungenen Lippen und ihren schlanken Hals, dem etwas rührend Mädchenhaftes, zugleich aber auch Hoheitsvolles anhaftete. Es war ihm unbegreiflich, daß Isidora schon zwei Kindern das Leben geschenkt hatte, und wenn er an diese dachte, fiel es ihm schwer, seine Ruhe zu bewahren. Er, den die Lehre der Christen überaus beeindruckt hatte, wehrte sich nicht gegen egoistische Begehren, die ihn wie anbrandende Wellen überspülten. Er stellte sich sogar die Frage: Warum sollst gerade du und nicht der andere verzichten?

Derartige Überlegungen hätte Philippus am Tage zuvor noch für unmöglich gehalten, nun aber beeinflußten sie sein Denken. Es war, als hätte ein Gift seinen Geist verwirrt.

Dennoch plagten ihn Zweifel. Hatte Seneca nicht geschrieben, daß Freude nur aus einer sittlichen Haltung erwachsen könne, andernfalls sie zur Lasterhaftigkeit herabsinke.

Philippus spürte, daß Weisheiten ihm nicht weiterhelfen konnten. Er war verliebt, und es hatte keinen Sinn, sich etwas vorzumachen. Wie Flüsse den Salzgehalt der Meere nicht verändern, so vermochte Vernunft den Sturmlauf seines Herzens nicht zu bezwingen.

Er wollte auch nicht vernünftig sein, nachdem er jahrelang zurückhaltend gelebt hatte und weder zu den Dirnen der Subura noch zu den Gattinnen angesehener Staatsbürger gegangen war, denen der Kaiser in einem Seitentrakt seines Palastes die Möglichkeit bot, sich heimlich zu jeder Tageszeit all jene Freuden zu holen, die ihnen ihrer Meinung nach daheim in unzureichendem Maße geboten wurden. Ihm ging es nicht um körperliche Befriedigung. Er sehnte sich nach einer Frau, mit der sich das Leben auf eine höhere Ebene stellen ließ, und nun, da er glaubte, in Isidora die Erfüllung seiner Wünsche gefunden zu haben, war er nicht gewillt, kampflos zu verzichten.

Philippus hätte sich selbst nicht verstanden, wenn ihm sein verändertes Denken zum Bewußtsein gekommen wäre. Sein Sinnen war so extrem auf Isidora ausgerichtet, daß er einem Steuermann glich, der in einer kritischen Situation nur an sich selbst und nicht an die Richtung denkt, die sein Schiff nehmen soll. Dennoch fragte er sich immer wieder: Wer gibt dir eigentlich das Recht, nach etwas zu streben, das ein anderer verlieren soll, damit du es erhältst? Kann ein so errungenes Glück überhaupt von Bestand sein?

Zweifel und Sehnsüchte bescherten Philippus eine so unruhige Nacht, daß er erlöst aufatmete, als der Morgen graute und er sein Lager verlassen konnte. Seine alte Haushälterin traute ihren Ohren nicht, als sie ihn zu einer Zeit, da er normalerweise noch in tiefem Schlaf lag, im *Piscina* des Innenhofes baden hörte. Daß mit dem ›jungen Herrn‹ etwas nicht stimmte, hatte sie schon an einem Amulett gemerkt, welches an diesem Morgen plötzlich zu Füßen der kleinen Hausgötter lag. Es war nicht Philippus' Art, den *Penaten* etwas zu opfern. Woher kam dieser plötzliche Wandel? Und warum das frühe Bad? Sollte eine Frau . . .?

Das Herz der Alten schlug schneller, und es war voller Freude, als sie später beobachtete, wie beschwingt der Senator das Haus verließ.

Tatsächlich war Philippus in selten guter Stimmung, als er sich auf den Weg zum Atelier des Bildhauers Raimundus machte. In Gedanken war er bereits bei Isidora, die er wenigstens einige Augenblicke allein zu sprechen hoffte, um ihr sagen zu können, wie sehr sie ihn beschäftigte. Sie mußte wissen, daß er sie liebte und um sie kämpfen wollte.

Als Philippus den Pons Aemilius überquerte, entdeckte er schon von weitem Raimundus' unmittelbar am Fluß gelegene Werkstatt, deren Tore weit aufstanden, so daß das Tageslicht voll in sie einfiel. An riesigen Steinblöcken arbeiteten mehrere Skarpellini, die ihr zum Teil rhythmisches, dann wieder aus dem Takt fallendes Klopfen wie auf Kommando einstellten, als sie den an seiner Toga als Senator erkennbaren Würdenträger in die Werkstatt eintreten sahen.

»Ich möchte den Meister sprechen«, sagte Philippus zu dem ihm am nächsten stehenden Steinmetzen.

Der machte eine krumme Verbeugung und rief in die Werkstatt hinein: »Horatius, komm mal her! Der Meister wird verlangt!«

Im Hintergrund des Ateliers erschien Raimundus' blonder

Schüler, der seine Schritte augenblicklich beschleunigte, als er den hohen Gast bemerkte. »Heil Euch, großer Senator«, begrüßte er ihn unerschrocken. »Kann ich Euch zu Diensten sein?«

»Melden Sie mich dem Bildhauer Raimundus«, antwortete Philippus und schaute wie suchend um sich.

Horatius' Mienenspiel verriet Verlegenheit. »Der Meister ist leider nicht anwesend.«

Senator Philippus traute seinen Ohren nicht. Er hatte Isidora doch erklärt, daß er ihren Mann gleich am nächsten Morgen aufsuchen wollte. »Der Magister ist nicht da?« fragte er überrascht.

»Er ist nach Frascati gefahren, um seine Kinder zu holen«, erwiderte Raimundus' Schüler mit allen Anzeichen des Bedauerns.

Philippus fuhr sich über die Stirn. War er so verliebt, daß er nicht wußte, was er verabredet hatte? Isidora wollte seinen Besuch doch ankündigen! Von einer bevorstehenden Fahrt nach Frascati war mit keinem Wort die Rede gewesen. Im Gegenteil, Isidora hatte angedeutet, daß ihre Kinder unter Umständen erst später, als geplant, zurückgeholt werden würden, weil sich ihr Mann in einer ungewöhnlich produktiven Schaffensperiode befinde, die ausgenutzt werden müsse. Und nun der völlig widersprechende Bescheid. Da stimmte doch etwas nicht.

Im Bestreben, den jungen Mann auszuhorchen, entgegnete Philippus mühsam beherrscht: »Und ich bin extra herausgekommen, um mir die Werke des Meisters anzusehen. Könnten Sie mir diese wenigstens zeigen?«

»Es wird mir eine Ehre sein, großer Senator«, antwortete Horatius beflissen. »Ich bin Raimundus' Schüler und schätze mich besonders glücklich, Euch das herrliche Werk vorführen zu können, das der Meister gerade gestern beendet hat. Wir sind im Augenblick zwar dabei, den Abguß vorzubereiten, aber das Gerüst behindert die Sicht noch nicht. Darf ich Euch in das Atelier führen?«

»Bitte«, erwiderte Philippus und überlegte unwillkürlich: Wenn gestern ein neues Werk fertig wurde, wäre es möglich, daß der Bildhauer Hals über Kopf den Entschluß faßte, seine Kinder zurückzuholen. Unerklärlich bleibt dann allerdings, wieso er meinen Besuch ignoriert.

Ein vermessener Gedanke durchfuhr den Senator. Sollte Isidora ihren Mann nicht informiert haben? Das würde Raimundus' Abwesenheit erklären, aber auch bedeuten . . .

Philippus' Herz schlug plötzlich schneller. Er mußte erfahren, ob Isidora daheim war. Doch noch bevor er eine diesbezügliche Frage stellen konnte, stieß Horatius die Tür zum Atelier auf und wies auf eine aus Lehm geformte Plastik, um die ein Gerüst errichtet wurde.

»Das ist das neue Werk«, sagte er voller Stolz.

Senator Philippus glaubte in einen Tempel einzutreten. Der hingebungsvolle Ausdruck der ›Liebenden‹ erschütterte ihn. Gleichzeitig aber stieg Kälte in ihm auf. Mit welch genialem Mann war Isidora verheiratet! Wie wollte er gegen jemanden ankommen, der die Liebe so zu symbolisieren vermochte, der fähig war, das Glück des Lebens als eine im Einklang mit der Natur stehende Erfüllung darzustellen.

Wer Großes und Erhabenes schafft, muß nicht groß und erhaben sein, beschwor er sich. Laß dich nicht einschüchtern, sondern erkundige dich, ob Isidora daheim ist.

»Sagen Sie«, wandte er sich erneut an Raimundus' Schüler, »hat der Meister in diesem Werk womöglich sich und seine Gattin dargestellt?«

Raimundus' Schüler schüttelte heftig den Kopf. »Die Frau des Meisters ist weder üppig noch . . .« Er unterbrach sich erschrocken. »Ich bitte um Entschuldigung, großer Senator, ich wollte nichts gegen das Modell sagen, sondern nur zum Ausdruck bringen, daß die Domina unvergleichlich hübscher und liebenswerter ist.«

»Warum nimmt der Meister dann eine andere Frau als Modell?«

Horatius konnte nicht verhindern, daß seine Wangen sich röteten. »Ich weiß es nicht«, antwortete er kleinlaut und fragte dann hastig: »Gefällt Euch die Plastik?«

»Das Werk ist so großartig, daß ich es erwerben möchte«, bekannte Philippus, ohne lange zu überlegen. »Und zwar für den Kaiser, dessen Berater ich bin. Ich bedaure es deshalb ganz außerordentlich, daß niemand da ist, mit dem ich den Auftrag besprechen könnte.«

»Aber die Gattin des Meisters ist doch anwesend«, entgegnete Horatius mit vor Aufregung sich überschlagender Stimme. »Soll ich Euch zu ihr führen?«

Senator Philippus mußte sich zwingen, gelassen zu bleiben. »Melden Sie mich zunächst einmal an«, erwiderte er nach kurzer Überlegung. »Ich möchte mir die Skulptur noch eine Weile ansehen und gehe später hinüber. Wenn ich mich nicht täusche, liegt das Haus gleich neben der Werkstatt, nicht wahr?«

»Ihr könnt von hier aus direkt in den Garten gehen«, erwiderte Horatius. »Ich werde Frau Isidora bitten, Euch dort zu erwarten.«

»Isidora heißt die Gattin des Meisters?« erkundigte sich Philippus scheinheilig.

Horatius nickte. »Sie ist sehr nett.«

»Aber krank, wie ich vermute.«

Raimundus' Schüler sah den Senator verwundert an. »Wie kommt Ihr darauf?«

»Weil ihr Mann die Kinder alleine abholt.«

»Das tut er ja nicht«, entfuhr es Horatius.

Er ist mir auf den Leim gegangen, dachte der Senator befriedigt.

Raimundus' Schüler erkannte seinen Fehler.

Philippus legte ihm die Hand auf die Schulter. »Ich sehe Ihnen an, daß Sie mir das nicht hätten sagen dürfen. Machen Sie sich keine Sorge: ich rede nicht darüber. Nur eine Frage habe ich noch. Ist die Ehe nicht in Ordnung?«

Horatius blickte betreten zu Boden. »Das wäre zuviel gesagt. Der Chef macht nur den Fehler, den Kindern alles, aber auch alles zu gestatten, was zur Folge hat, daß sie sich von ihrer Mutter nichts mehr sagen lassen und ihr förmlich auf dem Kopf herumtanzen. Dadurch entstehen Zwistigkeiten, die das Ehepaar auszuräumen versuchte, indem es die Kinder in ein Internat gab. Aber dann kam alles anders. Das Modell da«, er wies zur Plastik hinüber, »stiftet Unfrieden. Heute begleitet es den Magister sogar nach Frascati. Es ist eine Schande.«

Senator Philippus war betroffen. Mit keinem Wort hatte Isidora erkennen lassen, daß es in ihrer Ehe Schwierigkeiten gab. Im Gegenteil, sie hatte in der reizendsten Weise über ihren Mann und ihre Kinder gesprochen.

Horatius sah den Senator erwartungsvoll an.

»Melden Sie mich der Frau des Meisters«, sagte Philippus. »Und lassen Sie sich nicht anmerken, worüber wir gesprochen haben. Es würde die Domina nur belasten.«

Als Senator Philippus erklärte, sich die Skulptur noch eine Weile anschauen zu wollen, tat er dies, um Isidora die Möglichkeit zu geben, sich auf seinen Besuch einzustellen. Nun jedoch, nachdem er so unerwartet etwas über ihre Ehe erfahren hatte, war er froh, selbst Gelegenheit zu haben, sich innerlich auf das Treffen mit ihr vorzubereiten. Für ihn hatte sich doch manches sehr verändert. Es war sein Wunsch gewesen, Isidora in einem Augenblick des Alleinseins zu sagen, daß er sie liebe und um sie kämpfen werde. Jetzt durfte er dies nicht mehr tun. Zweifellos blutete ihr Herz; wenn er sich ihr jetzt offenbarte, nutzte er ihren Schmerz aus und zahlte sie den Preis für das, was er zu erringen wünschte. Wenn er sie wirklich liebte, mußte er seine Interessen zurückstellen und mit äußerster Behutsamkeit vorgehen. Keinesfalls durfte sie einen Weg einschlagen, der sie gefährdete.

Philippus war froh, daß er alles in Ruhe überdenken konnte, bevor er mit Isidora zusammentraf. Wahrscheinlich erwartete sie ihn mit gemischten Gefühlen, da sie die Abwesenheit ihres Mannes mit einer erfundenen Geschichte begründen mußte. Er glaubte jedenfalls nicht, daß sie ihm die Wahrheit sagen würde. Sie gehörte zu jenen Menschen, die ihren Kummer für sich behalten. Wenn er sich vergegenwärtigte, mit welcher Wärme sie über ihren Mann und ihre Kinder gesprochen hatte, war er versucht, in Anlehnung an Epikur zu sagen: Eine hohe Tugend ist die schmerzliche Lüge.

Senator Philippus war sich eben über sein weiteres Verhalten schlüssig geworden, als Horatius zurückkehrte und ihm meldete, die Domina erwarte ihn im Pavillon des Gartens.

»Dann will ich sie gleich aufsuchen«, erwiderte er und ließ

sich in den Garten führen, dessen Gestaltung ihn überraschte. Anstelle der üblichen abgezirkelten Blumenbeete umstanden schattenspendende Eukalyptusbäume einen gepflegten Rasen, in den aromatische Sträucher wie Rosmarin, Lavendel, Ginster und Pistazie gesetzt waren. Das Licht war dadurch wunderbar gedämpft, und nur der Uferstreifen am Tiber lag im prallen Schein der Sonne. In der Mitte des Gartens befand sich ein von Weinlaub bewachsener halbrunder Pavillon, dessen offene Seite nach Osten wies und einen herrlichen Ausblick auf das sich weit ausdehnende Rom bot.

Isidora, die eine glatt herabfallende und nur von einem schmalen Gürtel gehaltene moosgrüne Tunika angelegt hatte, ging Philippus heiter lächelnd entgegen und reichte ihm die Hand, als sei er ein häufiger Gast des Hauses. »Was mögen Sie nur von mir denken«, sagte sie dabei und schaute ihm offen in die Augen. »Wir vereinbarten, daß ich meinen Mann über Ihr Kommen informiere, aber ich habe es nicht getan.«

Senator Philippus ging sogleich auf ihren ungezwungenen Ton ein. »Ich gebe zu, daß ich im ersten Moment überaus verwundert war. Dann aber sagte ich mir: Die hübsche Isidora hat ihren Gatten fortgeschickt, damit sie mit mir allein sein kann. Bitte, enttäuschen Sie mich nicht und gestehen Sie, daß es so ist«, fügte er schnell hinzu.

Wie leicht er es mir macht, mich aus der peinlichen Situation zu befreien, dachte sie erlöst und erwiderte, ohne zu zögern: »Gut, daß Sie mich durchschauen. Ich befürchtete nämlich schon, Sie würden mir nicht glauben.«

Philippus lachte. »Schön, wie Sie auf meinen Scherz eingehen.«

»Sie täuschen sich«, entgegnete Isidora bestimmt. »Mit Ihrem Scherz sind Sie der Wahrheit sehr nahe gekommen. Wenn ich meinen Mann auch nicht fortgeschickt habe, wie Sie sich auszudrücken beliebten, so bin ich seinem Vorhaben, die Kinder zurückzuholen, doch nicht entgegengetreten. Ich hätte ihm nur zu sagen brauchen, daß Sie, ein Berater des Kaisers, ihn heute aufsuchen würden.«

Dem Senator stockte der Atem. Wollte Isidora sich ihm offenbaren?

»Zwei Gründe bewogen mich zu schweigen«, fuhr sie sachlich fort, während sie auf den Pavillon zu gingen. »Punkt eins: Mein Mann hatte sich so darauf gefreut, die Kinder abzuholen, daß ich ihm die Freude nicht nehmen wollte. Punkt zwei: Ich wußte, daß ich eine Weile in Ruhe mit Ihnen plaudern könnte, wenn ich meinem Mann die Freude nicht nehmen würde. Da machte ich mir die Freude, ihm die Freude nicht zu nehmen.«

Frappiert von dem Charme und der Ehrlichkeit, mit der Isidora die Wahrheit verschwieg, verneigte sich Philippus. »Ich bin entzückt zu hören, daß Ihnen an einer Unterhaltung mit mir mehr liegt als an einem lukrativen Auftrag für Ihren Gatten.«

»Den Sie nun nicht erteilen werden?« fragte Isidora hintergründig und lud den Senator mit einer Handbewegung ein, im Pavillon Platz zu nehmen.

»Darüber bin ich mir noch nicht ganz im klaren«, antwortete er zögernd und ließ ihr mit galanter Geste den Vortritt. »Wahrscheinlich werde ich mich erst nach mehreren Besuchen entschließen können.«

Isidora lachte ausgelassen, und bald sprachen sie nicht mehr über Raimundus, sondern über die verschiedensten Themen. Dabei lernten sie sich immer besser kennen. Beide erfüllte es mit großer Freude, wenn sie Übereinstimmungen feststellten, und Senator Philippus, der über eine beachtliche Bibliothek verfügte, war begeistert, als er hörte, daß es für Isidora nichts Reizvolleres gab, als das *Argiletum* zu durchstreifen, das Buchhändlerviertel, in dem es fast jede Veröffentlichung zu kaufen gab.

»Besuchen Sie auch den Standplatz der Dichter, die keinen Verleger finden und ihre Schöpfungen in der Hoffnung, von einigen Zuhörern ein paar Sesterzen zu erhalten, mit viel Pathos vorlesen?« erkundigte er sich.

Isidora nickte lebhaft. »Ich habe sogar einmal einen von ihnen zum Essen eingeladen, leider jedoch einen bösen Reinfall erlebt. Mein Mann hat furchtbar getobt.«

»Warum?«

»Weil der Betreffende nicht viel mehr wußte als das, was er auf einigen Seiten niedergeschrieben hatte.«

»Ja, es gibt auch im Argiletum Scharlatane«, entgegnete der Senator. »Aber da Sie gerade Ihren Mann erwähnten, möchte ich vorschlagen, ihm unser gestriges Gespräch zu verschweigen. Er könnte es Ihnen verübeln, daß Sie ihm von meiner Absicht, ihn zu besuchen, nichts erzählt haben. Wir haben uns eben hier und heute kennengelernt. Sind Sie damit einverstanden?«

Isidora sah Philippus unsicher an. »Eigentlich müßte ich jetzt nein sagen, damit sich zu unserem kleinen Geheimnis nicht noch ein großes gesellt. Geheimnisse sind es bekanntlich, die Menschen verbinden.«

Philippus ergriff ihre Hand. »Betrachten Sie das als ein Unglück?«

»Ein Unglück?« wiederholte sie und überlegte, ob sie dem Senator die Hand entziehen sollte. »Wohl kaum. Aber selbst wenn es eines wäre, würde es nicht tragisch sein, da nach Demetrius kein Mensch unglücklicher sein kann als einer, dem niemals ein Unglück widerfuhr.«

Raimundus war mit sich selbst zerstritten, als er nach Rom zurückkehrte. Die Freude, die Kinder wieder bei sich zu haben, wurde verdrängt von dem Bewußtsein, Isidora unrecht getan zu haben. Darüber hinaus war die Rückfahrt völlig anders verlaufen, als er es sich vorgestellt hatte.

Zunächst war die Wiedersehensfreude natürlich groß gewesen, und die Kinder hatten die tollsten Sprünge gemacht, als sie erfuhren, daß sie nach Hause zurückkehren sollten. Weniger erfreulich war allerdings, daß Franciscus, der das Temperament und die Unruhe seines Vaters geerbt hatte, dem mit ihm ganz und gar unzufriedenen Anstaltsleiter vor das Schienbein trat, als dieser dem Bildhauer unumwunden erklärte, er befürchte das Schlimmste für die Kinder, wenn diese nicht schnellstens konsequent erzogen würden.

Aber nicht nur der siebenjährige Franciscus zeigte sich von seiner rüpelhaften Seite. Auch seine um ein Jahr jüngere Schwester Babina, die äußerlich ihrer hübschen Mutter glich, in ihrem Wesen jedoch ihrem Vater, glänzte durch unglaubliche Frechheit, als sie sich von ihrem Erzieher verabschieden sollte. Sie spuckte ihm auf die dargebotene Hand.

Raimundus war daher in denkbar schlechter Stimmung, als

die Rückfahrt nach Rom angetreten wurde. Er war sich darüber im klaren, daß es im alten Stil nicht weiterging, und er nahm sich vor, Isidora um Verzeihung für alles zu bitten, was er falsch gemacht hatte. Besonders der Verlauf der letzten Wochen bedrückte ihn, und er war so in Gedanken versunken, daß er nicht bemerkte, in welch durchschaubarer Weise sich sein Modell Helena um die Kinder bemühte. Sie küßte und tätschelte sie, gab ihnen Honiggebäck und Kirschen, streichelte ihre Wangen und erzählte ihnen ein Märchen nach dem anderen, was zur Folge hatte, daß sie in kürzester Frist zur ›lieben Tante Helena‹ avancierte.

Erst als die Bezeichnung ›Tante‹ fiel, wurde Raimundus hellhörig. Tante Helena? Das ging auf keinen Fall. Deshalb erklärte er seinen Kindern unmißverständlich: »Helena ist nicht verwandt mit uns wie beispielsweise meine Schwester Horatia. Sie ist also nicht eure Tante.«

»Aber sie hat eben gesagt, wir sollen sie so nennen«, entgegnete Franciscus ruppig.

»Das ist gewiß gut von ihr gemeint«, erwiderte Raimundus im Bestreben, die Angelegenheit ohne Schärfe zu erledigen. »Ich möchte jedoch nicht, daß ihr sie so nennt.«

»Mach aus einer Mücke keinen Elefanten«, warf Helena mit sanfter Stimme ein. »Für Kinder sind Tanten etwas Wunderbares. Gönn ihnen also die Freude.«

Raimundus warf ihr einen bösen Blick zu. »Begreifst du nicht, worum es mir geht? Was soll meine Frau denken, wenn sie hört, daß Franciscus und Babina dich Tante nennen?«

»Ich verstehe!« entgegnete Helena lammfromm und legte die Arme um die neben ihr sitzenden Kinder. »Wenn eure Mutter es nicht mag, daß ihr mich Tante ruft, dann wollen wir es lassen.«

»Ich nenne dich trotzdem so«, erklärte Franciscus aufsässig.

»Und ich auch!« pflichtete ihm Babina bei.

»Eure Mutter duldet es aber nicht«, versicherte Helena mit Nachdruck.

Der Junge lachte abfällig. »Papa hält schon zu uns.«

»Red keinen Unsinn«, erboste sich Raimundus. »Ihr habt gehört, was ich gesagt habe. Und dabei bleibt es!«

Helena zog die Kinder an sich heran. »Seid jetzt schön still und nehmt euch noch ein paar Kirschen.«

»Sie haben schon viel zuviel davon gegessen und werden Bauchweh bekommen«, gab Raimundus zu bedenken.

»Jetzt bist du genau wie Mama, die uns auch nichts gönnt«, schimpfte Franciscus.

Erstmalig konnte Raimundus nachempfinden, was Isidora seit Jahren ertragen haben mußte. Dennoch wagte er nicht, seinen Jungen zurechtzuweisen. Er befürchtete, damit noch mehr Sympathien für Helena zu erwecken. Mit Honiggebäck und Kirschen, Küssen, Streicheln und sonstigem Getue hatte sie bereits erreicht, daß Franciscus und Babina sie trotz seines Einspruches weiterhin Tante nannten. Und Helena ließ die Gunst der Stunde nicht ungenützt vorübergehen. Durch verstohlenes Zublinzeln und heimliches Händedrücken sorgte sie dafür, daß sich zwischen ihr und den Kindern so etwas wie eine verschworene Gemeinschaft bildete, gegen die Raimundus nicht ankommen konnte.

Er war deshalb überaus bedrückt, als er nach Hause zurückkehrte, wo Isidora ihre Kinder voller Glück in die Arme schloß und es ihn mit keinem Blick vergelten ließ, was er ihr angetan hatte.

Ich muß mit Blindheit geschlagen gewesen sein, sagte er sich, als er Isidoras mütterliche Herzlichkeit mit der berechnenden Freundlichkeit verglich, die Helena zur Schau gestellt hatte. Dabei entging ihm nicht, daß seine Frau immer wieder zu ihm hinüberschaute, als warte sie auf etwas. Ich sollte sie einfach umarmen, schoß es ihm durch den Kopf. Ohne lange zu reden.

Isidora spürte, was Raimundus bewegte. Sie führte darum die kleine Babina, die sie auf dem Arm gehalten hatte, zu einem einladend gedeckten Tisch und sagte: »Schaut mal, was ich euch gebacken habe.«

»Kuchen brauchen wir nicht«, entgegnete Franciscus wegwerfend. »Den haben wir schon von Tante Helena bekommen.«

Isidora blickte Raimundus betroffen an.

Der war mit wenigen Schritten bei ihr und stammelte verlegen: »Verzeih, es war Wahnsinn, was ich gemacht habe. Ich sehe es ein und werde . . .«

»Pssst!« unterbrach sie ihn, wobei sie ihren Finger auf seine Lippen legte. »Es ist alles gut. Deine Arbeit hatte dich überanstrengt. Im übrigen habe ich eine große Neuigkeit für dich. *Amor eternus* ist so gut wie verkauft!«

Seine Augen weiteten sich.

»Hältst du mich zum Narren?«

»Nein, Raimundus! Senator Philippus war hier.«

»Neros Sonderberater?«

»Genau der!«

»Und er will die Plastik kaufen?«

»Für den Kaiser!«

»Heureka!« rief Raimundus und wirbelte Isidora im Kreise. »Wir haben es geschafft! Wenn eines meiner Werke den Weg zum Palatin nimmt . . . Aber erzähl!« unterbrach er sich aufgeregt. »Wieso ist der Senator hierhergekommen?«

»Er hat von deinen Arbeiten gehört und wollte sich informieren.«

Raimundus raufte sich die Haare. »Und ich war nicht da!«

»Dafür aber Horatius, der die Chance erkannte und den Senator sogleich zu deiner neuen Plastik führte, die glücklicherweise noch nicht eingeschalt war.«

»Jupiter sei Dank!« stöhnte Raimundus. »Horatius soll einen Sonderlohn erhalten. Doch wie ging es weiter?«

»Senator Philippus war begeistert, wie du dir denken kannst. Ich nebenbei auch. Ich habe mir die Skulptur, gleich nachdem du weg warst, angesehen.«

»Und was sagst du?«

»Du hast dich selbst übertroffen.«

Raimundus umarmte Isidora erneut. »Ich danke dir. Aber zurück zum Senator. Ich schwitze ja vor Aufregung. Hast du ihn gesprochen?«

»Freilich. Horatius führte ihn zu mir, und wir haben uns lange unterhalten.«

»Im Tablinum?«

»Nein, im Pavillon. Ich bat Horatius, den hohen Gast dorthin zu führen.«

»Sehr gut! Und hast du ihm etwas angeboten?«

»Selbstverständlich.«

»Was?«

»Wein und Gebäck.«

»Was für ein Glück, daß du zu Hause warst! Stell dir vor, du wärst mit mir gefahren. Nicht auszudenken! Es hat so sein sollen, Isidora. Alles ist vorherbestimmt.«

Sie zuckte die Achseln. »Möglich.«

»Da gibt es überhaupt keinen Zweifel«, bekräftigte Raimundus. »Hoffentlich warst du nett zum Senator.«

»Denkst du, ich wäre grob zu ihm gewesen?«

»Natürlich nicht, aber . . . Sieht er gut aus?«

»Sogar sehr gut! Er ist höchstens dreißig Jahre.«

»Habt ihr euch gut verstanden?«

»Ich denke, schon«, antwortete sie und unterdrückte eine in ihr aufsteigende Nervosität. »Er war über zwei Stunden hier.«

»So lange?« rief Raimundus erfreut. »Also, wir werden ihm zu Ehren ein Fest geben. Wenn es dir gelingt, ihn ein wenig zu fesseln, hagelt es Aufträge. Die größten Dinge kann ich dann in Angriff nehmen. Ich stecke ja voller Pläne. Als erstes werde ich den Vorschlag machen, ein dreißig Meter hohes Standbild von Nero zu schaffen. Stell dir vor . . .«

Das Thema des Abends war besiegelt. Raimundus schwelgte in Projekten, die in ihren Ausmaßen sogar den nicht gerade kleinlichen Kaiser in Verwunderung gesetzt haben würden.

Senator Philippus konnte sich selbst nicht mehr begreifen. Was immer er tat, ob er in alten Schriften las oder an Sitzungen der Curia teilnahm, er vermochte sich auf nichts zu konzentrieren. Unablässig dachte er an Isidora. Ihr Charme, ihre Schönheit und ihre Intelligenz hatten ihn so beeindruckt, daß er fest entschlossen war, sich nicht mit einem leidenschaftslosen Verzicht abzufinden. Jahrelang hatte er wie ein Einsiedler gelebt, nun aber, da ihm die Frau seiner Träume begegnet war, konnte er seine passive Einstellung zum Leben nicht aufrechterhalten. Alles in ihm drängte einer Entscheidung entgegen. Dabei gab er sich keinen Illusionen hin. Er wußte, daß er Raimundus nicht einfach zur Seite schieben konnte, sondern kämpfen mußte, wenn er Isidora erringen wollte. Auch war er sich im klaren darüber, daß er sich vergebens bemühen würde, wenn er die gebotene Fairneß außer acht ließ. Er brannte deshalb darauf, Raimundus kennenzulernen, und es fiel ihm schwer, die mit Isidora verabredeten zwei Tage verstreichen zu lassen und nicht sofort das Atelier des Bildhauers aufzusuchen, den er sich nach allem, was er über ihn gehört hatte, als ein besessenes Rauhbein vorstellte. Um so verwunderter war er, als ihm am Vormittag des verabredeten Tages vor Raimundus' Werkstatt ein sympathischer, hünenhafter Römer, dem man den eigenwilligen Künstler ansah, mit ausgestreckten Armen entgegenging und ihn ohne die üblichen Floskeln und Übertreibungen begrüßte.

»Ich bin glücklich, Ihre Bekanntschaft zu machen, großer Senator«, war alles, was er sagte.

»Das Vergnügen ist auf meiner Seite, großer Meister«, entgegnete Philippus angenehm überrascht.

Raimundus wies zu seinem Atelier hinüber. »Wir haben Tag und Nacht gearbeitet, um Ihnen schon heute den positiven, also den endgültigen Gipsabguß der Plastik *Amor eternus* vorführen zu können. Das Material wirkt freilich stumpf und kalt; Sie werden also Ihre Phantasie etwas hinzunehmen müssen, wenn Sie sich das fertige, aus Stein gemeißelte Werk vorstellen wollen. Aber das kennen Sie ja, nicht wahr?«

Der Senator nickte, obwohl er die Frage hätte verneinen müssen. »Wo meine Phantasie nicht ausreicht, vergegenwärtige ich mir einfach den Entwurf, den ich noch immer vor mir sehe«, fügte er verbindlich hinzu. »Ich war sehr beeindruckt.«

»Ja, die Plastik ist großartig!« ereiferte sich Raimundus. »Ich kann für mich in Anspruch nehmen, die Liebe als ein an den Himmel gerichtetes Gebet dargestellt zu haben; frei von aller Erdgebundenheit, losgelöst von Zeit und Raum.«

Daß Künstler ihre Werke immer selber loben müssen, dachte Philippus amüsiert.

»*Amore eternus* soll natürlich nicht das einzige Werk seiner Art bleiben«, fuhr Raimundus geschäftig fort und deutete auf die Skulptur in der Mitte des säuberlich aufgeräumten Ateliers, zu deren Füßen frisches Laub ausgebreitet war. »Schon in den nächsten Tagen werde ich ein Pendant in Angriff nehmen. Was ich hier darstellte, ist gleichsam ein See der Liebe. Als Gegen-

stück werde ich nun den Ozean der Liebe schaffen: hochge-
peitscht von Sinnlichkeit, gequält von Leidenschaften, ein Schrei
der Lust und des Infernos zugleich. Das mag Sie erschrecken,
aber man muß Ja zum Bösen sagen. Das Böse und nicht das Gute
treibt die Dinge vorwärts, macht Eros trunken, läßt Leidenschaften in einen Rausch aufgehen. Sie verstehen gewiß, was ich
meine. Horizonte und Perspektiven verschieben sich. Höhen fallen in sich zusammen. Abgründe schleudern lodernde Gluten.
Haben Sie jemals einen Vulkan in Tätigkeit gesehen? Herrlich,
sage ich Ihnen! Der Himmel erblaßt vor der Gewalt der Unterwelt. Grandios . . .«

Raimundus hörte nicht auf zu reden. Das Feuer seiner Besessenheit raste wie ein Naturereignis über den Senator hinweg,
der sich beklommen fragte, woher Isidora die Kraft nehme, an
der Seite dieses Mannes nicht zusammenzubrechen. Im Bestreben, den Redestrom seines Gesprächspartners zu unterbrechen,
erkundigte er sich nach dem Preis der Plastik.

Der Bildhauer glich einem Berauschten, dem ein Kübel Wasser über den Kopf geschüttet wird. Was sollte die schockierende
Frage? Er hatte die Welt aus der Perspektive eines Titanen gesehen und begriff nicht, was einen gebildeten Mann veranlassen
konnte, die Visionen eines Künstlers mit profanen Dingen zu
verscheuchen. Am liebsten wäre er dem Senator an die Kehle
gesprungen, doch er beherrschte sich und entgegnete nach kurzer Überlegung: »Die Skulptur ist unbezahlbar. Ich schenke sie
Nero Caesar und überlasse es ihm, meine Geste mit einem an-
erkennenden Wort oder einem feudalen Landgut zu honorieren.
Beides wird mir gleich viel wert sein.«

Er besitzt die Schwäche eines Menschen und die Großzügigkeit eines Gottes, dachte Philippus beeindruckt und erwiderte
mit leichter Verneigung: »Ich bin gewiß, daß es dem Kaiser ein
Bedürfnis sein wird, Sie mit beidem zu beglücken.«

Raimundus war versöhnt, und das Gespräch verlief nunmehr
ruhig und sachlich.

Für Philippus war die nächste Stunde, in welcher der Bildhauer
ihm seine fertigen Arbeiten zeigte, überaus interessant. Dennoch drängten sich ihm schmerzliche Vorstellungen auf, wenn
er sich vergegenwärtigte, welches Leben die sanfte Isidora an der

Seite ihres ungestümen Mannes verbringen mochte. Er fühlte sich daher wie erlöst, als Raimundus nach einem Rundgang durch die Werkstatt erklärte: »Und nun bitte ich im Namen meiner Frau um die Ehre, Ihnen im Pavillon eine kleine Erfrischung reichen zu dürfen. Der Platz hat Ihnen ja besonders gut gefallen, wie ich hörte.«

»Nicht zuletzt, weil ich mich mit Ihrer Gattin dort ungewöhnlich anregend unterhalten habe«, erwiderte Philippus zuvorkommend.

Der Bildhauer lächelte. »Das scheint auf Gegenseitigkeit zu beruhen. Meine Frau war hingerissen von Ihren Erzählungen.«

Senator Philippus stutzte. Was sollte diese Bemerkung? Er konnte sich nicht vorstellen, daß Isidora etwas Ähnliches behauptet hatte.

»Sie beide scheinen sich überhaupt gut zu verstehen«, fuhr Raimundus im Plauderton fort, während er seinen Gast in den Garten führte. »Jedenfalls haben Sie meine Frau stark beeindruckt.«

Der offensichtliche Zweck dieser Erklärung empörte Philippus so sehr, daß er es nicht unterlassen konnte zu entgegnen: »Dann sollten Sie vorsichtig sein, großer Meister! Ich bin nämlich geradezu verliebt in Ihre Gattin.«

Raimundus lachte schallend. »Dies Kompliment müssen Sie ihr und nicht mir machen.«

Den Senator reizte es plötzlich, mit blanker Waffe zu kämpfen. »Es wird mir ein Vergnügen sein, meinen Empfindungen keinen Zwang antun zu müssen.«

Der Bildhauer rieb sich die Hände. »Bin gespannt, was für ein Gesicht meine Frau dazu machen wird.«

Isidora reagierte erstaunlich, als Philippus gleich nach der Begrüßung von seinem Gespräch mit Raimundus berichtete. »Wenn Sie erklären, in mich verliebt zu sein«, erwiderte sie, ohne zu zögern, »dann will ich nicht zurückstehen und behaupte sinngemäß das gleiche von mir.«

»Behaupte?« fragte der Senator, sich erstaunt gebend. »Wie soll ich das verstehen? Eine Behauptung stimmt bekanntlich mit der Wahrheit nicht immer überein.«

Isidora lachte. »Wie gut, daß Sie auf Nuancen achten.« Damit wies sie in den Pavillon. »Darf ich Sie bitten, Platz zu nehmen.«

Besser hätte sie nicht reagieren können, dachte Raimundus befriedigt und schenkte Wein ein. Senator Goldfisch soll sich bei uns wohl fühlen.

Isidora reichte eine kupferne Schale mit kleinem Gebäck.

Philippus bediente sich und schaute Isidora herausfordernd an. Wenn Raimundus daran dachte, seine Frau als Lockvogel zu benutzen, dann hatte er keine Veranlassung, sich zurückzuhalten.

Es kam eine lebhafte Unterhaltung in Gang, bei der Raimundus' Temperament plötzlich wieder nicht mehr zu bändigen war. Er schwelgte in Plänen, die Isidora den Kopf schütteln ließen und den Senator zu der Bemerkung veranlaßten:

»Zeus möge uns davor bewahren, daß Sie jemals mit dem Kaiser zusammentreffen. Ihrer beider Phantasie kennt keine Grenzen. Das Ergebnis eines Gespräches zwischen Ihnen könnte nur eine beängstigende Maßlosigkeit sein.«

»Wieso?« begehrte Raimundus auf. »Halten Sie beispielsweise Neros Idee, eine neue Metropole zu bauen, für überspannt?«

»Angesichts der in Rom herrschenden Verhältnisse nicht unbedingt«, antwortete Philippus vorsichtig. »Der Plan ist aber nichts gegen das, was der Kaiser neuerdings ausgebrütet hat. Nur sein grenzenloses Verlangen, sich als Sänger zu produzieren, hält ihn im Augenblick davon ab, Hunderttausende mit Spaten und Hacke auszurüsten und den Bau eines Kanals zu befehlen, der von Neapolis schnurstracks nach Ostia führen soll. Über zweihundertfünfzig Kilometer soll er sich in einer Breite durch das Land ziehen, die es riesigen Seeschiffen ermöglicht, aneinander vorbeizufahren.«

»Ein Kanal entlang der Meeresküste?« fragte Isidora betroffen.

Raimundus tippte sich an die Stirn. »Wenn Nero Caesar einen solchen Plan hegt, ist er nicht mehr normal. Man baut doch keinen Kanal, wo einem das Meer zur Verfügung steht.«

Senator Philippus hob warnend die Hand. »Jetzt muß ich unseren ›Göttlichen‹ in Schutz nehmen. Ich erwähnte seinen Plan nicht, um ihn als unsinnig abzutun, sondern um zu dokumentieren, daß Neros Phantasie keine Grenzen kennt. Die Idee als solche ist nämlich grandios, es fragt sich nur: Wieviel Generationen müssen Tag für Tag schuften, wenn der monströse Kanal gebaut werden soll?«

»Gebaut für wen?« fragte Raimundus unwillig.

»Für das Volk! Zum Wohle von Millionen in Rom lebenden Menschen, die für das aus Ägypten kommende Getreide, auf das wir nun einmal angewiesen sind, im Winter alljährlich unglaubliche Wucherpreise zahlen müssen. Und warum? Weil Ostia mit Beginn der Stürme nicht angelaufen werden kann. Der nächste Hafen ist Neapolis, und unsere Händler nützen die gegebenen Verhältnisse aus, indem sie im Sommer so viel Getreide wie möglich horten, das sie dann im Winter, wenn Not am Mann ist, für den vierzig- bis fünfzigfachen Preis verkaufen. Deshalb möchte Nero Neapolis und Ostia mit einem Kanal verbinden. Alle Spekulationen wären dann sinnlos, und das Volk könnte sein Getreide das ganze Jahr über zum gleichen Preis beziehen.«

»Da hätte ich einen besseren Vorschlag«, eiferte sich Raimundus. »Ich würde die Kaufleute einsperren lassen!«

»Ohne Gesetz ist das nicht möglich«, entgegnete der Senator. »Wer aber sieht sich in der Lage, ein solches Gesetz durchzubringen? Niemand. Selbst der Kaiser nicht. Kapital ist eine unüberwindliche Macht; daran wird sich auch in Zukunft nichts ändern. Wer es antastet, wird erledigt.«

»Das trifft aber nicht auf die neue Gesellschaft der ›Liebeteuren-Nächsten-Menschen‹ zu«, entgegnete Raimundus abfällig.

»Sie meinen die Christen?«

»Jawohl! Die werden weder verboten noch angegriffen, obwohl sie die Gleichstellung aller Menschen verlangen.«

»Das ist nicht ganz richtig«, widersprach Senator Philippus. »Die Anhänger der christlichen Lehre erklären, daß vor Gott alle Menschen gleich sind. Ihr Augenmerk gilt dem Jenseits, nicht dem Diesseits.«

Raimundus tat den Einwand mit einer verächtlichen Geste ab. »Jenseits! Wenn ich so etwas schon höre. Das ist doch nur eine Erfindung zur Verdummung der Menschen.«

»Sie machen es sich zu leicht, großer Meister«, entgegnete Philippus unbeirrt. »Aber unterstellen wir einmal, die Lehre vom Jenseits wäre reine Erfindung. Ist dann nicht das, was durch sie erreicht wird, trotzdem zu bejahen? Denken Sie in Ruhe darüber nach. Ein Sklave, der bisher keinen Sinn in seinem Dasein erkennen konnte und verzweifelt dahinvegetiert, kann sich plötzlich sagen: Mögen die Reichen prassen und die Knute auf mich herabsausen lassen, es kommt der Tag, da zu Gericht gesessen wird. Dann wandern diejenigen, die uns drangsaliert und ausgenutzt haben, in die Hölle, wir aber für alle Zeiten in den Himmel, in dem es keine Ungerechtigkeiten gibt.«

»Das entspricht doch nicht der Wahrheit!« erregte sich Raimundus.

Der Senator sah ihn mitleidig an. »Können Sie mir das beweisen? Und kommt es überhaupt darauf an? Eine Lüge, die der geschundenen Kreatur das Leben erleichtert, ist mir lieber als tausend Wahrheiten, welche der Aufklärung zwar dienlich sind, den Menschen aber einsam machen. Und ist es nicht schön, denken zu können, daß es nur einen Gott gibt?«

Raimundus fuhr sich durch die Haare. »Schluß mit dem Thema, sonst geraten wir aneinander. Außerdem ist mir eben eingefallen, daß ich noch etwas erledigen muß. Würden Sie mich für einen Moment entschuldigen?«

»Selbstverständlich«, antwortete Philippus und dachte insgeheim: Es würde mich nicht wundern, wenn er mich aus kalter Berechnung für eine Weile mit seiner Frau allein lassen will.

»Ich beeile mich, großer Senator«, entgegnete Raimundus und erhob sich, um sein Atelier aufzusuchen.

Isidora wandte sich Philippus zu. »Sie sind sich hoffentlich darüber im klaren, daß mein Mann nur gegangen ist, um Ihnen die Möglichkeit zu geben, mir einige Komplimente zu machen.«

Der Senator war überrascht. »Warum sagen Sie mir das?« fragte er beinahe streng.

»Weil ich verhindern will, daß Sie denken, was ich soeben aussprach.«

Philippus ergriff Isidoras Hand. »Ihre Offenheit setzt mich immer wieder in Erstaunen, und sie gibt mir den Mut, zu bekennen, daß das, was ich vorhin in Gegenwart Ihres Gatten sagte, der Wahrheit entspricht. Ich liebe Sie, Isidora!«

Sie nickte. »Ich weiß. Das Schlimme ist, daß ich Sie ebenfalls liebe, Philippus. All meine Gedanken gehören Ihnen.«

Er küßte ihre Hand. »Und das nennen Sie schlimm?«

Isidora straffte sich. »Ist es das etwa nicht?«

»Weil Sie verheiratet sind?«

»Weil ich zwei Kinder habe!«

Philippus erinnerte sich an das, was ihm Horatius über das Modell seines Meisters gesagt hatte, und in der fälschlichen Annahme, zwischen Raimundus und Helena bestehe eine Liaison, entgegnete er: »Das ist doch nicht störend. Wir werden Ihre Kinder gemeinsam erziehen. Wenn Sie damit einverstanden sind, spreche ich mit Ihrem Gatten, und ich bin überzeugt, daß er einer Trennung nichts in den Weg legen wird.«

Die Worte: Wir werden Ihre Kinder gemeinsam erziehen, muteten Isidora wie eine Verkündung an. War es denn wirklich wahr, daß Philippus sie liebte? Ihre aufschäumende Freude wurde von der Angst gedämpft, die Raimundus' Vernarrtheit in die Kinder ihr einflößte. »Mein Mann würde vielleicht in eine Scheidung einwilligen«, antwortete sie nach einer Weile. »Sein Preis wäre dann aber: Franciscus und Babina! Glauben Sie, daß ich ihn zahlen könnte? Ich bin für immer an meinen Mann gebunden.«

Isidoras Worte trafen den Senator wie Keulenschläge. Mit Komplikationen hatte er gerechnet, nicht jedoch mit der Möglichkeit, daß Raimundus die Kinder als Preis verlangen könnte. »Sprechen wir nicht über Probleme, die noch an uns herankommen werden«, entgegnete er im Bestreben, Isidora Mut zu machen. »Wichtig ist im Augenblick nur, daß wir um unsere Liebe zueinander wissen. Ich kann Ihnen nicht beschreiben, wie glücklich mich diese Offenbarung macht.«

»Trotz des unüberwindbaren Hindernisses, das ich Ihnen aufzeigte?«

»Hindernisse sind dazu da, überwunden zu werden«, antwortete Philippus mutig. »Ich werde um Sie kämpfen, bis wir vereint sind. Selbstverständlich mit den Kindern. Wo sind die beiden eigentlich? Ich hätte sie gerne kennengelernt.«

Isidora blickte auf die Hand des Senators, die sich auf die ihre gelegt hatte. »Sie steuern mit nachtwandlerischer Sicherheit die nächste der mich umgebenden Klippen an. Ich habe Franciscus und Babina ausführen lassen, damit Sie nicht erleben, wie ungezogen die beiden sind. Mein Mann gestattet den Kindern alles, und wenn sie Ihnen einen Stein an den Kopf werfen würden, brächte er es nicht über sich, sie dafür zur Rechenschaft zu ziehen.«

Es bedrückte den Senator plötzlich, sich unwissend gestellt zu haben. »Sie sind so ehrlich zu mir«, entgegnete er kurz entschlossen, »daß ich nicht länger verheimlichen kann, bereits gewußt zu haben, welches Problem die Kinder für Sie darstellen.«

Isidora sah ihn aus großen Augen an. »Und es hat Sie nicht gestört zu wissen, daß ich mich nicht durchsetzen kann?«

Er schüttelte den Kopf. »Gegen Ihren Mann? Das wäre zuviel verlangt. Sie sollten jetzt aber nur an das denken, was ich Ihnen sagte: Ich liebe Sie und werde um Sie kämpfen!«

Isidoras Mundwinkel zuckten. »Ich weiß nicht, ob mein Mann mich jemals freigeben wird. Was immer aber auch kommen mag, ich fühle mich nicht mehr allein und werde die Stunden bis zu Ihrem nächsten Besuch zählen. Ich nehme doch an, daß Sie die Arbeiten an *Amor eternus* verfolgen wollen?«

»Ich werde öfter kommen, als es Ihrem Gatten lieb sein kann«, antwortete Philippus, der sich beherrschen mußte, Isidora nicht in die Arme zu schließen. »Leider werde ich morgen allerdings nach Antium reisen müssen, wohin mich der Kaiser befohlen hat. Er bereitet sich auf einen großen Gesangswettkampf vor, der in Neapolis stattfinden soll, und ich wurde verpflichtet, ihn in der kommenden Woche täglich drei Stunden zu unterhalten. Solange läßt er sich nämlich zur Kräftigung seiner Lunge eine Bleiplatte auf die Brust legen.«

Eine Woche werde ich ihn nicht sehen, dachte Isidora.

Philippus streichelte ihre Hand. »Ich werde die Zeit nutzen, alles gewissenhaft zu überdenken. Wenn ich zurückkomme, weiß ich bestimmt einen Weg, der uns zusammenführen wird.«

Makellos blau wölbte sich der Himmel über der auf einer felsigen Landspitze gelegenen uralten latinischen Stadt Antium, die der Sage nach von einem Sohn des Odysseus und der Circe gegründet worden war und den Vornehmen Roms als Erholungsort diente, seit Nero sich dort einen Sommerpalast hatte errichten lassen. Das Meer war leuchtend grün und ging zum Horizont in ein sattes Indischblau über. Auf dem Wasser tanzten Lichtreflexe wie funkelnde Diamanten.

Die heitere Stimmung des Tages übertrug sich jedoch nicht auf Senator Philippus, der mit finsterer Miene durch den Garten seiner hoch über dem Meer gelegenen Villa schritt, in dem Pinien, Zypressen, Mandel- und Maulbeerbäume standen. Burrus, der Befehlshaber der prätorianischen Garde, war über Nacht gestorben. Angeblich an einer Kehlkopfentzündung. Daran glaubte aber niemand, und Philippus, der wohl wußte, daß Poppaea den ihr nicht wohlgesonnenen Haudegen abgrundtief gehaßt hatte, machte sich seine eigenen Gedanken. Nicht zuletzt, weil ihm von befreundeter Seite mitgeteilt worden war, daß Burrus sich am Abend vor seinem Tode auf Anordnung des Kaisers von dessen Hausarzt die Mandeln hatte bepinseln lassen müssen. Mit einer ›unfehlbaren‹ Droge, wie es hieß.

Der plötzliche Tod des aufrechten Prätorianers beschäftigte Philippus besonders, weil er die bittere Feststellung machen mußte, daß bereits wenige Stunden nach Burrus Tode ein Nachfolger zur Stelle gewesen war. Und nicht nur das. Seneca, der seit Poppaeas Einzug in den Palast seine Amtsgewalt praktisch verloren hatte und nur noch gelegentlich als Ratgeber hinzugezogen wurde, war am gleichen Tage aus unersichtlichen Gründen in Ungnade gefallen. Irgendein Wandel bahnte sich an, und Senator Philippus, der keine Lust verspürte, sich neben persönlichen Problemen auch noch um die Dinge anderer kümmern zu müssen, hatte das ungute Gefühl, von Nero aufgefordert zu werden, ein bedeutsames Amt zu übernehmen. Er strebte nicht nach Glanz und Ruhm, hatte vielmehr nur noch den Wunsch, mit Isidora ein einfaches und zurückgezogenes Leben zu führen. Er hatte sich entschlossen, ihrem Mann notfalls sein ganzes Vermögen zur Verfügung zu stellen, wenn er dafür Isidora und ihre Kinder, vor deren Erziehung er sich nicht fürchtete, ohne Streitereien freigab. Er rechnete nicht damit, daß Raimundus, der seiner Meinung nach intime Beziehungen zu seinem Modell unterhielt, ihm große Schwierigkeiten bereiten würde. In Rom waren Scheidungen wie Eheschließungen an der Tagesordnung.

Philippus entsann sich gerade des Ausspruches Senecas: ›Wir müssen leben, als lebten wir vor aller Augen, und denken, als könnte jeder auf den Grund unseres Herzens blicken‹, als sein Hausmeister wild gestikulierend auf ihn zulief.

»Rom steht in Flammen!« schrie er, nach Luft ringend. »Die ganze Stadt brennt! Nero Caesar bittet Euch, sogleich zu ihm zu kommen*.«

»Ein Brand ist kein Grund zur Aufregung«, erwiderte der Senator beschwichtigend. »In Rom gibt es täglich Brände.«

»Aber es handelt sich um keinen üblichen Brand!« beschwor ihn der Hausmeister. »Die ganze Stadt steht in Flammen!«

»Das ist unmöglich!« entgegnete Philippus unwillig.

»Doch, großer Senator! Es ist, wie ich es sagte. Ein Kurier hat die Schreckensnachricht soeben überbracht!«

Philippus schaute unwillkürlich zu den Albaner Bergen hinüber, hinter denen das etwa fünfzig Kilometer entfernte Rom lag. Im Geiste sah er Isidora, umgeben von Flammen, die Arme hilfeheischend ausgestreckt, den Mund zum Schrei geöffnet. »Bereite alles zur Abreise vor«, rief er seinem Hausmeister zu und eilte in Richtung des kaiserlichen Palastes. »Ich muß jederzeit aufbrechen können!«

Außer Atem erreichte Philippus die zur Seeseite gelegene Terrasse des kaiserlichen Sommersitzes, auf welcher Nero, der eine goldbestickte Tunika trug und sich einen im Gesangswettbewerb errungenen Lorbeerkranz um sein Haupt gelegt hatte, gerade mit einigen Würdenträgern lebhaft diskutierte.

»Da kommt unser Senator«, rief der Kaiser, als er Philippus bemerkte. »Bin gespannt, was er zu der Meldung sagt. Scheint Sie Ihnen glaubwürdig oder übertrieben?«

»Um ehrlich zu sein: ich kann mir nicht vorstellen, wie eine ganze Stadt in Brand geraten soll. Es sei denn, wir hätten es mit einer Brandstiftung zu tun.«

* Man schrieb den 13. Juli 64 n. Chr.

Die hervortretenden Augen des Imperators glichen plötzlich denen einer häßlichen Kröte. »Brandstiftung?« empörte er sich. »Was wollen Sie damit sagen?«

»Daß eine Stadt von der Größe Roms nur dann zu einem Flammenmeer werden kann, wenn das Feuer nicht an einer, sondern gleichzeitig an vielen Stellen entsteht. An mehreren Stellen zugleich aber entwickelt sich nicht zufällig ein Brand, und somit kann ich an ein Feuer in ganz Rom schlecht glauben.«

»Ich auch nicht«, stimmte ihm Nero nunmehr lebhaft zu. »Ich habe gleich gesagt, daß die Meldung übertrieben sein muß. Warten wir also ab, wie die nächste lautet.«

»Vielleicht sollten wir dennoch schon etwas unternehmen«, gab Philippus zu bedenken.

Der Kaiser schüttelte den Kopf und nahm den Senator zur Seite, um eine für diese Stunde höchst seltsame Frage an ihn zu richten. »Ich würde gerne wissen, ob Sie in Palästina etwas über die angeblich im Morgenland übliche Eheschließung zwischen Homosexuellen gehört haben?« erkundigte er sich mit lüsterner Miene.

»Nicht daß ich wüßte, Nero Caesar«, antwortete Philippus mühsam beherrscht.

Der Imperator zupfte ihn an der Toga und blinzelte ihm zu. »Man sieht Sie nie mit Frauen. Tendieren Sie in die andere Richtung?«

Senator Philippus stieg das Blut in den Kopf.

»Auch nicht so ein bißchen . . .?«

Philippus Augen wurden kalt.

Nero grinste schleimig. »Mit mir können Sie offen reden, Senator. Auf erotischem Gebiet gibt es nichts, was ich nicht kenne. Ich probiere grundsätzlich alles aus und habe deshalb für alles Verständnis.«

Senator Philippus konnte sich nicht mehr beherrschen. »Ich habe ebenfalls für vieles Verständnis«, erwiderte er, jedes Wort sorgfältig wägend. »Wo der Mensch sich aber seiner Seele entäußert, vermag ich nicht zu folgen.«

Wahrscheinlich war es ein Glück, daß in diesem Augenblick ein neuer Kurier eintraf, der im Gegensatz zum ersten Meldereiter ein ziemlich genaues Bild vom Ausmaß des Brandes geben konnte. Danach war das Feuer im Circus Maximus entstanden und fraß sich von dort über die angrenzenden Gärten und Hügel zu den zwischen Palatin und Caelius gelegenen Läden durch, die wie Zunder aufflammten. Der Funkenflug und ein plötzlich aufkommender Wind setzten dann die Altstadt in Brand, und beim hölzernen Pons Sublicius, der unter der Glut des Forums Boarium ein Opfer der Flammen wurde, griff das Feuer über den Tiber hinweg, wo es den Abwehrmannschaften dank der Naumachia Augusti* allerdings schnell gelang, Herr der Lage zu werden. Mit einem Wiederaufleben des Brandes im Trans Tiberim müsse jedoch gerechnet werden, erklärte der Melder. Der Funkenflug rase gleich einem schrecklichen Orkan über Rom hinweg und drohe das letzte Haus zu entzünden. Am schlimmsten wüte das Feuer im Zentrum der Stadt, das einen flammenden Kessel bilde, der sich immer weiter ausbreite. Allein zwischen Capitolinus und Subura seien Tausende von Menschen bei lebendigem Leibe verbrannt.

Nero blickte mit flackernden Augen nach Nordosten und sagte wie im Selbstgespräch: »Die Götter sind mir gnädig gestimmt. Rom war keine Stadt, sondern eine Schande. Wir können nun eine unserem Imperium würdige Metropole bauen.«

Senator Philippus nutzte den Monolog des Herrschers, um den Kurier zu fragen: »Wie verhält sich die Bevölkerung? Ist eine Panik ausgebrochen?«

»Nein, das nicht«, antwortete der Reiter und fügte nach kurzer Überlegung hinzu: »Die Stimmung ist jedoch gefährlich. Überall wird behauptet, die Stadt sei mit Absicht in Brand gesteckt worden. Tatsächlich entstand das Feuer nicht nur im Circus Maximus, sondern auch an anderen Stellen: im Palast des Kaisers, am Clivius Suburanus, auf dem Campus Martinus, in der Curia Pompeii, am Vicus Longus . . .«

»Was ist das für eine ungeheuerliche Behauptung!« unterbrach Nero den Melder mit vor Empörung bebender Stimme. »Wer kann bei dem Durcheinander, das zur Zeit in Rom

* Die Naumachia Augusti war ein auf Anordnung von Kaiser Augustus künstlich geschaffener See zur Vorführung von Seeschlachten, die beim Volk ebenso beliebt waren wie Wagenrennen und Gladiatorenkämpfe.

herrscht, schon sagen: Da und dort ist dies und jenes geschehen. Und wer sollte ein Interesse daran haben, eine Stadt, in der über eine Million Menschen leben, in Flammen aufgehen zu lassen?«

Die Erregung des Kaisers erschien Philippus verdächtig. Er ist genauso aufgebracht wie vorhin, als ich sagte: ›Es sei denn, wir hätten es mit einer Brandstiftung zu tun.‹ Sollte Nero womöglich . . .? Unvorstellbar. Dann müßte er tatsächlich wahnsinnig sein.

Der Kaiser straffte sich und rief mit theatralisch zum Himmel erhobenen Armen: »Fürsorger meines Reiches! In dieser schweren Stunde gehöre ich zu meinem Volk. Reiten wir auf schnellstem Wege nach Rom. Versuche ein jeder von uns, sein Bestes zu geben und der Bevölkerung zu helfen. Die Götter mögen den Brand befohlen haben, der Mensch aber muß dem Menschen beistehen.«

Senator Philippus glaubte nicht richtig zu hören. Im stillen leistete er Abbitte für das, was er kurz zuvor gedacht hatte. Trotzdem aber blieb der Verdacht in ihm, einem grandiosen Schauspieler aufgesessen zu sein. Doch es war nicht die Zeit, sich Grübeleien hinzugeben. Er mußte zu Isidora, deren Wohlergehen er inbrünstig Jupiter Optimus Maximus anvertraute, dem allgütigen und großen Gott der Römer.

Mit Einbruch der Nacht nahm der Himmel im Nordosten eine gelbrote Färbung an, die ein gespenstisches Licht auf die Campania warf, so daß Hügel, Bäume und Sträucher sich silhouettenhaft gegen den Horizont abhoben. In donnerndem Galopp stürmte die kaiserliche Kavalkade den Albaner Bergen entgegen, in deren Vorfeld bereits die ersten Flüchtlingsströme eintrafen.

»Wir legen in Aricca eine kurze Pause ein«, rief Nero seinem Gefolge zu.

Senator Philippus gefiel der stürmische Ritt, den er dem Kaiser niemals zugetraut hätte. Noch mehr beeindruckte ihn die souveräne Gelassenheit, mit welcher der Imperator Anpöbeleien über sich ergehen ließ, als er vor einem Gasthaus in Aricca anhielt, um die Pferde tränken zu lassen.

»Nach Wagenrennen und Gesang, jetzt Feuer, Schwefel und Gestank!« schrie eine Gruppe von Flüchtlingen, deren Gesichter von Strapazen gezeichnet waren.

Nero hatte sich von seinem ersten Schrecken noch nicht ganz erholt, da hagelte es Schmähreden von allen Seiten.

»Bei den Weibern der Subura ließ er sich das Feuer ja schon immer von anderen anfachen!«

»Was ist heißer: der Brand von Rom, der Hintern von Poppaea oder die Glut eines Jünglings?«

»Der ermordeten Mutter und der geköpften ersten Ehefrau nachträglich eine angemessene Feuerbestattung!«

Nero war bleich wie Kalk, doch kein Wort kam über seine Lippen. Wie gemeißelt saß er auf seinem Pferd und wartete, bis es getränkt war.

So verständlich es Philippus erschien, daß die Geflüchteten ein Ventil brauchten, so unerträglich fand er ihr Verhalten. Die Schuld aber lag bei Nero, der mehrfach öffentlich erklärt hatte, das schmutzige Rom verdiene es, in Flammen aufzugehen.

Der Senator atmete daher erleichtert auf, als der Weiterritt ohne nennenswerte Störung erfolgen konnte. Das Tempo aber verringerte sich mit jedem zurückgelegten Kilometer, da der Flüchtlingsstrom die Straße mehr und mehr blockierte und es notwendig machte, auf Nebenwege auszuweichen und über Wiesen und Felder zu reiten. Der Himmel wurde zusehends heller. Unheimlich aussehende Rauchschwaden, die ein seltsamer, im Kreis laufender Wind in alle Richtungen trieb, wälzten sich wie Gespenster über das Land. Aber wenn der Brandgeruch auch bereits in der Luft lag und es nicht mehr weit bis zur Stadt war, es dauerte noch Stunden, bis die Porta Praenestina erreicht wurde. Alle Straßen und Wege waren von Flüchtenden verstopft.

»Verteilen wir uns«, befahl Nero, der sein Gesicht verdeckt hatte, um nicht nochmals erkannt zu werden. »Wir treffen uns am Turm des Maecenas.«

Philippus gab seinem Pferd die Sporen, als befürchte er, der Kaiser könnte seine Meinung ändern. Nur ein Ziel gab es noch für ihn: Isidora!

Den Weg zu ihr konnte er jedoch nicht zu Pferde zurücklegen.

Schon am Esquilinus wurde der Rauch so beizend, daß sein Hengst nicht mehr zu bändigen war. Er übergab ihn einer aus der Stadt herausdrängenden Familie, die tausend Segenswünsche auf ihn herabbeschwor. Zu Fuß ging es weiter. Da das Zentrum der Stadt in ein undurchdringliches Flammenmeer gehüllt war, hielt Philippus sich nach Norden, um zu versuchen, über die Aurelius-Brücke zum gegenüberliegenden Ufer des Tiber zu gelangen. Existierte die Brücke nicht mehr, dann mußte er noch weiter ausholen und sich über den Pons Neronianus und den Ager Vaticanus durchschlagen.

Stunden irrte er durch Stadtteile, die er kaum wiedererkannte. Immer wieder stürmte er gegen einen entsetzlichen Funkenregen an, der seine Senatorentoga wie ein Sieb durchlöcherte. Sein Gesicht war bis zur Unkenntlichkeit verrußt. Seine Haut brannte, als würde sie von glühenden Nadeln durchbohrt. Seine Augen tränten. Ratten huschten an ihm vorbei. Wenn er über rauchende, auf die Straße herabgefallene Balken kletterte, glaubte er vor Hitze umzukommen. Seine Kehle war wie ausgedörrt.

Immer seltener begegneten ihm Menschen. Der nach dem Circus Flaminius benannte Stadtteil schien völlig verlassen zu sein. Zeitweilig wußte Philippus nicht, wo er war.

Am Pompeji-Theater stieß er auf einen Mann, den er fragte, wie es am Tiber aussehe und welche Brücke noch zu benutzen sei. Der Fremde lachte wie jemand, der den Verstand verloren hat.

Hier kann man wirklich verrückt werden, dachte Philippus mit zusammengebissenen Zähnen. Der nächtliche Ritt, der Anblick der brennenden Stadt, die unerträgliche Hitze, der pausenlose Funkenregen und der erstickende Qualm hatten seine Widerstandskraft geschwächt.

Hinzu kam die Angst um Isidora. Noch nie hatte er so um einen Menschen gebangt. Nie zuvor waren ihm Strapazen auferlegt worden, wie sie ihm an diesem Tage abverlangt wurden. Die Zunge klebte ihm am Gaumen. Sein Haar war versengt. Aber mit Erleichterung stellte er fest, daß die Aurelius-Brücke, die er hatte erreichen wollen, unzerstört war. Von ihr aus konnte er trotz der über den Tiber hinweg streichenden Rauchwolken erkennen, daß der am jenseitigen Ufer gelegene Stadtteil verhältnismäßig wenig Zerstörungen aufwies.

Die letzte Wegstrecke legte Philippus zurück, als hätte er nicht die geringsten Belastungen zu ertragen gehabt. Nur sein Äußeres verriet, was hinter ihm lag. Sein Gesicht war schwarz, und seine Toga glich einem alten Fetzen. Darum beachtete ihn auch niemand, als er auf Raimundus' Haus zuging, das völlig unversehrt zu sein schien. Im Gegensatz zu sonst waren die Tore zur Werkstatt allerdings geschlossen. Vor ihnen häufte sich Gerümpel aller Art: Bettgestelle, Kisten, Kasten und Decken, zwischen denen erschöpfte Männer, Frauen und Kinder schliefen.

Vor dem Eingang des Hauses prallte Horatius mit Philippus zusammen, der ein Wort der Entschuldigung murmelte und weiterging.

Den kenne ich doch, dachte Raimundus' Schüler und schaute hinter dem Senator her. Aber woher?

Während er noch darüber nachgrübelte, betrat Philippus das Atrium, in dem mehr als zwanzig Menschen auf dem Boden hockten und offensichtlich auf ein Essen warteten, das Isidora mit einigen Frauen am Herd zubereitete. Betroffen blickte er auf das Durcheinander. Ohne sich dessen bewußt zu sein, rief er ihren Namen, lief auf sie zu und umarmte sie.

Ihre grünblauen Augen, die eben noch matt und stumpf gewesen waren, weiteten sich und leuchteten in altem Glanz. »Philippus!« stammelte sie und umklammerte ihn wie eine Ertrinkende. »Wie sehen Sie aus? Wo kommen Sie her?«

Der Senator wollte gerade antworten, als er einen Stoß in den Rücken erhielt und eine Kinderstimme ihn anschrie: »Laß meine Mutter los, du dreckiger Kerl! Ich sage meinem Vater, was du tust!«

Philippus, der im ersten Moment zusammengefahren war, schaute lachend hinter sich. »Wenn ich mich nicht täusche, bist du der kleine Franciscus, nicht wahr?«

»Du sollst meine Mama loslassen!« schrie der Junge wutentbrannt.

Der Senator tat unwillkürlich, was Isidoras Sohn forderte.

»Sehen Sie nicht, daß Sie uns im Wege stehen!« fuhr ihn eine der am Herd hantierenden Frauen an.

Philippus blickte verwirrt um sich.

Irgend jemand schob ihn zur Seite.

»Gehen wir in den Garten«, sagte Isidora und wandte sich an die Frauen, mit denen sie kochte. »Ich komme gleich zurück.«

»Lassen Sie sich nur Zeit!« kicherte ein zahnloses Weib.

Isidora und Philippus bahnten sich ihren Weg in den Garten, der total verwüstet war. Der Funkenflug hatte die Bäume entlaubt. Der Pavillon war ausgebrannt. Gelber Rauch und scharfer Brandgeruch hatten die einstmals kühle und würzige Luft verdrängt.

Der Senator ergriff Isidoras Hände. »Ich bin glücklich, Sie gesund wiederzusehen.«

Sie seufzte erlöst. »Mir geht es ebenso, wenngleich ich mir keine Sorge um Sie machte, da ich Sie in Antium vermutete.«

»Da war ich auch, und dort faßte ich den Entschluß, sofort mit Ihrem Gatten zu reden. Angesichts der Katastrophe aber«, er wies zum anderen Ufer hinüber, wo roter Feuerschein aus sich ballenden Wolken herausschlug, »werde ich nun wohl noch einige Tage warten müssen.«

»Sagen wir lieber Wochen, wenn nicht gar Monate«, entgegnete Isidora. »Sie haben ja gesehen, was los ist. Fast fünfzig Obdachlose haben wir aufgenommen. Mein Platz ist jetzt hier, und ich bitte Sie, vorerst nicht mit meinem Mann zu sprechen.«

Isidora und Philippus wären sehr überrascht gewesen, wenn sie gewußt hätten, daß Raimundus, der im Atelier gerade ein Notlager für Helena aufgeschlagen hatte, sich bereits mit ihnen beschäftigte. Die Ursache war eine geringfügige gewesen. Horatius hatte ihm pflichtschuldig gemeldet, er bilde sich ein, soeben den Senator gesehen zu haben.

»Senator Philippus?« fragte der Bildhauer betroffen und stützte sich schwer auf den Hammer, den er in der Hand hielt.

»Ja, Meister. Ich täusche mich gewiß nicht, obgleich der Senator kaum wiederzuerkennen war. Schwarz wie ein Köhler sah er aus. Seine Toga gleicht den Lumpen eines Bettlers.«

Raimundus war es, als wälze sich eine Last auf seine Brust. Wenn Horatius sich nicht täuschte, mußte Philippus das brennende Rom durchquert haben. Doch wozu? Was wollte er auf dem diesseitigen Tiberufer? Etwa feststellen, wie weit die Skulptur gediehen war? Nein, Sorge hat ihn hierhergetrieben, sagte ihm eine innere Stimme. Dein Gefühl hat dich nicht betrogen! Angst und Sorge um Isidora haben ihn . . .

Raimundus raste plötzlich durch die Werkstatt, in die er in Anbetracht der Tatsache, daß er sein Haus den Obdachlosen zur Verfügung gestellt hatte, niemanden einließ. Was er tagelang nicht begriffen hatte – jetzt lag es auf der Hand. Darum also hatte Isidora sich ihm verweigert, als er sie am Abend jenes Tages, da der Senator ihn aufgesucht hatte, in die Arme nehmen wollte. Ihre Begründung war so fadenscheinig gewesen, daß er sie in seiner Wut mit brachialer Gewalt genommen hatte. Nun war natürlich alles klar.

Der kleine Franciscus rannte in den Raum und unterbrach Raimundus' Gedanken. »Papa!« rief er aufgeregt. »Da ist ein Mann, der hält Mama fest. Beide Arme hat er um sie gelegt. Darf er das?«

Raimundus war es, als dringe ein Stilett in sein Herz. Er täuschte sich nicht. Isidora war unter den Einfluß des Senators geraten, der offensichtlich daran dachte, mit *Amor eternus*, der *Ewigen Liebe*, auch zeitliche Liebe einzukaufen.

Raimundus warf seinen Hammer in eine Ecke und stürmte nach draußen, wo er wie angewurzelt stehenblieb. Isidora und der Senator gingen durch den Garten und unterhielten sich wie Vertraute.

»Das ist der Mann!« schrie Franciscus, der ihm gefolgt war.

Philippus und Isidora hörten die Stimme des Jungen und blickten betroffen zu ihm hinüber.

Raimundus sah, daß sie zusammenfuhren. Er wollte schon auf sie losstürzen, als ihm das deutlich erkennbare Schuldgefühl der beiden die Kraft gab, sich zu beherrschen. »Was führt Sie zu uns, großer Senator?« zwang er sich zu fragen, während er auf Philippus zuging.

Der hob die Hand zum Gruß. »Sorge, großer Meister! Furchtbare Sorge habe ich mir gemacht.«

»Etwa um mich?« entgegnete Raimundus mit nunmehr schneidender Stimme.

Die Frage war zu aggressiv gestellt, als daß der Senator hätte ausweichen können. »Wohl kaum«, antwortete er lachend. »Sie interessieren mich nur im Hinblick auf Ihre Kunst. Sorge bereitete mir Ihre Gattin.«

Raimundus stieg das Blut in den Kopf. »Das sagen Sie mir offen ins Gesicht?«

Philippus stutzte. »Sie können sich doch denken, daß ich . . .«

»Was ich mir denke, ist meine Sache«, unterbrach ihn der Bildhauer aufgebracht. »Als unbescholtener Bürger lasse ich mir aber keine Grobheiten an den Kopf werfen.«

»Das war auch nicht meine Absicht«, entgegnete Philippus eisig. »Und Sie wissen das ebensogut wie ich. Ihre Frage konnte ich nur als Scherz auffassen, und ich antwortete dementsprechend.«

Raimundus betrachtete den Senator von oben bis unten. »Sie sehen nicht gerade standesgemäß aus.«

Philippus gab sich keinen Illusionen mehr hin. Er sollte provoziert werden. Unter den gegebenen Umständen war es das beste, wenn er die Gelegenheit benutzte, klare Verhältnisse zu schaffen. »An einem Tag wie dem heutigen kommt es nicht auf das Aussehen, sondern auf das Herz an«, erwiderte er schlagfertig und fügte kaltschnäuzig hinzu: »Mein Herz trieb mich von Antium hierher. Die Gespräche mit Ihrer Gattin klangen so sehr in mir nach, daß ich der Anblick des Meeres nicht mehr ertragen konnte, ohne zu wissen, wie es ihr geht.«

Seine Offenheit verschlug dem Bildhauer die Sprache. Die Dinge lagen schlimmer, als er gedacht hatte.

Isidora blickte bestürzt von einem zum anderen. War es nicht genug, daß Rom brannte? Mußten die Männer sich nun auch noch wie Kampfhähne gebärden?

Raimundus beobachtete Isidora lauernd.

Sie kannte ihn und wußte, daß er jetzt entweder explodieren oder kalt und gleichgültig werden würde. Geriet er in Raserei, dann war alles verloren. Blieb er jedoch beherrscht, dann durfte sie auf einen guten Ausgang hoffen.

Ihr Mann schaute zu Philippus hinüber.

Dessen Verwirrung war ebenso groß wie die des Bildhauers. Alles hätte Philippus für möglich gehalten, nicht jedoch, daß er an diesem Tage noch mit Raimundus aneinandergeraten würde.

Isidora hatte nicht die Nerven, weiterhin schweigend dazustehen. Sie raffte sich auf und sagte, an Philippus gewandt: »Gewiß möchten Sie sich etwas frisch machen.«

»Nur zu gerne«, antwortete er verkrampft. »Ich bin seit gestern nachmittag unterwegs. Mir klebt die Zunge am Gaumen.«

»Dann habe ich die richtige Flüssigkeit für Sie«, erklärte Raimundus mit einer Miene, die in krassem Gegensatz zu dem stand, was er sagte. »Wie Sie sich denken können, gibt es jetzt kein Trinkwasser. Ich habe aber einen herrlichen leichten Wein im Atelier. Außerdem möchte ich Ihnen etwas zeigen. Komm mit uns«, wandte er sich an seine Frau. »Dich wird das ebenfalls interessieren.«

Isidora fiel ein Stein vom Herzen. Er hat sich gefangen, dachte sie erlöst.

Dem Senator war zumute, als wehe anstelle der Rauchwolken plötzlich eine frische Brise über ihn hinweg.

Raimundus führte sie in seinen Arbeitsraum, in dem Horatius an einer Kiste herumhämmerte. »Bring Wein!« befahl er ihm barsch.

Der Kommandoton ließ Philippus aufhorchen. War doch nicht alles in Ordnung?

Isidora betrachtete ihren Mann betroffen.

Der ergriff einen Becher und hielt ihn Horatius hin. »Nun schenk schon ein!«

Sein Schüler gehorchte.

Raimundus' Augen brannten, als er sich mit dem vollen Becher an Isidora wandte. »Weißt du noch, wann mir die Idee kam, *Amor eternus* zu schaffen? Als wir die Kinder fortgebracht hatten. Durch dich kam ich auf den Gedanken. *Die ewige Liebe!* Welch ein Idiot war ich doch! Schau dir das an«, schrie er plötzlich wie von Sinnen und schleuderte den Inhalt seines Bechers gegen den aus weißem Gips gegossenen Entwurf seines Werkes. Der Wein rann wie Blut über die Leiber der Liebenden. »Die ewige Liebe blutet!« brüllte er mit sich überschlagender Stimme. »Sie blutet, Isidora! Wie mein Herz, das ich nicht so leicht verkaufe wie du. Ich bin kein Zuhälter, und *Amor eternus* soll keine Hure werden. Darum...« Er ergriff den Hammer, mit dem Horatius gearbeitet hatte, und stürzte sich auf die Plastik, der er mit wuchtigen Schlägen die Köpfe abhieb. Dann ging er auf Isidora zu. »Nimm ihn, deinen großen Senator, der sich schon einbildet, dich verteidigen zu müssen. Als würde ich dich angreifen. Nimm ihn getrost. Die Kinder bist du dann aber los. Die bleiben bei mir. Darüber bist du dir hoffentlich im klaren.«

Philippus trat an Isidora heran. »Es mag hart klingen, aber verzichten Sie auf Ihre Kinder und kommen Sie mit mir. Eine niedergebrannte Stadt läßt sich wieder aufbauen, eine vernichtete Ehe nicht. Und die Herzen Ihrer Kinder werden Sie an der Seite dieses Mannes niemals erringen.«

Isidora war bleich geworden.

Philippus bot ihr die Hand. »Sie müssen sich jetzt und hier entscheiden.«

Isidora warf ihrem Mann einen flehenden Blick zu. »Du hast alles, aber auch alles zerstört. Bitte laß mir wenigstens die Kinder.«

Raimundus lachte wie ein Irrer. »Nein, meine Liebe. Hurenmüttern werden die Kinder genommen. Entscheide dich: Liebhaber oder Kinder!«

Isidora straffte sich. »Ich wähle das würdige Leben.« Damit reichte sie dem Senator die Hand.

Während Philippus über den Ausgang des Tages insgeheim froh war und Isidora ihm wie in Trance folgte, fragte Raimundus sich verzweifelt, womit er die erlittene Schmach verdient habe. Er konnte sich des Gefühls nicht erwehren, für etwas bestraft zu werden, das er vielleicht in einem anderen Leben begangen hatte. Er bereute es mit einem Male sehr, seine Frau und den Senator aus dem Haus gejagt zu haben. Gerade so viel Zeit hatte er ihnen gelassen, daß Isidora sich von Franciscus und Babina verabschieden konnte. Dabei weinten die Kinder plötzlich so bittere Tränen, daß man hätte meinen können, die Schicksalsgöttin Tyche versuche mit allen in ihrer Macht stehenden Mitteln, die Mutter zu bewegen, ihre Familie nicht zu verlassen.

Eine alte Regenkutte war das einzige, was Isidora hatte mitnehmen dürfen. Philippus war im Grunde genommen froh darüber, weil jede Grobheit Raimundus' nur dazu beitragen konnte, den Trennungsschmerz Isidoras zu verringern. Entsetzlich war es allerdings für ihn gewesen, schweigend hinnehmen zu müssen, daß Raimundus am Schluß sein Hochzeitsgeschenk, das Medaillon mit dem blauen Skarabäus, von Isidoras Hals riß. Philippus ahnte, daß er damit provoziert werden sollte, und eben darum gelang es ihm, besonnen zu bleiben und Isidora mit der Sicherheit eines seiner Verantwortung bewußten Mannes aus dem Hause zu führen.

Ohne zu zögern schlug er die Richtung zum südlich gelegenen Pons Probi ein, um unter Umgehung der brennenden Altstadt zum Palatin zu gelangen. Vom Rindermarkt wehte zeitweilig starker Funkenflug herüber, und Philippus bemerkte mit Erleichterung, daß Isidoras Kutte eine Kapuze hatte, so daß sie weitgehend geschützt war. Dennoch litt sie unter dem beizenden Qualm. Aber sie klagte nicht. Für sie war im Augenblick nur wichtig, Philippus' schützenden Arm zu fühlen. Dies um so mehr, als auf der stark belebten Probi-Brücke plötzlich ein Tumult ausbrach.

»Verbrennt Nero bei lebendigem Leibe!« rief ein fanatisch aussehender junger Mann. »Er und kein anderer hat Rom in Brand gesteckt!«

»Hängt ihn! Verbrennt ihn!« brüllten im nächsten Moment Hunderte von Menschen.

»Woher wißt ihr, daß der Imperator die Stadt in Brand setzte?« fragte Philippus einen der Rufer.

»Es kann nur Nero gewesen sein! An sieben Stellen ist das Feuer ausgebrochen! Wer besitzt schon die Macht und das Geld, sieben Kolonnen zu beordern?«

»Jawohl, Nero hat Rom in Brand setzen lassen!« schrie die Menge.

»Millionen hat er obdachlos gemacht!«

»Hängt ihn!«

»Verbrennt ihn!«

Philippus hielt es für geraten, den Kaiser zu warnen. Er beschleunigte deshalb seine Schritte und sagte zu Isidora: »Wir werden uns noch einmal für eine kurze Weile trennen müssen. Nero Caesar verpflichtete mich, zum Turm des Maecenas zu kommen.«

Sie schaute besorgt unter ihrer Kapuze hervor. »Und wo soll ich so lange bleiben?«

»In der Nähe des Turmes gibt es gewiß einen geeigneten Unterschlupf«, antwortete Philippus und wies zum Palatin hinauf. »Oben scheint es nirgendwo mehr zu brennen. Ich verspreche dir, nicht lange fortzubleiben.«

»Und wohin gehen wir dann?«

»Wenn möglich, zu meinem Haus. Vom Palatinus aus werden wir sehen, wie es in Carinae aussieht.«

Isidora wurde erst jetzt voll bewußt, daß sie ihren Mann und ihre Kinder verlassen hatte. Sie begriff zwar nicht, wie alles so plötzlich gekommen war, und es gelang ihr ebenfalls nicht, die Ursache für Raimundus' jähe Raserei zu ergründen. Was immer es aber gewesen sein mochte, sie hatte sich für den Senator entschieden. Sollte sie sich darüber freuen? Sollte sie weinen? Sie wußte es nicht, sie hatte nur den Wunsch, einen Platz zu finden, wo sie sich hinlegen und schlafen konnte. Seit Ausbruch des Brandes war sie nicht mehr zur Ruhe gekommen.

Auch Philippus war überanstrengt. Mehr mechanisch als bewußt setzte er einen Fuß vor den anderen.

In Höhe des Circus Maximus, der ein rauchendes Trümmerfeld geworden war, blieb er stehen und wies auf die verrußte Marmorbrüstung der kaiserlichen Loge. »Erinnerst du dich? Dort haben wir uns zum erstenmal gesehen.«

Isidora nickte. »Daß das Schicksal uns einmal auf so dramatische Weise zusammenführen würde, ahnten wir damals nicht.«

Philippus umarmte und küßte sie.

Isidora schloß die Augen.

Er streichelte ihre Wange, stutzte dann aber plötzlich und lachte. »Weißt du, wie du aussiehst? Als hätte dich ein Köhler geküßt!«

Sein Lachen verbannte die melancholische Stimmung. Der Weg fiel ihnen nun wesentlich leichter, und sie hörten kaum noch die Menschen, die anklagend schrien, daß Nero Rom in Brand gesetzt habe. Nur einmal horchte Philippus auf, als er vernahm, wie jemand sich erboste:

»Und jetzt steht er oben auf dem Turm und besingt sein

schändliches Werk! Man sollte ihn den wilden Tieren vorwerfen!«

Das kann nicht wahr sein, dachte der Senator entsetzt. Wenn Nero in dieser Stunde nichts Besseres zu tun weiß, als zu singen, dann liefert er selber einen eindeutigen Beweis für seine Schuld.

Isidora sah Philippus beklommen an. »Glaubst du, was der Mann behauptet?«

Er zuckte die Achseln. »Ich kann nur hoffen, daß es nicht stimmt.«

Wenig später kamen sie am *Lupercal*, einer dem Hirtengott Faunus geweihten Grotte, vorbei, in der alljährlich das Reinigungsfest gefeiert wurde. »Laß mich hier warten«, bat Isidora. Sie erinnerte sich daran, daß dem auch ›Wolfsabwehrer‹ genannten Gott die Fähigkeit nachgesagt wurde, im Traum Prophezeiungen zu vermitteln. Sie wollte ihn bitten, ihr in der kommenden Nacht zu offenbaren, ob sie dem Senator für immer folgen dürfe.

Philippus drückte ihre Hand. »Der Platz ist gut. Ich verspreche dir, mich zu beeilen.«

Tatsächlich kehrte er schon nach einer knappen halben Stunde zurück. Der Kaiser, der sich über das Ausbleiben seines Sonderberaters bereits ungehalten geäußert hatte, war erschreckt gewesen, als er den kaum wiederzuerkennenden Senator auf sich zugehen sah. Als dieser ihm dann in knapper Form meldete, wie es in den anderen Stadtteilen aussah, hatte er seine Pastete, die er gerade essen wollte, beiseite geschoben und fassungslos gefragt: »Ihr selbst seid dort überall gewesen?«

Senator Philippus nickte und tat so, als habe er seinen strapaziösen Gang rund um die lichterloh brennende Altstadt nur gemacht, um dem Imperator Bericht erstatten zu können. »Ja, ich habe mir einen genauen Überblick verschafft«, antwortete er mit halbgeschlossenen Lidern. »Dafür bin ich jetzt auch am Ende meiner Kraft. Ich bitte Euch, mir zu gestatten, mich nunmehr um eigene Belange kümmern zu dürfen.«

»Das ist doch selbstverständlich«, erwiderte der Kaiser und wies nach Carinae, dem Villenviertel der Würdenträger, hinüber. »Der vierte Bezirk ist glimpflich davongekommen. Die Feuerwehr war glücklicherweise gleich zur Stelle, und der neue

Befehlshaber der Prätorianer ließ den Stadtteil absperren, als der Pöbel sich dort breitmachen wollte. Hoffen wir, daß Ihr Haus unversehrt geblieben ist.«

Philippus dachte an den unter mysteriösen Umständen verstorbenen früheren Kommandeur der Garde, der dem ›Pöbel‹ bestimmt keine Straße versperrt haben würde. War er deshalb aus dem Wege geräumt worden?

Unwillkürlich erinnerte sich Senator Philippus an das, was er über Neros Gesang gehört hatte. Er erkundigte sich deshalb beim Verlassen des Turmes bei einem der Gefolgsleute des Imperators, ob es richtig sei, daß der Kaiser das Flammenmeer besungen habe.

Der Gefragte machte eine wegwerfende Bewegung. »Gesang kann man es nicht nennen. Nero deklamierte ein aus dem Stegreif ersonnenes Gedicht, das er mit einigen Tönen untermalte.«

»Und was besagte dieses Gedicht?«

Der Gefolgsmann blickte hinter sich und dämpfte seine Stimme. »Sie kennen doch den Speichellecker Tigellinus. Als wir in die Flammen starrten, rief er plötzlich: ›Nero Caesar, dieses schaurige und dennoch gewaltige Geschehen müßte einen Künstler von Eurem Format eigentlich reizen, ein Lied über den Brand von Rom zu verfassen.‹ Was folgte, werden Sie sich denken können. Als Künstler bezeichnet zu werden ist für den ›Göttlichen‹ stets eine Verpflichtung. Er besann sich also nicht lange und glänzte mit einem Text, der gar nicht mal so schlecht war. Sinngemäß brachte er zum Ausdruck: Rom, du selbst hast dich der Vernichtung preisgegeben, als du erkanntest, daß in deinen Mauern Eigennutz und Gewinnsucht dominieren und es unmöglich machen, menschenwürdige Verhältnisse zu schaffen. Du nimmst es in Kauf, daß Tausende bei lebendigem Leibe verbrennen, weil du weißt, daß dafür in Zukunft Hunderttausende nicht mehr an Krankheiten sterben müssen, die der Schmutz dieser Stadt hervorbrachte. Rom, ich verneige mich vor dir.«

Das Gehörte stimmte den Senator nachdenklich, und er war noch tief in Gedanken versunken, als er zu Isidora zurückkehrte, die ihn erleichtert umarmte und sogleich fragte, was der Kaiser gesagt habe.

Philippus berichtete in aller Ausführlichkeit, und er ›dichtete‹ noch einige Dinge hinzu, um Isidora möglichst lange abzulenken. Denn was auf der relativ kurzen Strecke vom Palatin nach Carinae zu sehen war, entsetzte ihn. Eine Unzahl von Menschen mußte den Versuch gemacht haben, über die Sacra Via zu fliehen; alle aber waren in der Schneise zwischen Palatinus und Esquilinus ein Opfer der Flammen geworden.

Als das Gelände wieder anstieg, sah Philippus, daß das Villenviertel der Würdenträger tatsächlich von Prätorianern bewacht wurde. Er hätte vor Scham in den Boden versinken mögen. Millionen waren obdachlos geworden, und hier wurde der Besitz einiger weniger vor einem ›Pöbel‹ geschützt, der sich nach nichts anderem sehnte als nach Schlaf.

Philippus hatte alle Mühe, dem diensttuenden Posten klarzumachen, daß seine verrußte und vom Funkenflug durchsiebte Toga Purpurstreifen besaß, die ihn als Senator auswiesen. Die Flammen aber hatten nicht nach seinem Stand gefragt: sein Haus war abgebrannt. Stehengeblieben war lediglich die Säulenhalle des Innenhofes mit dem Wasserbecken, in dem Philippus allmorgendlich zu baden pflegte, und ein großer Raum hinter dem Peristyl, der als Salon gedient hatte. Von der alten Haushälterin fehlte jede Spur.

Isidora sah, daß Philippus die Zähne zusammenpreßte. Um ihn zu trösten, sagte sie: »Betrachte den Verlust als einen Obulus, den Fortuna dir für das Glück abverlangt, das sie dir ansonsten schenkt.«

Er fuhr sich durch die Haare. »Der Verlust des Hauses ist es ja nicht. Mich bedrückt einzig und allein, daß ich dir nicht das Heim bieten kann, das ich dir zu Füßen legen wollte.«

Sie wies zu dem erhalten gebliebenen Raum hinüber. »Glaubst du, daß wir dort schlechter als anderswo schlafen werden?«

Philippus schüttelte den Kopf. »Heute bestimmt nicht.«

»Dann sollten wir uns gleich hinlegen. Ich kann mich kaum noch auf den Beinen halten.«

Sie legten sich auf den nackten Boden und fielen, Hand in Hand, in einen tiefen Schlaf.

Sechs Tage und sieben Nächte dauerte der Brand Roms, der zwei Drittel der Stadt in Schutt und Asche legte und neben vielen Seuchenherden auch einen unvorstellbaren Reichtum vernichtete. Gold, Silber, Edelsteine und unersetzbare Meisterwerke der Kunst wurden ein Raub der Flammen.

Das hinderte Nero nicht, eine erstaunliche Tatkraft zu entwikkeln. Schon am zweiten Tag des Brandes befahl er, die in Carinae eingesetzten Prätorianer zurückzuziehen und sämtliche Gärten der Stadt zu öffnen, gleichgültig, ob diese groß oder klein seien, Patriziern, Würdenträgern oder Bürgern gehörten. Darüber hinaus schickte er Hunderte von Reitern mit der Weisung über Land, alle Städte des Reiches aufzufordern, unverzüglich Nahrungsmittel und Bekleidung nach Rom zu entsenden. Noch bevor der Brand erloschen war, trafen aus nahe gelegenen Ortschaften die ersten Lieferungen von Weizen, Obst und Öl ein, und wenig später traten die ersten Sklaven aus den Hauptstädten ihren Marsch auf Rom an, wo sie sogleich unter militärisches Kommando gestellt wurden und mit Aufräumungsarbeiten begannen. Inzwischen schwärmte die prätorianische Garde aus, um alle während des Brandes geflüchteten Griechen, Juden, Gallier, Germanen, Briten, Spanier und Araber zusammenzutreiben und in die Stadt zurückzuführen.

Es war bewundernswert, was der Kaiser binnen weniger Tage in die Wege leitete. Sichtbare Erfolge zeigten sich jedoch erst, als es ihm mit großzügigen Angeboten gelang, jene Männer, Verbände und Organisationen nach Rom zurückzulocken, die für die Vorbereitung und Durchführung der Feste und Spiele verantwortlich gewesen waren. Diesen erfahrenen Kräften, die genau wußten, welche Probleme eine Zusammenballung von hundert- und zweihunderttausend Menschen mit sich bringt, stellte er schwindelerregende Summen zur Verfügung und sagte ihnen jede nur erdenkliche Unterstützung zu. Von allen Seiten rückten nun planmäßig Arbeitskolonnen heran, die zunächst nichts anderes zu tun hatten, als stehengebliebene Wände einzureißen, das Trümmerfeld einzuebnen und in den Gärten Notunterkünfte zu errichten.

Für Philippus und Isidora hatte dies unangenehme und erfreuliche Folgen zugleich. Ihr Garten war plötzlich voll von Sklaven, die es verstanden, sich selbst in der kleinsten Trümmernische häuslich einzurichten. Größer aber noch wurde ihre Geschicklichkeit, wenn sie Münzen klingen hörten. Es dauerte nicht lange, bis die von Philippus und Isidora bezogene Exedra und der unversehrt gebliebene Säulengang des Peristyls mit einem Mauerwerk umgeben waren, das ein kleines Reich in sich abschloß. Ein Herd wurde ebenfalls schnell errichtet, und einige Töpfe sowie zwei Lager und Decken stellten Nachbarn, deren Anwesen nicht in Flammen aufgegangen war, bereitwillig zur Verfügung.

Das Angebot, in eine der unzerstörten Villen überzusiedeln, lehnte Philippus aus naheliegenden Gründen ab. Er war mit Isidora nicht verheiratet, und beide hatten noch nicht zu sich selber gefunden. Sie teilten zwar den Schlafraum, lebten aber miteinander wie Bruder und Schwester. Philippus war der Meinung, daß eine Vereinigung die Krönung der Liebe sein sollte. Alles in ihm sträubte sich gegen die Vorstellung, Isidora unter den primitiven Verhältnissen, in denen sie im Augenblick lebten, zu seiner Frau zu machen. Er wollte ihr ein Fest der Liebe bereiten, und dazu bedurfte es einer Atmosphäre, die zwischen Schmutz, Schutt und Trümmern nicht gegeben war.

Unabhängig davon erschien es ihm notwendig, Isidora zunächst einmal über die Hürden hinwegzuhelfen, die sich vor ihr aufgebaut hatten. Sie mußte frei werden von den Zweifeln, die sie immer wieder quälten. Solange sie noch unter der Vorstellung litt, selbstsüchtig gehandelt zu haben, vermochte ihr Herz sich ihm nicht voll zuzuwenden, und solange dies nicht der Fall war, konnte eine körperliche Vereinigung nur etwas zerstören. Philippus liebte Isidora viel zu sehr, als daß er sich damit hätte zufriedengeben können, sie nicht ganz zu besitzen. Er hütete sich deshalb, etwas zu tun, was Isidora bedrückt haben würde, und er tat alles, um Belastungen von ihr fortzunehmen.

Isidora spürte das in Philippus' Zurückhaltung liegende Werben, und ihr Wunsch, sich ihm zu schenken, steigerte sich in dem Maße, in dem er Geduld übte. Sie liebte ihn aufrichtig, und je öfter sie über ihre Ehe nachdachte, um so mehr war sie davon überzeugt, daß sie ihren Kindern nichts damit gegeben hätte, wenn sie an Raimundus' Seite geblieben wäre.

Das sagte ihr auch der Traum, den der Herdengott Faunus ihr schickte. Er offenbarte sich ihr zwar nicht in der ersten, sondern erst in der dritten Nacht, die sie an der Seite von Philippus verbrachte. Sein Hinweis war dafür aber ebenso einfach wie eindeutig.

Im Traum hatte sie sich mit ihren Kindern vor Raimundus' Werkstatt stehen sehen, aus der plötzlich ein Wirbelwind herausschoß, welcher immer stärker wurde und alles um sie herum erfaßte. Der Anblick versetzte sie in Angst, ihre Kinder aber lachten und klatschten in die Hände, bis sie sahen, daß der Sturm ihre Mutter in die Höhe riß und forttrug. In diesem Augenblick waren sie starr vor Schrecken, doch dann jubelten sie über den Flug ihrer Mutter, die höher und höher gehoben wurde, bis sie in den Wolken entschwand.

Philippus bestätigte Isidora nur zu gerne die Deutung, die sie ihrem Traume gab. »Aus ihm geht klar hervor, daß du deine Familie nicht verlassen wolltest, sondern von Raimundus fortgetrieben wurdest«, versicherte er ihr. »Darum sahst du den Wirbelwind aus seiner Werkstatt herauskommen. Und das Ende deutet an, daß du Franciscus und Babina nicht fehlen wirst. Sie sind vergnügt und werden es bleiben.«

Philippus sagte dies wider besseres Wissen, um Isidora, die wie die meisten Römer von einem unerschütterlichen, im Kult und Ritual vergangener Zeiten erwachsenen Aberglauben durchdrungen war, zu beruhigen. Sie glaubte, daß Träume von Göttern geschickt werden, und es wäre unverantwortlich gewesen, ihr diesen Glauben zu nehmen. Zumal ihr Traum jene Heiterkeit in ihr auslöste, die mit einer gewissen Trauer verbunden ist und ein Lächeln unter Tränen hervorbringt.

Im übrigen fanden Isidora und Philippus nicht allzuviel Zeit, um über ihre Probleme nachzudenken. Ihm war eine Kommission zur Koordinierung der Aufbaupläne unterstellt worden, und Isidora kümmerte sich um das Wohl der in ihrer Umgebung untergebrachten Sklaven, die ein erbarmungswürdiges Dasein führten.

»Ich verstehe nicht, warum man die Männer bis zum Zusammenbruch schuften läßt«, sagte sie eines Abends, als sie mit Philippus über Mißstände sprach, die ihr vermeidbar erschienen.

»Das ist doch kurzsichtig. Eine Arbeitskraft, die zusammenbricht, fällt aus und kann nichts mehr leisten.«

Der Senator schüttelte den Kopf. »Du rechnest nicht mit den rücksichtslosen Überlegungen der neuen Vertrauten des Kaisers, die über Tag kommandieren und in den Nächten Orgien feiern. Man holt aus den Sklaven heraus, was herauszuholen ist. Sind sie ausgepumpt, werden sie auf den Haufen derer geworfen, die dem Tod geweiht sind. Es ist das billigste Verfahren, wenn genügend Kräfte zur Verfügung stehen. Und das ist der Fall. Griechen und Juden bilden allein ein Kontingent von über hunderttausend Mann, und der Nachschub kann jederzeit gesteigert werden. Das Imperium hat die Macht, und wo Macht regiert, verliert der einzelne Mensch an Bedeutung. Nero ist jedes Mittel recht, wenn er nur schnellstens Erfolge vorweisen kann.«

Isidora machte einen verzagten Eindruck. »Und warum legt er so großen Wert darauf? Er ist doch sonst nicht ehrgeizig.«

»Mit Ehrgeiz hat das nichts zu tun«, entgegnete Philippus. »Das Gerücht, er habe Rom in Brand setzen lassen, liegt ihm wie Fliegengesumm in den Ohren, und er hofft, das Volk durch schnelle Leistungen in eine bessere Stimmung versetzen zu können. Darum sein Befehl, als erstes den Circus Maximus aufzubauen. Nunmehr mit zweihunderttausend Sitzplätzen!«

»Nero scheint nicht mehr normal zu sein«, erwiderte Isidora entrüstet. »Die Errichtung von Wohnhäusern wäre im Augenblick wohl wichtiger.«

Philippus zuckte die Achseln. »Der ›Göttliche‹ denkt darüber anders. Er spekuliert darauf, daß großartige Gladiatorenkämpfe bei gleichzeitig kostenloser Ausgabe von Brot und Wein das Volk vergessen lassen, was es erdulden mußte und noch zu ertragen hat.«

Isidora entgegnete resigniert: »Entschuldige, aber wenn die Menschen auf einen so billigen Trick hereinfallen, dann ist ihre Dummheit erwiesen und . . . Ich behalte lieber für mich, was ich denke.«

»Du meinst, daß sie dann kein besseres Los verdienen?«

»Drängt sich ein solcher Gedanke nicht auf?«

»Nur wenn man historische Entwicklungen außer acht läßt«, erwiderte Philippus bedächtig. »Julius Caesar hinterließ ein Imperium von unerhörter Macht und Staatsgewalt, den Willen des römischen Volkes aber, das ihm schwören mußte, sein Leben für ihn in die Bresche zu werfen, hat er bis auf den heutigen Tag gebrochen. Der Schein bleibt natürlich gewahrt. Ratsbeschlüsse werden nach wie vor im Namen des Senates und des Volkes ausgeschrieben.«

»Und warum erhebt sich niemand und wirft diesen unhaltbar gewordenen Zustand über den Haufen?« empörte sich Isidora.

Philippus lachte. »Was wirst du erst sagen, wenn in sieben Monaten, so lautet der Zeitplan, der riesige, mit unvorstellbaren Raffinessen ausgestattete neue Palast des Kaisers fertiggestellt ist und sich niemand über den Luxus empört, den der Imperator sich angesichts der Not seiner Untertanen leistet*.«

Isidora seufzte. »Einem Volk, das sich alles gefallen läßt, ist nicht zu helfen. Ich bin jedoch optimistischer als du und glaube, daß die Menschen nicht zu allem schweigen werden. Das beweist doch schon die immer wiederkehrende Behauptung, Nero habe die Stadt in Brand setzen lassen.«

Philippus nickte gedankenverloren. »Ein schlimmes Gerücht, das übrigens Thema einer für morgen anberaumten Besprechung ist, zu der ich geladen bin. Leider! Aber ich werde Kapital

---

* Der neue Palast wurde tatsächlich in sieben Monaten errichtet, obwohl seine Ausmaße ungeheuerlich waren.

Bezüglich der verschwenderischen Gestaltung des ›Goldenen Hauses‹ seien nur einige Details genannt. Sämtliche Wannen und Schwimmbäder konnten wahlweise mit Süßwasser, Seewasser und Schwefelwasser gefüllt werden, das durch besondere Aquädukte beziehungsweise Rohrleitungen herbeigeführt wurde. In die getäfelten Wände verschiedener Räume waren auf Elfenbeintafeln gemalte galante Bilder eingelassen, die vermittels eines Druckknopfes so bewegt werden konnten, daß immer neue Szenen erschienen. In der vergoldeten Kuppel des Speiseraumes zeigten große und kleine Diamanten den jeweiligen Stand der Sterne und Sternbilder an, die sich genau entsprechend den tatsächlichen Himmelsbahnen bewegten. Im Innenhof des Palastes ließ Nero ein 32 Meter hohes Standbild von sich errichten. Diese Riesenstatue wurde später auf Anordnung Kaiser Hadrians aus dem Hofraum entfernt und gegenüber dem Flavischen Amphitheater aufgestellt, nachdem sie durch Hinzufügung von vier Meter langen goldenen Strahlen in den Sonnengott Helius umgewandelt worden war. Das gewaltige Standbild wurde für die Römer zu einem beliebten Treffpunkt, und die oft ausgesprochene Vereinbarung: »Treffen wir uns beim Coloss«, führte dazu, daß das gegenüberliegende Flavische Amphitheater im Volksmund ›Colosseum‹ genannt wurde, eine Bezeichnung, die sich bis heute erhalten hat.

daraus schlagen und den Kaiser in einem günstigen Augenblick bitten, mich für einige Tage zu beurlauben.«

»Um mit mir nach Antium zu fahren?« rief Isidora erwartungsvoll.

Er schloß sie in die Arme. »Um dich einen Blick in den Himmel tun zu lassen, in dem wir leben werden, sobald ich nicht mehr verpflichtet bin, hier zu helfen.«

Sie gab ihm einen Kuß. »Ich kann dir nicht sagen, wie ich mich freue.«

Die Hoffnung, dem Trümmerfeld Rom für einige Tage den Rücken kehren zu können, versetzte beide in eine gehobene Stimmung, die in Philippus noch nachschwang, als er am nächsten Morgen die Curia des Forum Romanum aufsuchte, die dem Kaiser als Beratungsraum zur Verfügung stand. Seine gute Laune schwand jedoch schnell dahin, als der Imperator, rosig gepudert und mit einem vergoldeten Lorbeerkranz auf dem Haupt, am Arm eines Jünglings erschien, der sich wie ein Weib zierte.

Nicht weniger abstoßend war für Philippus das Bild, das der neue Staatssekretär Tigellinus bot, der zum Gehabe des Kaisers nur süffisant lächelte und die Sitzung mit der ebenso überraschenden wie lapidaren Feststellung eröffnete: »Es ist allgemein bekannt, daß die Christen das Gerücht verbreiten, Nero Caesar habe Rom in Brand setzen lassen. Diese verleumderische Behauptung kann nicht länger unwidersprochen hingenommen werden. Unsere Aufgabe soll es sein, herauszufinden, welches Interesse die Christen daran haben, den Imperator zu verdächtigen. Wollen sie womöglich von etwas ablenken, das sie selber getan haben?«

Deutlicher ließ sich nicht sagen, worauf man hinauswollte.

»Wir müssen aber behutsam zu Werke gehen«, ergänzte der Kaiser scheinheilig und streichelte die Hand des neben ihm sitzenden jungen Mannes. »Sehr behutsam! Schnell ist jemandem unrecht getan. Vielleicht ist Senator Philippus, der durch seinen Aufenthalt in Palästina über das Christentum gut informiert ist, so liebenswürdig, uns zunächst etwas über diese Religion zu berichten.«

Der Allmächtige schütze mich, dachte Philippus betroffen. Zu offensichtlich war es, daß jedes seiner Worte benutzt werden sollte, die Christen zu belasten. Er erklärte deshalb ausweichend: »Für uns Römer ist das, was wir Religion nennen, vorzugsweise eine Staatsangelegenheit, und Staatsklugheit veranlaßte uns, allen unterjochten Völkern ihre Religion zu belassen. Auch den Juden.«

»Uns interessieren hier nicht Juden, sondern Christen«, warf Tigellinus scharf ein.

»Ohne die Juden zu erwähnen, kann ich dem Wunsch Nero Caesars nicht entsprechen«, entgegnete Philippus unbeirrt. »Christus war nämlich von Geburt Jude, und der Unterschied zwischen Juden und Christen ist gering. Jedenfalls, wenn wir die Dinge aus unserer Perspektive betrachten«, fügte er einschränkend hinzu. »Beide Gemeinschaften haben die gleiche Auffassung über eine jenseitige Vergeltung der guten und bösen Taten des Menschen, und beide sind auch davon überzeugt, daß es eine Auferstehung von den Toten gibt. Merklich unterscheiden sie sich jedoch darin, daß die Juden einen Messias erwarten, der die Menschen erlösen soll, während die Christen sagen, diese von den jüdischen Propheten verkündete Erlösung habe bereits stattgefunden; eben durch Jesus Christus, der sich Sohn Gottes nannte.«

»Danach könnte man sagen, daß das Christentum seinen Ursprung im Judentum hat, sich aber von diesem loslöste und entfernte«, kam Staatssekretär Tigellinus dem Kaiser zuvor, als dieser etwas entgegnen wollte.

Philippus war auf der Hut. »Das ist richtig«, antwortete er, da er keine Gefahr entdecken konnte. Er glaubte weder an die Lehre der Juden noch an die der Christen, hatte aber kein Interesse daran, der einen oder anderen Gemeinschaft zu schaden.

Tigellinus wandte sich triumphierend an den Herrscher. »Nero Caesar, dieser Punkt ist von außerordentlicher Bedeutung! Das Judentum ist eine in unserem Staat zugelassene Religion. Wenn das Christentum sich aber von ihm löste, haben wir es bei der auf diese Weise neugebildeten Gemeinschaft mit einer unerlaubten, das heißt gegen die Staatsgesetze verstoßenden Gemeinschaft zu tun.«

Nero leckte an dem riesigen Ring, den er an seinem Zeigefinger trug. »Dann können wir sie also bestrafen?«

»Selbstverständlich! Und zwar: erstens, weil sie keine Götterbilder kennen und damit dem Atheismus frönen; zweitens, weil sie sich weigern, ihre Untertanenehrfurcht durch Verbrennen von Weihrauch vor der Büste Eurer Göttlichkeit zum Ausdruck zu bringen; drittens, weil sie geheime Versammlungen abhalten. Die Christen haben sich damit der *religio illicita*, der *impietas in principes* und der *colega illicita* schuldig gemacht, für die das Gesetz folgende Strafen vorschreibt. Die Vornehmen sind durch das Schwert zu töten, das einfache Volk ist zu verbrennen oder den wilden Tieren vorzuwerfen. Soweit *sacrilegi* vorliegt, also der ausgeübte Verehrungskult an unsichtbaren Göttern, ist dies mit dem Kreuzestod zu bestrafen.«

Nero, der während der Ausführungen des Staatssekretärs mit seinem jungen Freund gescherzt hatte, blickte verwundert auf, als Tigellinus schwieg. »Nur weiter, nur weiter! Ich möchte erfahren, wie bewiesen werden kann, daß es Christen waren, die Rom anzündeten.«

»Das ist sehr einfach, da außerordentlich belastendes Material gegen Mitglieder dieser Gesellschaft vorliegt«, erwiderte der Staatssekretär und entrollte ein Dokument, das er einer Falte seiner Toga entnahm. Was er daraus vorlas, waren jedoch nur Protokolle über Aussagen von Christen, die erklärt hatten, der Brand sei sicher eine Strafe Gottes und vernichte die sündige Stadt. Dabei kam Tigellinus immer wieder auf die Erklärung eines offensichtlich dem religiösen Wahn verfallenen Mannes zurück, der versichert hatte, er wisse zuverlässig, daß Gott persönlich den Engeln befohlen habe, flammende Sterne auf Rom hinabzuwerfen, um dessen Bewohner für ihr sündiges Leben zu bestrafen.

Senator Philippus war nahe daran, Einspruch zu erheben und zu erklären, daß den vom Staatssekretär zitierten Dokumenten keinerlei Beweiskraft zugemessen werden könne. Er fand jedoch nicht den Mut, seine Meinung offen vorzutragen, und schwieg wie alle anderen Senatoren, deren ausdruckslosen Mienen anzusehen war, daß sie ihre Gedanken hinter einer Maske verbargen. Was sollten sie auch anderes tun? Wer in dieser heiklen Angelegenheit sachliche Gegengründe vorbringen würde, liefe Gefahr, sein Leben zu verlieren. Und Philippus hatte nur noch ein

Ziel vor Augen: sich sobald wie möglich mit Isidora nach Antium zurückzuziehen. Er widersprach also mit keinem Wort, als Tigellinus verlogen feststellte:

»Es ist somit erwiesen, daß die Christen Rom in Brand setzten und danach versuchten, ihre verdammungswürdige Tat dem Kaiser anzulasten. Nero Caesar muß es deshalb überlassen bleiben, die Schuldigen der Gerechtigkeit zu überführen und das Strafmaß für ihren Frevel zu bestimmen.«

Und ich müßte hinausschreien, daß alles Lüge ist, sagte sich Philippus. Aber er blieb stumm, obwohl er sich deutlich an die Worte Isidoras erinnerte, die tags zuvor in ihrer Empörung erklärt hatte: ›Einem Volk, das sich alles gefallen läßt, ist nicht zu helfen.‹

Philippus verließ die Curia, nachdem Nero ihm gestattet hatte, was seit dem Brand allen Würdenträgern bei Todesstrafe untersagt worden war: Rom aus privaten Gründen zu verlassen. Vierzehn Tage waren ihm genehmigt! Was wollte er mehr? Den Christen war ohnehin nicht mehr zu helfen, sie würden verurteilt werden. Man konnte nur Mitleid mit ihnen haben. Aber was ist Mitleid schon?

Nachdenklich stieg Senator Philippus die Stufen der Curia hinab, als Raimundus ihm unvermittelt den Weg versperrte. Die Augen des Bildhauers schienen ihn durchbohren zu wollen. Da Philippus aus dem dunklen Saal der Curia kam und vom plötzlich auf ihn einfallenden Sonnenlicht geblendet war, wich er unwillkürlich einen Schritt zurück.

Gelassen stieg Raimundus eine Stufe höher und sagte mit kalter Stimme: »Gut, daß ich Sie treffe, großer Senator. Ich wollte Sie ohnehin aufsuchen, um Ihnen mitzuteilen, daß ich es sehr bereue, meine Frau einfach laufengelassen zu haben.«

Philippus deutete die Worte falsch und entgegnete zuvorkommend: »Aber Sie brauchen mir doch keine Erklärung abzugeben, großer Meister. Ich freue mich natürlich für Isidora, die glücklich sein wird, wenn sie hört, daß Sie den unerfreulichen Abschied bereuen.«

Der Bildhauer starrte Philippus entgeistert an. »Ist es Dummheit oder Frechheit, was Sie so reden läßt? Nicht den Abschied, sondern die unglückselige Tatsache, meine Frau nicht zurückgehalten und Sie davongejagt zu haben, bedaure ich! Aber das schwöre ich Ihnen: Ich erhebe Klage und fordere die Rückkehr meiner Frau, von der ich mich – nehmen Sie das zur Kenntnis, Sie großer Senator – niemals scheiden lassen werde! Ich bekomme Isidora wieder! Und wenn ich Sie beide bis an das Ende der Welt verfolgen muß!«

Raimundus' Worte trafen Philippus heftiger, als er es sich eingestand. Er wußte, daß der Bildhauer seinen Worten die Tat folgen lassen würde, war sich aber nicht darüber im klaren, ob er Isidora informieren sollte oder nicht. Schenkte er ihr reinen Wein ein, dann setzte er sie einer starken seelischen Belastung aus. Schwieg er jedoch, dann lief sie Gefahr, eines Tages unvorbereitet vor einem schier unüberwindlichen Problem zu stehen. Doch was auch das kleinere Übel sein mochte, Philippus brachte es nicht über sich, Isidora zu beunruhigen. Er baute darauf, daß die Götter sie nicht ins Unglück stürzen würden.

In anderer Hinsicht aber ergriff er die Initiative. Noch bevor er sich nach Hause begab, schickte er einen Boten zur Wagenhalterei, deren Vorsteher er anwies, ihm so schnell wie möglich das schönste Fahrzeug und die besten Pferde zu schicken, die verfügbar seien. Nicht eine Minute länger als unbedingt notwendig wollte er in Rom bleiben. Wenn keine Komplikationen eintraten, konnten sie noch vor Sonnenuntergang in Antium sein.

Isidora tat einen Freudenschrei, als Philippus in den ihnen verbliebenen Raum stürzte und ausgelassen rief: »Schnell, schnell, meine Dame! Packen Sie Ihre Truhen! In spätestens einer Stunde reisen wir ab!«

Mitzunehmen gab es freilich nichts. Selbst der Reiseproviant wurde zweckmäßigerweise unterwegs besorgt.

Beinahe schneller noch, als erhofft, erschien eine mit zwei feurigen Rappen bespannte vierrädrige *Rheda*, die mit vielerlei Bequemlichkeiten ausgerüstet war und über ein Verdeck verfügte, das man zurückklappen konnte. Mit Genugtuung stellte Senator Philippus fest, daß der Wagenmeister ihm eine *Rheda cursales* geschickt hatte, die normalerweise nur kaiserlichen Kurieren und Diplomaten zur Verfügung gestellt wurde.

Isidora wurde schwindelig bei dem Gedanken, in ein Fahrzeug einsteigen zu sollen, das jeden Bürger in Ehrfurcht erstarren ließ. Sie selbst hatte schon oft ihr Haupt gesenkt, wenn der Ruf »Cursales!« ertönte und alle Menschen zur Seite liefen, um Platz zu machen.

Philippus sah die vor Erregung geröteten Wangen seiner Geliebten. Wenn der Wagen sie schon beeindruckte, wie mochte sie dann erst auf sein Haus in Antium reagieren? Grenzenlos glücklich mußte sie sein, wenn sie sah, welch kultiviertes Heim ihr in Zukunft gehören würde. Noch an diesem Tage wollte er ihrer beider Liebe besiegeln, und er bedauerte es sehr, nicht mit Worten ausdrücken zu können, was er für Isidora empfand. Wenn er ihren hübschen Kopf betrachtete, ihre griechische Frisur, ihre grünblauen Augen, ihre weichgeschwungenen Lippen und ihren mädchenhaften Hals, dann war es ihm, als tauche er in eine Traumwelt ein. Er sah nicht Latium, das ›flache Land‹, das sie durchfuhren, und hatte kein Auge für den Mons Albanus, dem es entgegenging. Er war blind angesichts des sonnendurchglühten Nachmittages, der mit feurigen Farben malte, und er träumte von der Süße eines Kissens, dem der Duft einer Frau anhaftet. Im Geiste erblickte er das sanfte Wehen der Vorhänge seines Schlafraumes, deren Bewegungen ihm manchmal verführerisch wie die eines jungen Weibes erschienen waren. Seine Traumwelt war bezaubernder als die Campania, durch die sie fuhren. Selbst das Albaner Gebirge, das wie ein Götterhort aus der fiebrigen Steppe Latium herausstieg, vermochte ihn nicht zu fesseln. Er sah nur noch Isidora, deren Nähe und Wärme es ihm schwermachte, sie nicht auf der Stelle in die Arme zu nehmen.

Isidora spürte, was in Philippus vor sich ging. Um ihn abzulenken, wies sie nach draußen, wo verfallene Steinmauern, undurchdringliches Kakteengestrüpp, sauber angelegte Felder, grüne Hügel, Lorbeerhecken, Pinien, Kastanien, Steineichen und Zypressen vorbeizogen. »Ich bin so glücklich, das alles mit dir sehen zu dürfen«, flüsterte sie ihm ins Ohr.

Er legte den Arm um sie. »Es dauert nicht mehr lange, dann wird die Landschaft öde, und es gibt nur noch wenig zu bewundern.«

»Da kennst du mich aber schlecht«, widersprach sie lebhaft. »Ich entdecke überall etwas, weil ich Dinge, die mir von sich aus nichts sagen, mit Gedanken zu beleben versuche.« Damit wies sie auf ein kleines Haus, an dem sie gerade vorüberfuhren. »Siehst du die Herberge dort? Wahrscheinlich läßt sich nichts Aufregendes über sie erzählen. Das Bild ändert sich jedoch, wenn ich mir vorstelle, es wäre die ›hospitio modico‹, in der Horaz abstieg, als er auf dieser Straße nach Brundisium reiste. Sofort öffnet mir seine Schilderung die Augen und zeigt mir Dinge, die ich ohne ihn nie entdecken würde.«

»Mir scheint, von dir kann ich noch eine Menge lernen«, erwiderte Philippus anerkennend.

Isidora gab ihm einen Kuß. »Ich von dir noch mehr!«

Er sah sie verliebt an. »Dann sind wir ein ideales Paar; denn das Zusammenleben wird erst schön, wenn einer sich am anderen emporranken kann.«

Ihre Verliebtheit ließ sie schwelgen wie Pflanzen in feuchtheißem Klima. Gewiß spielte dabei auch der goldgelbe Genzano eine Rolle, den sie am Albano-See erstanden. Sie glichen plötzlich ausgelassenen Kindern, und als sie jene triste Gegend durchfuhren, von der Philippus gesprochen hatte, versuchten beide, sich in ihrer Phantasie zu überbieten. Erblickte Isidora in den Trümmern einer alten Mauer die verfallene Umfriedung einer ehemaligen glanzvollen Besitzung der Claudier, so sah Philippus in ein paar beieinander stehenden Pinien alte Klatschbasen, die böse Gerüchte verbreiteten.

Dann aber kam Antium in Sicht, und ihre Träumereien wurden in die Wirklichkeit zurückgeführt.

»Siehst du den Palast dort drüben?« rief Philippus und wies auf ein hohes, von einer mächtigen Mauer umgebenes Gebäude.

Isidoras Wangen waren gerötet. »Ist das Neros Sommersitz?«

»Ja. Und gar nicht weit davon entfernt liegt links eine von Pinien und Zypressen umstandene große weiße Villa, nicht wahr?«

Sie nickte.

»Das ist dein künftiges Heim!«

Isidora wußte nicht, was sie sagen sollte. Nach Philippus' Erzählungen hatte sie viel erwartet, nicht aber eine Besitzung, deren Silhouette sich wie ein funkelndes Kleinod gegen die untergehende Sonne abhob. Auf dem Meer tanzte das Licht des sich rötlich färbenden Feuerballes und warf unruhige Reflexe auf die steil abfallenden Kalkfelsen, deren Grau sich mit dem Rot der sinkenden Sonne zu einem verführerischen Violett verband.

Isidora war zutiefst beeindruckt. Das Herz klopfte ihr in der Kehle, als der Wagen sich dem Haus näherte und schließlich in einen parkartig angelegten Garten einbog, dessen Wege mit leuchtendgelbem Sand belegt waren. Eine dichte Hecke säumte das Grundstück. Stachelige Opuntienkakteen, riesige Agaven und blühender Oleander umgaben die Villa, deren zum Meer gelegene Terrasse im Schatten von zwei breitwipfligen Pinien lag, deren rötliche Säulenstämme die Wärme vieler Sommer aufgespeichert zu haben schienen.

Noch bevor der Wagen vorgefahren war, riß der Hausmeister die Flügeltüren des Einganges auf und verneigte sich vor den Ankommenden.

»Dies ist mein getreuer Simonides, der schon seit zehn Jahren in meinen Diensten steht und von mir zum freien Mann gemacht wurde«, sagte Philippus, nachdem er Isidora beim Aussteigen behilflich gewesen war.

Sie reichte dem ehemaligen griechischen Sklaven, dessen graumeliertes Haar ihm ein würdiges Aussehen verlieh, die Hand. »Wir werden uns gewiß gut verstehen, Simonides.«

Der starrte sie entgeistert an.

Senator Philippus lachte. »Jetzt bist du sprachlos, was? Aber das macht nichts. Lauf zu deiner Frau und sag ihr, daß wir eine Herrin haben!«

Simonides warf sich zu Boden, um den Saum von Isidoras Palla zu küssen.

Sie wollte ihn daran hindern, aber Philippus hielt sie mit einer Geste zurück, die ihr sagte: Laß ihn gewähren. Es ist ihm ein Bedürfnis. Dann führte er sie durch eine ungewöhnlich weite Halle in das Haus, das nicht die übliche Einteilung aufwies. Hinter dem großzügig gestalteten Vorraum lag ein repräsentativer Empfangswohnraum, an den sich fast übergangslos der Innenhof anschloß, welcher von zwei Säulenreihen umgeben war und in der Mitte über ein marmornes Wasserbecken verfügte.

Die Pracht verwirrte Isidora. Sogar die Wände des Schwimmbassins zeigten Mosaiken, die an jene des berühmten Sosos von Pergamon erinnerten. Fische schwammen da umher, und Tauben saßen in Wasserspiegelhöhe auf vorgetäuschten Simsen.

Auch der Boden des Empfangsraumes bestand aus einem riesigen Mosaik, das Centauren und auf Delphinen reitende Nereiden zeigte. Die Wände des Tablinium waren mit dunklem Holz getäfelt, gegen das sich ein farbiges Gemälde gleich einem sonnendurchglühten Fenster abhob.

Philippus sah mit Freude, daß Isidora von dem Bild wie von einem Magneten angezogen wurde. »Gefällt es dir?« fragte er erwartungsvoll. »Es ist ein Werk des Griechen Apollodoros, der es bis jetzt wohl als einziger verstanden hat, die volle Illusion der farbigen Darstellung zu erreichen.«

»Und was stellt das Gemälde dar?« fragte Isidora beeindruckt.

»Die Eleusinischen Mysterien«, antwortete Philippus voller Stolz. »Ich habe das Bild gekauft, weil es mir eine beruhigende Vorstellung über das Leben nach dem Tode gibt. Die Homersche Ansicht vom Hades kann es freilich nicht voll und ganz verdrängen.«

Isidora sah ihn beklommen an. »Du glaubst, daß wir unsere Sünden in der Unterwelt abbüßen müssen?«

Philippus legte seinen Arm um sie. »Die Frage braucht dich nicht zu ängstigen, da Menschen wie du nicht sündigen. Du wirst nach deinem Tode bestimmt in Gemeinschaft mit den Göttern leben. Noch aber bist du auf Erden, und ich möchte, daß du hier ein glücklicheres Leben führst, als es dir vielleicht einmal unter den Göttern beschieden sein wird.« Damit führte er sie zum Säulengang des Innenhofes, wo er auf das Wasserbecken wies. »Dort werden wir jeden Morgen baden.«

Isidora warf ihm einen kecken Blick zu. »Nur am Morgen?«

»Vielleicht auch heute abend.«

»In der Dunkelheit?«

»Im Schein einer Fackel!«

Sie gerieten in eine verliebte Stimmung, die sich noch steigerte, als Isidora im Schlafraum, dessen Wände mit Stoff bespannt waren und auf dessen Boden warme Tierfelle lagen, zum erstenmal ein pompöses Bett sah, über das eine schwere Seidendecke ausgebreitet war.

»Habe ich zuviel versprochen?« fragte Philippus, wobei er Isidora an ein Fenster führte, das einen Ausblick auf das im Mondlicht silbrig schimmernde Meer bot.

Anstatt zu antworten, küßte sie ihn.

Wenn Isidora und Philippus nicht schon davon überzeugt gewesen wären, daß eine unerklärliche Macht sie zusammengeführt hatte, würden sie dies spätestens nach ihrer Vereinigung geglaubt haben. Sie besaßen plötzlich eine ungeahnte Kraft. Ihre Liebe erhellte das Leben wie die Sonne den Tag. Nur wenn Isidora an Franciscus und Babina dachte, haderte sie mit den Göttern, die es ihr nicht vergönnten, ihr Glück mit den Kindern zu teilen.

Philippus hingegen entdeckte dunkle Schatten, wenn er an Raimundus' Drohung dachte. Er überlegte, ob es nicht doch besser sei, Isidora über die bestehende Gefahr in Kenntnis zu setzen. Die Vernunft gebot ihm, ihr nichts zu verheimlichen, er brachte es aber nicht über sich, das strahlende Glück aus ihren Augen zu verbannen.

Fiebrigen Nächten folgten besinnliche Tage mit anregenden Gesprächen und ausgedehnten Spaziergängen. Fast immer gingen sie zu dem malerischen, in einer natürlichen Bucht gelegenen Fischerhafen, der allerdings durch eine Anzahl moderner Ziegelbauten viel von seinem alten Reiz verloren hatte. Ihr Glück aber sollte nur von kurzer Dauer sein. Es war, als hätten sie den Neid der Götter erregt. Schon nach der ersten Woche erhielten sie eine Nachricht, die höllisches Entsetzen in ihnen auslöste.

Nero hatte sich zu einer ungeheuerlichen Maßnahme entschlossen. Um das Gerücht, er habe Rom in Brand setzen lassen, endgültig zu verbannen, hatte er die Verhaftung von dreitausend Christen befohlen und verkündet, eine vom Senat beauftragte Untersuchungskommission habe eindeutig ermittelt, daß Anhänger der christlichen Gemeinde die Stadt in Brand gesetzt hätten, um ein Chaos heraufzubeschwören und die Bürger Roms von ihrer Führung zu trennen. Er persönlich wolle es den Christen nicht nachtragen, daß sie nach ihrem frevelhaften Unterfangen auch noch die Infamie besessen hätten, ihn zu beschuldigen. Keinesfalls aber könne er die verruchte Tat, die Tausenden das Leben gekostet und unübersehbares Leid verursacht habe, ungesühnt lassen. Er habe deshalb angeordnet, dreitausend Christen in Haft zu nehmen und sie auf einem mythologischen Fest, das auf dem Ager Vaticanus und in den angrenzenden Parkanlagen stattfinden werde, öffentlich zu verbrennen. Das Volk sei zur Feier des Tages von jeder Arbeit befreit und werde auf Kosten der Staatskasse zu essen und zu trinken bekommen. Mit den Vorbereitungen der Feierlichkeiten seien die namhaftesten Festveranstalter beauftragt.

Isidora war schockiert, als sie von Neros Anordnung hörte, deren Vollstreckung wenige Tage später ein Kurier des Kaisers der im Sommerpalast residierenden Gemahlin Poppaea meldete. Seinem Bericht zufolge war eine große Zahl von Helfern einen vollen Tag hindurch damit beschäftigt gewesen, in den von Nero bestimmten Anlagen Pfähle in die Erde zu rammen, die zum Tode Verurteilten daran festzubinden und sie mit Öl und Pech zu übergießen. An übersichtlichen Plätzen wurden die Verurteilten in Tierfelle eingenäht, um eine besonders attraktive Wirkung zu erzielen. Einen angebundenen Löwen, Tiger, Bären oder Leoparden bekam man schließlich nicht alle Tage zu sehen.

Als dann das ›mythologische Fest‹ beginnen konnte, wurden an mehreren Plätzen Fackeln ausgegeben, mit denen die Verurteilten auf ein Hornsignal hin in Brand gesetzt werden sollten. Die Römer schlugen sich um die Fackeln, und der Friede wurde erst wiederhergestellt, als das Signal ertönte und die ersten Opfer Feuer fingen.

Im Circus Neronianus, zwischen dem Ager Vaticanus und den Horti Agrippinae, rüstete man zur gleichen Zeit zu einer Schaustellung besonderer Art. Man entkleidete eine junge Christin, band sie auf die Hörner eines Stieres und reizte diesen mit Lanzenstichen, so daß er wutschnaubend durch die Arena raste und die auf seinem Kopf ruhende Last abzuschütteln versuchte. Da ebenfalls rund um die Kampfbahn Christen an Pfähle gebunden und angezündet worden waren, konnte das wilde Gebaren des Stiers trotz der Dunkelheit gut beobachtet werden. Und der Beifall kannte keine Grenzen, als es ihm schließlich gelang, das Mädchen abzuschütteln, es auf die Hörner zu nehmen und in die Luft zu schleudern.

Indessen brannten die in den Parkanlagen Festgebundenen als tiefrote Fackeln, und die zwischen ihnen promenierende Volksmenge ging gerade dazu über, Tänze zu veranstalten, als Nero in der Aufmachung des Gottes Apollo einen von zwölf Bacchantinnen gezogenen Wagen bestieg und die Hauptallee der Horti Agrippinae entlangfuhr. In duftige Schleier gekleidete Mädchen streuten Rosenblätter auf den Weg, und neben dem Kaiser liefen außer den üblichen Fackelträgern noch einige Sklaven, die duftendes Wasser zerstäubten, um den ›Göttlichen‹ vom üblen Geruch der brennenden Leichen zu befreien*.

Philippus verlor alle Farbe, als ihm sein Hausmeister berichtete, was er im Sommerpalast des Kaisers gehört hatte. Er fühlte sich mitschuldig, weil er in jener denkwürdigen Sitzung nicht den Mut aufgebracht hatte, seine Meinung offen zum Ausdruck zu bringen. Er war sich freilich auch darüber im klaren, daß er den Lauf der Dinge nicht hätte aufhalten können. Mit großer Wahrscheinlichkeit aber würde sich der eine oder andere Senator auf seine Seite geschlagen haben, wodurch es für den Kaiser schwer geworden wäre, seine perversen Gelüste so niederträchtig zu befriedigen, wie er es getan hatte.

Unerbittlich drängte sich Philippus die Frage auf, ob er einem Herrscher, dessen krankhafte Veranlagung nicht mehr angezweifelt werden konnte, weiterhin dienen dürfe. Mußte er nicht augenblicklich erklären: Ich lege meine Senatorentoga ab, gleichgültig, welche Konsequenzen sich für mich daraus ergeben!

Philippus fürchtete sich vor der Entscheidung. Wenn er als aufrechter Mann handelte, mußte er in Kauf nehmen, daß Nero

---

* Die von Nero befohlene Verbrennung der Christen darf nicht als ein Akt im Sinne der späteren Christenverfolgung angesehen werden. Es handelt sich hier um die zu höchster Perversion gesteigerte Tat eines Psychopathen. Was wir ›Christenverfolgung‹ nennen, setzte erst mit dem Edikt Kaiser Trajans (112 n. Chr.) ein.

ihm den Befehl gab, sich binnen dreier Stunden das Leben zu nehmen, andernfalls ihn das Schwert eines Prätorianers durchbohren würde. Das gleiche Schicksal harrte seiner, wenn er nicht nach Rom zurückkehrte. Und was erwartete ihn dort? Ein Kaiser, der zwar den Wiederaufbau der Stadt mit bewunderungswürdigem Elan durchführte, gleichzeitig aber zur Befriedigung seiner widernatürlichen Veranlagung täglich ein paar Tote brauchte. Wer vermochte eine Garantie dafür zu geben, daß Nero nicht schon morgen ein neues ›mythologisches Fest‹ veranstalten würde?

Isidora ahnte, was Philippus bedrückte. Im Bestreben, ihm zu helfen, sagte sie: »Es gibt einen Ausweg, der gar nicht so schlecht wäre.«

Er sah sie überrascht an. »Seit wann kannst du Gedanken lesen?«

Sie schmiegte sich an ihn. »Es ist nicht schwer zu erraten, daß du nicht nach Rom zurückkehren möchtest.«

»Da hast du recht«, gab er zu. »Es gibt einen Punkt, den man nicht überschreiten darf. Nero hat unter Beweis gestellt, daß er ein Wahnsinniger ist. Einem Wahnsinnigen aber dient man nicht, auch dann nicht, wenn er gelegentlich außerordentliche Leistungen vollbringt. Ziehe ich mich jedoch zurück, so ist mein Leben verwirkt.«

»Eben«, erwiderte Isidora und lächelte geheimnisvoll. »Darum solltest du dich an das erinnern, was Diogenes sagte, als einige Freunde sich darüber erregten, daß er nichts unternahm, als ihm ein Sklave entlaufen war. Er erklärte: ›Es wäre eine Schande, wenn ein Sklave ohne mich, ich jedoch nicht ohne einen Sklaven leben könnte.‹«

»Und was willst du damit sagen?«

»Wäre es nicht eine Schande, wenn Simonides mit diesem Haus hier fertig werden würde, du aber nicht ohne deine Besitzung leben könntest? Anders ausgedrückt: Verzichte auf den Luxus dieser Villa. Geh in eine Gegend, in der dich niemand kennt. Lebe dort ein ›kleines‹ Leben, und du wirst dich wundern, wie groß es werden wird. Man muß sich nur von jenen Dingen befreien, die das Dasein zwar angenehm machen, aber absolut unnötig sind. Mit wie wenig Mitteln man auskommen kann, habe ich gesehen, als wir in der Ruine deiner ausgebrannten Villa in Rom hausten. Das bißchen, was man zum Leben braucht, ist schnell beschafft. Unser tägliches Rennen, Planen und Hasten hat nichts damit zu tun. Wenn du darüber nachdenkst, wirst du feststellen, daß all unsere großen Bemühungen ausschließlich Dingen gelten, die entbehrlich sind. Wir sind nur alle miteinander verblendet, und ich frage mich manchmal: Was haben wir eigentlich von unserem Leben, wenn es uns auffrißt und uns keine Muße gönnt?«

Philippus betrachtete Isidora prüfend. »Wärst du bereit, mit mir wegzugehen und das von dir gepriesene einfache Leben zu führen?«

Im Geiste sah Isidora ihre beiden Kinder. Philippus' Frage bejahen hieß Franciscus und Babina nicht wiederzusehen. »Ich könnte es, wenn die Möglichkeit bestünde, die Kinder gelegentlich . . . Bitte, versteh mich nicht falsch«, unterbrach sie sich schnell. »Die wahre Liebe habe ich erst durch dich kennengelernt. Als Mutter aber . . .«

Philippus schloß ihre Lippen mit einem Kuß. »Du brauchst dich weder zu erklären, noch zu entschuldigen. Ich verstehe dich vollkommen, aber dein Ausweg endet in einer Sackgasse.«

Isidora und Philippus ahnten nicht, daß das in einer gewissen Verlegenheit von ihnen beendete Gespräch wenige Tage später eine entscheidende Bedeutung erhalten und ihr Leben völlig verändern sollte. Es begann damit, daß ein Kurier ein Schriftstück des Senats überbrachte, in dem Philippus aufgefordert wurde, sich unverzüglich in Rom einzufinden, um zu einer vom Bildhauer Raimundus erhobenen Anklage Stellung zu nehmen. Man verdächtigte ihn, mittels magischer Kräfte die Frau des Klägers liebestoll und ihn selbst dahin gebracht zu haben, sein schuldloses Weib aus dem Hause zu jagen.

Raimundus machte seine Drohung wahr, und er schreckte nicht davor zurück, seinen Widersacher eines Vergehens zu beschuldigen, das zur Klärung des Sachverhaltes die Anwendung der Folter gestattete. Und was wurde unter der Folter nicht alles gestanden!

Philippus segnete den Zufall, daß der Meldereiter in einem Augenblick gekommen war, da er allein auf der Terrasse saß.

Zweimal mußte er die Klageschrift lesen, bis er sich der Tragweite und Gefährlichkeit der Anschuldigung voll bewußt war. Wenn es hart auf hart ging, konnte auch Isidora gefoltert werden, und was das Gericht sagen würde, wenn es hörte, daß er sich im Circus Maximus mit ihr wie im Zauber verständigt hatte, das lag auf der Hand.

»Mein Hausmeister wird Euch versorgen«, sagte er, an den Kurier gewandt. »Ich werde ein Antwortschreiben aufsetzen, das Ihr mitnehmen sollt.«

Simonides führte den Boten in den hinteren Teil des Hauses, und Philippus überlegte, was er unternehmen könnte, um die drohende Gefahr abzuwenden? Gab es überhaupt noch einen anderen Weg, als den zu fliehen? Er verfügte über genügend Barvermögen, um jederzeit aufbrechen zu können. Doch wie mochte Isidora reagieren? Sie wurde vor eine schreckliche Entscheidung gestellt; denn wenn sie ihm folgte, mußte sie für immer auf ihre Kinder verzichten.

Philippus wußte, daß es ihm nicht leichtfallen würde, Isidora vergessen zu machen, was ihrem wahren Glück entgegenstand. Er war sich aber auch darüber im klaren, daß sie verloren sein würde, wenn sie den Entschluß fassen sollte, zu ihrem Mann und den Kindern zurückzukehren.

Während er noch darüber nachsann, eilte Isidora plötzlich auf die Terrasse und fragte, als hätten sich seine Gedanken auf sie übertragen: »Was für eine Meldung hast du erhalten? Betrifft sie die Kinder?«

Er schloß sie in die Arme.

»Nein. Wie kommst du darauf?«

Ihre Augen glichen mit einem Male kalten Mosaiksteinen. »Ist etwas mit Raimundus?«

Philippus nickte. »Er fordert dich zurück.«

Sie sah ihn entsetzt an. »Mich? Er hat mich doch davongejagt!«

»Ja, aber er erklärt jetzt, er habe es getan, weil ich ihn mit Hilfe geheimnisvoller Kräfte verwirrt hätte. Und dich soll ich auf die gleiche Weise betört haben. Das ist natürlich alles Unsinn, doch wie man über Raimundus' Anschuldigung auch denken mag, wir müssen auf der Hut sein und werden kaum etwas anderes tun können, als den kürzlich von dir vorgeschlagenen Ausweg zu wählen, wenngleich dich das endgültig von den Kindern trennen wird. Verzeih diese nüchterne Feststellung, aber ich muß die Dinge nun beim Namen nennen. Nur wenn du angesichts aller Konsequenzen, die sich für dich ergeben, bereit bist, mit mir zu fliehen, will auch ich mich für diesen Ausweg entschließen.«

Isidora versagten die Knie. Sie umklammerte Philippus, als befürchte sie, zu Boden zu sinken.

Er nahm sie auf die Arme und trug sie zu einer Bank.

»Wie kann Raimundus es wagen, eine Anschuldigung zu erheben, von der er weiß, daß ihre Klärung mit Folterungen verbunden sein wird!« stöhnte sie verzweifelt.

Philippus streichelte ihre Wange. »Wenn du mit mir gehst, wird es zu keinem Verhör kommen.«

Isidora sah ihn besorgt an. »Wenn wir fliehen und entdeckt werden, gilt Raimundus' Anklage als erwiesene Tatsache!«

»Ich weiß«, erwiderte Philippus gefaßt. »Das Schwert wartet dann auf mich. Man wird uns aber nicht finden, weil ich die Flucht nur wählen werde, wenn sie ohne Risiko durchzuführen ist. Sollte sich das als unmöglich erweisen, fahre ich nach Rom und stelle mich.«

»Das wäre dein Ende!« beschwor ihn Isidora. »Prozesse, in denen es um geheimnisvolle Kräfte geht, enden stets mit dem Tod des Angeklagten.«

»Eben! Und darum bin ich bereit, alles aufzugeben, sofern du glaubst, endgültig auf die Kinder verzichten zu können.«

Sie zog ihn zu sich herab. »Es wird nicht leicht für mich werden, aber zu Raimundus kehre ich niemals zurück.«

»Dann wollen wir keine Zeit verlieren.«

»Du hast schon einen Plan?«

Philippus schüttelte den Kopf. »So weit bin ich noch nicht. Ich weiß nur, daß wir vier Tage Vorsprung gewinnen, wenn ich dem Meldereiter eine Nachricht übergebe, derzufolge wir morgen nach Rom zurückkehren. Man erwartet mich dann übermorgen und wird erst am darauffolgenden Tag etwas unternehmen, wenn ich nicht erscheine. Und was wird man dann tun? Ein Kommando beauftragen, mich zu holen. Simonides, auf den ich mich absolut verlassen kann, wird sich in diesem Fall sehr besorgt stellen und erklären, wir seien vor zwei Tagen nach Rom abgereist und müßten längst dort sein. Eine Suchaktion kann also frühestens am vierten oder fünften Tag in die Wege geleitet werden.«

»Und wohin könnten wir uns wenden?«

Philippus blickte nachdenklich vor sich hin. »Vielleicht sollten wir nach Pompeji gehen. Dort ereignete sich im letzten Jahr ein schweres Erdbeben*, das die Preise für Häuser und Sommerbesitzungen mächtig drückte. Alle ziehen von dort fort, weil sie befürchten, es könnte ein weiteres Beben folgen.«

»Und dorthin sollen wir gehen?«

»Warum nicht? Ein Blitz schlägt nicht zweimal an derselben Stelle ein. Und in Pompeji würde uns niemand vermuten. Wenn du aber Angst hast, wählen wir einen anderen Ort. Es wäre zwar schade, weil dir die Landschaft dort unten sehr gefallen würde. An den Hängen des Mons Vesuvius gibt es hübsche kleine Sommerhäuser, von denen aus man nach Neapolis und über die Bucht von Cumanus hinweg bis nach Ischia und Capri sehen kann.«

Um Isidoras Lippen spielte ein dünnes Lächeln. »Eine Flucht begehrenswert zu machen ist auch eine Kunst.«

Die Abreise ließ sich nicht so schnell bewerkstelligen, wie Philippus angenommen hatte. Erst gegen Mittag des nächsten Tages waren auf einem heimlich beschafften vierrädrigen Kastenwagen all jene Sachen verstaut, die mitgenommen werden und doch keine unerwünschte Aufmerksamkeit erregen sollten. Philosophische Schriften beispielsweise paßten schlecht auf ein Bauernfahrzeug; also mußten sie, wie vieles andere, unter Feldfrüchten verborgen werden. Am meisten Sorge bereitete Philippus der Transport der Barschaft, doch Simonides brachte sie sehr geschickt unter. Einen Ledersack mit Silbermünzen packte er in einen Haufen Heu, einen zweiten nagelte er unter den Bock des Wagens, und eine mit goldenen Aureaen prall ge-

* Am 5. Februar 63 n. Chr.

füllte Kassette verbarg er in dem außerhalb des Fuhrwerkes angebrachten Kasten für Werkzeug und Achsenfett. Proviant und Wein hatte er ebenfalls geschickt gestapelt, und als der Wagen reisefertig war, übergab Philippus seinem getreuen Hausmeister eine Summe, die ihn unabhängig machte und dafür sorgte, daß er nicht in Not geriet, wenn die Villa konfisziert wurde.

Die Mittagssonne brannte unerbittlich, und die Straßen waren wie ausgestorben, als Philippus und Isidora das Haus verließen, das ihnen die schönsten Stunden ihres Lebens geschenkt hatte. Sie waren wie zu einem Spaziergang gekleidet. Philippus trug seine weiße, mit Purpurstreifen eingefaßte Senatorentoga und Isidora eine lindgrüne, von einem schmalen Gürtel gehaltene Tunika. Obwohl beide recht bedrückt waren, bemühten sie sich, einen heiteren Eindruck zu erwecken. Wer sie in die Landstraße nach Rom einbiegen sah, mochte denken, daß sie eine der Dünen aufsuchen wollten, die einen beliebten Badeplatz bildeten. Sie folgten der Straße jedoch weiter nach Norden, bis Simonides mit dem Wagen erschien. Kaum hatte das Fahrzeug gehalten, da streifte Philippus seine Toga ab und zog einen einfachen Bauernkittel an. Mit der gleichen Schnelligkeit wechselte Isidora ihre Tunika gegen ein Leinengewand, und während beide damit beschäftigt waren, ihr Aussehen so gut wie möglich zu verändern, grub Simonides ein Loch, in das er die abgelegte Kleidung verschwinden ließ. Danach folgte ein letzter Händedruck, und der alte Diener blickte mit nassen Augen hinter dem entschwindenden Wagen her.

Philippus trieb das Pferd zur Eile an, da er an diesem Tage noch bis zu den Monti Lepini kommen wollte. Er mußte zunächst in Richtung Rom fahren und dann, auf halber Strecke dorthin, am Fuße der Albaner Berge in die nach Süden führende Straße einbiegen. Seine sowie Isidoras Stimmung war gut, wenngleich beide von einer gewissen Nervosität geplagt wurden, bis Philippus sich an die Fahrt nach Antium erinnerte und wie befreit sagte: »Damals schwelgten wir in Seligkeit, weil wir wußten, daß vierzehn freie Tage vor uns lagen. Was war das schon, verglichen mit heute. Ein ganzes Leben liegt jetzt vor uns! Niemand kann uns mehr Vorschriften machen, und ich bin gewiß, daß wir unseren Schritt niemals bereuen werden. Seneca sagte einmal:

›Es ist unwichtig zu wissen, wo die bedeutungslosen, ihre Besitzer wechselnden Dinge hinkommen. Hauptsache, wir kennen unseren wahren Besitz; denn er ist in uns und wird uns bleiben.‹«

Sechs Tage fuhren Philippus und Isidora an der Küste entlang nach Süden, und jedesmal wenn die Sonne über den Bergen aufstieg und das grau daliegende Meer sich stahlblau färbte, war ihnen zumute, als würden sie Zeuge eines Schauspiels, das die Natur ihnen schenkte.

Als sie am ersten Morgen in ihrem Wagen erwachten und hinter den Höhenrücken der Monti Lepini ein blankes Strahlenbündel hervorkommen sahen, das in den seidigen Himmel hinauszujagen schien, war es ihnen, als lebten sie in einer neuen Welt. Im Morgengrauen des siebten Tages aber warteten sie gespannt auf den Augenblick, da die Sonne in den Dunstschleier von Neapolis einfallen würde, das sie in der letzten Stunde des vergangenen Abends von einer Anhöhe aus vor sich hatten liegen sehen. Nur eine kurze Strecke trennte sie noch von Pompeji. Dennoch interessierten sie sich im Augenblick ausschließlich für das sagenhafte Neapolis, über dessen Bevölkerung, die sich hauptsächlich aus Griechen und Ägyptern zusammensetzte, die schlimmsten Gerüchte in Umlauf waren.

Der Anblick der in einer weiten Bucht liegenden Stadt war erregend und verwirrend zugleich. Isidora wäre stundenlang auf der Anhöhe sitzen geblieben, wenn Philippus nicht zum Aufbruch gedrängt hätte. Er wollte Pompeji spätestens am Mittag erreichen, um sich noch am gleichen Tage über zum Verkauf anstehende Häuser informieren zu können. In seiner Verkleidung machte er zwar nicht den Eindruck eines vermögenden Mannes, er vertraute jedoch auf das Geld, über das er verfügte.

Isidora graute es plötzlich vor dem letzten Streckenteil. Das ununterbrochene Fahren in dem federlosen Wagen hatte ihre Nerven zermürbt. Selbst nachts, wenn das Fahrzeug friedlich neben einer Hecke oder unter einem Baum stand, schwang das unablässige Rumpeln der Räder in ihr nach. Dabei hatte Philippus darauf bestanden, daß sie die meiste Zeit nicht bei ihm auf dem Bock saß, sondern auf dem Heuhaufen lag, der einen Teil ihrer

Barschaft verdeckte. Das untätige Liegen und beständige Hinauf-
starren in den herbstlichen Himmel hatte sie zu Grübeleien verleitet, die sich wie Blei auf ihr Herz legten. Immer wieder drängte
sich ihr die Frage auf: Habe ich nicht zu selbstsüchtig gehandelt,
als ich Franciscus und Babina verließ? Zweifellos hatte ihre Liebe
zu Philippus sie egoistisch gemacht; aber gibt es eine selbstlose
Liebe? Wird nicht sogar die Liebe zu den Göttern von egoisti-
schen Motiven diktiert, von Wünschen, die man an die Allmacht
richtet? Und war sie, Isidora, nicht durch das Walten einer höheren Macht an Philippus' Seite gestellt worden?

Wenn der Ablauf unseres Lebens vorherbestimmt ist, dann
gibt es keine Philosophie, die uns helfen kann, dachte Isidora an
diesem Morgen. Dann sind wir Spielbälle von Göttern.

Dieser Gedanke weckte in Isidora das unbändige Verlangen,
neben Philippus zu sitzen. Sie erhob sich deshalb von dem Heuhaufen, auf dem sie lag, trat von hinten an ihn heran und küßte
seinen Nacken.

Er schaute überrascht zurück. »Was gibt's?«

Sie lächelte wie die Göttin Minerva auf den Silberstücken der
Stadt Rom. »Ich möchte neben dir sitzen.«

Er zügelte das Pferd und hielt das Fahrzeug an.

Isidora kletterte über den Rand des Kastenwagens zum Bock
hinüber.

»Schön, daß wir nebeneinander in unsere neue Heimat ein-
reisen«, sagte Philippus, als er wieder angefahren war.

Sie betrachtete die vor ihnen liegende, vom Mons Vesuvius
überragte Landschaft. »Es ist herrlich hier.«

Er nickte. »Die Ortschaften entlang der Bucht gleichen einem
dem Meer geflochtenen bunten Kranz.«

Ihre Augen leuchteten. Der Gedanke, einem friedlichen Leben
entgegenzufahren, ließ sie näher an ihren Geliebten heranrük-
ken. Im Geiste erblickte sie bereits den auf einer Anhöhe gelegenen griechischen Tempel Pompejis, von dem Philippus ihr erzählt hatte. Auch sah sie schon die nicht weit davon entfernte
prunkvolle, mit Marmor ausgekleidete Markthalle, in der sie
künftig einkaufen würde. Nach den Schilderungen von Philippus
mußte der Luxus der Stadt einen Stand erreicht haben, der den
anderer Städte bei weitem übertraf. So wurden die Räume der

Badeanlagen bei kühlen Tagen durch eine sinnvolle Luftheizung erwärmt, was es anderswo nur in den Privatbädern von ungewöhnlich vermögenden Patriziern gab.

Isidora und Philippus waren daher entsetzt, als sie Pompeji erreichten und sahen, welch unermeßlichen Schaden das Erdbeben angerichtet hatte. Schon das dreigeteilte Herculaner Tor glich einer Ruine. Die dahinter liegende Straße war ein Trümmerfeld. Das Forum erinnerte an eine Steinwüste und konnte nicht mehr betreten werden. Der gewaltige Jupiter-Tempel mit seiner hochragenden Säulenhalle war zusammengestürzt; ebenfalls der nahe gelegene Apollo-Tempel, das schönste Bauwerk der Stadt. Die Basilika, der Isis-Tempel, die Arena, beide Theater sowie sämtliche Thermen waren vernichtet. Das Wasser mußte wieder aus Brunnen geschöpft werden, da die Bleirohre der städtischen Leitung geplatzt waren. Gewiß, es wurde überall fieberhaft am Wiederaufbau gearbeitet, unschwer aber war zu erkennen, daß die Stadt ihren alten Glanz erst in vielen Jahren zurückerhalten würde.

»Hier können wir nicht bleiben«, sagte Isidora, als sie sich von ihrem ersten Schrecken erholt hatte.

»Es war ja auch nicht unsere Absicht, längere Zeit in der Stadt zu wohnen«, erwiderte Philippus. »Ich wollte lediglich für acht oder vierzehn Tage . . . Das wichtigste ist nun, daß wir schnellstens einen Makler finden.«

Deren gab es in Pompeji mehr als genug. Schon am frühen Nachmittag fuhren Isidora und Philippus in Begleitung eines krausköpfigen Neapolitaners über den Vorort Bosco Reale dem Mons Vesuvius entgegen, der bis oben hinauf mit Weinstöcken bedeckt war und einem abgestumpften Kegel glich*.

Die Enttäuschung, die Isidora und Philippus erfaßt hatte, wich mit jedem Meter, den sie näher an den Berg herankamen. An seinem Hang gab es viele kleine Sommerhäuser, die wie für sie geschaffen waren. Ohne lange suchen zu müssen, fanden sie ein voll eingerichtetes Häuschen in etwa hundertfünfzig Meter Höhe, das sich neben seiner idealen Lage durch zwei besonders

---

* Seine heutige Form erhielt der Vesuv erst nach seinem Ausbruch im Jahre 79 n. Chr.

begrüßenswerte Einrichtungen auszeichnete. Es besaß eine in das Haus einbezogene, weinumrankte Laube, von der aus man über die Bucht von Neapolis schauen konnte, und es verfügte über ein zwar nicht sehr großes, jedoch ausreichendes Schwimmbecken, das von einer eigenen Quelle gespeist wurde. Philippus entschloß sich sofort, dieses Anwesen zu erwerben, für das er allerdings mehr zahlen mußte, als er angenommen hatte. Er sagte sich jedoch, daß es unsinnig ist, ein Vermögen zusammenzuhalten, aber verschwenderisch mit der Zeit zu sein. Jede Stunde wollte er nun mit Isidora bis zur Neige auskosten.

Nach Tagen des Säuberns, Umstellens und Neuanordnens des vorhandenen Mobiliars unternahmen Philippus und Isidora ihren ersten Spaziergang, bei dem sie die erfreuliche Feststellung machten, daß es in ihrer Nähe mehrere kleine Bauernhöfe gab, von denen sie das Lebensnotwendigste zu erstaunlich niedrigen Preisen beziehen konnten.

»Das Glück segnet uns«, sagte Isidora, als sie zu ihrem Häuschen zurückkehrten. »Es war richtig, daß ich dir bedingungslos folgte.«

Philippus drohte mit dem Finger. »Waren deine Gedanken schon wieder bei Franciscus und Babina?«

Sie nickte.

»Du mußt das verstehen.«

»Natürlich. Du darfst an sie aber nicht wie an etwas Verlorenes denken und solltest nie vergessen, daß sie dir bereits genommen waren, als du noch an Raimundus' Seite lebtest!«

Isidora bemühte sich immer wieder, die Gedanken an ihre Kinder zu verbannen. Wenn ihr dies auch nicht gelang, so drängte Philippus' zärtliche Liebe und gütige Art die Vergangenheit doch mehr und mehr zurück. Was Raimundus' Drängen und Unbeherrschtheit unterdrückt hatte, brachte Philippus zur Entfaltung. Seine Worte verscheuchten ihren Kummer, seine Heiterkeit belebte ihr Herz. Sie war glücklich und spürte die Unabhängigkeit des Glückes von äußeren Dingen. Das Dasein schien ihr mit einem Male ungeheuer leicht zu sein, geradeso, als habe sie kein Menschenlos zu tragen, als sei sie im Reich der Götter geboren. Die Freiheit schenkte ihr den Frieden und die Möglichkeit, über den Dingen zu stehen.

Philippus verfolgte Isidoras Aufblühen mit Genugtuung. Ihr Wohlbefinden befriedigte ihn. Schwierigkeiten, die überwunden werden mußten, betrachtete er als zeitlich bedingt. Wie ein Soldat seine Wunden nicht vorweist, so blickte er über das hinweg, was ihm an irdischen Gütern genommen war. Er konzentrierte sich darauf, Isidora zu dienen, und dazu gehörte es, ihr die Unruhe zu nehmen, die sie zeitweilig überfiel. Einen sicheren Standort mußte er ihr geben, ein Fundament schaffen, auf dem sie ihr Leben aufbauen konnten.

Beide gingen ineinander auf. Sie machten sich frei von jeder eigenen Knechtschaft und liefen sich die Füße nicht mehr für Nichtigkeiten wund, sondern betrachteten das Leben aus einem Abstand, der ihrem Geist gemäß war und der Entfernung entsprach, die sie zwischen ihr bescheidenes Heim und der ›großen Welt‹ gelegt hatten.

Dieser Wandel hatte zur Folge, daß Isidora und Philippus sich nicht mehr über Nachrichten erregen konnten, die aus der Ferne zu ihnen drangen. Sie verloren aber ihre Beherrschung, als sie von einem Fest Neros erfuhren, der im IX. Bezirk auf dem Teich des Agrippa, den gefällige Gartenanlagen umgaben, eine schwimmende Insel mit kleinen Pavillons, Säulengängen und lauschigen Nischen hatte errichten lassen, die als Kulisse für eine Aufführung dienen sollten, wie sie die Welt an Aufwand und Frivolität noch nicht gesehen hatte. Über hunderttausend Römer fanden Gelegenheit, Zeuge des vom Kaiser persönlich inszenierten Spektakels zu werden. Für viele mag es ein erhebender Anblick gewesen sein, als mit Einbruch der Nacht rings um die künstliche Insel Hunderte von Fackeln entzündet wurden und Nero sichtbar wurde, der im purpurnen Gewand auf einem erhöht stehenden, elfenbeinernen Ruhebett lag und mit den berühmtesten Familien seines Reiches von goldenen Schüsseln speiste. Der Wein wurde aus funkelnden Kristallgläsern getrunken, und um die Gesellschaft herum führten unbekleidete Männer und Frauen erotische Pantomimen auf, die von den Gästen belacht und vom Volk mit stürmischem Applaus bedacht wurden.

Doch das war nicht die Attraktion des Abends. Sie sollte erst am Schluß geboten werden. Zuvor gab es noch eine Reihe lustvoller Spiele, bei denen sich die Frauen und Töchter der Notabeln *coram publico* in der frivolsten Weise mit Orientalen vereinigen mußten, die von nackten Sklaven zur Insel gerudert wurden.

Das Volk johlte vor Begeisterung. Beim Herkules, der Imperator hatte schon tolle Ideen. Immer wieder bot er etwas Neues.

Nero bewies dies in besonderem Maße, als er zum Abschluß des dem etruskischen Gott der Fruchtbarkeit gewidmeten Festes persönlich in Aktion trat und mit einem als Frau verkleideten Schauspieler vor aller Augen ›Hochzeit‹ feierte. Doch da geschah etwas, womit der perverse Kaiser und sein morbides Gefolge nicht gerechnet hatten: das Volk beklatschte die lästerliche Umarmung nicht, sondern zog wie geprügelt von dannen.

»Scheußlich«, entrang es sich Isidoras Lippen, als sie und Philippus von dem widerwärtigen Fest hörten.

»Danken wir unserem Schöpfer, daß wir nicht nach Rom zurückgekehrt sind«, entgegnete Philippus, außer sich vor Empörung. »Neros Wahnsinn ist offenkundig. Wer ihm dient, macht sich mitschuldig.«

Es setzte ihn nicht in Erstaunen, als er wenige Wochen später erfuhr, daß Seneca es vorgezogen hatte, sich das Leben zu nehmen, anstatt dem Kaiser noch einmal zur Verfügung zu stehen.

Dieser Hiobsbotschaft folgte die Nachricht vom Tod Poppaeas, die an den Folgen eines Fußtrittes starb, den Nero der Schwangeren in den Leib versetzt hatte.

Wahrlich, wenn Isidora und Philippus nicht bereits Abstand von den Dingen gewonnen hätten, würden sie im Verlauf der nächsten Monate und Jahre vielleicht ebenso taub geworden sein wie das Volk, das alles über sich ergehen ließ und sich über nichts mehr aufregte. Nicht einmal darüber, daß es Tage gab, an denen Nero zwanzig bis dreißig junge Mädchen von der Straße weg verhaften und entkleidet an die Säulen seiner Palasthalle binden ließ, um sich, in das Fell eines Löwen gehüllt, an ihnen zu vergehen. Es wurde nicht einmal Protest laut, als er einen Jüngling namens Sporus in aller Form heiratete.

Isidora und Philippus waren die Nachrichten so zuwider, daß sie die Händler und Bauern, mit denen sie in Berührung kamen, nachdrücklich aufforderten, ihnen erst wieder etwas über Nero zu berichten, wenn sein Tod gemeldet werde.

Darüber aber vergingen mehrere Jahre.

Die Zeit jagte wie ein Raubvogel dahin. Wochen schienen die Länge eines Tages zu haben, Monate die einer Woche.

Isidora und Philippus, die ein zielgerichtetes Leben führten, das nicht von einem Vorsatz zum anderen übersprang, fühlten sich zu neuen Ufern getragen. Ihre Liebe zueinander wurde immer inniger. Wenn sie in ihrer von Wein bewachsenen Laube saßen und auf das sonnendurchglühte Land hinabschauten, wunderten sie sich darüber, selber einmal zu all jenen gehört zu haben, die sich beständig um nichtiger Dinge willen abmühen, anstatt auf Nichtigkeiten zu verzichten und das Leben in der gegebenen Form zu genießen. Für sie wurde es zu einem Erlebnis, sich intensiv mit dem Gedankengut großer Philosophen zu beschäftigen und einen Einblick in die griechische Auffassung von der Unterwelt zu gewinnen, vom Orkus, dem Reich des Hades, das vielleicht am Westrand des Ozeans, möglicherweise aber auch im Innern der Erde lag, wo riesige Ströme es sichernd umflossen.

»Der Gedanke, im Jenseits mit Nero zusammenzutreffen, ist mir unerträglich«, sagte Isidora mit Schaudern an dem Tage, da die Nachricht von der erzwungenen Selbstentleibung des Imperators wie ein Lauffeuer durch das Land raste.

»Du wirst ihm nie begegnen«, tröstete Philippus sie mit aller Bestimmtheit. »Die Auffassung, derzufolge gute und böse Menschen in der Unterwelt voneinander getrennt werden, ist gewiß die richtige. Sei also ganz unbesorgt. Du kommst in das Elysium, während Nero im Tartaros wird schmachten müssen.«

»Und du . . .?« fragte Isidora erwartungsvoll. »Wohin kommst du?«

Philippus lachte. »Vermutlich in das Zwischenreich, auf die Asphodeloswiese, die mich wahrscheinlich entsetzlich langweilen wird.«

»Ich will aber, daß du bei mir bleibst!« entgegnete sie unwillig.

Er legte seinen Arm um sie. »Denkst du, ich wünschte das nicht? Ich wollte dich doch nur ein wenig necken.«

»Aus Spaß kann schnell Ernst werden!« gab Isidora zu bedenken und trat an ein Wandfach heran, dem sie zwei blitzende Goldstücke entnahm. »Ich werde unsere für den Fährmann Charon bestimmten Münzen vorsorglich nochmals gründlich putzen.«

»Meinst du, er hält sie dann für wertvoller?«

»Ich hoffe es.«

Philippus verzog sein Gesicht. »Ich möchte annehmen, daß Charon sich nicht bestechen läßt. Er wird die Toten so oder so über das Wasser bringen.«

»Du selber hast mich aber gebeten, dir eine Münze auf die Zunge zu legen, wenn du vor mir sterben solltest.«

»Weil das Sitte und Brauch ist«, erwiderte Philippus ausweichend.

»Dann kann es auch nicht schaden, wenn ich die Münzen aufpoliere.«

»Natürlich nicht. Was aber machen wir, wenn die Auffassung der Christen die richtige ist?«

Isidora erstarrte. »Du hältst so etwas für möglich?«

Philippus zuckte die Achseln. »Warum nicht? Mich beeindruckt es, daß die Christen verkünden, Gott habe seinen Sohn geschickt, *als die Zeit erfüllt war.* Wenn ich an Neros Feste und Widerwärtigkeiten denke, scheint mir die Zeit überreif zu sein. Erotische Exzesse verdrängen überall das Pflichtgefühl, das die römische Religion unseren Vorfahren auferlegte und sie befähigte, ein Imperium zu schaffen. Befriedigung will man heute, keine Verpflichtung, keine geistige Nahrung. *Als die Zeit erfüllt war!* Vielleicht schickte Gott seinen Sohn wirklich zur Errettung der Menschheit!«

Isidora war zu sehr im Glauben ihrer Vorfahren verankert, als daß sie Jupiter, Juno, Neptun, Minerva, Mars, Venus und Apollo hätte verraten können. Auch befürchtete sie, am Höllenhund Cerberus nicht vorbeizukommen, wenn der Fährmann Charon, dessen Aufgabe es war, die Seelen der Verstorbenen zum anderen Ufer hinüberzurudern, keine Münze bei ihr vorfinden würde.

Während sie noch über die Unterwelt nachgrübelte, beschäftigte sich Philippus mit der Zukunft des Reiches, das ihm gefährdeter denn je zu sein schien. Ihm war es unverständlich, daß ein großer Teil des Volkes dem verstorbenen Imperator plötzlich nachtrauerte, als wäre er der Liebling der Götter gewesen. Überall fanden Trauerfeiern statt. Sein Grab wurde über und über mit Blumen geschmückt. Abbildungen von ihm standen in allen Tempeln und öffentlichen Gebäuden. Wo über ihn gesprochen wurde, ging man geflissentlich über seine Schandtaten hinweg und zählte auf, was er alles für das Volk getan habe. Panem et circenses! Seine Circusspiele waren einmalig gewesen. Ein neues Rom hatte er aus dem Boden gestampft! Wie herrlich war die Stadt geworden, wie breit waren ihre Straßen! Noch in Jahrhunderten würden siegreiche Legionäre darauf zum Triumph einmarschieren. Sollte man den Mann, der das alles geschaffen hatte, verdammen?

»Ich möchte wissen, wie Galba, der den Mut aufbrachte, Nero zu beseitigen, sich als sein Nachfolger durchsetzen will«, sagte Philippus nach einer Weile nachdenklichen Schweigens. »Der geringste Sturm wird ihn hinwegfegen.«

»Das glaube ich kaum«, entgegnete Isidora verächtlich. »Galba war so schlau, allen belasteten Würdenträgern neue Ämter zu geben. Sie werden jeden vernichten, der es wagen sollte, von Dingen zu reden, die sie oder Galba sich geleistet haben.«

Philippus war anderer Meinung, und er täuschte sich nicht. Galba wurde ermordet, kaum daß er an die Regierung gekommen war. Seinen Nachfolgern Otho, Vitellius und Vespasian erging es nicht anders. Das Geschlecht der Caesaren war mit Nero ausgestorben, und niemand, nicht einmal die Auguren, vermochten vorauszusagen, welchem Schicksal das Reich entgegenging.

Nur selten diskutierten Isidora und Philippus über das politische Geschehen, das sie mit der Gelassenheit von Außenstehenden verfolgten. Für sie gab es keine Probleme mehr. Freiheit und Liebe erfüllten ihr Leben, und dadurch, daß sie sich mit dem Geistesgut der Gelehrten ihrer Zeit beschäftigten, verlor sogar das Jenseits seine Schrecken für sie. Sie waren davon überzeugt, im Totenreich weder Finsternis noch Feuerströme anzutreffen, und eben weil sie zu dieser Überzeugung gelangt waren, überfiel sie panisches Entsetzen, als sich die Sonne eines Tages kurz vor der Mittagsstunde jäh verdunkelte und wie eine violette Scheibe am wolkenlosen Himmel hing.

»Was mag das zu bedeuten haben?« rief Isidora verängstigt und eilte hastig auf Philippus zu, der gerade vor dem Haus stand.

Ihm stockte der Atem. Der Feuerball flammte rot auf und wurde gleich darauf bleich wie der Mond. Alles schien seine Formen zu verlieren. Konturen verwischten sich. Der Himmel färbte sich gelb. Das Meer leuchtete gelb. Die Erde schimmerte gelb. Es war, als säße man in einem mit lehmigem Wasser gefüllten Aquarium.

Isidora umklammerte Philippus.

Ein aus der Tiefe kommendes Dröhnen erfüllte die Luft. Die Erde schien sich zu bewegen. Auf dem Meer bildete sich weißer Gischt. Schäumende Wogen rollten über die Ufer. Ein Blitz jagte aus heiterem Himmel. Gleich darauf war es, als wische eine unsichtbare Hand den Spuk beiseite. Die Sonne strahlte wieder. Der Himmel wurde blank. Das Meer glänzte stahlblau. Die Hügel färbten sich saftiggrün. Die Ortschaften in der Ebene glichen bunten Farbklecksen.

Isidora blickte benommen über das Land, das sich friedlich wie immer darbot.

Philippus schaute fassungslos zum Himmel empor. »Wenn ich nur wüßte, woher der Blitz gekommen ist. Weit und breit ist keine Wolke zu entdecken.«

Isidora schien verzagt. »Könnte es der Anfang eines neuen Erdbebens gewesen sein?«

»Das ist des Rätsels Lösung!« rief Philippus erleichtert. »Es war aber nicht nur der Anfang, sondern auch das Ende eines Bebens, das wahrscheinlich sehr, sehr weit von hier entfernt stattfand.«

»Du meinst, die Gefahr sei gebannt?«

Er wies über das Land. »Ist noch etwas Besorgniserregendes zu entdecken?«

Isidora fröstelte und rieb sich die Arme. »Ich befürchtete schon, unser Ende sei gekommen.«

Sie hatte es kaum gesagt, da gab es über ihnen einen ohrenbetäubenden Knall.

Beide zuckten zusammen. Die Kuppe des Mons Vesuvius hatte sich binnen weniger Sekunden gespalten. Unter furchtbarem Getöse schossen riesige Flammen empor. Schwarze Rauchwolken wälzten sich nach allen Seiten. Mächtige Felsbrocken flogen durch die Luft. Blitze jagten über den Himmel. Die Erde bebte. Klüfte taten sich auf.

Philippus riß Isidora an sich und lief mit ihr in das Haus. War das der Untergang der Erde? Öffnete Hades die Pforten seines Reiches? Gab es in der Unterwelt doch Feuerstürme, Qualen und unendliches Leid?

Isidora zitterte. »Philippus!« stöhnte sie entmutigt. »Die Welt geht unter!«

Ein ungeheures Prasseln setzte ein. Lapilli, leichte Bimssteinchen, fielen wie Hagelkörner auf die Erde und schütteten sie binnen weniger Minuten meterdick zu. Mit ihnen senkte sich ein undurchdringlicher Aschenregen herab. Das Tageslicht erlosch. Nacht breitete sich aus. Orkanartige Böen heulten auf. Sintflutartige Regengüsse gingen nieder und schwemmten eine Lawine von Lapilli, Sand und Steinen zu Tal. Gesteinsbrocken durchschlugen das Dach.

Isidora schrie auf.

Philippus umschlang sie, wie um sie zu schützen.

Ein Strom von Geröll ergoß sich in das Haus.

»Wir müssen heraus!« rief Isidora.

Philippus zog sie an sich. »Es wäre sinnlos. Glaube mir. Eine Flucht ist nicht möglich.«

Schwefeldämpfe drangen in den Raum. Der Strom der hagelkorngroßen Steinchen verstärkte sich und bedeckte den Bode... Ohrenbetäubende Donnerschläge ließen die Luft erzittern. Blitze fuhren wie Schwerter durch die Nacht.

»Die Goldstücke für Charon!« rief Isidora mit letzter Kraft.

Philippus rang nach Luft. »Bleib . . . Ich . . .«

»Phil . . .«

Er küßte sie.

Asche fiel wie Schnee vom Himmel und hüllte die Sterbenden in einen dichten Mantel ein.

Mit der ›Barke der Nacht‹ gelangten die Seelen von Isidora und Philippus ins Jenseits, das sich ihnen nicht so darbot, wie sie es erwartet hatten. Es gab weder die Totengöttin Ceres noch Hades, den Gott der Unterwelt, weder den Fährmann Charon noch den Höllenhund Cerberus. Das Jenseits war antlitzlos, und es klagte:

Ihr seid den Nachweis der Bewährung, ohne den es keine Erlösung gibt, erneut schuldig geblieben; denn eure Liebe war nicht selbstlos und ließ euch bestehende Bande mißachten. Dabei hätte euer Verdienst diesmal im Verzicht und nicht in der Erfüllung gelegen.

Für euch wird es nun nicht leicht sein, im nächsten Dasein die Schuld abzutragen, die ihr durch euren Egoismus auf euch geladen habt. Denkt daran, und geht nicht achtlos an Zeichen vorüber, die euch gesandt werden.

ISABEL UND FELIPE

1

Das Jahr 1500, das die katholische Kirche als ›Annus jubilaei‹ feierte, der Stadt Valencia eine Universität schenkte und Christoph Columbus die Schmach bereitete, gefesselt von San Domingo nach Spanien transportiert zu werden, war auch für einige Bürger der Stadt Toledo von ungewöhnlicher Bedeutung. Doch das zeigte sich erst in der zweiten Hälfte des Jahres. Es begann am 23. August, an ebendem Tag, da der Entdecker der Neuen Welt den Schutz der *Reyes Católicos* verlor, der Katholischen Könige, wie das spanische Herrscherpaar Don Fernando und Doña Isabella genannt wurde. Äußerlich war es ein Tag wie jeder andere. Der Himmel war tiefblau, und die Sonne, die den Boden erbarmungslos ausdörrte, schuf zusammen mit der dünnen und trockenen Luft der Hochebene Kastiliens jene quälende Lichtfülle, die den Menschen beim geringsten Anlaß aufbrausen läßt.

Aber nicht allein das grelle Licht des Tages und die unerträgliche Glut des Hochsommers machen die Bewohner Toledos gefährlich. Ihr unbändiger Stolz, der sie mit zusammengepreßten Lippen und steifen Nacken einherschreiten läßt, bringt sie zur Raserei, wenn beispielsweise ihre Stadt oder ihre Frauen nicht gebührend bewundert werden. Vom Grün Andalusiens zu sprechen ist für sie beinahe schon eine Beleidigung. Die fette Erde am Guadalquivir begeistert sie ebensowenig wie die palmenhaft gewachsenen Töchter des Südens. Sie kennen nur ihre Heimat, deren verbrannten Boden sie insgeheim segnen, wenn ihm das Abendlicht einen roten, goldenen oder violetten Schimmer verleiht; und sie kennen nur ihre Frauen, die kein verheißungsvolles Lächeln zeigen und ungeschliffenen Edelsteinen gleichen.

Zu den angesehensten Familien Toledos gehörte Isabel de Toriji, eine vielumschwärmte Señorita von nicht ganz zwanzig Jahren, deren Eltern binnen einer Woche am Amarillfieber gestorben waren. Für gewöhnlich lebte sie auf ihrem zehn Kilometer von Toledo entfernten Gut Toriji, dessen Verwaltung ihr Vater einem Mauren übertragen hatte. Ihr behagte das ländliche Leben, das sie des Morgens mit einem stürmischen Ritt einleitete, auf dem sie gerne an die Helden ihrer Lieblingsbücher dachte. Es waren aber nicht die Taten des Amadis von Gallien, des Ritters von Orlando oder des unvergleichlichen Cid de Bivar Campeador, die ihre ungestümen Ritte beflügelten; vielmehr war sie von dem Wunsch getrieben, ihren Verwalter Ramon, der sie allmorgendlich zu begleiten hatte, zu reizen und zu quälen.

Ramon hatte sich dies selber zuzuschreiben. Sein heißes Blut war ihm wie gebrannter Wein in den Kopf gestiegen, kaum nachdem Isabels Eltern das Zeitliche gesegnet hatten. Sein Verhalten war um so verwunderlicher, als er mit einer gut aussehenden Christin verheiratet war, die ihm zwei Kinder geschenkt hatte: einen Sohn namens Francisco und eine Tochter, die am Gedächtnistag der heiligen Barbara das Licht der Welt erblickt hatte und darum auf deren Namen getauft worden war. Ramons Frau Elena hatte sich zwar einen anderen Namen für ihre Tochter gewünscht, doch sie beugte sich den Argumenten ihres Mannes, der als Mohammedaner die politische Entwicklung in Spanien nicht außer acht lassen durfte.

Auf Grund einer Anordnung der Katholischen Majestäten waren alle Juden und Mauren des Landes verwiesen worden, und lediglich diejenigen unter ihnen, die sich über Nacht hatten taufen lassen, durften als *Conversos*, Neuchristen, unbehelligt ihrer Tätigkeit nachgehen. Dies allerdings nur, solange sie sich als gute Neuchristen erwiesen und ihnen keiner nachsagen konnte, daß sie etwa den Sabbat einhielten, indem sie an diesem Tage ein frisches Hemd anzogen oder ihre Betten mit sauberen Laken versahen. Derartige Nichtigkeiten genügten vollauf, das Rad der Inquisition in Gang zu setzen, und Ramon, der bereit war, sich mit allem abzufinden, auch damit, daß er als Converso beim Kirchgang von Altchristen verächtlich *Marano*, Schwein, geschimpft wurde, wußte sehr genau, warum er seiner Tochter den Namen Barbara gegeben hatte. Sie sollte ihm jenen Schutz bringen, den ihr heiliggesprochenes Vorbild den Kriegern der Reyes Católicos gewährte. Er tat eben alles nur menschenmögliche, um seine Existenz nicht aufs Spiel zu setzen.

Deshalb nahm er auch die Launen Señorita Isabels in Kauf, obwohl diese es sichtlich darauf anlegte, seine Sinne zu verwirren. Und das gelang ihr oft in einem Maße, daß er an sich halten mußte, nicht ein zweites Mal den dummen Versuch zu machen, sie in die Arme zu schließen. Nur die Erinnerung an jene Stunde, in der seine Leidenschaft ihm eine schallende Ohrfeige eingebracht hatte, gab ihm die Kraft, dem zu widerstehen, was Isabel durch lockendes Gehabe, raffiniert ausgeschnittene Kleider, hochgeschürzte Röcke und dergleichen provozierte.

Warum sie das alles tat, hätte sie nicht zu sagen vermocht. Zweifellos nahm ihr verletzter Stolz Rache, gewiß aber spielte sie auch mit dem Feuer und reagierte auf diese Weise Dinge ab, über die sie mit niemandem sprechen konnte. Vielfach umschwärmt, blieb sie einem jungen Mann namens Felipe treu, der aus ärmlichen Verhältnissen stammte und in Salamanca Jurisprudenz studierte. Seine Mutter war, wie Isabels Eltern, am Gelben Fieber gestorben, und sein Vater, ein Gerichtsdiener, der nur wenige Maravedis* verdiente, hatte es bei der Inquisition zum *Familiare* gebracht, zum Vertrauensmann des Heiligen Offiziums. Diese Ehre war jedoch eine zweifelhafte, da Familiares vielfach scheel angesehen und ›berufliche Spitzel der Inquisitionstribunale‹ genannt wurden.

Isabel nahm an der Tätigkeit ihres zukünftigen Schwiegervaters ebensowenig Anstoß wie an den bescheidenen Verhältnissen, in denen Felipe aufgewachsen war. Nervös aber wurde sie, wenn sie ihren Auserwählten mit Ramon verglich. Während dieser vor Gesundheit strotzte, imponierend tüchtig war und mit seinem Araberhengst unerschrocken über die gefährlichsten

---

* Maravedis waren bei den Mauren, die 711 n. Chr. in Spanien einfielen und das Land jahrhundertelang beherrschten, zunächst Gold- und Silbermünzen, die bald aber auch als kupferne und bronzene Einheiten in Umlauf kamen. Ein Maravedi stellte einen Wert von rund 1/30 des Reals dar, der spanischen Silbermünze, die etwa einer halben Goldmark entsprach. Gemessen hieran war der Dukaten, für den 375 Maravedis gezahlt wurden, hoch bewertet. In jenen Tagen erhielt man für einen Dukaten 185 Liter Wein. Eine inflationistische Tendenz ließ seinen Wert bis zum Jahre 1600 so stark herabsinken, daß man für ihn nur noch 13 Liter Wein erhalten konnte.

Hindernisse hinwegsetzte, sah Felipe nicht wie jemand aus, der das Herz eines jungen Mädchens höher schlagen läßt. Er war mager und feingliedrig, hatte ein schmales Gesicht und Augen, die weich wie Samt glänzten.

Isabel kannte Felipe seit ihrer Kindheit. Sie hatten viel miteinander gespielt, und obwohl er bei weitem nicht so stark wie die meisten seiner Kameraden war, hatte sie sich in seiner Nähe immer seltsam geborgen gefühlt. Vielleicht bewirkte dies seine stets besonnene und ruhige Art. Er hatte jedoch auch einmal bewiesen, daß er es sehr wohl verstand, seine Gefährten zu übertrumpfen. Als zwischen diesen eine heftige Rauferei entbrannte, trennte er sie mit einer Kommandostimme, die ihm niemand zugetraut hätte, und dann sagte er Worte, die Isabel so beeindruckten, daß sie sich Hals über Kopf in ihn verliebte. Er erklärte den Verdutzten kurz und bündig:

»Wer von euch der Meinung ist, sein Recht mit Gewalt erringen zu müssen, mag sich weiterprügeln. Wer aber erkennt, daß eine Schlägerei kein Recht untermauert, den lade ich zu einem Wettwerfen ein, bei dem ein Glas Honig als Preis gelten soll.«

Isabel war sprachlos gewesen. Um einen Streit zu beenden, opferte Felipe ein wertvolles Glas Honig, und er tat es so geschickt, daß auch diejenigen, welche glaubten, ihre Meinung mit der Faust verteidigen zu müssen, lieber ihre Auffassung revidierten, als auf die Teilnahme am Wettkampf zu verzichten.

In jener Stunde schwor sich Isabel, niemand anderen als Felipe zum Mann zu nehmen. Wenn ihr Entschluß auch der eines Kindes gewesen war, sie hielt an ihm fest und verliebte sich im Laufe der Jahre mehr und mehr in ihren Freund. Um so schmerzlicher war es deshalb für sie gewesen, daß dieser vor Jahresfrist ihre Bitte, sich in der Landwirtschaft auszubilden, um eines Tages die Führung ihres Gutes übernehmen zu können, mit der lapidaren Feststellung abgelehnt hatte:

»Zum Prinzgemahl bin ich nicht geeignet, und geheiratet wird erst, wenn *ich* in der Lage bin, unseren Lebensunterhalt zu verdienen.«

»Und was soll aus Toriji werden?« hatte sie aufgebracht entgegnet. »Du weißt, daß mir die Besitzung in spätestens einem Jahr, wenn alle Formalitäten erledigt sind, überschrieben wird.«

Felipe hatte wie ein Weiser gelächelt. »Als Draufgabe wird mir dein Gut sehr willkommen sein.«

Isabel fiel es schwer, sich damit abzufinden, daß ihr Freund unbeirrbar blieb und sich ganz der Rechtswissenschaft widmete. Sie haßte Stubenhocker, deren Blässe ihr zuwider war. Allein für Gesundes konnte sie sich begeistern, und Ramons braune Haut trug viel dazu bei, daß es sie immer wieder reizte, das prikkelnde Spiel mit dem Feuer nicht verlöschen zu lassen. Daß Ramon Maure war, machte ihr nichts aus. Jahrhundertelang hatte in Spanien niemand einen Menschen nach seiner Hautfarbe oder Religion beurteilt. Das tat man erst seit einem Dekret, welches die Katholischen Majestäten erlassen hatten. Was Isabel davor schützte, sich nicht restlos zu verlieren, war ihre Liebe zu Felipe. Wenn er nicht gewesen wäre, würde sie sich Ramon hingegeben haben. Seine Männlichkeit erregte ihre Phantasie, und es gab Momente, in denen sie sich einbildete, ihn durch und durch zu kennen. Im Geiste spürte sie seine Küsse, seine Zärtlichkeit und seine Härte.

Ganz anders fühlte sie sich zu Felipe hingezogen. Wenn sie ihn traf, glaubte sie, einem Teil ihrer selbst zu begegnen. Sein Blick hüllte sie ein, und seine Gedanken waren ihr so vertraut, daß sie sich manchmal fragte, ob sie über hellseherische Fähigkeiten verfüge. Es war, als hätte sie schon eine Ewigkeit mit ihm zusammen gelebt.

In solchen Augenblicken versuchte Isabel sich vorzustellen, wie Felipe reagieren würde, wenn sie den Mut aufbrächte, ihn zu bitten, sie in die Arme zu nehmen, um das Feuer in ihr zu löschen. Sie sah förmlich sein ungläubiges Staunen und ärgerte sich darüber, daß er nicht drängend wie Ramon werden konnte, dessen Nerven bereits vibrierten, wenn sie beim Absteigen vom Pferd seine Hilfestellung in Anspruch nahm und sich so herabgleiten ließ, daß ihre Körper sich berührten.

Der Widerstreit ihrer Empfindungen machte Isabel ruhelos, und sie atmete wie erlöst auf, als Felipes Vater ihr mitteilen ließ, daß sein Sohn zu dem am 23. August stattfindenden Jahrmarkt nach Toledo kommen würde.

Die ländlichen, *Ferias* genannten Jahrmärkte, die an religiösen Festtagen abgehalten wurden, brachten Zehntausende auf die

Beine, und Isabel, die das quirlende Durcheinander von Händlern, Schaustellern, Edelleuten, Bürgern und Bauern heiß liebte, konnte Felipes Ankunft kaum erwarten. Sie brannte darauf, mit ihm zwischen den bunten Verkaufsständen einherzugehen und ihn in einer geeigneten Stunde zu einer baldigen Heirat zu überreden. Das Gut war ihr überschrieben worden, so daß sie ein sorgloses Leben führen könnten. Sie wollte auch damit einverstanden sein, daß Felipe sein Studium zu Ende führte; nur so, wie es jetzt war, durfte es nicht weitergehen. Ihr frivoles Spiel mit Ramon mußte ein Ende nehmen, andernfalls sie Gefahr lief, sich selbst zu verlieren.

Bereits zwei Tage vor Felipes Ankunft fuhr Isabel nach Toledo, wo ihr die frühere Stadtwohnung ihrer Eltern zur Verfügung stand. Selten begab sie sich dorthin. Für sie lag in den vertrauten Räumen der Geruch des Todes, der ihr wohlbehütetes Leben binnen weniger Tage verändert und sie auf eigene Füße gestellt hatte. Unabhängig davon störte es sie, nur so viel Licht und Luft zu bekommen, wie es die Fassade des gegenüberliegenden Hauses gestattete. Verwinkelte und wie altersschwache Greise sich gegenseitig stützende Gebäude waren ihr ein Greuel. Sie brauchte klare Linien, weite Felder, Sonne, Wind und den Atem der Freiheit. In der Stadt fühlte sie sich eingezwängt.

Das ließ sie jedoch nicht über die Schönheiten Toledos hinwegsehen. Die Punta del Sol, das Kloster San Juan de los Reyes, der reizvolle Saal der Casa de Mesa und vor allen Dingen die zauberhaften Kirchen San Benito und Santa Maria la Blanca hatten es ihr angetan. In der Nähe der letztgenannten, im Mudejar-Stil erbauten Kirche, die ursprünglich eine Synagoge gewesen war, wohnte Felipes Vater, den Isabel sogleich aufsuchte, um sich nach der Ankunft seines Sohnes zu erkundigen.

»Spätestens morgen abend wird er hier sein«, antwortete der verkniffen wirkende Vertrauensmann des Toledanischen Inquisitionstribunals, ohne seine zukünftige Schwiegertochter in die Wohnung einzulassen. »Du kennst ihn doch. Er kommt keinesfalls zu spät, aber auch nie zu früh. Seine Bücher legt er erst zur Seite, wenn die letzte Minute zum Aufbruch gekommen ist.«

»Du solltest ihm nahelegen, mehr für seine Gesundheit zu tun«, entgegnete Isabel unwillig.

Felipes Vater senkte seine wimperlosen, geröteten Augenlider, als könne er Isabels offenen Blick nicht ertragen. »Entschuldige mich, ich glaube, meine Suppe brennt an.«

Hoffentlich, dachte Isabel und lachte, als sich die Tür vor ihrer Nase schloß. Sie hätte allen Grund gehabt, böse zu sein, amüsierte sich jedoch über den eigenbrötlerischen alten Mann, von dem sie wußte, daß er Felipe lieber an der Seite eines einfachen Mädchens gesehen hätte. Für ihn war Reichtum mit Liederlichkeit verbunden.

Aber seinen Sohn beurteilte er richtig. Genau am Abend vor der Feria traf Felipe in Toledo ein, und Isabel war überglücklich, als eine Magd ihr meldete, der Herr Studiosus habe die Reise gut überstanden und würde sie gleich morgen früh zur Festmesse in der *Cathedral Primada* abholen. Er hätte sie gerne noch persönlich aufgesucht, doch sie wisse ja, daß die Schicklichkeit dies nicht gestatte. Toledo sei eben Toledo, überwacht vom Geist der Kirche und nicht erfüllt von feurigen Tänzen und Nachtigallengesang.

Isabel stutzte. Es war nicht Felipes Art, derartige Bemerkungen, die einem Sakrileg gleichkamen, unbekümmert von sich zu geben. »Das hat er wörtlich gesagt?« fragte sie überrascht.

Die von Felipe entsandte Magd grinste. »Der junge Herr ist nicht wiederzuerkennen. Irgend etwas muß geschehen sein. Er ist wie aus dem Häuschen. Mich hat er in die Wange gezwickt und gefragt: »Weißt du, wen du auf schnellstem Wege aufsuchen mußt? Eine Señorita, die einer Königin gleicht. Ihr rötliches Haar glänzt wie Seide, ihr Mund erinnert an eine sich öffnende Rose, ihre Beine sind schlank wie die der Gazellen und ihre Füße ein Traumgebilde, das nur ein Orientale zu beschreiben vermag. Rate, zu wem du laufen sollst.«

»Wie lautete deine Antwort?«

Die Magd bleckte ihre Zähne und eilte davon.

Isabel war nicht mehr zu halten. Ein Wunder ist geschehen, frohlockte sie ausgelassen. Was mag Felipe so verändert haben?

Diese Frage konnte sie frühestens gegen Mittag des nächsten Tages beantwortet bekommen, da sie den Kirchgang nicht mit Felipe allein antreten durfte. Sein Vater mußte zwischen ihnen gehen. Niemand aber konnte es ihr verwehren, bis dahin in

Wunschträumen zu schwelgen, und das tat sie mit solcher Inbrunst, daß ihr Felipe in der Nacht als strahlender Held erschien: schlank, feingliedrig, edel, gekleidet wie der Ritter Orlando mit einer steifen Halskrause, einem Küraß, straff gepolsterten Oberschenkelhosen und hellen Trikotstrümpfen.

Die Wirklichkeit sah freilich anders aus, doch sie enttäuschte Isabel nicht. Im Gegenteil, so erfrischend natürlich, ja beinahe draufgängerisch hatte Felipe noch nie ausgesehen. Er trug ein blütenweißes Scholarenhemd mit weiten Ärmeln, eine enganliegende schwarze Hose und neue Stulpenstiefel, deren Leder so weich war, daß sie über die Waden herabsanken, was ihm ein aufreizendes Aussehen verlieh. Sein dunkles Haar fiel ihm entsprechend der französischen Mode bis auf die Schultern und ließ sein Gesicht schmaler erscheinen. Was Isabel aber nie zuvor gesehen hatte: sein Hemd stand vorne offen und gab einen Teil seiner behaarten Brust preis. Da konnte man nur hoffen, daß der Kirchenbüttel nicht einschritt.

Isabel stieg vor Aufregung das Blut in den Kopf, und sie dankte ihrem Schöpfer, daß sie eine Mantilla angelegt hatte, die nicht nur ihr Haupt bedeckte, sondern auch ihr Gesicht, ihren Hals und ihre Schultern verhüllte. Das war nötig, weil sie zur Feier des Tages ein Kleid gewählt hatte, dessen Ausschnitt für den Kirchgang unmöglich, für den Bummel über die Feria jedoch genau das richtige war. Nachstarren sollte man ihr. Es konnte nur gut sein, wenn Felipe sah, welchen Eindruck sie auf die gefiederten Granden der Gesellschaft machte. Auch war sie ungemein stolz auf ihr neues Kleid, das aus grünlichblauem Seidendamast gefertigt und mit weinroten Samtstreifen besetzt war. Die Unterärmel waren geschlitzt, die Oberärmel gepufft. Am rechten Handgelenk trug sie eine kleine Pelzstola, welche die Aufgabe hatte, im Menschengewühl eventuell überspringendes Ungeziefer an sich zu locken und von ihrem Körper fortzuhalten.

Reichlich aufgeputzt, dachte Felipe, als er Isabel aus ihrem Haus heraustreten sah. Gerne hätte er ihr die Hand gereicht, doch es waren zuviel Menschen auf der Straße, die Anstoß daran genommen hätten, wenn er ihre innere Sammlung auf den Gottesdienst durch eine profane Handlung gestört haben würde.

Es ist scheußlich, wie verlogen wir alle miteinander sind, ging es ihm durch den Sinn, während er brav neben seinem Vater einherschritt und zu Isabel hinüberschielte, die ihren Kopf züchtig gesenkt hielt und ihm unauffällig zublinzelte.

Durch winklige und schmale Gassen führte der Weg zur Kathedrale, die nicht auf einer Anhöhe, sondern in einer Mulde errichtet war. Trotz ihrer wuchtigen Kirchenschiffe trat sie daher im Panorama der Stadt nur durch ihren fast hundert Meter hohen Turm in Erscheinung.

Auf den Stufen zum Hauptportal standen Gardisten, die jedes Gesicht aufmerksam musterten. Das rigorose Vorgehen des Heiligen Offiziums hatte die Sicherheit der Kirchenfürsten weitgehend gefährdet, und Ximenez de Cisneros, ein zum Erzbischof von Toledo aufgestiegener fanatischer Franziskanerpater, war nicht gewillt, den Weg des Pedro Arbues zu gehen, der am Hochaltar der Kathedrale von Zaragoza ermordet worden war. Seinen Hochaltar hatte Ximenez de Cisneros mit Söldnern umstellen lassen, deren schwarze Barette und blitzende Hellebarden furcherregend aussahen. Bis zu ihnen durften die Gläubigen vordringen, doch es war ein ungeschriebenes Gesetz, daß sich auch das nur angesehene Familien und Würdenträger erlaubten, von denen es in Toledo eine große Anzahl gab. Das Rauschen der seidenen Röcke und Klirren der Degen wollte kein Ende nehmen. Man verneigte sich kaum merklich voreinander, deutete Knickse an, ließ ein Lächeln erkennen, das flüchtig wie der Wind war, bewunderte neue Trachten und folgte dem Lauf der Messe mit jener müden Aufmerksamkeit, die allzuviel Dargebotenes nun einmal bewirkt.

Isabel de Toriji war an diesem Tage aber hellwach. Sie dankte dem Herrgott dafür, daß er Felipe auf so rätselhafte Weise gewandelt hatte, und sie sang das »Kyrie eleison« und »Ora pro nobis«, als seien es Ausrufe der Freude und nicht Bittgesuche.

Nach dem Kirchgang war es dann endlich so weit, daß Felipe und Isabel sich die Hand reichen konnten, ohne gegen Sitte und Anstand zu verstoßen. Die Menschen stürmten ins Freie, als habe der Teufel vom Gotteshaus Besitz ergriffen. Selbst die kriegerisch dreinblickende Garde hatte nichts anderes mehr im Sinn, als auf schnellstem Wege über die San-Martin- oder Alcantara-Brücke zum jenseitigen Ufer des Tajo zu gelangen, wo an Hunderten von Verkaufsständen die verführerischsten Waren angeboten wurden.

Als Felipes Vater, der Volksfeste nicht ausstehen konnte, sich verabschiedet hatte, schaute Isabel verliebt zu ihrem Freund auf. »Du siehst blendend aus!« flüsterte sie ihm zu.

Er deutete einen Kratzfuß an. »Das Kompliment zurückzugeben hieße Wasser zum Brunnen tragen.«

Sie streifte im Gehen verstohlen seine Hand. »Hast du oft an mich gedacht?«

»Teils, teils«, antwortete er hintergründig und grüßte zu einigen Bekannten hinüber, die ihm etwas zuriefen. »Anfangs haben mich die Gedanken an dich geradezu verfolgt. Dann aber hatte ich eine Arbeit zu schreiben, die mich Tag und Nacht beschäftigte, weil sie mir die Möglichkeit bot, die Aufmerksamkeit der Professoren zu erringen. Das Thema lautete: ›Der Geist des römischen Rechts‹. Nun, im Hinblick auf das autoritäre Gebaren der Reyes Católicos sowie der Inquisitionstribunale habe ich den Geist des besagten Rechtes so diplomatisch interpretiert, daß meine Arbeit das höchste Prädikat erhielt: ›summa cum laude‹!«

»Phantastisch!« begeisterte sich Isabel.

Felipe lachte. »Damit begann es aber erst.«

»Was?«

»Das, was ich mir vorgenommen hatte. Doch davon erzähle ich dir später.«

Isabel sah ihn bittend an. »Warum nicht jetzt?«

Felipe blieb bei einem alten Wasserverkäufer stehen. »Weil ein Klostergarten keine Arena und eine Feria kein Auditorium ist. Außerdem habe ich Durst. Du auch?«

»Nein, danke.«

»Einen Becher!« sagte er, an den Alten gewandt, und warf ihm eine Maravedí zu.

Isabel konnte nur staunen. So selbstsicher hatte sie Felipe noch nicht gesehen.

Er trank einen Schluck und schüttete den Rest des Wassers auf den Boden.

»Nun sag schon, was du dir vorgenommen hattest«, bat sie ihn erneut.

Er schüttelte den Kopf. »Jetzt bummeln wir über den Jahrmarkt, und dann suchen wir uns ein stilles Plätzchen, wo ich dir in Ruhe alles erzählen kann. Einverstanden?«

Da Felipes Vorschlag Isabels geheimen Plänen entgegenkam, stimmte sie sogleich zu. Beide stürzten sich nun ausgelassen in den Trubel der Feria, die sich vornehmlich durch ein brausendes Stimmengewirr und schreiende Händler auszeichnete, welche wie verwegene Abenteurer aussahen. Unter ihnen befanden sich Syrier, Italiener, Griechen, Ägypter und Armenier, die viele Sprachen radebrechten und, wenn man ihnen Glauben schenken durfte, höchstpersönlich nach Kleinasien und Indien gereist waren, um das Beste vom Besten einzukaufen.

Felipe hatte seinen Spaß an den Prahlereien der vagabundierenden Händler, doch als einer von ihnen erklärte, eigens nach China gefahren zu sein, um eine allein dort erhältliche, aus pulverisierten Perlen hergestellte Schönheitscreme zu erwerben, raunte er Isabel zu: »Soll ich dir sagen, woher er seine Ware hat? Von Räubern, die Handelsreisende überfielen!«

Das konnte Isabel nicht daran hindern, die gepriesene Creme zu kaufen, und Felipe ließ es sich nicht nehmen, Isabel mit einem herrlich duftenden Wasser zu beglücken, das in eine bauchige venezianische Flasche abgefüllt war. Von Stand zu Stand gingen sie. Überall wurden erlesene Wollstoffe, Brokate, Seiden, Felle, Spitzen, Vasen, Glasarbeiten, Schnitzereien und dergleichen angeboten. Auch Handwerkszeug, Ritterrüstungen, Lanzen und sonstige Waffen fehlten nicht, und da Jahrmarktshändler gemäß einem königlichen Dekret keine Steuer zu zahlen hatten, waren ihre Preise außergewöhnlich günstig. Darüber hinaus brauchte niemand zu befürchten, auf dem Heimweg von Banditen überfallen zu werden; denn während einer Feria waren im weiten Umkreis alle Zugangsstraßen von patrouillierenden Soldaten geschützt.

»Wie wäre es, wenn wir jetzt eine *Olla potrida* essen und dann den Rummel hinter uns lassen würden?« fragte Isabel, nachdem sie wohl an zwei Stunden umhergegangen waren.

»Ein guter Gedanke«, erwiderte Felipe, dem es bereits auf die Nerven fiel, immer wieder sehen zu müssen, wie Isabel angestarrt wurde. Warum trug sie nur ein so tief ausgeschnittenes

Kleid! Andererseits: Weshalb sollte sie nicht mit der Mode gehen? Er nahm sich ja auch die Freiheit, sein Hemd nicht bis zum Hals zuzuknöpfen.

Seine Auflehnung schlug plötzlich in warme Zuneigung um. Laß Isabel gewähren, sagte er sich. Sie weiß, was sie tut.

Das wußte sie wirklich und sogar so genau, daß sie ihren Gutsverwalter beauftragt hatte, sich zur Mittagszeit wie zufällig in dem Zelt aufzuhalten, in dem die Olla potrida serviert wurde.

Als Felipe den Mauren bemerkte, verdunkelte sich seine Miene. Ramon war ihm unheimlich, ohne daß er hätte sagen können, warum. Als er ihm vor Jahren zum erstenmal begegnet war, hatte er gestutzt und geglaubt, ihn zu kennen und einmal einen Streit mit ihm gehabt zu haben. Doch das war bestimmt nicht der Fall. Und dennoch: irgendwoher mußte er ihn in schlechter Erinnerung haben. Jedesmal, wenn sie sich die Hände reichten, lief es ihm kalt über den Rücken.

»Wie schön, Euch zu treffen«, rief Isabel, sich überrascht stellend, als sie den Gutsverwalter entdeckte. »Ihr könntet uns eigentlich nachher schnell nach Toriji fahren.«

»Ich stehe jederzeit zu Eurer Verfügung.«

Felipe ging mit der sprungbereiten Lässigkeit eines Panthers auf den Angesprochenen zu. »Freut mich, Euch zu sehen.«

Der Maure wandte sich an Isabel. »Möchtet Ihr Euch zu mir setzen?«

»Gerne«, antwortete sie und schlug ihren Fächer auf, um sich Luft zuzuwedeln.

Der Gutsverwalter verneigte sich. »Ich habe bereits gegessen. Die Olla potrida ist ausgezeichnet.«

»Riecht aber nach Ziegenstall«, warf Felipe aufsässig ein.

»Eben!« konstatierte Ramon trocken.

Felipe hätte sich auf die Zunge beißen mögen. Er wußte, daß die mit Wurst, Schinken und Geflügel angereicherte Gemüsesuppe erst als ausgezeichnet gilt, wenn ihr ein an einen Ziegenstall erinnernder Geruch anhaftet. Und nun hatte er mit seiner unüberlegten und aggressiven Bemerkung ungewollt die Richtigkeit der Behauptung unterstrichen, die Toledaner seien Apfelmusfresser. Um keine Antwort schuldig zu bleiben, rettete er sich mit der verkrampften Feststellung: »Der Lateiner sagt: ›Lucri bonus est odor ex re quallbet‹ – ›Der Geruch des Gewinnes ist gut, woher dieser auch stamme‹.«

Isabel spürte, daß Felipe sich verrannt hatte. Um ihm zu helfen, bat sie Ramon, sich um die Beschaffung der Suppe zu bemühen. Mit Genugtuung stellte sie dabei fest, daß der Auftrag ihn schockierte. Er war Gutsverwalter und kein Lakai; sie aber konnte es nicht lassen, ihn zu quälen. Selbst in dieser Stunde nicht. Ramon durchschaute sie jedoch und nahm die Demütigung wie eine ihm auferlegte Bürde hin. Nicht ohne Grund.

Isabels *Limpieza de sangre*, Reinheit des Blutes, stand außer Zweifel, und Gefolgsleute von Familien, die sich zu keiner Zeit mit Juden oder Arabern vermischt hatten, was angesichts der jahrhundertelangen Fremdenherrschaft nur wenige spanische Sippen von sich sagen konnten, brauchten nicht zu befürchten, eines Tages von den Schergen des Heiligen Offiziums abgeführt zu werden. Die Macht solcher Familien war unbeschränkt, und Ramon, der sich nach dem Ausweisungsdekret der Katholischen Majestäten sogleich hatte taufen lassen, von der christlichen Lehre aber nicht mehr wußte als etwa ein Katholik von islamischen Gesetzen, wurde das beklemmende Gefühl nicht los, in die Fänge der Inquisition zu geraten, wenn er Isabels Gunst verlieren sollte.

»Warum möchtest du, daß wir nach Toriji fahren?« erkundigte sich Felipe, als der Gutsverwalter gegangen war.

»Weil ich weiß, daß du leidenschaftlich gerne ein Pferd unter dir hast«, antwortete Isabel verheißungsvoll. »Ich habe einen Vollbluthengst gekauft, der dich begeistern wird. Sein Vater ist Orientale, seine Mutter eine englische Stute. Unglaublich schnell, sage ich dir.«

Felipe spitzte die Lippen. »Dann müssen wir natürlich nach Toriji fahren.«

Isabel fächelte sich Luft zu. »Und wie würdest du reagiert haben, wenn ich gesagt hätte: Ich möchte mich daheim in Ruhe mit dir unterhalten.«

Er lachte. »Das hätte ich dir nicht geglaubt.«

»Warum nicht?«

»Weil wir es uns dort ebensowenig wie hier erlauben könnten, dein Haus aufzusuchen. Und im Hof von Toriji ist es viel zu unruhig. Da haben wir noch nie . . .« Er unterbrach sich, da Ramon zurückkehrte.

Isabels blaugrüne Augen wurden lauernd wie die einer sprungbereiten Katze.

Sie haben über mich gesprochen, dachte der Gutsverwalter und bat darum, den Wagen fahrbereit machen zu dürfen.

Isabel nickte ihm zu. »Wir kommen, sobald wir gegessen haben.«

Eine halbe Stunde später saßen sie zu dritt in einem zweirädrigen *Essedum*, der von hinten bestiegen werden mußte und Ramon Gelegenheit bot, seine Fahrkunst unter Beweis zu stellen. Trotz gestreckten Trabes dirigierte er Pferd und Wagen elegant an Hindernissen und Unebenheiten vorbei, und Felipe, der noch nie mit dem Mauren gefahren war, konnte nicht umhin, ihm seine Anerkennung auszusprechen.

»Das habt Ihr großartig gemacht«, sagte er, als der Wagen in den Gutshof einfuhr, dessen Nordseite von einem breitgestreckten Herrschaftsgebäude begrenzt wurde. Rechts und links davon befanden sich die Stallungen, Scheunen und Vorratsspeicher, an welche sich die Unterkünfte für das Gesinde und das Haus des Verwalters anschlossen.

Isabel raffte ihr Kleid und sagte, an Felipe gewandt: »Ich ziehe mich schnell um. Du kannst dich inzwischen mit dem Hengst vertraut machen.«

»Und welches Pferd werdet Ihr nehmen?« fragte Ramon, der es für ausgeschlossen hielt, daß Isabel auf ihr Lieblingstier verzichten und sich mit einem weniger schnellen Pferd begnügen würde.

»Euren Araber!« antwortete sie gelassen und fügte, als sie die entgeisterte Miene des Mauren sah, sich erstaunt stellend hinzu: »Oder wollt Ihr mir Euren Schimmel nicht zur Verfügung stellen?«

»Doch, doch!« versicherte Ramon sogleich. »Ich befürchte nur . . . Ich meine, wenn ich nicht dabei bin . . .«

Isabel unterbrach ihn mit einer wegwerfenden Geste. »Etwas Lammfrommeres als Euren Araber gibt es doch gar nicht.«

Dem Gutsverwalter blieb nichts anderes übrig, als seiner Herrin zuzustimmen und zu hoffen, daß Felipe kein allzu scharfes

Tempo vorlegte; denn dann würde Isabel seinen Schimmel malträtieren. Und das war es, was er befürchtete.

Seine Sorge war unbegründet. Isabel hatte für ihren Wunsch nur weibliche Motive. Sie wollte sich wie Felipe kleiden und wußte, daß ein dunkler Faltenrock besser zu einem Schimmel paßt als zu einem braunen Pferd. Gewagt aber war es, daß sie zu ihrem Reitrock eine Bluse trug, die im Gegensatz zu Felipes Scholarenhemd eng anlag und ihre Brüste deutlich erkennen ließ. Und Isabel erreichte, was sie hatte erreichen wollen: beide Männer starrten sie fasziniert an, als sie aus dem Haus trat.

»Olé!« rief sie übermütig und ging mit schnellen Schritten auf den Schimmel zu, der von ihrem Gutsverwalter gehalten wurde.

Sie hat den Teufel im Leib, dachte Felipe, der nicht wußte, ob er Isabels Mut bewundern oder ihr Verhalten verdammen sollte.

Eines Tages werde ich die Beherrschung verlieren, schoß es Ramon durch den Kopf.

Isabel blieb dicht vor ihm stehen und sah ihn spöttisch an. »Wo sind Eure Gedanken?«

Der Gutsverwalter beeilte sich, seine Hände ineinanderzulegen und in Kniehöhe vorzustrecken, so daß Isabel einen Fuß hineinstellen und sich auf das Pferd heben lassen konnte.

»Fertig?« fragte sie mit einem Blick zu Felipe hinüber.

Der nickte. »Welche Richtung schlagen wir ein?«

»Das wirst du schon sehen!« antwortete sie und preschte davon.

Felipe hatte Mühe, ihr zu folgen. Sie steigerte den Galopp gleich zur Karriere und stürmte über einen karstigen Hügel hinweg der Sierra de Gredos entgegen, schwenkte dann aber plötzlich nach Süden und schaute lachend zurück.

Möchte wissen, was sie vorhat, fragte sich Felipe und steigerte das Tempo seines Pferdes, um an Isabels Seite zu gelangen. Ihr rötlich schimmerndes Haar wehte wie eine Fahne. Ihre Augen sprühten Funken. Aus dem Maul ihres Schimmels tropften Flokken. Mit einem gewaltigen Schwung setzte sie über einen Graben hinweg, überquerte eine Landstraße und jagte weiter.

»Sei vorsichtig!« rief Felipe, der sich nun zurückhielt. Er hatte erkannt, daß er mit seinem Bemühen, an Isabels Seite zu gelangen, das Tempo nur steigerte.

Isabel jubelte. Der Tag sollte Klarheit über ihre Zukunft bringen, und wenn nicht alles täuschte, hatte die Zeit das Ihre getan. Felipe war selbstbewußt geworden.

Noch einen scharfen Endspurt zwang sie dem Araber ab, dann erreichte sie den Tajo kurz vor der Stelle, an der er in eine tiefe Schlucht eindringt.

»Was ist nur in dich gefahren?« keuchte Felipe atemlos, als er sein Pferd neben dem ihren zum Stehen brachte.

Sie strich sich über die Stirn und schaute zu den Felsen der Sierra hinüber, die im Licht der Nachmittagssonne zu glühen schienen. »Ist es nicht schön hier?«

Er nickte. »Gewiß, aber ich habe dich etwas gefragt.«

Sie ließ sich von ihrem Schimmel gleiten und der Länge nach zu Boden sinken. »Frag nicht soviel, sondern küß mich. Fast ein Jahr ist es her, seit ich deine Nähe verspürte. Glaubst du, ich hätte mich all die Monate hindurch mit einer Fata Morgana begnügt, um dich nun hoch zu Roß bewundern zu dürfen?«

Felipe sprang von seinem Pferd und beugte sich mit auf die Hüfte gestemmten Händen über Isabel. »Ich muß schon sagen, Señorita, das frivole Geplapper Eurer verführerischen Lippen will mir nicht gefallen.«

Sie streckte ihm die Arme entgegen. »Bitte, küß mich!«

Er stellte sich empört. »Das kommt überhaupt nicht in Frage. Erst die Rosse, dann die Weiber, lautet ein alter Spruch.« Damit wandte er sich um und führte die Pferde zum Fluß, wo er sie an einen Baum band.

Isabel beobachtete Felipe und fragte sich, ob Temperamentlosigkeit oder Beherrschtheit ihn befähige, ihrer Aufforderung nicht zu folgen.

Er hingegen dachte belustigt: Jetzt stellt sie die verrücktesten Überlegungen an und versucht herauszufinden, warum mich ihr verlockendes Angebot nicht zu einem miauenden Kater gemacht hat. Die Vorstellung, sich liebestoll wie jenes Tier zu gebärden, ließ ihn plötzlich auflachen.

In der Annahme, Felipe mache sich über sie lustig, erhob sich Isabel, lief auf ihn zu und trommelte ungestüm gegen seine

Brust. »Lachst du etwa darüber, daß ich dich bat, mich zu küssen?«

Er nahm ihren Kopf in die Hände und betrachtete sie mit unverkennbarem Behagen. »Es ist phantastisch, wie gut dir die Erregung steht.«

Sie griff in den Ausschnitt seines Hemdes. »Küß mich, oder ich zerreiße dein Leinen!«

Felipe hätte auch ohne diese Drohung nicht widerstehen können. Er zog Isabel an sich und schloß ihre Lippen.

Beider Lider senkten sich. Die Erde hörte auf, für sie zu bestehen. Ein wohliges Gefühl durchströmte ihre Körper. Es war, als dehnten sich ihre Glieder, als fielen sie tiefer und tiefer in ein weiches Kissen. Immer verwirrender wurden ihre Empfindungen, bis Felipe sich zusammenriß und gewaltsam von Isabels Lippen löste.

»Jetzt hätten wir uns beinahe gegenseitig erstickt«, stöhnte er schwer atmend.

Isabel öffnete die Augen und konnte ein Lachen nicht unterdrücken. »Weißt du, wie du aussiehst? Wie ein nach Luft schnappender Fisch.«

»Wäre ich doch einer!« entgegnete er vergnügt. »Dann tummelte ich mich jetzt im kühlen Wasser. Schau nur, wie blau der Tajo hier ist.«

Sie öffnete den Halsausschnitt seines Hemdes um einen weiteren Knopf.

»Du bist aber ganz schön frech.«

Isabel gab sich burschikos. »Was würdest du erst sagen, wenn ich dich aufforderte, mit mir zusammen ein Bad zu nehmen?«

Seine Augen weiteten sich. »Unbekleidet?«

Sie zupfte an seinen Brusthaaren. »Warum nicht?«

Felipe stockte der Atem. »Mir scheint, du hast den Verstand verloren«, entgegnete er in seiner Verblüffung und fügte hastig hinzu: »Ich werde dir jetzt lieber von Salamanca und dem berichten, was ich mir vorgenommen hatte.«

Isabel war zu ernüchtert, um etwas erwidern zu können. Der Boden, auf dem sie stand, war plötzlich entzaubert; Sand und Staub lagen zu ihren Füßen. Die Sonne strahlte nicht mehr golden, sondern hatte den Glutblick des Erbarmungslosen. Im Gehölz schrumpften die Blätter wie die Leidenschaft in ihrem Herzen.

Felipe wies auf einen Strauch, an dem einige Cistrosen blühten. »Wollen wir uns dorthin setzen?«

Isabel nickte.

»Bist du beleidigt?«

»Das dürfte nicht die richtige Bezeichnung sein«, entgegnete sie schärfer, als sie wollte. »Ich schwebte auf einer rosaroten Wolke, und du hast mich auf die Erde zurückfallen lassen. Setzen wir uns also. Ich werde ganz Ohr sein und deinen Ausführungen mit der gebührenden Aufmerksamkeit lauschen.«

Felipe riß sie an sich. »Sei keine Närrin, Isabel. Es ist doch nicht so, daß ich ein Eisblock bin. Im Gegenteil, dein Vorschlag war verlockend und machte mich ratlos. Da bin ich ausgewichen.«

Ihre Augen erhielten den alten Glanz zurück. »Ist das wahr?«

»Ganz gewiß!«

»Dann höre ich dir gerne zu.«

Er gab ihr einen Kuß und führte sie zu dem Strauch, in dessen Schatten sie Platz nahmen.

»Daß ich eine Arbeit über den Geist des römischen Rechts zu schreiben hatte, sagte ich dir bereits«, begann Felipe nach kurzer Überlegung.

»Und du hast das Prädikat ›summa cum laude‹ erhalten!«

»Richtig. Und darauf hatte ich spekuliert. Anders ausgedrückt: ich schuftete wie nie zuvor. Um jeden Preis wollte ich die höchste Anerkennung erringen, um dann, wenn man mir öffentlich Lob gespendet hatte, eine Arbeit in Angriff zu nehmen, deren Thema ich selber wählte. Es lautete: ›Über die Rechte des Untertanen dem König gegenüber‹.«

Isabel sah ihn belustigt an. »Du meinst: Die Rechte des Königs seinen Untertanen gegenüber.«

»Eben nicht!« ereiferte sich Felipe. »Volk und Herrscher, beide haben Rechte! Und beide haben Pflichten! Ich mußte mir die Seele freischreiben und die Verhältnisse in unserem Land anprangern, und ich habe es getan, indem ich nachwies, daß gemäß dem, was ich in meiner mit höchstem Lob ausgezeichneten Arbeit darlegte, unserem Volk seitens der Katholischen Majestäten

und der Inquisition jedes Recht genommen ist und eine Recht-
losigkeit geschaffen wurde, die nicht nur dem Geist des viel-
gerühmten römischen Gesetzes widerspricht, sondern auch
unvereinbar ist mit der Lehre Christi, in dessen Namen hier
Schindluder getrieben wird.«

Isabel starrte Felipe fassungslos an. »Hast du den Verstand
verloren? Man wird dich einsperren!«

Felipe lachte wie jemand, dem ein Streich geglückt ist. »Wenn
ich in Salamanca geblieben wäre, bestimmt. Ich kehre dorthin
aber nicht zurück. Jurisprudenz hat in unserem Land nur noch
mit Verlogenheit zu tun. Ich habe das Studium abgebrochen und
werde in Toledo bleiben.«

»Und du glaubst, daß dir hier nichts geschieht?«

»Bestimmt nicht«, antwortete Felipe selbstsicher. »Solange
mein Vater Familiare ist, wird mich niemand antasten. Wer es
wagte, würde von ihm beziehungsweise von seinen Kollegen denunziert werden. Das ist das Absurde an meiner Geschichte: ich
bin Nutznießer jenes Apparates geworden, den ich wegen seiner
Verworfenheit angegriffen habe.«

»Hoffentlich täuschst du dich nicht.«

»Auch noch aus einem anderen Grund wird man sich hüten,
mich zu belästigen«, fuhr Felipe unbeirrt fort. »Die Reinheit des
Blutes unserer Sippe ist erwiesen und amtlich beglaubigt. Wahrscheinlich verdanken wir unsere ›Limpieza de sangre‹ dem be-
trüblichen Umstand, zu allen Zeiten so arm gewesen zu sein, daß
weder Juden noch Mohammedaner Lust verspürten, sich mit uns
zu liieren. Was immer aber der Grund gewesen sein mag, in Toledo werde ich unangefochten bleiben.«

Isabel blieb skeptisch. »So glücklich ich darüber bin, dich in
meiner Nähe zu wissen, ich habe Angst um dich, Felipe. Wenn
du zu Papier gebracht hast, was du andeutetest . . .« Sie rang die
Hände. »Das kann nicht gutgehen!«

Er legte seinen Arm um ihre Schulter. »Sei unbesorgt. Ich
habe meinem Vater bereits reinen Wein eingeschenkt, und er
wäre kein Familiare, wenn er mich nicht zuerst in die Hölle ver-
wünscht, dann aber einen durchtriebenen Plan entwickelt hätte.
Er wird, wie er mir erklärte, dem Erzbischof zu verstehen geben,
ich hätte eine ›fatale‹ Schrift verfaßt, um dem Rektor der Uni-

versität und dessen Freund, dem Domherren von Salamanca, Ärger zu bereiten. Beide sind Conversos jüdischer Abstammung, und wer ihnen Dreck in die Suppe wirft, ist für Ximenez de Cisneros ein von Gott gesandter Engel. Im Augenblick vielleicht noch mehr, weil besagter Domherr, ein Freund üppiger Feste und auserwählter Kurtisanen, wider unseren Erzbischof streitet, der bekanntlich gegen das Konkubinat der Priester ankämpft. Was aber noch günstiger ist: die Kurie von Salamanca hat Garcia de Tapata aufgenommen, der hier im Jeronimitenkloster während der Messe beim Heben der Hostie immer unverfroren murmelte: ›Hoch, kleiner Peter, zeig dich den Leuten!‹«

»Und wenn er Beichtenden die Absolution erteilte, drehte er ihnen den Rücken zu!«

Felipe nickte. »Einer solchen Kreatur geschieht nichts. Die schlimmste Sünde, der man heute bezichtigt werden kann, ist die, in der Wahl seiner Eltern nicht vorsichtig genug gewesen zu sein. Hundertsechzigtausend Juden und Mauren wurden des Landes verwiesen. Von ihnen kassierten die Reyes Católicos hundertsechzigtausend kleine und mittlere Besitzungen. Das genügt ihnen jedoch nicht. Ihren maßlosen Appetit müssen nun die Inquisitionstribunale stillen, die systematisch all jene Juden und Mauren unter die Lupe zu nehmen haben, welche sich bereitwillig taufen ließen. Jetzt kommen die großen Brocken an die Reihe: das Hab und Gut der Advokaten, Mediziner, Kaufleute und Bankiers. Ein todsicheres Geschäft ist das; denn wie sollen sich über Nacht getaufte Juden und Mohammedaner in der christlichen Lehre auskennen? Zwangsläufig unterlaufen ihnen Fehler, die ihnen zunächst die Freiheit, dann ihr Vermögen und schließlich Kopf und Kragen kosten werden.

Isabel bewunderte Felipe, ihr hellwacher Verstand sagte ihr aber auch, daß seinem zornigen Denken und Handeln jener gefährliche, anmaßende Stolz zugrunde liege, der einst die kastilianische Familie Quiro verleitet hatte, ihr Wappen mit dem Spruch zu krönen: ›Bevor Gott war und die Berge, waren die Quiros Quiros.‹

Felipe ergriff Isabels Hand. »Wo sind deine Gedanken?«

Sie sah ihm in die Augen. »Ich frage mich, was du in Zukunft tun willst.«

Er erhob sich und ging einige Schritte auf und ab. »Das ist nicht so einfach zu sagen. Du wirst vielleicht lachen, aber zunächst dachte ich daran, Theologie zu studieren.«

Isabel verschlug es beinahe die Stimme. »Mich wolltest du sitzenlassen?«

Felipe lachte. »Ich hätte dich dann bestimmt zu meinem Konkubinchen gemacht!«

Sie verneigte sich vor ihm wie bei einem Hofknicks. »Keine Sekunde zweifle ich daran, daß du das Format eines Kardinals besitzt. Gewiß hattest du eine ähnliche Laufbahn ebenso geplant wie das Prädikat ›summa cum laude‹, das du so zielstrebig erkämpftest und nach Erhalt mutig an das Kreuz schlugst.«

»Ich staune über dein Kombinationsvermögen«, entgegnete Felipe anerkennend und setzte sich wieder zu Isabel. »Tatsächlich habe ich mir vorgestellt, was ich tun würde, wenn ich Kardinal wäre. Als erstes würde ich dann dafür sorgen, daß der Inhalt der päpstlichen Bullen, die Sixtus IV. und Innozenz VIII. an die Reyes Católicos schickten, dem Volk nicht unbekannt blieben. Jeder müßte wissen, daß diese Päpste gegen die Inquisition protestierten. Sixtus verdammte das Heilige Offizium, weil es, wie er in seiner Bulle erklärte, Reichtümer dadurch zu gewinnen trachtet, daß es Christen und Nichtchristen in Gefängnisse wirft und sie nach endlosen Qualen in theaterhaft aufgezogenen Autodafés* vor aller Welt und den Augen des spanischen Königspaares vernichtet.«

* Ursprünglich: (span.) Auto de Fe, (port.) Auto da Fé = Akt des Glaubens. Autodafés waren Glaubensgerichte, bei denen Beschuldigte öffentlich verurteilt und bestraft wurden. Vorliegenden Berichten zufolge verbrannte man in Spanien von 1481 bis 1808 insgesamt 34658 Menschen; 288214 erhielten lebenslänglichen Kerker. Der Verbrennung fiel anheim, wer nicht zugab, getan zu haben, wessen man ihn anschuldigte, wobei dem Betroffenen teuflischerweise die gegen ihn erhobene Anschuldigung nicht bekanntgegeben wurde. Erklärte der Unglückliche auf dem Weg zum Scheiterhaufen in seiner Not, schuldig zu sein und seine Sünden zu bereuen, so wurde ihm die ›Gnade‹ zuteil, vor dem Entzünden des Feuers erwürgt zu werden. Es wurde *in persona* verbrannt, wenn man des Angeschuldigten habhaft war; *in absentia*, wenn der Angeklagte nicht aufgegriffen werden konnte (man aber sein Vermögen kassieren wollte); *in effigie*, wenn beispielsweise ein schon vor Jahren Verstorbener (dessen Hinterlassenschaft man zu erringen suchte) symbolisch durch das Verbrennen eines ihn darstellenden Bildes ausgemerzt werden sollte.

»Dann müßtest du aber auch bekanntgeben, daß Sixtus seine Bulle schon wenige Wochen später annullierte.«

»Und warum tat er es?« erregte sich Felipe. »Weil die Katholischen Majestäten in ihrer Selbstherrlichkeit die Frechheit besaßen, dem Papst zu drohen. Machen wir uns doch nichts vor, Isabel. Es gibt in Spanien zur Zeit keinen kirchlichen Würdenträger, der Rom unterstützen und damit unserem Volk helfen könnte. Die meisten fürchten um ihre Pfründe, und viele müssen schweigen, weil ihr Blut ›unrein‹ ist. Ich erinnere nur an den Erzbischof Hernando de Talavera. Er war wahnsinnig genug, die Wahrheit auszusprechen, woraufhin ihn die Inquisition prompt verhaften ließ. Er stammt ja nur von Conversos ab. Zu irgendeiner Zeit gab es mal einen Juden in seiner Familie. Nun schmachtet er mit seiner Schwester und seinem Neffen, dem Dekan der Kathedrale von Granada, im Gefängnis.«

»Und was hat das alles mit dir zu tun?« fragte Isabel beklommen.

»Nichts«, antwortete Felipe. »Ich wollte dir lediglich erklären, wieso ich zunächst auf den Gedanken kam, Priester werden zu wollen. Mein Blut ist rein; man könnte mich nicht ohne weiteres einsperren und mundtot machen.«

Isabel lachte hellauf. »Du wolltest das Heilige Offizium gewissermaßen von innen aufbrechen?«

»Eine hübsche Formulierung.«

»Und warum hast du den Plan fallengelassen?«

Felipe warf einen Stein über den Fluß. »Aus verschiedenen Gründen. Vor allen Dingen aber, weil ich dich als Kardinal nicht heiraten könnte. Und als Konkubine wärst du mir zu schade. Da habe ich mir gesagt: Mach etwas Reelles. Beschäftige dich mit der Landwirtschaft. Vielleicht kommt eines Tages jemand, der . . .«

Isabel warf sich aufjauchzend über ihn. »Willst du wirklich meinen lang gehegten Wunsch erfüllen?«

Er legte seine Arme um ihre Taille. »Was bleibt mir anderes übrig? Wir leben in einer Zeit, in der man sich des Wertes eines geliebten Menschen nicht genug bewußt sein kann.«

Isabel küßte ihn stürmisch. »Und wann heiraten wir?«

»Von mir aus schon morgen.«

»Mach mich noch heute zu deiner Frau.«

An Felipes Schläfen schwollen die Adern. Er hörte das Summen seines Blutes. Ein Zittern durchlief ihn.

Isabel liebkoste seine Lippen. »Komm«, flüsterte sie. »Ich liebe dich und will nicht mehr warten.«

Er versuchte, sich in die Gewalt zu bekommen. »Aber wir können doch nicht hier . . .«

Sie schloß seinen Mund.

Er rang nach Luft, machte sich frei und wälzte sich zur Seite, so daß Isabel nicht mehr über ihm lag.

Sie zog ihn an sich.

Es darf nicht sein, hämmerte es in ihm. Wir müßten es beichten. Beichten? Warum eigentlich? Mit welchem Recht verlangt man das von uns? Die Vereinigung von Liebenden ist doch gottgewollt. »Würdest du es beichten?« fragte er plötzlich, ohne sich dessen bewußt zu sein.

Isabels Augen weiteten sich.

Er erschrak über seine eigenen Worte. »Entschuldige, mir ging eben alles mögliche durch den Kopf. Da habe ich . . .«

»Schon gut«, unterbrach sie ihn und dachte: Er grübelt sogar in solcher Stunde. Ramon würde jetzt . . . Ein Stich ging ihr durchs Herz. Wie konnte sie in dieser Minute an den Gutsverwalter denken!

Felipe spürte Isabels Körper. Er verlor die Kraft, sich zu überwinden. Wozu auch? Weshalb sich gegen den höchsten Ausdruck der Liebe sträuben? »Laß uns ein Bad nehmen«, sagte er mit plötzlich veränderter Stimme.

Isabel hielt den Atem an. Felipe hatte die Führung übernommen.

»Bis gleich«, flüsterte er ihr ins Ohr. »Ich ziehe mich drüben hinter dem Strauch aus. Wir treffen uns im Wasser.«

Seine Rücksichtnahme beeindruckte Isabel. Das hinderte sie jedoch nicht daran, Felipes Vorhaben zu durchkreuzen. Sie lenkte seinen Weg zum Fluß in ihre Richtung.

Später, als sie gebadet hatten und erfüllt vom Mysterium der ersten Vereinigung in der Sonne lagen, dachte Isabel wie erlöst: Es ist gut, daß ich auf Felipe gewartet habe.

Er schaute zu ihr hinüber, sah ihr entspanntes Gesicht und

genoß es, sie heimlich zu beobachten. Noch nie war sie ihm so schön erschienen wie in dieser Stunde. Ihre hohe Stirn, ihre zart-geschwungenen Augenbrauen, ihre rassig geschnittene Nase und ihre ausdrucksvollen Lippen begeisterten ihn.

»Sag mir etwas«, bat Isabel, ohne die Augen zu öffnen.

Felipe küßte sie.

»Ich möchte deine Stimme hören.«

Sollte er wie Millionen in solcher Stunde stammeln: Ich liebe dich!

»Weißt du nichts?«

»O doch. Zum Beispiel . . .«, er blickte zu dem Strauch hin-über, in dessen Schatten sie sich umarmt hatten, ». . . daß genau über der Stelle, an der wir vorhin lagen, eine wunderschöne Cistrose blüht.«

»Wirst du sie mir pflücken?«

Er erhob sich. »Uns! Wir werden sie aufbewahren. Sie soll uns für immer an den heutigen Tag erinnern.«

Die Sonne neigte sich schon dem Horizont entgegen und ließ die Schründe an den Steilhängen der Sierra de Gredos gespen-stisch hervortreten, als Isabel und Felipe gemächlich nach Toriji zurückritten. Erfüllt vom Erlebten, dachten beide nicht mehr an den stürmischen Galopp des Nachmittages. Die Pferde gingen nun im Schritt, und es sah aus, als behage ihnen dies nicht son-derlich. Jedenfalls schüttelten sie hin und wieder unwillig ihre Köpfe und schnaubten in einer Weise, daß man hätte meinen können, sie nähmen Anstoß an dem Gespräch des jungen Paares, das sie nach Hause trugen.

»Der Klerus hat uns viel von unserer Natürlichkeit genommen und uns eine Erosfeindlichkeit eingepflanzt, die in scharfem Kontrast zur mohammedanischen Sinnlichkeit steht«, erklärte Felipe auf eine Frage Isabels nach der Ursache der unterschied-lichen Lebensauffassungen der Bewohner Spaniens. »Darin liegt die wachsende Zwietracht innerhalb unseres Volkes begründet. Auf Grund des Ediktes über die Reinheit des Blutes bilden wir Altchristen uns ein, über die Neuchristen zu stehen, was zur Folge hat, daß wir es angesichts unserer bis in den Himmel gelobten Überlegenheit des Blutes ohne Widerspruch hinnehmen, Tag für Tag vorgebetet zu bekommen, daß Geschlechtslust Sünde ist und Sünde gebiert. Es ist also kein Wunder, daß wir der natürlichen Sinnlichkeit der Mauren nur ein gequältes Gewissen entgegenzusetzen haben.«

Isabel tätschelte den Hals ihres Schimmels. »Ließ dein gequältes Gewissen dich fragen, ob ich es beichten würde?«

»Ja und nein«, antwortete Felipe, ohne zu zögern. »Die Frage drängte sich mir auf, als ich mich von dem freizumachen versuchte, was ich gequältes Gewissen nenne. Das sitzt nämlich auch in mir, obwohl ich mich bemühe, die Dinge nüchtern zu betrachten. Wahrscheinlich steckt es in jedem Christen. Wir nehmen es gewissermaßen mit der Muttermilch in uns auf. Hinzu kommen unverantwortliche Redereien, die einem blindwütigen Fanatismus entspringen. Pater Adalbero zum Beispiel, der doch bestimmt ein herzensguter Mann ist, nahm mich vor meiner ersten Reise nach Salamanca zur Seite und bemühte sich, mich davon zu überzeugen, daß Weiber schlechthin Werkzeuge des Satans seien. Unter anderem sagte er wörtlich: ›Jede Frau ist mit einem Monatsleiden behaftet, vor dem du dich ekeln wirst, wenn du es kennenlernst. Ist sie aber frei davon, dann rate ich dir gut, dich stets daran zu erinnern, daß sie es gehabt hat und wieder haben wird. Nur so kannst du dich vor dem schützen, was verliebt macht und eine Ausgeburt des Teufels ist.‹«

»Hör auf!« rief Isabel unwillig.

»Entschuldige«, erwiderte Felipe und blickte zum Himmel hoch. »Sprechen wir von erfreulicheren Dingen. Zum Beispiel von andalusischen Nächten.«

»Und von Sevilla, das einer schönen Frau gleichen soll«, fiel Isabel lebhaft ein.

Felipe schaute sie verliebt an. »Wollen wir einen Abstecher dorthin machen?«

»Es wäre mein Traum! Aufgeschlossenheit, Temperament, Tanz, Kastagnetten . . .«

»Die erlesensten Speisen gibt es dort!« begeisterte sich Felipe. »Dazu köstliche Weine, die von blonden Sklavinnen kredenzt werden.«

»Gibt es die immer noch?«

»Gegen die sündhaften Allüren der Mauren hat das Episkopat in luxuriösen Gaststätten nichts einzuwenden. Bischöfe haben schließlich auch Gäste, denen sie etwas bieten müssen, und es ist nun einmal eine Augenweide . . .«

»Woher weißt du das?« unterbrach Isabel ihn auf der Stelle.

Felipe wollte gerade antworten, als vor ihnen auf der Landstraße ein alter Vagabund aufsprang.

»Señor! Señora!« rief er aufgeregt. »Welch ein Glück, Euch zu treffen. Schon lange warte ich darauf, vornehmen Menschen zu begegnen. Ich habe etwas anzubieten, von dem ich mich leider trennen muß. Darf ich es Euch zeigen?«

Felipe wollte den Alten schon abweisen, doch Isabel hielt ihr Pferd an. »Um was handelt es sich?«

»Um etwas sehr Kostbares«, antwortete der Landstreicher und griff nach einem Sack, der an einem Strick über seiner Schulter hing. »Ich besitze ein Schmuckstück, das aus Ägypten stammen soll. Man hat mir gesagt, es sei uralt; älter als alle Einwohner von Toledo zusammen«, fügte er meckernd lachend hinzu. »Da habe ich's schon«, fuhr er redselig fort. »Wenn ich mir nicht geschworen hätte, nach Santiago de Compostela zu pilgern, um dem heiligen Jakob dafür zu danken, daß er gegen die maurischen Hurensöhne gekämpft hat, gäbe ich den Anhänger niemals her. Aber mein Weg ist weit. Da brauche ich Geld.«

Isabel saß wie erstarrt auf ihrem Pferd. Der Vagabund zeigte ihr ein Medaillon mit einem blauen Käfer, der eine runde Scheibe hielt. »Woher habt Ihr das?« fragte sie tonlos.

Das Gesicht des Alten verdüsterte sich. Hatte er einen Fehler gemacht? War er an Leute geraten, denen man besser aus dem Wege geht? »Ich weiß es nicht mehr genau«, antwortete er ausweichend. »Wir würfelten. Um Wein. Da hat jemand, der nichts anderes besaß, diesen Anhänger eingesetzt. Er trug ihn am Hals. Und ich habe ihn gewonnen. Der Verlierer schwor mir bei der Muttergottes von Montserrat, ihn ehrlich erworben zu haben.«

»Gib mal her«, sagte Felipe.

Isabel streckte dem Alten die Hand entgegen.

Der reichte ihr das Schmuckstück nur zögernd. Irgend etwas stimmte damit nicht. Wo immer er den vermaledeiten Anhänger verkaufen wollte, bekam er Ärger.

Isabel übernahm das Medaillon, als wäre es eine kostbare Reliquie. Form und Aussehen waren ihr so vertraut, daß sie glaubte, einer Halluzination zu erliegen.

»Das ist ja ein Skarabäus!« rief Felipe erstaunt.

»Ein was?« fragte Isabel, die dieses Wort nie zuvor gehört hatte.

»Ein Skarabäus! So heißt ein Käfer, der den alten Ägyptern heilig war. Ich weiß es zufällig von einem Studienkameraden, der mir ein Amulett mit einem Skarabäus zeigte. Obwohl es bei weitem nicht so schön war wie das da, hat es mich ungemein beeindruckt. Als ich es zum erstenmal sah, bildete ich mir ein, es zu kennen. Das war natürlich Unsinn.«

»Du wirst es nicht für möglich halten«, entgegnete Isabel erregt, »aber mir ist es eben genauso ergangen. Ich bekam richtig eine Gänsehaut.«

Felipe drängte sein Pferd näher an sie heran. »Darf ich mal sehen?«

Isabel reichte ihm das Medaillon, wobei von ihrer Hand ein kleiner Funke zu ihm übersprang. »Was war das?« fragte sie verblüfft und rieb die Spitze ihres Mittelfingers.

Felipe schaute überrascht auf. »Hast du auch einen Stich verspürt?«

»Und wie!«

Er betrachtete seine Hand. »Seltsam.«

Der Vagabund räusperte sich. »Was ist, Señor? Gefällt Euch der Anhänger?«

»Sehr sogar. Was soll er kosten?«

Isabel sah Felipe erwartungsvoll an. »Du willst das Medaillon kaufen?«

»Wäre es nicht eine schöne Erinnerung an den heutigen Tag?«

Die Augen des Alten blitzten. »Wären fünf Dukaten zuviel?«

»Mir scheint, Ihr seid nicht gescheit«, entgegnete Felipe unwillig. »Fünf Goldstücke sind ein Vermögen. Aber ich will großzügig sein und zahle einen Dukaten.«

Dem Landstreicher klopfte das Herz vor Aufregung. Der Betrag würde ausreichen, um monatelang Wein trinken zu können. Mit einer Miene, hinter der das Lachen wie ein in einen Regenschauer hineinfallender Sonnenstrahl stand, erwiderte er krächzend: »Mein Schicksal liegt in Eurer Hand. Ich will einverstanden sein, wenn ihr in Maravedis zahlt. Mit einem Goldstück kann ich nichts anfangen. Jeder würde behaupten, ich hätte es gestohlen.«

»Und Ihr wolltet mir fünf Dukaten abluchsen?«

Das faltenreiche Gesicht des Vagabunden verzog sich zu einem breiten Grinsen.

Felipe gab Isabel das Medaillon zurück und schnallte seinen Geldbeutel ab. »Ich werde Euch den Betrag in kleinen Münzen geben. Einige Reals werdet Ihr aber in Kauf nehmen müssen.«

Der Alte rieb sich die Hände. »Die kann ich eintauschen.«

Das Geschäft war schnell abgewickelt, und Isabel preßte den Anhänger an sich, als hätte sie ein königliches Geschenk erhalten.

»So glücklich?« fragte Felipe belustigt.

»Unbeschreiblich!« antwortete sie. »Aber jetzt müssen wir uns beeilen, sonst kommen wir noch in die Dunkelheit.«

Er ließ sein Pferd anlaufen. »Übernachtest du heute auf dem Gut oder in der Stadt?«

»Glaubst du, ich würde ohne den Skarabäus einschlafen können? Wir fahren schnurstracks zur Feria und kaufen ein passendes Kettchen dazu.«

Felipe hob warnend den Finger. »Trag das Medaillon aber nicht sichtbar über der Kleidung!«

Sie sah ihn groß an. »Warum nicht?«

»Ist der Skarabäus ein christliches oder ein heidnisches Symbol?«

»Um Gottes willen, daran habe ich nicht gedacht«, entgegnete Isabel erschrocken. »Hältst du es für besser, ihn überhaupt nicht anzulegen?«

Felipe schüttelte den Kopf. »Unter dem Kleid sieht ihn ja niemand. Betrachte das Medaillon als Amulett.«

Beide spürten plötzlich, wie sehr ihnen die Freiheit des Handelns genommen war. Isabel bedrückte dies noch mehr als Felipe, da sie unwillkürlich an den provozierenden Schriftsatz dachte, den er dem Rektor der Universität von Salamanca überreicht hatte. Felipe gehörte jetzt zu ihr. Ihm durfte nichts geschehen.

Es ist unbegreiflich, daß wir vor den Nachfolgern der Jünger Christi Angst haben müssen, ging es ihr durch den Sinn. Man könnte meinen, sie seien die einzigen, die das Wort Gottes nicht begriffen haben.

Felipe deutete zum schnell dunkelnden Himmel empor und beschleunigte das Tempo. »Wir schaffen es gerade noch.«

Isabel nickte. Ihre stumme Reaktion ließ ihn aufmerken. »Bedrückt dich etwas?«

»Ich habe nur ein wenig gegrübelt«, erwiderte sie ausweichend.

»Und was beschäftigt dich?«

Um keine Antwort schuldig zu bleiben, entgegnete sie: »Ich fragte mich, wie das Medaillon wohl nach Spanien gekommen sein mag.«

Felipe dirigierte seinen Hengst an einem Hindernis vorbei. »Da gibt es viele Möglichkeiten. Ein Soldat aus Karthago könnte es mitgebracht haben. Vielleicht auch ein römischer Legionär. Oder ein Mohammedaner, der mit Tarik* in unser Land einfiel.«

»Dann möchte ich, daß ein Römer es mitgebracht hat«, erwiderte Isabel versonnen.

Felipe stutzte. »Weshalb?«

»Weil sie uns nicht so fremd sind. Viele unserer Denker und Dichter fanden erst in Rom den richtigen Nährboden. Zum Beispiel Seneca, Lukan und Quintilian. Auch Martial, der den Rat erteilte: ›Lebe heute, morgen wird es zu spät sein.‹«

Sie ist eigenartig verändert, dachte Felipe betroffen.

Er täuschte sich nicht. Isabel war es zumute, als habe sich eine schwere Hand auf ihre Schulter gelegt.

Die im Refektorium des Klosters San Juan de los Reyes versammelten Mönche glichen einem aufgescheuchten Bienenschwarm. Das höllische Entsetzen hatte sie gepackt. Der Fami-

---

* Der Felsen, an dessen Fuße Tarik widerstandslos auf die Halbinsel übersetzen konnte, trägt noch heute seinen Namen: Jebel-al-Tarik = Berg des Tarik = Gibraltar.

liare Rodrigo de Toledo, ein aus ärmlichen Verhältnissen stammender ehemaliger Gerichtsdiener, war kurz nach Einbruch der Dunkelheit in einer Gasse, die zur Plaza de Zocodover führte, ermordet worden. Das einzige Wort, das er noch hatte hervorbringen können, als Passanten ihn fanden, war »Conversos!« gewesen.

Selbst wenn der als Spitzel im Dienste der Inquisition stehende Familiare den verhängnisvollen Hinweis nicht gegeben hätte, würde kein Angehöriger des Klosters daran gezweifelt haben, daß Neuchristen die schändliche Tat begangen hatten. Nur Conversos konnten ein Interesse daran haben, den wegen seiner Eifrigkeit und Schärfe gefürchteten Vertrauten des Heiligen Offiziums ins Jenseits zu befördern. Offen blieb lediglich die Frage, ob der Täter unter den getauften Juden oder Mauren zu suchen sei. Hierüber wurde eifrig diskutiert. Während die Dominikaner die Juden verdächtigten, waren die Franziskaner aus dem Gefolge des Erzbischofs Ximenez de Cisneros der Meinung, im gegenwärtigen Zeitpunkt seien besonders die Mauren darauf aus, den Klerus zu ängstigen und das Volk zu beunruhigen. Dem widersprachen die ›bissigen Hunde des Herrn‹, wie die Dominikaner genannt wurden, und es entwickelte sich eine erregte Debatte, in der die Rivalität zwischen den beiden Orden deutlich zutage trat.

Die lebhafte Diskussion nahm ein plötzliches Ende, als eine Falsettstimme das Nahen des Erzbischofs meldete. Wie immer, so jagte sein Erscheinen auch in dieser Stunde allen einen Schauer über den Rücken. Schon das langsame Schlurfen seiner Sandalen hatte einen unheimlichen Klang und paßte so gar nicht zu der hageren, asketischen Gestalt des Kirchenfürsten, der auf das Bischofsornat verzichtete und die grobe Franziskanerkutte trug, deren Kapuze er niemals zurückstreifte, sondern weit in das Gesicht fallen ließ. Sein finsteres Aussehen wurde noch durch ein fast gelähmtes Lid gesteigert, das sein rechtes Auge bis zur Hälfte verdeckte. Nur mit äußerster Willenskraft vermochte er es hochzureißen; dann aber fühlte sich jeder, den er ansah, durchbohrt von dem fanatischen Feuer, das in ihm loderte.

Die Arme in seinen weiten Ärmeln verschränkt, verließ der

Vierundsechzigjährige die Klosterkapelle, um sich zum Refektorium zu begeben, das jenseits des Kreuzganges lag. Außer seinen schlurfenden Schritten war kein Laut zu hören.

Jetzt gleichen sie wieder erstarrten Salzsäulen, dachte Ximenez de Cisneros geringschätzig, als er sich dem Saal näherte. Er verachtete seine Untergebenen, verachtete überhaupt alle Menschen.

Grußlos betrat er den Raum und ging auf einen von Kerzen erhellten Tisch zu, hinter dem er in einem Sessel mit hoher Rückenlehne Platz nahm. Seine Arme blieben verschränkt in seiner Kutte. Der flackernde Schein der Flammen ließ sein Gesicht gespenstisch erscheinen.

Der Kustode des Ordens gab den versammelten Mönchen das Zeichen, sich zu setzen. Danach verneigte er sich mit gefalteten Händen vor dem Erzbischof und sagte: »Hochwürdiger Herr! Die furchtbare Nachricht von der Ermordung unseres Vertrauten Rodrigo . . .«

». . . zwingt uns und so weiter und so weiter«, unterbrach ihn Ximenez de Cisneros mit eisiger Stimme. »Aug um Auge, Zahn um Zahn! Ein Altchrist ist fünfzehn Conversos wert. Ich bitte um die Listen.«

Ein Dominikaner erhob sich und legte dem Kirchenfürsten zwei Folianten vor. »Die der Juden . . . Die der Mauren . . .«, hauchte er dabei untertänig.

Der Erzbischof ließ die erste Liste aufschlagen, las aber nicht die Namen der darin aufgeführten Personen, sondern die hinter diesen vermerkten Steuerbeträge.

Samuel Cohn verdient ein Sündengeld, ging es ihm durch den Sinn. Er wird als letzter an die Reihe kommen. Ein Schwein schlachtet man erst, wenn es sein höchstmögliches Gewicht erreicht hat.

Nach kurzem Zögern nannte Ximenez de Cisneros fünf Namen, die ein Franziskaner sorgfältig notierte.

Dann deutete er mit einer Kopfbewegung auf den zweiten Folianten und fragte: »Wurde der Sohn des Ermordeten verständigt?«

»Noch nicht«, bedauerte der Kustode. »Wir ermittelten, daß er am frühen Nachmittag mit Señorita Isabel de Toriji zu deren

Gut gefahren ist. Die Straßenwache wurde beauftragt, ihn bei seiner Rückkehr zu verständigen.«

Für den Bruchteil einer Sekunde hob sich das fast gelähmte Augenlid des Erzbischofs. »Rodriges Sohn verkehrt mit Isabel de Toriji?«

»Der Ermordete deutete mir gegenüber einmal an, daß die beiden zu heiraten beabsichtigen. Er war nicht glücklich darüber. Das Vermögen der Señorita störte ihn.«

Weil er ein Trottel war, dachte Ximenez de Cisneros verächtlich. Ein Trottel, wie er im Buche steht. Erzählt mir da von einem gefährlichen Schriftsatz, den sein Sohn aus taktischen Gründen aufgesetzt haben soll, verschwieg jedoch, daß sein Filius nach den Sternen greift und einer der vermögendsten Männer des Landes werden will. Aber darüber ist das letzte Wort noch nicht gesprochen. Unverzüglich werde ich seine Schrift anfordern und sie gründlich studieren. Allem Anschein nach schickt mir der Himmel hier eine unerwartete Hilfe. Toriji! Welch ein Besitz! Welch idealer Ausgangspunkt für den geplanten Feldzug gegen die Mauren.

Was immer der Erzbischof tat und dachte, er verfolgte einen für sein Alter ungeheuer ehrgeizigen und kostspieligen Plan. Er wünschte Kardinal und Großinquisitor von Spanien zu werden und dann nach Afrika überzusetzen, um den Arabern zur Strafe für ihr sündhaftes Leben Oran zu entreißen und ihnen das Wort Gottes zu verkünden. Jedes Mittel, dieses Ziel zu erreichen, war ihm recht, und so zögerte er keine Sekunde, den Sohn des ermordeten Familiares in seine Pläne einzubeziehen.

An den Kustoden gewandt, flüsterte er: »Ermittelt die Beichtväter der jungen Leute.«

Die Augenbrauen des Angesprochenen hoben sich.

»Ihr habt mich verstanden?«

»Ja, Hochwürdiger Herr!«

»Kein Wort darüber!«

Der Kustode schluckte. »Sehr wohl, Hochwürdiger Herr.«

»Und nun die Liste der Mauren.«

Der auf der anderen Seite des Erzbischofs stehende Dominikaner legte den bereits aufgeschlagenen Folianten vor.

Ximenez de Cisneros nahm die Hände aus den Ärmeln seiner

Kutte und fuhr mit knöchernem Finger an den Namen der getauften Mohammedaner entlang, bei denen er sich jedoch nicht, wie zuvor, für die entrichteten Steuerbeträge, sondern für die Stellung interessierte, die sie bekleideten. Zehn Namen wählte er aus, als er sie aber genannt hatte und sich zurücklehnen wollte, stutzte er plötzlich und beugte sich erneut vor. ›Verwalter des Gutes Toriji‹ hieß es da hinter dem Namen ›Ramon de Sidi Mimoun‹. Wahrhaftig, der Himmel meinte es gut mit ihm. Ungeachtet der Unantastbarkeit der Señorita de Toriji, konnte er nun auf legalem Wege einen Fuß auf den Boden ihres Gutes setzen.

Während Isabel sich umkleidete und Ramon den zweirädrigen Essedum fahrbereit machte, unterhielt Felipe sich mit Elena, der hübschen Frau des Gutsverwalters. Sie stammte aus Cadiz, der *Tazita de plata*, dem ›Silbertäßchen‹, wie die herrliche Stadt am Ufer des Atlantiks genannt wurde.

Von der vielleicht ein wenig zu üppigen, jedoch wohlproportionierten Frau Ramons war Felipe sehr angetan. Bei ihr hatte er immer den Eindruck, als habe sie sich, ohne zu resignieren, damit abgefunden, in einer nicht ihrer Vorstellung entsprechenden Welt zu leben.

»Und was machen die Kinder?« fragte er, nachdem er sich nach ihrem persönlichen Wohlbefinden erkundigt hatte.

Sie lächelte und schwenkte eine für den Wagen bestimmte Laterne wie ein Mädchen, das seine Verlegenheit zu verbergen sucht. »Beide sind mächtig gewachsen. Francisco wurde in der vorigen Woche dreizehn, und Barbara wird im Dezember elf Jahre alt. Sie gehen meinem Mann schon tüchtig zur Hand.«

»Ich beneide Euch«, erwiderte Felipe, der mit einem Male zu wissen glaubte, weshalb er sich zu Elena hingezogen fühlte. Sie strahlte jene Wärme aus, die er bei seiner verhärmten Mutter vergeblich gesucht hatte.

»Wir sind auch sehr glücklich«, entgegnete Ramons Frau zufrieden. »Und wir würden uns wie im Paradies fühlen, wenn wir nicht ständig Angst vor der Inquisition haben müßten.«

»Das braucht Ihr doch nicht«, erklärte Felipe beruhigend. »Toriji ist tabu. Von hier wird so schnell niemand fortgeholt.«

Sie verzog ihr Gesicht. »In der letzten Woche ist der Verwalter der Besitzung Morentes verhaftet worden.«

Felipe glaubte nicht richtig zu hören. »Wißt Ihr das bestimmt?«

Elena nickte. »Damit ist der erste Riegel zum Vermögen der Morentes beiseite geschoben, sagt mein Mann.«

»Wieso das?«

»Dem Verwalter eines Gutes werden bekanntlich ein Haus und bestimmte Teile des von ihm kultivierten Bodens unentgeltlich zur Verfügung gestellt. Das Heilige Offizium setzt aber alles, was unentgeltlich zur Verfügung gestellt wird, mit ›Besitz‹ gleich und kann es somit beschlagnahmen und enteignen, wenn . . .«

»Das ist unmöglich!« entfuhr es Felipe. »Besitz und Eigentum sind himmelweite Unterschiede.«

»Für die Herren der Inquisition offensichtlich nicht«, entgegnete Elena bitter und schaute zur Remise hinüber, wo Ramon das Pferd einspannte. »Einen Riegel nach dem anderen werden sie zur Seite schieben, sagt mein Mann. Bis alle Güter kassiert sind.«

Felipe hob beschwörend die Hände. »Ich rate Euch dringend, so etwas nicht auszusprechen. Außerdem seht Ihr die Dinge viel zu schwarz!«

Elena zuckte die Achseln. »Hoffentlich.«

Als Ramon bald darauf mit dem Wagen erschien und von seiner Frau die Laterne entgegennahm, erweckte seine Gegenwart erstmalig keine Auflehnung in Felipe. Im Gegenteil, er fühlte sich ihm plötzlich auf unerklärliche Weise verbunden und empfand im Schweigen zwischen ihnen eine Beredsamkeit, die Unterschiede ihres Wesens und ihrer Herkunft in den Hintergrund drängte.

»Wie wäre es, wenn Eure Frau mit zur Feria fahren würde?« sagte er im Bestreben, dem Verwalter eine Freude zu bereiten.

Das Gesicht des Mauren glühte im Schein der Laterne. »Ich weiß nicht, ob Señorita Isabel damit einverstanden sein wird.«

»Selbstverständlich!« antwortete Felipe und wandte sich an Elena. »Lauft und holt Eure Mantilla. Die Sache ist abgemacht. Ihr werdet mit uns fahren.«

Ramon wußte vor Überraschung nicht, was er sagen sollte. Allem Anschein nach hatte das junge Paar zueinander gefunden, und er brauchte nicht mehr zu befürchten, von der Señorita weiterhin gequält und womöglich eines Tages entlassen zu werden. »Ich hole die Mantilla«, erklärte er schnell und eilte davon.

Elena blickte strahlend hinter ihm her. »Wenn er glücklich ist, muß er immer etwas tun.«

Isabel, die es sich nicht hatte verkneifen können, nochmals ihr verführerisches Kleid vom Vormittag anzuziehen, kehrte in den Hof zurück. Sie war sehr damit einverstanden, daß Felipe Ramons Frau aufgefordert hatte, ihren Mann zu begleiten, und so waren alle in bester Stimmung, als der Wagen in die von einer schmalen Mondsichel nur spärlich erhellte Nacht hinausfuhr. Im Geiste sahen sich beide Paare schon ausgelassen tanzen.

Doch kaum rückte das erregende Bild der von flackernden Öllampen erhellten Verkaufsstände näher, da wurde das Fahrzeug von einem der zum Schutz der Zugangsstraßen eingesetzten Gardisten angehalten. »Ist einer der Caballeros der Sohn des Familiares Rodrigo?« fragte er mit gewichtiger Miene.

»Ja«, antwortete Felipe verwundert. »Der bin ich. Weshalb fragt Ihr?«

»Wir erhielten Weisung, Euch zu bestellen, daß Ihr sogleich das Kloster San Juan de los Reyes aufsuchen sollt. Man wünscht Euch dringend zu sprechen.«

Felipe blickte betroffen von einem zum anderen. »Was mag das zu bedeuten haben?«

»Bestimmt nichts Gutes«, antwortete Ramon. »Am besten fahren wir schnellstens dorthin.«

»Wißt Ihr, warum man Rodrigos Sohn zu sprechen wünscht?« fragte Isabel den Gardisten.

Der schüttelte den Kopf. »Keine Ahnung.«

Felipe spürte, daß es etwas Niederschmetterndes sein würde. »Fahrt los!« forderte er den Gutsverwalter auf.

Isabel tastete verstohlen nach seiner Hand. Das Kloster San Juan war der Sitz des Erzbischofs. Die Aufforderung, in dessen Domizil vorzusprechen, war ihr nicht geheuer. Ging es um den Schriftsatz, den Felipe dem Rektor der Universität von Salamanca übergeben hatte?

Warnrufe ausstoßend, jagte Ramon über die San-Martin-Brücke hinweg. Auf dem rauhen Kopfsteinpflaster ging das Klappern der Hufe im Lärm der Räder unter.

Auch Felipe fragte sich, ob seine ›fatale‹ Arbeit die Ursache der unvermittelten Aufforderung sein könnte.

Die Gasse wurde so eng, daß der Wagen nicht weiterfahren konnte. Ramon hielt an und übergab Felipe die Laterne.

Der nahm sie wie in Trance entgegen.

»Ich warte hier auf Euch.«

Felipe nickte und eilte davon.

Isabel lief hinter ihm her. »Nun übertreib doch nicht«, rief sie unwillig. »Man will dich sprechen, hat der Gardist gesagt. Weiter nichts.«

Felipe blieb stehen. »Gewiß. Aber mich hat eine furchtbare Unruhe gepackt.«

Sie ergriff seine Hand. »Was immer auch sein mag, du weißt, daß ich zu dir gehöre!«

Er warf ihr einen dankbaren Blick zu.

Wenig später betätigte Felipe die Glocke der Klosterpforte, die gleich darauf geöffnet wurde. Ein Bruder fragte nach dem Begehr und setzte, als er hörte, wen er vor sich hatte, eine unverkennbare Trauermiene auf.

Mit Vater ist etwas geschehen, schoß es Felipe durch den Kopf.

»Kommt«, sagte der Mönch nach kurzem Zögern. »Ich führe Euch zum Kustoden. Die Señorita muß aber draußen bleiben.«

Das weiß ich selber, dachte Isabel, übernahm die Laterne und entgegnete betont: »Ich werde auf meinen Verlobten warten.«

Felipe stutzte. Warum stellte sie ihre Zugehörigkeit zu ihm so heraus?

Der Franziskaner schloß die Pforte und führte Felipe durch einen Bogengang zur Bibliothek des Klosters, wo sich der Ordensvorsteher mit einigen Fratres aufhielt.

Felipe verneigte sich vor ihnen.

Der Kustode ging mit schräggelegtem Kopf auf ihn zu und begrüßte ihn so salbungsvoll, daß die Schmerzlichkeit der nachfolgenden Mitteilung offensichtlich wurde.

In verkrampfter Haltung vernahm Felipe, was geschehen war.

Wie aus weiter Ferne hörte er die gurgelnde Stimme des Vorstehers, der über des Allmächtigen Wille, über Asche, Staub und Ewigkeit sprach. In Felipe aber hämmerte es mit jedem Pulsschlag: Das ist die Strafe Gottes! Die Strafe Gottes!

Verwirrt fuhr er sich über die Augen. Er war seinem Vater nicht sonderlich zugetan gewesen. Wie hätte es auch anders sein können, bei einem Mann, der in jungen Jahren, als ein Blitz in seiner Nähe einschlug, den Schwur geleistet hatte, seine Frau nie wieder anzurühren, wenn das Gewitter ihn verschonen würde. Er hatte seinen Schwur gehalten. Seine lebenslustige Frau aber wurde verhärmt darüber und er selber zu einem verbitterten Sonderling, der im Aufspüren von Glaubenssündern seine Befriedigung fand.

Es war nur zu natürlich, daß Felipe für seinen Vater nie echte Zuneigung hatte empfinden können. Aber er hatte ihn geachtet; sein Entsagen entsprach der Haltung des christlichen Caballeros, der für Gottes Ruhm kämpft und sich selbst ein leidgeprüftes, asketisches Leben auferlegt. Und er bewunderte seinen Vater, der sich niemals einen persönlichen Wunsch erfüllt und eine Maravedi nach der anderen gespart hatte, nur um seinem Sohn das Studium zu ermöglichen. Wahrhaftig, er konnte seinem Vater nicht dankbar genug sein, und es war gewiß von tiefer Bedeutung, daß dieser an genau dem Tage, da er, Felipe, sich ohne kirchlichen Segen mit Isabel vereinigt hatte, ermordet worden war.

Gott straft dich, dröhnte es in seinen Ohren. Deine Sünde wird mit dem Tod des Mannes vergolten, der als einziger in der Lage gewesen wäre, dir Schutz zu gewähren, wenn die Inquisition dich wegen deiner aus krankhaftem Ehrgeiz und geistiger Überheblichkeit verfaßten Schrift zur Rechenschaft ziehen sollte.

Felipe war es, als schwanke der Boden unter seinen Füßen. Die Gewölbedecke der Bibliothek schien sich zu drehen. Irgendwer reichte ihm Wasser. Man fragte ihn etwas. Er verstand kein Wort und bat darum, die Frage zu wiederholen.

Der Kustode legte ihm die Hand auf die Schulter. »Ich sagte, daß wir gleich morgen früh eine Totenmesse für Euren Vater administrieren werden. Wünscht Ihr die Sakramente zu empfangen?«

»Ja, gewiß«, antwortete Felipe, noch halb benommen.

»Einer unserer Fratres kann Euch die Beichte abnehmen.«

Felipe blickte betroffen auf. Er sollte beichten? Jetzt sollte er beichten? »Ich bitte um Nachsicht, aber im Augenblick bin ich beim besten Willen nicht in der Lage . . .«

»Ich verstehe!« beeilte sich der Vorsteher zu versichern. »Vielleicht ist es auch richtiger, wenn Ihr die Sakramente in der ›Missa pro defunctis‹ empfangt, die der Erzbischof übermorgen in der Kathedrale Primada zelebrieren wird. Ihr habt dort gewiß einen Beichtvater, nicht wahr?«

»Nein, ich vertraue mich seit meiner Kindheit dem Pater Adalbero an.«

»Ach ja, ich erinnere mich, daß Ihr zum Kirchspiel Santa Maria la Blanca gehört. Eure Braut ebenfalls?«

Felipe nickte und dachte: Woher weiß er von Isabel? Dann fiel ihm ein, daß sein Vater über sie gesprochen haben könnte, und er vergaß die seltsame Frage. In seinem Unterbewußtsein blieb sie jedoch haften.

Später, als er das Kloster verließ und Isabel plötzlich vor sich stehen sah, hätte er sie am liebsten umklammert und Trost bei ihr gesucht. Doch das Licht der Laterne, die sie hob, um sein Gesicht sehen zu können, fiel auch auf sie selbst. Angsterfüllt schaute sie ihn an. Wo hatte er sie schon einmal so gesehen? Der Ausdruck ihrer schreckgeweiteten Augen verwirrte ihn. Nie zuvor hatte sie so vor ihm gestanden, und dennoch kannte er ihren wie in höchster Not auf ihn gerichteten Blick.

»Ist etwas geschehen?« fragte Isabel beklommen.

Felipe sah ihre verführerischen Lippen. Die glutvolle Stunde des Nachmittages drängte sich ihm auf. Er schloß die Augen. In ihm dröhnte es: Gott straft dich! Du mußt entsagen! Im Verzicht liegt der Verdienst!

Im Verzicht? Das hatte er doch ebenfalls schon einmal gehört.

Isabel griff nach seinem Arm. »Ich flehe dich an, sag, was ist geschehen?«

»Mein Vater wurde ermordet!«

Sie stellte die Laterne auf den Boden. Ihre Knie wurden weich. Sie umarmte Felipe. »Um Gottes willen, wer hat das getan?«

»Conversos.«

Sie war wie gelähmt.

Seine Gedanken verwirrten sich. Was war nur mit ihm?

»Conversos?« wiederholte Isabel. Wieviel Familienväter mochten nun wieder ›abgeholt‹ werden. Aber was gingen sie die Neuchristen an. Sie hatte reines Blut und brauchte nichts zu befürchten. Felipe ebenfalls nicht. Oder doch? Sein Vater konnte ihn jetzt nicht mehr schützen. »Was wirst du tun?« fragte sie unwillkürlich.

Er nahm die Laterne an sich, sah Isabels Gesicht und empfand ihre Schönheit plötzlich als etwas Lasterhaftes. Was hatte Pater Adalbero ihm gesagt, als er sich vor Jahren von ihm verabschiedete . . .?

Adalbero! Zu ihm mußte er gehen. Jetzt gleich. Ohne Absolution für die am Nachmittag begangene Sünde glaubte Felipe nicht mehr leben zu können. »Wir müssen beichten«, stieß er hervor. »Gott hat unser Vergehen mit dem Tod meines Vaters bestraft.«

Isabel sah ihn fassungslos an. War das Felipe, der da sprach?

»Am besten gehen wir zusammen und bekennen, was wir getan haben«, beschwor er sie.

Er hat einen Schock erlitten, sagte sich Isabel und entgegnete kurz entschlossen: »Über die Beichte sprechen wir morgen. Jetzt können wir nichts anderes tun, als zu Ramon zurückzugehen. Im ersten Schmerz soll man keine Entschlüsse fassen. Bist du nicht auch dieser Meinung?«

»Gewiß«, antwortete er und dachte: Sie hat recht. Ich bin am Ende meiner Kraft.

Während Felipe unruhig den Wohnraum seines verstorbenen Vaters durchwanderte und Isabel ausdruckslos zur Decke ihres Schlafzimmers emporblickte, hielt ein Wagen mit zwei Hellebardiers und vier Mitgliedern der Kongregation des heiligen Pedro Martyr vor dem Haus des Gutsverwalters Ramon, der kurz darauf aus seinem Bett getrieben und ohne jede Erklärung im Namen des Heiligen Offiziums verhaftet wurde. Wohl gestattete man ihm, sich anzukleiden und Nahrungsmittel sowie eine

Decke mitzunehmen, man trennte ihn jedoch sogleich von seiner Frau und seinen Kindern, denen ein *Abogado de los presos*, ein von der Inquisition bestellter Verteidiger der Gefangenen, nachdrücklich erklärte, daß es als Unterschlagung angesehen werde, wenn sie dem Sekretär des Tribunals, der auf der Stelle eine Liste aller in Gewahrsam der Familie befindlichen festen und beweglichen Gegenstände auszufertigen habe, auch nur einen einzigen Löffel, ein Tuch oder Hemd verschweigen würden. Alles, was die Familie besitze, sei zu beschlagnahmen, um die Ernährung des Angeklagten sowie anfallende Prozeßkosten sicherzustellen.

Es war bewundernswert, mit welcher Haltung Elena und ihre Kinder diese Schmach über sich ergehen ließen. Gewiß, sie weinten still vor sich hin, aber kein Wort der Klage oder des Protestes wurde laut. Jeder machte seine Angaben, wie es von ihm erwartet wurde, und Ramon, der sich klopfenden Herzens hatte abführen lassen müssen, würde von grimmiger Freude erfüllt gewesen sein, wenn er seine Familie hätte sehen und hören können.

»Ihr seid seltsam gefaßt«, sagte der Advokat, an Elena gewandt, nachdem er sie eine Weile beobachtet hatte.

Sie tupfte sich Tränen aus den Augen.

»Gibt es dafür einen besonderen Grund?«

Elena hob ihren Kopf. »Ich verstehe Eure Frage nicht.«

Die Miene des Anwaltes wurde lüstern. »Es soll Señoras geben, die gar nicht so traurig sind, wenn ihr Mann . . .«

Elena bekreuzigte sich hastig. »Der Herrgott ist mein Zeuge dafür, daß ich meinen Gatten innig liebe.«

Der Abogado kniff die Lider zusammen. »Und was gibt Euch die Kraft, in dieser für Euch doch wahrlich schweren Stunde nicht zu jammern und zu klagen? Ihr solltet mir nichts verschweigen. Ich bin der Anwalt Eures Mannes. Je mehr ich weiß, um so besser ist es für ihn.«

Elena dachte an das, was Ramon ihr und den Kindern seit langem eingeschärft hatte. »Ich weiß nicht, wie ich es Ihnen erklären soll«, entgegnete sie nach kurzem Zögern. »Schwere Tage liegen hinter uns. Mein Mann redet seit einiger Zeit oft völlig unverständliche Dinge.«

»Er ist nicht mehr ganz richtig im Kopf?«

»O nein, das wäre zuviel gesagt«, wandte Elena schnell ein. »Er leidet nur zeitweilig unter Umnachtungen.«

»Ich verstehe«, erwiderte der Anwalt. »Ihr wart gewissermaßen darauf vorbereitet, daß er Euch über kurz oder lang würde verlassen müssen.«

Elena verbarg ihr Gesicht in den Händen. Ihre Nerven begannen zu rebellieren.

Francisco legte wie schützend seinen Arm um sie.

Eine hübsche Frau, dachte der Advokat. Vielleicht sollte ich etwas für sie tun. Wenn ihr Mann nicht ganz normal ist . . . Aber nein, dann laufe ich nur Gefahr, von irgend jemandem verdächtigt zu werden. Lieber verzichte ich, zumal ich ohnehin nichts ändern kann. Das Schicksal dieser Familie ist so oder so besiegelt.

»Ramon wurde abgeholt!« rief Isabel außer sich, kaum daß Felipe die Tür seiner Wohnung geöffnet hatte. Die Nachricht war ihr so in die Glieder gefahren, daß sie sich entgegen allen Regeln des Anstandes sofort auf den Weg zu ihm gemacht hatte.

Felipe sah sie entgeistert an.

»Was soll ich tun?« jammerte Isabel verzweifelt.

Er griff sich an die Stirn. Was ging ihn Ramon an? Eine ganze Nacht hindurch hatte er vergeblich versucht, mit dem Tod seines Vaters fertig zu werden und Klarheit in seine Gedanken zu bringen. Aber mußte er Isabel nicht bitten einzutreten? Angesichts der Ermordung seines Vaters und der Verhaftung ihres Verwalters konnte es ihnen niemand verübeln, wenn sie sich besprachen. »Komm herein und erzähl der Reihe nach, was geschehen ist«, entgegnete er spröde.

Isabel folgte ihm in die Wohnung. Sie vermied es jedoch, Platz zu nehmen, und berichtete in aller Ausführlichkeit, was sie erfahren hatte. Dabei erinnerte sich Felipe unwillkürlich an das Gespräch, das er am Abend zuvor mit Ramons Frau geführt hatte; es gelang ihm aber nicht, einen klaren Gedanken zu fassen. In seine Überlegungen drängte sich immer wieder die Vorstellung, von Gott, der offensichtlich nun auch in Isabels Leben eingegriffen hatte, für die am Tage zuvor begangene Todsünde bestraft zu werden. Doch dann nahm er sich zusammen und sagte: »Elena erzählte mir gestern, daß ihr Mann die Verhaftung des Verwalters der Familie Morentes als den ersten Griff nach deren Vermögen bezeichnet habe.«

»Ich weiß«, erwiderte Isabel nervös. »Wir haben ausführlich darüber gesprochen. Wie recht er hatte, beweist die Tatsache, daß alles, was meine Eltern beziehungsweise ich Ramon und dessen Familie zur Verfügung stellten, in einer Liste erfaßt und für beschlagnahmt erklärt wurde. Aber das nehme ich nicht widerspruchslos hin. Ich werde mich zur Wehr setzen. Bei der Reinheit des Blutes unserer Familie . . .«

»Nachdem Gott uns gezeigt hat, wessen er mächtig ist, dürfte es besser sein, an die Reinheit unserer Seelen zu denken!« unterbrach Felipe sie heftig.

Isabel sah ihn betroffen an. War er immer noch nicht über den Schock hinweggekommen? Sie begriff ihn nicht mehr. Wie stark ihn die Ermordung seines Vaters auch getroffen haben mochte, er durfte sein bisheriges Denken und Empfinden nicht verraten.

»Bist du anderer Auffassung?« fragte Felipe, als Isabel nichts erwiderte.

»Keineswegs«, antwortete sie einlenkend. »Ich bin allerdings der Meinung, daß die Reinheit unserer Seelen nicht in Frage gestellt ist.«

»Du stehst auf dem Standpunkt, nicht gesündigt zu haben?«

Isabel antwortete mit einer Gegenfrage. »Hast du unser Tun gestern nachmittag für Sünde gehalten?«

Felipe spürte, daß er in eine Sackgasse gedrängt werden sollte. »Entscheidend ist, was wir taten«, entgegnete er ausweichend.

»Gewiß«, erwiderte Isabel. »Du solltest dich aber daran erinnern, daß du auf dem Heimritt von der natürlichen Sinnlichkeit der Mauren sprachst, der wir Christen, wie du dich ausdrücktest, nur ein gequältes Gewissen entgegenzusetzen haben. Gequältes Gewissen, sagtest du! Mach dich frei von ihm. Bedien dich deines Denkvermögens, das dir nicht gegeben wurde, um es ungenutzt zu lassen. Das ist ebenfalls Sünde!«

Felipe trat an das Fenster und schaute auf die trostlos graue Mauer des gegenüberliegenden Hauses. »Ich kann dir nicht wi-

dersprechen, vermag aber auch meine Erziehung nicht zu ignorieren. Nach den Gesetzen der Kirche haben wir eine Todsünde
begangen, und ich fordere dich auf, diese mit mir bei Pater Adalbero zu beichten.«

»Wir können doch nicht zusammen . . .«

»Warum nicht?« unterbrach Felipe sie energisch. »Adalbero
kennt uns seit unserer Kindheit, und ich möchte, daß wir morgen
in der Totenmesse, die der Erzbischof persönlich zelebrieren
wird, gemeinsam das Sakrament empfangen.«

Seine Worte hatten eine erstaunliche Wirkung. Isabel sah sich
plötzlich an Felipes Seite zur Kommunionbank schreiten.
Schwarz gekleidet, ihr Gesicht wie Marmor unter einem
Schleier. Ganz Toledo würde wissen, daß sie und Felipe zusam-
mengehörten. »Ich habe nicht alles richtig bedacht«, beeilte sie
sich zu erwidern. »Natürlich kommen wir um eine Beichte nicht
herum. Vielleicht ist es wirklich das beste, gleich zu Pater Adalbero zu gehen. Dann haben wir es hinter uns gebracht.«

Felipe reichte Isabel die Hand. »Ich danke dir.«

Sie lächelte verkrampft.

Er sah ihre verführerischen Lippen und schaute zu Boden.
Weshalb irritierte ihn ihre Schönheit mit einem Male so sehr?
»Also gehen wir«, sagte er im Bestreben, seine Verwirrung zu
verbergen. »Wir können uns dabei über Ramon unterhalten, um
dessentwillen du ja zu mir kamst. Wahrscheinlich ist es das beste,
wenn du einen Anwalt aufsuchst.«

»Würdest du mich zu ihm begleiten?«

»Selbstverständlich«, erklärte er bereitwillig.

Seine Antwort erleichterte Isabel. Auf dem Weg zur nahe gelegenen Kirche Santa Maria la Blanca aber dachte sie weder an
Ramon noch an das, was unmittelbar vor ihr lag. Sie überlegte
vielmehr, welches Kleid sie zum Requiem anziehen sollte.

Im Gegensatz zu Isabel beschäftigte Felipe sich intensiv mit
seiner Beichte. Es war gar nicht so einfach, in Worte zu kleiden,
was er getan hatte. Doch dann wurde er aus seinen Gedanken
herausgerissen. Der hochbetagte Franziskaner stand vor dem
Portal der Kirche und ergriff sogleich Felipes Hände, um Worte
des Beileids, des Trostes und der Erbauung an ihn zu richten.
Danach blickte er jedoch skeptisch zu Isabel hinüber und fragte:

»Ihr wollt beide zu mir?«

»Ja«, antwortete sie unsicher.

Adalberos Miene umwölkte sich. »Etwa beichten?«

Felipe nickte.

Der Pater drehte sich um und stieß die Kirchentür heftig wie im Zorn auf.

Isabel und Felipe folgten ihm.

In der im Mudejar-Stil erbauten Kirche schob der Franziskaner seinen früheren Schüler wie einen Verbrecher in Richtung auf die Sakristei zu. »Ich hab's kommen sehen«, schimpfte er böse und fuhr Isabel plötzlich grob an: »Du wartest hier!«

Nun überlegte auch Isabel, wie sie sich ausdrücken sollte. Doch sie beschäftigte sich nicht allzulange mit der Gewissenserforschung, da eine Gedenktafel, derzufolge die Kirche unter König Pedro I. von einem maurischen Architekten im Auftrage eines Juden erbaut worden war, ihre Gedanken in eine andere Richtung lenkte. Daß es eine Zeit gegeben hatte, in der Christen, Araber und Juden friedlich miteinander vereint gewesen waren, erschien ihr geradezu phantastisch.

Felipe kehrte mit hochrotem Kopf aus der Sakristei zurück.

Bei seinem Anblick verlor Isabel viel von ihrer Selbstsicherheit. Als Pater Adalbero aber wenig später von ihr verlangte, genau zu schildern, was und wie sie es getan habe, war sie nahe daran aufzubegehren. Scham und Empörung kämpften in ihr. Sie begriff plötzlich, daß sich der Papst, wie allgemein erzählt wurde, große Sorge über die *de sociliatione ad libidinem in actu confessionis** machte. Wenn jüngere Priester Fragen stellten, wie Adalbero es tat, mußte es zu Anfechtungen kommen.

Nach Erteilung der Absolution trat der Pater mit verbissener Miene aus der Sakristei. Schweiß stand ihm auf der Stirn. Welch ein Morast hatte sich vor ihm aufgetan! Ein Glück nur, daß Felipe ernstlich bereute. Er war immer ein guter Junge gewesen, und es war wohltuend zu wissen, daß er die Ermordung seines

---

* ›Verleitung zur Unzucht während der Beichte‹. Verfehlungen dieser Art nahmen so überhand, daß Pius IV. dem Großinquisitor Valdés besondere Vollmachten zur Aburteilung der Beschuldigten übertrug. Ein wirklicher Erfolg wurde jedoch erst Ende des 16. Jahrhunderts nach Einführung des für jeden sichtbaren Beichtstuhles erzielt.

Vaters als eine ihm auferlegte Strafe betrachtete und sich mit dem Gedanken trug, als Sühne sein ferneres Leben ganz Gott zu weihen.

Der sittenstrenge Franziskaner bedachte nicht, daß sich sein Beichtkind, seiner Erziehung entsprechend, nach Erhalt der Absolution wie von einer Zentnerlast befreit fühlen und keine Überlegungen über den ihm von Kindheit an aufoktroyierten Schuldkomplex anstellen würde. Der Wandel vollzog sich so schnell, daß Felipe schon beim Hinaustreten aus dem Gotteshaus Erleichterung empfand, und mit jedem Schritt, den er tat, drängte eine neu aufkommende Lebensfreude sein gequältes Gewissen zurück. Sein Geist war nicht mehr lahmgelegt. Er erfreute sich an Isabels Aussehen und wäre gewiß erstaunt gewesen, wenn ihm jemand gesagt hätte, daß er ihre Schönheit noch vor kurzem als einen sündigen Reiz empfunden habe.

Isabel atmete erleichtert auf, als sie Felipes Veränderung erkannte. Aber wie froh sie darüber auch war, es bedrückte sie, daß seine Gläubigkeit in Augenblicken der Depression eine Intensität erreichen konnte, die jedes Denken ausschaltete. Im Geiste sah sie ihren Vater vor sich, der ihr den Herrgott als einen über den Dingen stehenden Patriarchen dargestellt hatte, welcher sich sehr wohl bewußt ist, daß jede Religion auf einer Nötigung des persönlichen Geisteslebens beruht.

Die großzügige und von keinem Glaubenseifer angekränkelte Denkweise ihres Vaters erinnerte Isabel an die Gedenktafel, die sie in der Kirche entdeckt hatte, und sie fragte Felipe, woher es eigentlich komme, daß in Spanien Juden, Mauren und Christen jahrhundertelang friedlich nebeneinander leben konnten, obwohl Juden oft ungewöhnlich vermögend, Mauren in der Regel gutsituiert und Spanier meistens recht arm gewesen seien.

»Sie kamen gut miteinander aus«, antwortete Felipe, ohne lange zu überlegen, »weil Juden sich infolge ihrer geistigen Beweglichkeit gerne als Anwälte, Mediziner, Wissenschaftler, Kaufleute und Bankiers betätigen. Mauren hingegen sind hervorragende Handwerker, Architekten, Verwalter und dergleichen. Beide übten also Berufe aus, die unsere Vorfahren nicht schätzten. Sie fühlten sich nur als Soldaten wohl, was darauf zurückzuführen ist, daß Spanien immer wieder überfallen und okkupiert wurde. Unentwegt mußte unser Volk zu den Waffen greifen, um das Land von Phöniziern, Griechen, Karthagern, Römern, Germanen, Westgoten und Mauren zu befreien. Zwangsläufig wurden wir ein Volk von Kriegern, das in seinem Stolz auf seine Siege jeden bürgerlichen Beruf verachtete. Unsere Verachtung ging schließlich so weit, daß wir stolz auf unsere Armut wurden. ›Stolz‹ wurde unser Nationalgericht. Da ließ es sich mit Mauren, die ein lustvolles Leben führen, und mit Juden, die uns als Rechtsberater, Ärzte, Kaufleute und Geldverleiher herzlich willkommen waren, ohne Schwierigkeit gut auskommen. Es stand eben niemand jemandem im Wege.«

Welch grundlegender Wandel inzwischen eingetreten war, erfuhren Isabel und Felipe, als sie den Anwalt Samuel Cohn aufsuchten. Auf ihre Frage, was für den verhafteten Gutsverwalter Ramon getan und gegen die widerrechtliche Beschlagnahme des zum Gut Toriji gehörenden Hauses unternommen werden könnte, erklärte er mit entsetzt gespreizten Händen:

»Ich kann nicht einen Rat erteilen, der sich richten würde gegen mich wie die Spitze eines Schwertes. Als Converso, ich habe einen Fuß im Gefängnis. Soll ich hingehen und stürzen meine Familie ins Unglück? Man hat mich bereits gesetzt auf die Liste der Verdächtigen, nur weil ich nicht habe denunziert frühere Glaubensgenossen. Ich das nicht kann, obwohl ich weiß, daß alle konvertierten Rabbiner mußten schwören, zu verfluchen Conversos, die nicht anzeigen Brüder und Schwestern, welche heimlich essen koscher, welche bitten am Abend einander um Verzeihung, welche sich drehen auf dem Totenbett zur Wand, welche legen ihre Hände auf die Köpfe ihrer Kinder. Mendozas, der verstorbene Vorgänger des Erzbischofs, hat gezwungen alle früheren Rabbiner, abzuschwören ihren Glauben und zu denunzieren, wo immer möglich. Wenn ich jetzt gebe Rat, man wird sagen, Samuel Cohn, der noch nie hat angezeigt einen Converso, hilft Altchristen gegen die Inquisition.«

Felipe erkannte, daß er Isabel einen schlechten Dienst erwiesen hatte, als er ihr empfahl, einen Anwalt aufzusuchen. »Wir verstehen Euch, Señor«, entgegnete er schnell. »Betrachtet unseren Besuch als gegenstandslos.«

Der Advokat seufzte. »Studiert Ihr nicht Jurisprudenz?«

»Ja.«

»Dann Ihr solltet Bescheid wissen und der Señorita raten, nichts zu tun, was könnte erwecken den Eindruck, nicht einverstanden zu sein mit Maßnahmen des Heiligen Offiziums. Alles nur würde schlimmer werden.«

2

Das am Ende der Totenmesse für den ermordeten Diener des Heiligen Offiziums gesungene »Requiescat in pace« schwang noch durch die Kathedrale von Toledo, als ein Franziskanerpater an Felipe herantrat und ihm zuflüsterte: »Der Hochwürdige Herr erwartet Euch und die Señorita nach Abschluß der feierlichen Handlung in der Sakristei.«

Felipe schaute zu Ximenez de Cisneros hinüber, der an den für seinen Vater errichteten Katafalk herantrat, um das »Libera nos Domine« zu sprechen und dem Toten die Absolution zu erteilen. Gleich einer finsteren Armee standen auf beiden Seiten des Sarges die gefürchtetsten Männer der Provinz: über neunhundert Spitzel der Inquisition, die ihrem ermordeten Kameraden die letzte Ehre erwiesen. Ihre Gesichter verrieten Rücksichtslosigkeit. Sie glichen den Conquistadoren, die sich anschickten, Mittel- und Südamerika für die spanische Krone zu erobern.

Wir sind ein merkwürdiges Volk, dachte Felipe unwillkürlich. Rücksichtslos dienen wir Gott, wenn wir dabei nur die Macht unseres Landes vergrößern können.

»Gehen wir«, sagte er, an Isabel gewandt, als der Erzbischof und sein Gefolge den Katafalk verließen und der Sakristei zustrebten.

»Was wird er von uns wollen?« fragte sie kaum hörbar.

»Wahrscheinlich sein Beileid aussprechen.«

»Uns . . .?«

»Vermutlich weiß er, daß wir heiraten wollen. Außerdem hat er gesehen, daß wir gemeinsam kommunizierten.«

An einem der Pfeiler, die das gewaltige Dach der fünfschiffigen Kathedrale tragen, blieb Felipe stehen, um einen letzten Blick zu seinem Vater hinüberzuwerfen, der am Spätnachmittag, wenn die Hitze des Tages ihren Höhepunkt überschritten hatte, beigesetzt werden sollte.

Isabel stellte mit Erleichterung fest, daß Felipe einen gefestigten Eindruck machte.

Er berührte ihren Arm und führte sie zur Sakristei hinüber, wo Ximenez de Cisneros, der sein Meßgewand bereits abgelegt hatte, ihnen entgegenblickte. Die Arme verschränkt, die Kapuze tief in die Stirn gezogen und ein Auge halb geschlossen, glich er eher einem Piraten als einem Kirchenfürsten.

Isabel lief es kalt über den Rücken. Nie zuvor hatte sie dem Erzbischof unmittelbar gegenüber gestanden.

Noch während dieser beide musterte, zog er seinen rechten Arm wie eine Axt aus dem Ärmel seiner Kutte.

Isabel und Felipe knieten vor ihm nieder.

Er segnete sie und reichte ihnen die Hand zum Kuß. Dann sprach er Worte des Beileids, des Mitgefühls und des Trostes und forderte Felipe auf, sich vertrauensvoll an ihn zu wenden, wenn er eines Rates oder der Unterstützung bedürfe. »Der Glaubenseifer Eures Vaters, der viele Seelen vor dem Untergang bewahrt hat, ist uns eine Verpflichtung«, erklärte er salbungsvoll. »Das gilt auch für Euch«, fügte er, an Isabel gewandt, hinzu. »Ich weiß, daß der Verstorbene zwar Anstoß an Eurem Vermögen nahm, Euch selbst aber überaus schätzte.«

Isabel war verblüfft.

An Felipe gewandt, fuhr der Kirchenfürst übergangslos fort: »Ihr wart das Hauptthema unserer letzten Unterredung. Euer Vater berichtete mir von der hohen Auszeichnung, die Euch zuteil wurde, und von einer gewagten These, die Ihr angeblich aufstelltet, um einige meiner Widersacher in Verlegenheit zu bringen. Lag Euch das wirklich so am Herzen?«

»Nur bedingt«, antwortete Felipe nach kurzer Überlegung.

Mit Befriedigung registrierte Ximenez de Cisneros, daß Isabels Verlobter nicht zu lügen verstand. Er konnte also leicht in eine gefährliche Lage manövriert werden. »Darüber werden wir uns noch unterhalten«, erwiderte er in väterlichem Tonfall.

»Dies ist nicht der richtige Ort und die richtige Stunde. Ihr sollt aber wissen, daß ich Euch und Señorita Isabel jederzeit gerne zur Verfügung stehe. Im Moment kommt eine Eheschließung zwar nicht in Frage, doch ich halte es nicht für erforderlich, das übliche Jahr verstreichen zu lassen. Ich hätte keine Bedenken, die Trauung in drei Monaten vorzunehmen. Toriji braucht eine kräftige Hand.«

Felipe bemerkte, daß es dem Erzbischof schwerfiel, sich verbindlich zu geben. Seine knöchernen Finger ballten und öffneten sich, als müßten sie einen Krampf überwinden.

Isabel entging dies. Die Möglichkeit, bald heiraten zu können, ließ ihr Herz schneller schlagen, und die letzten Worte des Kirchenfürsten ermutigten sie zu entgegnen: »Ihr habt recht, Hochwürdiger Herr. Toriji braucht gerade jetzt eine starke Hand; denn mein Verwalter, ein maurischer Converso, ist über Nacht verhaftet worden. Ich weiß, daß er nichts getan hat, und bitte Euch, ein gutes Wort für ihn einzulegen.«

Noch bevor sie zu Ende gesprochen hatte, blitzte das halb geschlossene Auge des Erzbischofs wie ein reflektierter Lichtstrahl auf. »Nichts getan hat er?« fragte er mit plötzlich unheimlich klingender Stimme.

Isabel erschrak.

Felipe war entsetzt über die Wendung des Gespräches.

Ximenez de Cisneros Hirn arbeitete mit der Schnelligkeit eines Raubvogels, der sich auf sein Opfer hinabstürzt. Die unverhofft günstige Situation durfte er nicht ungenutzt vorübergehen lassen. In Erinnerung an das, was ihm der Kustode am Abend des Mordtages berichtet hatte, sagte er auf gut Glück: »Ihr fuhrt am Sonntagnachmittag mit Señor Felipe nach Toriji, nicht wahr?«

»Ja, Hochwürdiger Herr.«

»Wer führte den Wagen?«

»Mein Verwalter Ramon.«

»Hatte er Euch zur Feria gefahren?«

»Nein«, antwortete Isabel unsicher. »Ich übernachtete in meiner Stadtwohnung und ging mit meinem Verlobten zum Jahrmarkt, nachdem wir gemeinsam mit seinem Vater das Hochamt besucht hatten.«

Wie einfach ist es doch, Menschen auszuhorchen, wenn man den Anschein des Wissenden erweckt, dachte der Erzbischof zufrieden und entgegnete mit dünner Stimme: »Und wo hielt sich Euer Verwalter während der heiligen Messe auf?«

»Das weiß ich nicht«, antwortete Isabel kleinlaut.

»Aber Ihr wißt, daß er nichts getan hat!«

»Ihr meint, während der Messe?«

»So lautete meine Frage.«

Isabel blickte hilfesuchend zu Felipe hinüber. »Wo er sich während dieser Zeit aufhielt, ist mir nicht bekannt. Wir trafen ihn erst gegen Mittag im Speisezelt.«

»Was er dort vor Eurem Zusammentreffen tat, wißt Ihr ebenfalls nicht?«

Isabel schüttelte den Kopf.

»Dann werde ich es Euch sagen, damit Euch klar wird, wie leichtfertig Ihr geurteilt habt!« fuhr Ximenez de Cisneros sie nunmehr scharf an. »Ihr habt immerhin mit Eurer Behauptung, Euer Verwalter habe nichts getan, das Heilige Offizium beschuldigt, einen Unschuldigen eingesperrt zu haben.«

»So etwas hat mir ferngelegen«, rief Isabel wie in höchster Not.

»Das will ich auch hoffen, denn sonst . . . Aber lassen wir das. Nehmt unter dem Siegel der Verschwiegenheit zur Kenntnis, daß wir über Zeugen verfügen, die übereinstimmend von einem Geheimtreffen maurischer und jüdischer Conversos am Sonntagvormittag auf der Feria berichten. Den Vorsitz führte Euer Verwalter. Beschlossen wurde die Ermordung des Familiares Rodrigo.«

Isabel entfuhr ein Schrei.

Felipe erbleichte. Ramon hatte den Tod seines Vaters verschuldet? Wenn das stimmte, hatte er eine Erklärung dafür, daß es ihm beim Anblick des Mauren stets kalt über den Rücken gelaufen war. Aber weshalb hatte er sich dann ausgerechnet am Tage des Mordes erstmalig zu ihm hingezogen gefühlt?

Kaleidoskopartig lief das Geschehen des denkwürdigen Abends nochmals an Felipe vorüber. Wie glücklich war der Gutsverwalter über die Einladung seiner Frau gewesen! Würde er sich darüber gefreut haben, wenn er von der Ermordung Rodrigos gewußt hätte? Unmöglich! Welches Interesse aber konnte Ximenez de Cisneros daran haben, Ramon zu beschuldigen?«

Das verbissene Aussehen des Kirchenfürsten ließ es Felipe plötzlich seltsam erscheinen, daß dieser Isabel und ihm nahegelegt hatte, schon in drei Monaten zu heiraten. Warum sollte das so bald geschehen? Ein unheimlicher Gedanke drängte sich ihm auf. Er mußte sich zwingen, ihn beiseite zu schieben. Im Moment war es das wichtigste, Isabel so schnell wie möglich von Ximenez de Cisneros zu trennen. Er haßte den Erzbischof mit einem Male. Seine Auflehnung verleitete ihn jedoch nicht, unbesonnen zu handeln. Im Gegenteil, er erklärte unumwunden: »Hochwürdiger Herr, in aller Deutlichkeit habt Ihr Señorita Isabel und mir vor Augen geführt, wie leicht man sich täuschen kann. Um so mehr beeindruckt es mich und gewiß auch Señorita Isabel, daß das Heilige Offizium unbeirrt seinen Weg geht. Ich kann nur hoffen, daß der Verschwörer Ramon und alle, die an dem Verbrechen beteiligt waren, schnellstens der Gerechtigkeit überantwortet werden.«

Felipes Demut kam dem Erzbischof ungelegen. Er ließ sich aber nichts anmerken, sondern erwiderte verbindlich: »Ich stelle mit Befriedigung fest, daß Ihr die Dinge realistisch seht.« Damit wandte er sich an Isabel und sagte nachsichtig lächelnd: »Cuiusvis hominis est errare, nullius nisi insipientis in errore perseverare. – Jeder Mensch kann irren, nur der Dumme wird im Irrtum verharren.«

Ximenez de Cisneros war nicht zufrieden mit dem Ausgang des Gespräches. Es zeigte ihm deutlich, daß Isabels Verlobter doch nicht so leicht in eine mißliche Lage hineinmanövriert werden konnte. Seine Stimmung verbesserte sich jedoch, als ihm am Nachmittag der Kustode meldete, daß er den Beichtvater des jungen Paares ermittelt und ihn sogleich habe herbeirufen lassen.

Wenige Minuten später empfing Ximenez de Cisneros seinen Ordensbruder Pater Adalbero in einer schon oft von ihm erprobten Haltung. Hinter seinem Arbeitsplatz sitzend, streckte er seine Arme steif vor sich hin und legte seine von Leberflecken übersäten Hände wie leblos auf die Tischplatte. Dann senkte er den Kopf so, daß sein Gesicht nicht zu sehen war, er selbst aber sein Gegenüber beobachten konnte.

»Staats- und kirchenpolitische Gründe machen es notwendig, Euch eine ungewöhnliche Weisung zu erteilen«, begann er ohne Umschweife, als der hochbetagte Franziskaner vor ihn hingetreten war. »Ich habe mich lange gefragt, ob es verantwortet werden kann, Euch in einer bestimmten Angelegenheit vom *Sigillum confessionis* zu entbinden. Ihr wißt, daß das Beichtgeheimnis nur in ganz besonderen Fällen und so weiter. Um es kurz zu machen: außergewöhnliche Umstände zwingen mich, Euch aufzufordern, mir den Inhalt der Beichte Señor Felipes sowie dessen Braut Isabel bekanntzugeben. Da beide heute das Sakrament empfingen, darf ich wohl annehmen, daß Ihr den Kommunikanten gestern die Absolution erteilt habt.«

»Das ist richtig«, antwortete Pater Adalbero betroffen. »Aber die von Euch erwähnten außergewöhnlichen Umstände . . .«

». . . sind gegeben!« unterbrach ihn der Kirchenfürst.

»Das vermag lediglich *ich* zu beurteilen«, entgegnete der Franziskaner unerschrocken. »*Ich* nahm die Beichte ab, und infolgedessen kann nur *ich* wissen, ob ich Kenntnis von einer Sache erhielt, die den Staat, die Kirche oder eine Person gefährden könnte. Ausschließlich in solchen Fällen ist eine Suspendierung vom Beichtsiegel denkbar.«

»Überlaßt die Beurteilung der zur Debatte stehenden Angelegenheit gefälligst mir!« erboste sich Ximenez de Cisneros.

»Damit kann ich mich nicht einverstanden erklären«, widersprach sein Ordensbruder aufsässig.

Der Kopf des Erzbischofs flog zurück. »Dann werde ich Euch einsperren lassen!«

Pater Adalbero bemerkte in den Augen des Kirchenfürsten das Feuer eines Fanatikers, der vor nichts zurückschreckt. Es hatte keinen Sinn, gegen ihn anzureden oder auf das kanonische Recht hinzuweisen. Das kannte Ximenez de Cisneros selbst zur Genüge. Doch was sollte er tun? Er landete bestimmt im Kerker, wenn er sich den Wünschen des Erzbischofs widersetzte. »Gebt mir eine Stunde Bedenkzeit, Hochwürdiger Herr«, bat er kurz entschlossen. »Ich möchte den Allmächtigen um Erleuchtung und Kraft bitten.«

»Eure Bitte sei gewährt«, erwiderte der Kirchenfürst verächtlich. »Die Klosterkapelle steht Euch zur Verfügung.«

»Wenn Ihr damit einverstanden seid, würde ich mich gerne in die Santa Maria la Blanca begeben.«

Ximenez de Cisneros erhob sich. »Der Herr sei mit Euch!«

Und ein Spitzel wird mir folgen, dachte Pater Adalbero, der sich keinen Illusionen mehr hingab.

Tatsächlich folgte ihm ein Mönch, der den Auftrag hatte, sofort einzuschreiten, wenn sein Ordensbruder den Versuch machen sollte, die Stadt zu verlassen. Daran aber dachte der betagte Franziskaner nicht, wenngleich er fest entschlossen war, das Beichtgeheimnis unter keinen Umständen zu verletzen. Die Bedenkzeit hatte er nur erbeten, um angesichts seiner aussichtslosen Lage schnell noch einige Dinge erledigen zu können.

Ohne zu zögern, begab er sich in die Sakristei seiner Kirche und zog dort einmal ruckartig am Seil der Glocke, so daß sie kurz anschlug. Seit dreißig Jahren war dies für den Küster das Zeichen, sich unverzüglich einzufinden. Dann schrieb er hastig einige Worte auf einen Zettel, legte diesen zwischen die Seiten eines Gebetbuches und wartete auf den Kirchendiener.

Es dauerte nicht lange, bis dieser erschien.

»Ertrage, was ich dir jetzt sage, mit der Würde eines Mannes und fang ja nicht an zu flennen«, fuhr Adalbero ihn ruppig an. »Der Teufel soll dich holen, wenn du mich enttäuschst.«

Der Küster bekreuzigte sich erschrocken.

»Und schwöre beim Leben deiner Angehörigen, daß alles unter uns bleibt.«

»Ich schwöre es!«

»Höher die Hand!«

»Ich schwöre es!« wiederholte der Kirchendiener verdattert.

»Nun hör gut zu! Du begibst dich gleich wieder nach Hause, wartest dort zehn Minuten und suchst dann meine Haushälterin auf. Gemeinsam öffnet ihr meine Truhe, in der sich in einem Seitenfach meine Ersparnisse befinden. Teilt euch das Geld und bringt es schnellstens in eure Wohnungen; denn spätestens in einer Stunde werden die Häscher der Inquisition erscheinen, um mein Hab und Gut zu beschlagnahmen.«

Der Kirchendiener zitterte plötzlich wie Espenlaub.

Pater Adalbero stieß ihn vor die Brust. »Beherrsch dich! Ich bin noch nicht fertig. Am Abend, wenn es dunkel ist, gehst du zum Sohn des ermordeten Rodrigo und bestellst ihm, daß unter der Kniebank des äußersten linken Chorgestühls ein Gebetbuch liegt, in dem sich eine Nachricht für ihn befindet. Hast du verstanden?«

Der Küster nickte.

»Dann fort mit dir!«

Noch bevor der Küster zur Besinnung kommen konnte, hatte der streitbar gewordene Franziskaner ihn aus der Sakristei hinausgedrängt. Das wäre geschafft, dachte Adalbero erleichtert und suchte die von ihm bezeichnete Bank auf, legte das genannte Buch darunter und verharrte eine Zeitlang im Gebet. Dann begab er sich zum Kloster San Juan de los Reyes, wo er dem Erzbischof ohne lange Vorrede erklärte: »Hochwürdiger Herr! Der Allmächtige hat mich erleuchtet und mir geraten, in den Kerker zu gehen. Eine Verletzung des Beichtgeheimnisses ist mit lebenslänglichem Klostergefängnis zu bestrafen. Im Hinblick auf die Seligkeit im Himmel scheint es mir da günstiger zu sein, ohne Sünde der Freiheit beraubt zu werden.«

Ximenez des Cisneros war verblüfft. Eine Abfuhr hatte er von diesem Ordensbruder nicht erwartet. Dennoch empörte er sich nicht. Ihm gefielen Menschen, die Mut bewiesen, was ihn freilich nicht daran hinderte, sie zu vernichten. Adalberos Schicksal war besiegelt.

Nachdem sie die Kathedrale verlassen hatten, begaben sich Isabel und Felipe geradewegs aus Toledo hinaus. Die Unterredung mit Ximenez de Cisneros saß ihnen so in den Knochen, daß sie es auf dem Weg durch die Stadt nicht wagten, über ihn und seine Worte zu sprechen. Erst als sie das andere Ufer des Tajo erreichten und unter einer wie verlassen dastehenden Esche Schutz vor der mörderisch brennenden Sonne fanden, atmeten sie auf.

»Ich begreife nichts mehr«, sagte Isabel mit hilfloser Geste. »Vergebens versuche ich herauszufinden, was den Erzbischof veranlaßt haben könnte, sich über meine unglückliche Formulierung so maßlos zu erregen.«

»Nichts war echt an der Geschichte«, entgegnete Felipe wegwerfend. »Theater hat er uns vorgespielt! Gerade das aber ist es, was mir Sorge bereitet. Ximenez de Cisneros benutzte deine kleine Ungeschicklichkeit, um sich auf dich zu stürzen und dich einzuschüchtern. Warum tat er das? Welches Interesse kann er daran haben, dich zu ängstigen, nachdem er uns kurz zuvor noch nahegelegt hatte, schon in drei Monaten zu heiraten. Diesen Widerspruch kann ich mir beim besten Willen nicht erklären. Und an Ramons Geschichte stimmt ebenfalls etwas nicht. Sie ist viel zu mysteriös, als daß sie glaubhaft sein könnte.«

»Du meinst, Ramon hat nichts mit der Ermordung deines Vaters zu tun?«

»Unterstellen wir, er hätte getan, was der Erzbischof behauptet: Würde er sich dann gefreut haben, als ich seine Frau einlud, uns zu begleiten? Nein, Ramon wurde aus anderen Gründen verhaftet, und wenn mich nicht alles täuscht, brachte deine Erklärung, er sei unschuldig, den Hochwürdigen Herrn erst auf den Gedanken, das Gegenteil zu beweisen. Was er damit bezweckte, weiß ich nicht. Vielleicht wünschte er die Rechtmäßigkeit der Inquisition herauszustellen, möglicherweise wollte er dich auch nur ins Unrecht setzen.«

»Du kannst einem Kirchenfürsten doch nicht unterstellen, daß er einen unschuldigen Menschen so mir nichts, dir nichts aufs schwerste belastet«, ereiferte sich Isabel.

Felipe wiegte skeptisch den Kopf. »Auf dem Weg hierher habe ich mir das Gespräch nochmals genau vergegenwärtigt. Dabei ist mir aufgefallen, daß unser hochlöblicher Erzbischof zunächst nur Fragen an dich richtete. Fragen, nichts als Fragen! Erst als er wußte, wo und wann wir mit Ramon zusammengetroffen waren, wurde er konkret und machte seine belastende Behauptung.«

Isabel blickte betroffen vor sich hin.

»Aber wie ich es auch drehe und wende, ich durchschaue den Sinn der Anklage nicht«, fuhr Felipe unzufrieden fort und blickte nachdenklich zur Stadt hinüber. »Irgendwie erinnert mich Ximenez de Cisneros an unsere Kathedrale, deren Größe es erst erträglich macht, daß alle möglichen Baustile in ihr vereint sind. Glattes und Verschnörkeltes, Klares und Trübes stehen unmittelbar nebeneinander. Wenn wir nicht aufpassen, kann es uns passieren, daß wir hinter einem bombastischen Portal plötzlich in eine Falle stolpern.«

Isabel nagte an ihren Lippen. »Und was wird aus Ramon?«

Felipe zuckte die Achseln. »Im Augenblick dürfte es sinnvoller sein, an seine Frau und Kinder zu denken. Spätestens morgen oder übermorgen werden sie das Haus verlassen müssen. Wohin dann mit ihnen*?«

Isabel stieß einen Seufzer aus. »Ich werde noch heute nach Toriji reiten und mit Elena sprechen. Bestimmt finden wir einen Weg, sie zu unterstützen, ohne daß es jemand merkt.«

»Du willst dich ihrer annehmen?«

»Selbstverständlich. Ich habe Ramon viel zu verdanken.«

Felipe freute sich über Isabels Verhalten.

Sie preßte ihre Hände gegen die Schläfen. Es wollte ihr nicht in den Kopf, daß Ximenez de Cisneros ihren Verwalter zu Unrecht beschuldigen sollte. »Weshalb erheben wir uns nicht gegen die Inquisition?« rief sie in jäher Auflehnung. »Ihr Schatten verfinstert doch schon ganz Spanien!«

»Unsere Gleichgültigkeit ist zu groß geworden«, erwiderte Felipe wie zu sich selbst.

Ramon sah gequält aus, als er in eines der unterirdischen Gewölbe des im 13. Jahrhundert erbauten Alcazars geführt wurde, der dem Heiligen Offizium als Sondergefängnis diente. Er hatte allen Grund, bedrückt zu sein; denn das Verließ wurde im Volksmund ›Geheimkerker für langfristige Untersuchungen‹ genannt. Weshalb man ihn an diesen Platz brachte, konnte er sich nicht erklären. Er war weder vermögend, noch gehörte er zur Prominenz. Hätte er keine Familie gehabt, würde ihm die Verbannung an den gefürchteten Ort weniger ausgemacht haben. So aber marterte ihn die Sorge um die Seinen, und sie stieg mit jeder Stufe der steinernen Wendeltreppe, die in das Gewölbe hinab-

---

* Die Angehörigen von Inhaftierten durften weder aufgenommen, beschäftigt noch unterstützt werden. Diese unmenschliche Härte wurde erst 1561 durch ein entsprechendes Edikt gemildert. Bis dahin konnte es geschehen, daß selbst reiche Familien im Falle der Verhaftung ihres Oberhauptes kläglich verhungerten.

führte. Ihn beschlich die Vorstellung, sich einer unentrinnbaren Hölle zu nähern. Er brauchte seinen ganzen Willen, um die Hoffnungslosigkeit zu überwinden, die ihn überfiel. Erst als er in eine vergitterte Felsnische geführt wurde, die im Schein der Fackel seines Wärters seltsam grau aussah, faßte er neuen Mut. Ein einziger Blick hatte ihm gezeigt, daß der Boden pulvertrocken war. Das bedeutete unendlich viel, reichte aber nicht aus, um ihn in eine hoffnungsvolle Stimmung zu versetzen.

Immer wieder wanderten Ramons Gedanken zum Verwalter des Gutes Morentes, der wenige Tage zuvor festgenommen worden war. In seinem Falle hatte die Inquisition zum ersten Male eine Dienstwohnung beschlagnahmt und mitsamt ihrem Inventar für enteignet erklärt. Wenn in Toriji das gleiche geschah . . .

An alles hatte der vitale und gewitzte Maure gedacht, auch daran, seine Ersparnisse an geeigneter Stelle zu vergraben. Aber damit, daß die Seinen aus dem ihm zur Verfügung gestellten Haus ausgewiesen werden könnten, hatte er nicht gerechnet. Saßen sie nun auf der Straße? Und was war aus seinem Geld geworden?

Ramon bereute es bitter, daß er nach der Ausweisung der Mauren und Juden nicht sogleich auf alles verzichtet hatte und in die Heimat seiner Väter zurückgekehrt war. Sein sehnlichster Wunsch war es gewesen, aber er hatte sich nicht durchsetzen können. Seine Frau hatte sich hartnäckig geweigert, mittellos nach Afrika zu gehen und dort als Christin unter Mohammedanern zu leben.

Ein langsam auftauchender grauer Schimmer ließ Ramon nach oben blicken, wo er weit über sich zwei schartenartige Schlitze entdeckte, hinter denen der Himmel sich erhellte. »Allah ist Allah und Mohammed sein Prophet!« entfuhr es ihm, doch schon im nächsten Moment bekreuzigte er sich und murmelte: »Gelobt sei Jesus Christus!« Ihm war es gleichgültig, ob der Allmächtige Allah oder Gottvater hieß, ob der eine einen Propheten und der andere seinen Sohn auf die Erde geschickt hatte.

Unwillkürlich erinnerte er sich an seine christliche Frau, die er heiß liebte, wenngleich er es mit der Treue nicht so genau nahm.

Je länger Ramon an seine Frau und Kinder dachte, um so besorgter wurde er. Voller Unruhe sehnte er den Wärter herbei, doch es vergingen zwei Tage und Nächte, bis Schritte laut wurden und der rötliche Schein einer Fackel auftauchte, der schnell wachsende Schatten an die Wände warf. Das Licht wurde schließlich so hell, daß er geblendet die Augen schließen mußte.

»Nun, mein Sohn«, ertönte eine salbungsvoll klingende Stimme. »Hast du mit deiner Gewissenserforschung begonnen?«

Ramon öffnete die Lider und sah, daß vor seiner Zelle ein Dominikaner stand. Mehrfach schon hatte er überlegt, was er antworten sollte, wenn diese oder jene Frage an ihn gerichtet werden würde. Nun aber fiel ihm nichts Vernünftiges ein. Um keinen verstockten Eindruck zu erwecken, hielt er eine Hand an sein Ohr und behauptete, schlecht zu hören und die Frage nicht verstanden zu haben.

»Ob du mit der Erforschung deines Gewissens begonnen hast, fragte ich«, rief nunmehr der Pater.

Ramon lächelte. »Ganz so laut braucht Ihr nicht zu schreien. Ich verstehe nur zeitweilig etwas schlecht.«

»Dann nimm zur Kenntnis, daß du hier bist, um dein Gewissen zu erforschen«, entgegnete der Dominikaner ärgerlich. »Im Laufe der nächsten Wochen werde ich dich dreimal auffordern, dein Gewissen nach strafbaren Taten zu befragen und diese dem Tribunal des Heiligen Offiziums wahrheitsgetreu zu nennen, wenn du zum Verhör vorgeführt wirst.«

»Wo wird das stattfinden?« erkundigte sich Ramon mit allen Anzeichen größten Interesses. »Im neuen Inquisitionspalast?«

»Halt deinen Mund und rede nur, wenn du gefragt wirst!« fuhr ihn der Mönch an.

Ramon duckte sich und schaute zu Boden.

Er scheint einer von denen zu sein, die hoffen, sich durch Verrücktspielen retten zu können, dachte der Dominikaner und hob seine Fackel, um den Inhaftierten besser sehen zu können. Dabei fragte er, obwohl er sehr genau informiert war: »Welchen Beruf hast du?«

»Ich bin Gutsverwalter, wenn ich nicht gerade umhergehe«, antwortete Ramon mit todernster Miene.

»Wenn du nicht gerade was?«

»Wie, bitte?«

»Wenn du nicht was tust?«

»Ich verstehe Eure Frage nicht. Was soll ich nicht tun?«

»Du hast gesagt, du seiest Gutsverwalter, fügtest aber hinzu: Wenn ich nicht gerade umhergehe.«

Ramon stellte sich ratlos. »Das soll *ich* gesagt haben?«

»Allerdings!«

»Merkwürdig. Ein Verwalter geht tatsächlich viel umher, doch . . .«

»Schweig!« unterbrach ihn der Pater empört. »Wenn du glaubst, einen Geisteskranken spielen zu können, irrst du dich gewaltig!«

»Ich bitte um Verzeihung, ehrwürdiger Vater, aber ich verstehe Euch nicht. Ich bin völlig normal und habe das Gut Toriji erstklassig verwaltet. Warum sollte ich mich da verrückt stellen. Ich kann doch nur daran interessiert sein, der Inquisition mein Wohlverhalten zu beweisen und alles zu tun, was man von mir verlangt, um so schnell wie möglich zu meiner Familie zurückkehren zu können. Darüber hinaus möchte ich natürlich herausbekommen, welche Melodie mir immer im Kopf herumgeht. Dauernd höre ich: Tara, tara, tara – tam, tam, tara, tara . . . Kennt Ihr das Lied?«

Der Dominikaner kniff die Augen zusammen. Entweder hatte er wirklich einen Irren vor sich, oder das Heilige Offizium war an den durchtriebensten Hurensohn geraten, den es unter den Conversos gab. Doch es hatte noch niemanden gegeben, mit dem er nicht fertig geworden wäre. »Es tut mir leid, mein Sohn, aber die Melodie kenne ich nicht«, antwortete er und schaute wie suchend in der Zelle umher. »Du verfügst über kein Bett?«

Was mag er mit dieser Frage bezwecken, überlegte Ramon und erwiderte: »Von selbst wird es bestimmt nicht hierherkommen.«

Der Mönch nickte. »Das ist richtig. Du könntest dir aber ein Bett beschaffen lassen.«

Obwohl dem Gutsverwalter bekannt war, daß Inhaftierten, die noch nicht unter Anklage standen, das Recht eingeräumt wurde, sich einige Dinge zu kaufen, fragte er: »Wieso könnte ich das?«

»Besitzt du etwa keine Ersparnisse?« entgegnete der Dominikaner. »Und hast du deiner Frau nicht anvertraut, wo sie versteckt liegen?«

Ramon stockte der Atem. Wollte man herausfinden, ob er über verborgene Mittel verfügte? Er hatte seine Frau angewiesen, diesbezügliche Fragen hartnäckig zu verneinen. Die Formulierung des Paters machte ihn unsicher. Hatte Elena die Nerven verloren und das Versteck preisgegeben? Oder wollte man ihn hereinlegen? Spielte man ihn gegen seine Frau aus? Wenn sie geschwiegen hatte, und er erklärte, sie wisse, wo das Geld liege, wurde sie mit tödlicher Sicherheit verhaftet und der Unterschlagung bezichtigt. Ebenso die Kinder. Hatte Elena aber nicht geschwiegen, und er behauptete nun, sie nicht informiert zu haben, dann konnte ihm eine Lüge nachgewiesen werden, die seine Unglaubwürdigkeit unter Beweis stellte und sein Schicksal besiegelte. Er saß in einer teuflisch angelegten Falle.

»Nun, was ist?« fragte der Mönch erwartungsvoll. »Weiß deine Frau, wo sich das Geld befindet?«

»Ich denke gerade darüber nach«, antwortete Ramon mit krauser Stirn. »Als Mohammedaner hätte ich das Versteck keinesfalls genannt. Mohammedaner haben nämlich mehrere Frauen«, fügte er verschmitzt hinzu. »Da würde es Krach geben. Aber ich heiratete ja eine Christin, ließ mich taufen und schwor allen islamischen Riten und Gesetzen ab. Also müßte ich meiner Frau das Versteck genannt haben.«

»Mach keine Ausflüchte!« erboste sich der Dominikaner. »Ich will mit Ja oder Nein beantwortet bekommen, ob deine Frau informiert ist oder nicht.«

Raubtiere sind nicht so erbarmungslos wie die in unschuldiges Weiß gekleideten Schergen der Inquisition, ging es Ramon durch den Kopf. Er hätte seinem Gegenüber am liebsten das Genick gebrochen.

»Antworte!« schrie ihn der Dominikaner an.

Dem Gutsverwalter traten Schweißtropfen auf die Stirn. Konnte Elena einem massiven Verhör widerstehen? Unmöglich. Dazu fehlte ihr die Kraft. Seine Antwort stand damit fest. Dennoch klopfte ihm das Herz in der Kehle. Wenn er sich irrte, hatte Elena ihre Freiheit verloren. »Ich habe doch schon ja gesagt!«

stieß er gequält hervor. »Wieso mache ich Ausflüchte? Ja bleibt
ja! Ihr verwirrt mich. Und um meine Melodie kümmert Ihr Euch
überhaupt nicht. Man kann wunderbar nach ihr marschieren:
Tara, tara, tara – tam, tam, tara, tara . . .«

Der Mönch sah ihn an, als sei er der leibhaftige Teufel. Er
wußte, daß Ramon die Wahrheit gesagt hatte; die Schlacht aber
sollte er nicht gewinnen. »Du behauptest also, deine Frau kenne
das Versteck«, entgegnete er, nachdenklich über seinen Nasen-
rücken streichend. »Nun, man wird sehen.« Damit drehte er sich
um und ging davon.

Ramon war es, als würde ihm das Herz aus dem Leibe gerissen.
Hatte er seine Frau ins Verderben gestürzt? Er hätte schreien
mögen, begriff dann aber, daß ihn die Inquisition, die er hinter
das Licht zu führen gedachte, in die Zange genommen hatte. Tag
und Nacht würde er sich nun fragen, was mit seiner Familie geschehen sei. Nie würde er erfahren, ob seine Frau das Versteck
angegeben oder seiner Weisung gemäß geschwiegen hatte. Er
konnte wählen, ob er denken wollte, daß seine Familie dem Hun-
gertod preisgegeben war oder in einem Gefängnis schmachtete.

Einer inneren Stimme folgend, hatte Felipe sich entschlossen,
Isabel nach Toriji zu begleiten, um mit Ramons Frau über deren
Zukunft zu sprechen. Noch beeindruckt von der unüberschau-
baren Menschenmenge, die dem ermordeten Familiare das letzte
Geleit gegeben hatte, ritten sie auf zwei Mauleseln durch den
späten Nachmittag dem Gut entgegen und grübelten erneut über
den Erzbischof nach, dessen nicht erklärbares Verhalten sich wie
eine Zentnerlast auf ihre Schultern gelegt hatte. Doch der Tag
sollte ihnen noch weitere Überraschungen und Belastungen
bringen.

Die erste wartete bereits in Toriji auf sie, wo vier dunkel gekleidete Herren vor dem Haus des inhaftierten Gutsverwalters
standen, aus dem Elena und deren Kinder gerade heraustraten,
als Isabel und Felipe in den Hof einritten.

»Mach um Himmels willen jetzt keinen Fehler«, raunte Felipe
Isabel zu. »Was wir über Ramon wissen, wurde uns unter dem
Siegel der Verschwiegenheit anvertraut. Wir dürfen nicht dar-

über reden, müssen seiner Familie gegenüber aber voller Ablehnung sein.«

Die versammelten Señores hörten die trappelnden Hufe und drehten sich um.

Isabel grüßte zu ihnen hinüber. »Darf ich erfahren, wer Ihr seid und was Euer Begehr ist?«

Einer der Herren verneigte sich. »Wir sind Mitglieder des Heiligen Offiziums und haben den Auftrag, den Wert dieses Hauses zu schätzen.«

Sie zwang sich eine freundliche Miene aufzusetzen. »Dann komme ich ja zur rechten Zeit.« Damit wandte sie sich an Elena und fragte in herrischem Tone: »Was ist mit euch? Haltet ihr hier Maulaffen feil?«

Der Sprecher der Kommission kam Ramons Frau zuvor. »Wir haben die Familie Eures bisherigen Gutsverwalters auffordern müssen, das Haus auf der Stelle zu räumen.«

Isabel ließ sich von ihrem Esel gleiten. »Dann werde ich vorsichtshalber gleich einmal kontrollieren, was der Bengel da im Sack hat.«

Elena starrte sie entgeistert an.

Francisco wurde rot vor Empörung. »Wir haben lediglich unsere Lebensmittel mitgenommen!« rief er aufgebracht. »Und das dürfen wir!«

»Zeig her!« befahl Isabel grob.

Der Junge war wie gelähmt.

»Nun zeig schon!« fuhr sie ihn erneut an, flüsterte dann aber hastig: »Erwartet uns auf der Straße nach Toledo. Wir kommen, sobald die Señores den Hof verlassen haben.«

Ramons Sohn konnte seine Erleichterung nicht verbergen.

»Ein anderes Gesicht!« warnte ihn Isabel und warf einen Blick in seinen Sack. »Euer Glück, daß ihr nichts mitgenommen habt. Und jetzt macht, daß ihr fortkommt!«

Den Herren der Kommission gefiel Isabels Verhalten. »Recht so!« erklärte einer von ihnen. »Man sollte alle Conversos zum Teufel jagen!«

»Leider war ich bis vor wenigen Stunden nur bedingt Eurer Meinung«, erwiderte Isabel in kluger Berechnung. »Aber das ist vorbei. Der Herr Erzbischof hat mir heute morgen die Augen geöffnet. Wirklich, Señores, ich muß blind gewesen sein. Doch kommen wir zur Sache. Welchen Wert gebt Ihr dem Haus?«

»Wir waren eben übereingekommen, daß dreihundert Dukaten angemessen wären«, antwortete der Sprecher.

Isabel ging mit wiegender Hüfte auf ihn zu. »Einschließlich des Inventars?«

Die Herren räusperten sich.

»Nun ja . . .«

»Man müßte darüber sprechen.«

Isabel wies zum Gutshaus hinüber. »Darf ich mir erlauben, Euch zu einem Becher Wein einzuladen, bei dem wir die Vereinbarung perfekt machen können? Gleich morgen werde ich meine Bank anweisen, den Betrag zur Verfügung zu stellen.«

Die Abgeordneten des Heiligen Offiziums trauten ihren Ohren nicht. Sie hatten mit einem Protest gerechnet, wie ihn die Familie Morentes erhoben hatte.

Isabel gab sich burschikos. »Ihr staunt? Das würdet Ihr gewiß nicht tun, wenn Ihr wüßtet, welchen Spruch der Hochwürdige Herr mir mit auf den Weg gab. ›Jeder Mensch kann irren, nur der Dumme wird im Irrtum verharren‹, sagte er mir, und seine Worte haben mich so beeindruckt, daß ich bereit bin, für meinen Irrtum mit klingender Münze Abbitte zu leisten. Alles hat seinen Preis; auch eine gute Lehre.«

Felipe staunte über Isabels diplomatisches Geschick, das in ihm neben aufrichtiger Bewunderung allerdings auch befremdliche Gefühle erweckte. Würde er sich ihr gegenüber jemals durchsetzen können? Die Vorstellung, von Isabel abhängig zu sein, bereitete ihm Unbehagen. Dennoch machte er ihr Komplimente, als die Herren der Kommission mit weingeröteten Wangen den Hof verlassen hatten.

Sie wehrte bescheiden ab.

Felipe ließ sich nicht beirren. »Du warst wirklich großartig. Ich gehe jede Wette ein, daß Ximenez de Cisneros noch heute erfahren wird, wie ›beeindruckt‹ du von ihm bist.«

Isabel lachte, doch gleich darauf machte sie ein ernstes Gesicht. »Wenn die dreihundert Dukaten, die ich nun zahlen muß, dazu beitragen, den Erzbischof mild zu stimmen, weine ich ihnen keine Träne nach. Nie im Leben werde ich vergessen, wie sich sein gelähmtes Augenlid plötzlich hob und mich ein Bannstrahl traf, der mir den Atem raubte.«

Felipe deutete auf die sich dem Horizont nähernde Sonne. »Es wird Zeit, wenn wir Elena noch sprechen wollen.«

Isabel setzte sich auf ihren Maulesel, und eine Viertelstunde später erreichten sie Ramons Frau und Kinder.

»Habt Verständnis dafür, daß wir euch wie Aussätzige behandelten«, war das erste, was Felipe ihnen sagte.

Der Frau traten Tränen in die Augen. »Ihr könnt Euch nicht vorstellen, wie uns zumute war.«

»Und noch zumute ist!« ergänzte ihr Sohn mit Nachdruck. »Nichts besitzen wir mehr. Sogar Vaters Ersparnisse sind weg. Fast siebenhundert Dukaten! Achtzehn Jahre hat er umsonst geschuftet.«

»Wo war das viele Geld?« fragte Isabel, über die Höhe der Summe verblüfft.

»Im Pferdestall«, antwortete Elena bedrückt. »Mein Mann hatte mich beschworen, das Versteck zu verschweigen, aber ich bekam Angst. Da habe ich geredet.«

»Wahrscheinlich war es das Beste, was Ihr tun konntet«, entgegnete Felipe, um sie zu trösten. »Siebenhundert Dukaten sind zwar ein Vermögen, aber das Gefühl, frei zu sein, ist ebenfalls etwas wert.«

»Auch wenn man nicht arbeiten darf?« fragte Francisco lauernd. »Wovon sollen wir leben?«

»Das laß nur meine Sorge sein«, erwiderte Isabel. »Ich habe mir schon Gedanken darüber gemacht. Ihr erhaltet eine laufende Unterstützung, so daß ihr nicht zu darben braucht. Ich muß jedoch zur Bedingung machen, daß sich Francisco und Barbara zumindest zeitweilig als Bettler betätigen. Es darf niemand auf den Gedanken kommen, sich zu fragen, wovon ihr lebt.«

Elena ergriff Isabels Hand. »Der Herrgott wird es Euch vergelten.«

»Mir wäre wohler, wenn er mir verraten würde, wo ihr unterkommen könnt. Habt ihr hier Verwandte?«

Ramons Frau schüttelte den Kopf. »Das nicht. Aber Francisco hat einen guten Vorschlag gemacht. Unten am Tajo sind die Ruinen eines alten römischen Gebäudes . . .«

»Ihr meint den Palast des Galiana?«

»Ja. Dorthin wollen wir gehen. Da haben wir Wasser zum Waschen und Kochen und werden gewiß auch genügend Reisig finden. Uns fehlt lediglich etwas Hausrat.«

»Den erhaltet ihr von mir«, erklärte Isabel augenblicklich. Die Haltung der Familie beeindruckte sie so sehr, daß sie gegen Tränen ankämpfen mußte. »Decken besorge ich ebenfalls. Ich bringe die Sachen zum Schuppen oberhalb des Hügels. Dort können Francisco und Barbara nach und nach alles abholen. Ihr müßt nur aufpassen, daß ihr dabei nicht gesehen werdet«, fügte sie, an die Kinder gewandt, hinzu.

Ramons Frau bedankte sich überschwenglich für die versprochene Hilfe.

Isabel und Felipe bedrückte es sehr, die Familie des Gutsverwalters der Nacht preisgegeben zu wissen. Sie konnten aber beim besten Willen nichts Weiteres für sie tun und ritten nach Toledo, das sie mit Einbruch der Dunkelheit erreichten. Ihre Wohnungen aber suchten sie nicht sogleich auf. Sie machten vielmehr, nachdem sie ihre Maultiere abgeliefert hatten, einen Spaziergang durch die von nur wenigen Öllaternen erleuchteten Straßen und unterhielten sich ausschließlich über alltägliche Dinge, um Abstand von den deprimierenden Geschehnissen der letzten Tage zu gewinnen. Beide drängten zueinander, ihr Denken und Empfinden aber war recht unterschiedlich.

Während Felipe sich wie ausgebrannt fühlte und keiner zärtlichen Regung fähig war, sehnte sich Isabel nach einem verliebten Wort, einem verstohlenen Händedruck, einem Kuß. Am liebsten hätte sie Felipe mit in ihr Haus genommen. Unentwegt gingen ihr die Worte des römischen Dichters Martial durch den Kopf: ›Lebe heute, morgen wird es zu spät sein.‹ Doch die Nacht verlief anders, als Isabel es sich erwünschte. Felipe verabschiedete sich von ihr.

Gut eine Stunde später aber schöpfte sie neue Hoffnung. In der Stille der Nacht hörte sie ein Steinchen gegen das Fenster ihres Zimmers schlagen. Sogleich öffnete sie einen Flügel und blickte nach draußen. Zu sehen war niemand, doch sie erkannte die Stimme Felipes, der gedämpft darum bat, ihn einzulassen.

Das Herz klopfte Isabel bis zum Halse. Hatte ihre Sehnsucht

sich auf Felipe übertragen? Behende löschte sie das Licht, eilte die Treppe hinunter und öffnete die Tür.

Ein Schatten löste sich von der gegenüberliegenden Mauer und eilte auf sie zu.

»Felipe!« seufzte Isabel voller Seligkeit.

Er schloß die Tür hinter sich.

Sie umklammerte ihn verlangend.

»Aber Isabel!« keuchte er ungehalten. »Ich bin nicht gekommen, um . . . Etwas Unglaubliches ist geschehen. Ich weiß jetzt, weshalb Ximenez de Cisneros sich bereit erklärte, uns so schnell zu trauen.«

Ihre Ernüchterung war vollkommen. Isabel hätte aufschreien mögen.

Er legte seinen Arm um sie. »Laß uns nach oben gehen.«

Sie hätte sich am liebsten zu Boden sinken lassen.

»Nun komm schon.«

Isabel strich sich über die Stirn.

»Du wirst entsetzt sein, wenn du erfährst, was geschehen ist«, sagte Felipe beim Hinaufsteigen der Treppe.

Isabel verlor die Beherrschung. »Was redest du so viel«, schrie sie ihn an. »Sag doch, was geschehen ist!«

Er legte erschrocken seine Hand auf ihren Mund. »Hast du den Verstand verloren? Bis auf die Straße kann man dich hören!«

»Entschuldige«, stammelte sie und zwang sich, nüchtern zu denken. »Am besten gehen wir in das hintere Zimmer. Da kann uns niemand sehen.«

Felipe folgte ihr und erzählte, was sich zugetragen hatte. »Ich war kaum daheim«, begann er etwas kurzatmig, »da klopfte der Küster von Santa Maria la Blanca an meine Tür und teilte mir völlig aufgelöst mit, Pater Adalbero sei in Gewahrsam der Inquisition.«

»Das ist doch nicht möglich!«

»Leider stimmt es. Seine Wohnung wurde bereits durchsucht und beschlagnahmt. Einzelheiten sind mir nicht bekannt. Fest steht jedoch, daß Adalbero gewußt hat, was eintreten wird. Er beauftragte den Küster, mich nach Einbruch der Dunkelheit aufzusuchen und mir zu bestellen, unter der Kniebank des äußersten linken Chorgestühles seiner Kirche liege ein Gebetbuch, in dem sich eine Nachricht für mich befinde.«

»Du bist schon dort gewesen?«

»Ja. Zwischen den Seiten des Gebetbuches lag ein Zettel, der eine so ungeheure Anschuldigung enthielt, daß ich ihn vorsorglich sofort verbrannte. Adalberos offensichtlich schnell niedergeschriebene Mitteilung lautete: ›Man verlangt von mir, den Inhalt Eurer Beichten bekanntzugeben. Den Grund dafür kenne ich nicht. Seid auf der Hut. Ich versichere Euch, niemals zu sprechen.‹«

Isabel verlor alle Farbe. »Wer kann sich für unsere Beichten interessieren?«

»Denk nach! Es gibt nur eine Person in Toledo, die in der Lage ist, einen Priester verhaften zu lassen: der Erzbischof!«

Isabel unterdrückte einen Schrei. »Wenn Ximenez de Cisneros den Inhalt unserer Beichten erfahren will, führt er etwas gegen uns im Schilde.«

»Richtig!« stimmte Felipe ihr zu. »Und nun kombiniere weiter. Wenn er, wie wir es einmal nennen wollen, belastendes Material gegen uns sammelt, welches Ziel könnte er dann verfolgen?«

Isabel ging einige Schritte auf und ab. »Toriji?«

»Nichts anderes!« antwortete Felipe. »Und nun wollen wir uns einmal aus der Sicht des Erzbischofs betrachten. Als glühender Kämpfer für den Zölibat und gegen das Konkubinat nimmt er bestimmt kein persönliches Interesse an dir. Da bei mir nichts zu holen ist, bin auch ich für ihn uninteressant. Anders liegen die Dinge aber, wenn wir heiraten. Dem geltenden Recht entsprechend, wird deine Besitzung dann auf meinen Namen überschrieben. Geht dir ein Licht auf? Ximenez de Cisneros wünscht, daß ich dein Mann werde. Dann wird er mich belasten, um Toriji kassieren zu können. Darum sucht er nach geeignetem Material. Deshalb ließ er Ramon festsetzen und empfiehlt uns, schon in drei Monaten zu heiraten. Begründung: Toriji braucht eine starke Hand!«

»Moment«, widersprach Isabel. »Da stimmt etwas nicht. Warum sollte er einen komplizierten Umweg gehen, wenn er es leichter haben könnte? Er braucht nur mich zu belasten.«

»Womit?«

»Mit Sünden, die ich beichte.«

Felipe schüttelte den Kopf. »Es geht um Ketzerei! Du mußt den Versuch, Pater Adalbero zum Reden zu bringen, von einer ganz anderen Warte betrachten. Meines Erachtens wollte der Erzbischof sich nur Gewißheit über unser Verhältnis verschaffen. Er ist offensichtlich sehr ungeduldig. Wahrscheinlich, weil er weiß, daß man dir Toriji nicht wegnehmen kann. Vom Blut her bist du tabu, und niemand kann dir etwas nachsagen. Bei mir liegen die Dinge aber anders. Mein Schriftsatz ›Über die Rechte des Untertanen dem König gegenüber‹ ist, wenn man so will, ein Angriff auf die bestehende ›Ordnung‹, die ich Unordnung nenne, und Ximenez de Cisneros wurde von meinem Vater, wie er heute morgen selber sagte, über meine Arbeit informiert. Für mich ist der Fall sonnenklar. Ramon wurde verhaftet, damit du in Schwierigkeiten gerätst, die dich veranlassen sollen, schnellstens einen Mann zu heiraten, dessen Intelligenz nicht ausreichte, zu erkennen, daß niemand unbeschadet in ein Schwert hineinlaufen kann.«

Für Isabel war eine Welt zusammengebrochen. Sie hatte geglaubt, die Reinheit ihres Blutes sei eine Garantie für ihr Wohlergehen, und nun mußte sie erfahren, daß ihr Leben genauso gefährdet war wie das eines Neuchristen. Sie verstand plötzlich ihren Vater, der ihr einmal gesagt hatte: ›Wir leben in einer Zeit, in der es ebenso gefährlich ist, zu sprechen wie zu schweigen. Schuld daran sind aber nicht die Reyes Católicos, sondern wir selbst. Im Bewußtsein unserer persönlichen Sicherheit verlieren wir unser Gewissen, anstatt gegen bestehende Ungerechtigkeiten zu protestieren. Wer sich nicht gegen Zwangsmethoden, gegen rassische Verfolgung und dergleichen auflehnt, darf sich nicht wundern, wenn ihm eines Tages keine christliche Barmherzigkeit zuteil wird.‹

Wahrhaftig, mit christlicher Barmherzigkeit durfte Isabel nicht rechnen, wenn Erzbischof Ximenez de Cisneros es sich in den Kopf gesetzt hatte, Toriji in seine Hand zu bekommen. Er hatte schon manches Gut der Kirche zugeführt, und die katholischen Majestäten konnten nichts gegen ihn unternehmen, weil er als Beichtvater der Königin zu genau wußte, mit welchen Methoden sich das Herrscherpaar den Besitz des Großadels aneignete.

Nach einer von quälerischen Überlegungen erfüllten Nacht, die Isabel zu der Überzeugung gelangen ließ, daß Felipe die Situation richtig beurteilte, brach in ihr die Kastilierin durch, die sich keine Barmherzigkeit erwünscht, sondern hart wie die Felsen ihres Landes ist und einen Stolz in sich trägt, der keine Niederlage duldet. Wenn Ximenez de Cisneros, dieser Sproß eines heruntergekommenen Geschlechtes, sich einbildete, über Felipe und dessen aufrührerische Schrift in den Besitz von Toriji gelangen zu können, dann sollte er sich täuschen. Eher würde sie ihrer Liebe befehlen, trocken wie die Luft der kastilischen Hochebene zu werden, als Toriji durch eine Eheschließung zu gefährden.

Isabel dachte allerdings nicht daran, sich von Felipe zu trennen. Sie liebte ihn und wollte nur von ihm geliebt werden. Für sie waren die Söhne der vornehmen Familien nur radschlagende Pfauen. Daß sie die Granden so sah, war auf Felipes schlichtes Wesen zurückzuführen, an das sie sich ebenso gewöhnt hatte wie an sein ausschließlich vom Rechtsstandpunkt geprägtes Denken. Um keinen Preis wollte sie von ihm lassen. Seit der Umarmung am Tajo dachte sie unablässig an ihn, und sie hielt es für ausgeschlossen, daß der Himmel ihre Liebe vernichten und einen von Generationen aufgebauten Besitz in die Hände eines Mannes gelangen lassen würde, der als Mönch den Schwur geleistet hatte, sein Leben in Keuschheit und Armut zu verbringen.

Isabels Zuversicht steigerte sich noch, als Felipe ihr am nächsten Morgen einen Vorschlag unterbreitete, dessen Wagemut sie an ihren Lieblingshelden Cid de Bivar Campeador erinnerte, welcher unerschrocken die Mauren bekämpft, sich aber auch nicht gescheut hatte, gegen würdelos handelnde Christen ins Feld zu ziehen.

»Ich habe mir alles reiflich überlegt«, erklärte Felipe ohne lange Vorrede. »Es gibt zwei Möglichkeiten, das Vorhaben des Erzbischofs zu durchkreuzen. Erstens: Wir bleiben beisammen, ohne zu heiraten. Ximenez de Cisneros kann mich dann zwar eines Tages wegen meines Schriftsatzes festsetzen lassen, gewänne dadurch aber nicht den geringsten Einfluß auf Toriji. Zweitens: Ich begebe mich auf schnellstem Wege nach Salamanca und bezichtige mich beim Domherrn, dem Freund des Rektors der Universität, selbst der Ketzerei. Einem Gnadenedikt zufolge darf im Bezirk Salamanca niemand verurteilt werden, der innerhalb von vierzig Tagen nach einer im Sinne der Inquisition begangenen Straftat Selbstanzeige erstattet und auf diese Weise Versöhnung mit der Kirche sucht.«

Isabel sah Felipe entgeistert an. »Und wer garantiert dir, daß du nicht doch eingekerkert wirst?«

»Niemand«, antwortete er gelassen. »Ich halte es aber für ausgeschlossen, daß das Heilige Offizium sein Wort bricht.«

»Warum geht dann nicht jeder hin und beschuldigt sich?«

»Weil das schwieriger ist, als du denkst. Wer sich bezichtigt, muß den Beweis seiner Schuld antreten. Für mich ist das leicht. Ich brauche nur auf meine ›fatale‹ Arbeit hinzuweisen. Was aber soll derjenige tun, der sich keiner Schuld bewußt ist? Das ist das Entsetzliche am System der Inquisition: niemand weiß oder erfährt, wann er wessen beschuldigt wird. Ehe man sich versieht, ist man zu lebenslänglichem Kerker, Verbrennung oder dem Sanbenito* verurteilt.«

»Und angesichts dieser Tatsache willst du dich selbst bezichtigen?«

»Nichts wird mich davon abhalten können«, antwortete Felipe mit dem Stolz des *Hidalgos*, des mittellosen Adeligen aus altchristlicher Familie.

Isabels Augen strahlten plötzlich. »Ich bewundere dich. Du handelst wie ein echter Caballero. Tapfer im Herzen, kühn im Entschluß, riskierst du dein Leben.«

---

* Sanbenito (verfälscht aus ›Sacco benito‹) hieß das ›Armesünderhemd‹, welches die von der Inquisition zu geringen Strafen Verurteilten anzulegen hatten. Es war aus gelber Leinwand gefertigt. Vorne und hinten zeigte es das Andreaskreuz; unten war es mit Flammen und Teufeln bemalt. Wer zum Tode durch Verbrennen verurteilt wurde, mußte zum Sanbenito eine hohe, spitz zulaufende Mütze tragen (Carocha). Beide Arten der Demütigung hatten ihre Vorläufer in gelben Stoffabzeichen bzw. Mützen, die lange Zeit hindurch von allen Juden getragen werden mußten.

Felipe hob abwehrend die Hand. »Stell mich auf kein zu hohes Podest! Ich könnte herabfallen und dich bitter enttäuschen.«

Sie trat näher an ihn heran. »Von dieser Stunde an bist du für mich der Paladin einer Sache, die Gott dir anvertraut hat. Ich lege meine Zukunft getrost in deine Hände.«

Felipe wäre kein Spanier gewesen, wenn Isabels Worte ihn nicht beeindruckt hätten. »Dein Vertrauen wird mir Kraft geben«, entgegnete er und umarmte Isabel.

Ihre Lippen öffneten sich sehnsuchtsvoll. »Und wann, glaubst du, wieder hier sein zu können?«

Er hob die Schultern. »Das ist schwer zu sagen. Die Reise dauert vier Tage; hin und zurück also acht. In den Sternen aber steht geschrieben, wie lange ich dort bleiben muß.«

»Du vermutest, daß man dich eine Weile festhalten wird?«

»Vielleicht. Ich vermag es nicht zu beurteilen.«

Isabel schaute ihn an, als wollte sie auf den Grund seiner Seele blicken. »Wäre es nicht doch besser, in Toledo zu bleiben?«

»Nein«, antwortete Felipe bestimmt. »Hier würde mein Leben zu einem Schrecken ohne Ende werden. Da riskiere ich lieber etwas, zumal mir der Gedanke, es zur Sicherung unserer Zukunft zu tun, den Weg sehr erleichtert.«

Sie küßte ihn. »Komm bald zurück. Ich sehne mich nach dir und freue mich schon auf das Gerede, das dann einsetzen wird.«

Er sah sie fragend an.

Isabel scherzte: »Wirst du dann nicht täglich in meine Wohnung kommen?«

»Wo denkst du hin«, erwiderte er, den Entrüsteten spielend. »Ich ziehe dann nach Toriji, wo eine gew se . . .«

Isabel schloß seinen Mund, und Felipe wehrte sich nicht. Das einzige was er noch sagte, war: »Die Leute werden schon heute anfangen zu reden.«

Sie zog ihn fort. »Wenigstens lügen sie dann nicht.«

Die Störrigkeit des Maulesels, den Felipe für seine Reise nach Salamanca gemietet hatte, war nicht so entnervend wie die Glut der Sonne, die den kargen Boden zwischen der Sierra de Gredos und der Guadarama erbarmungslos ausdörrte, Flüsse zum Versiegen brachte, Leidenschaften verbannte und jedes Denken im Keim erstickte. Kaum ein Grashalm war zu entdecken, und Felipe fragte sich verwundert, wovon die Merinoschafe, die inmitten der felsigen Landschaft weideten, eigentlich lebten.

Am zweiten Tag stieg das Gelände steil an. Der Weg führte nun durch wildromantische Schluchten, in denen Maulbeerbäume und Kastanien willkommenen Schatten spendeten. Die Luft wurde merklich frischer und gegen Abend sogar so kühl, daß Felipe sich eine Decke über die Schulter werfen mußte. In elfhundert Meter Höhe ritt er der Stadt Avila entgegen, deren mächtige zweieinhalb Kilometer lange und mit achtundachtzig wuchtigen Rundtürmen bewehrte Stadtmauer es unglaubwürdig erscheinen ließ, daß sie von Römern und Mauren mehrfach bezwungen worden war. Völlig unbeschädigt bot sie ein drohendes und zugleich gebieterisches Bild*.

Durch eines der acht hohen Doppeltore ritt Felipe der *Plaza Major* entgegen, an der ein kleiner Gasthof lag, in dem er schon mehrmals übernachtet hatte. Etwas Anheimelndes ging von der Herberge aus, und Felipe liebte es, bis zur Abendstunde vor ihrem Eingang zu sitzen und auf den weiten Hauptplatz der Stadt zu blicken, obwohl es auf diesem nichts Besonderes zu sehen gab. Er war weder schön, noch gab es ansprechende Häuserfronten oder gar ein Monument. Keinerlei Bäume, Pflanzen oder Blumen belebten seine fröstelnde Leere. Und dennoch ging eine ungeheure Faszination von dem Platz aus. Die Luft war von der Klarheit eines Bergkristalls, und die mild einfallende Sonne rief ein silbernes Licht hervor, das wie die zarte Kräuselung eines Sees flimmerte. Und dieses Licht war es, das Felipe begeisterte und eine seltsame Heiterkeit in ihm wachrief. Hier hatte er das Gefühl, dem Allmächtigen nahe zu sein, hier hielt er Zwiesprache mit sich selbst, hier sah er sich so, wie er wirklich war. Die Luft Avilas tat ihm einfach gut.

Schon des öfteren hatte Felipe festgestellt, daß er sich besonders wohl fühlte, wenn er sich in Höhenlagen aufhielt. Er wunderte sich deshalb nicht, daß seine Spannkraft während der nächsten beiden Tage, die ihn über die altkastilische Hochebene führ-

---

* Die imposante Mauer steht noch heute unversehrt.

ten, um nichts abnahm. Auch störte ihn der steppenartige Charakter des Plateaus nicht. Er schätzte Landschaften, in denen der Mensch zum Mittelpunkt wird. Zwischen den graubraunen, gleich erstarrten Wogen daliegenden Hügeln der Hochebene kam er sich vor wie ein Abenteurer auf hoher See. Nichts gab es, was seine vorauseilenden Gedanken hätte ablenken können.

Zwei Tage lang sah er kaum einen Menschen, dann tauchte Salamanca, die Hochburg der Wissenschaften, am Horizont auf. Ihre Silhouette war in der baumlosen Ebene weithin zu sehen. Der Glockenturm der Kathedrale Santa Maria de la Sede erweckte angenehme Erinnerungen in Felipe, die jedoch bald von bangen Fragen verdrängt wurden. Wie mochte der Domherr von Salamanca, dem das Inquisitionstribunal unterstand, seine Selbstanklage beurteilen? Felipe wußte, daß der hohe Geistliche ein Converso jüdischer Abstammung war, der schöne Frauen über alles schätzte und ebendarum von Ximenez de Cisneros unerbittlich bekämpft wurde. Felipe hielt sich diese Tatsache immer wieder vor Augen, wenn er zu ergründen versuchte, wie der Kirchengewaltige auf seine Selbstbezichtigung reagieren würde. Wahrscheinlich brauchte er nichts zu befürchten. Je näher er aber der Stadt kam, um so größer wurde seine Unsicherheit. Als Student der Jurisprudenz wußte er sehr wohl, daß oft das Recht zur Farce wird, wenn politische Dinge im Spiele sind. Niemand konnte ihm eine Garantie dafür geben, daß sein Fall vom Domherrn nicht dazu benutzt werden würde, eigene Ziele zu verfolgen.

Die friedliche Silhouette Salamancas wirkte beruhigend auf Felipe, und seine Zuversicht erhielt neue Impulse, als er den Rio Tormes erreichte, an dessen saftiggrünen Ufern Frauen ihre Wäsche zum Bleichen ausbreiteten. Das romantische Bild, das noch durch bunte, auf dem träge dahinfließenden Fluß sich wiegende Sumpfpflanzen verstärkt wurde, schien Felipe ein gutes Omen zu sein. Beherzt streifte er alle Bedenken von sich und ritt über den Puento Romano.

Gleich hinter der Brücke lag die Kathedrale, an welche sich das Universitätsgelände anschloß. Kleine Plätze und Kreuzgänge lockerten den ansehnlichen Gebäudekomplex auf. Ohne zu zögern, band Felipe sein Maultier an den erstbesten Pfahl und begab sich zur Wohnung des Rektors, um diesem mitzuteilen, daß er seine ketzerische Schrift zurückziehen und beim Heiligen Offizium Anzeige gegen sich selbst erstatten werde.

Der Rektor der Universität, ein quicklebendiger Spanier namens Lucio, bewohnte ein kleines, auf dem Terrain der Lehranstalt gelegenes Haus, von dessen Fenstersimsen schwer duftende Blumen in Kaskaden herabhingen. Als Felipe ihm gemeldet wurde, befand er sich gerade im Innenhof seines Heimes, in dem ein kleiner Brunnen plätscherte.

Jetzt wird es interessant, dachte der Rektor und forderte seine Haushälterin auf, den Gast in den Hof zu führen. Dann raffte er seinen weitärmeligen Talar, als gelte es, sich in ein Handgemenge zu stürzen.

Felipe glaubte seinen Augen nicht trauen zu dürfen, als er in den Innenhof eintrat und den Rechtsgelehrten mit grimmiger Miene und lebhaften Bewegungen auf sich zukommen sah.

»Ihr habt es also doch für richtig gehalten, Euch noch einmal sehen zu lassen«, fuhr Lucio ihn ungnädig an.

»Ich bitte Eure Magnifizenz gütigst zu entschuldigen . . .«

»Jetzt rede ich!« unterbrach ihn der Rektor abrupt. »Und ich verlange auf der Stelle zu wissen, was mir die Ehre verschafft, nicht völlig in Vergessenheit geraten zu sein.«

Felipe straffte sich. »Magnifizenz, ich bin gekommen, um die zuletzt von mir eingereichte Arbeit zurückzuziehen und Anzeige gegen mich zu erstatten.«

Der Rechtsgelehrte schien nicht zu verstehen, wovon die Rede war. »Selbstanzeige?« fragte er betroffen. »Welche Schuld habt Ihr auf Euch geladen?«

»Ich begreife Eure Frage nicht«, entgegnete Felipe nervös. »Ihr wißt doch, daß ich mich mit meiner Dissertation der Ketzerei schuldig gemacht habe.«

Rektor Lucio sah ihn an, als bleibe ihm der Verstand stehen. »Ihr sprecht von Eurer Arbeit ›Über die Rechte des Volkes dem König gegenüber‹?«

»Allerdings!«

Die Antwort hatte eine erstaunliche Wirkung. Der Gelehrte starrte Felipe sekundenlang an, als sei er ein Weltwunder. Dann verfiel er in ein Gelächter, das kein Ende nehmen wollte. »Nein, so was!« rief er zwischendurch. »Wenn das der Kardinal erfährt!«

Felipe wurde ratlos. »Darf ich fragen, was Euch so belustigt? Und von welchem Kardinal sprecht Ihr?«

»Von Seiner Illustrissimi* Bermuda natürlich.«

»Der Domherr wurde zum Kardinal ernannt?«

Lucio stemmte seine Hände in die Taille. »Das wußtet Ihr nicht?«

»Nein.«

»Wo habt Ihr denn bloß gesteckt? Es weiß doch jeder, daß Bermuda vor drei Tagen den roten Hut erhielt.«

»Ich bitte um Nachsicht, Magnifizenz, aber ich war in Toledo und habe nichts von dieser außerordentlichen Ernennung gehört.«

Der Rektor sah ihn aus mißtrauisch zusammengekniffenen Augen an. »In Toledo wart Ihr? Was wolltet Ihr dort?«

»Meinen Vater und meine Braut besuchen.«

»Und wer brachte Euch auf den Gedanken, Eure Schrift zurückzuziehen und Selbstanzeige zu erstatten?«

Felipe antwortete nicht gleich. Unter den gegebenen Umständen schien es ihm das richtigste zu sein, in aller Offenheit zu bekennen, was er erlebt hatte. Bermuda war nicht mehr der kleine Domherr; er stand jetzt über dem Erzbischof von Toledo. »Eure Frage ist nicht mit der Nennung eines Namens zu beantworten«, erwiderte er nach kurzer Überlegung. »Auch nicht mit wenigen Sätzen. Für mich hat sich ungeheuer viel ereignet. Ximenez des Cisneros griff in Dinge ein, die . . . Aber warum soll ich Euch damit belästigen. Ich werde ohnehin nicht daran vorbeikommen, dem hiesigen Inquisitionstribunal alles zu berichten.«

Der Rechtsgelehrte faßte sich an die Stirn. »Ich verstehe Euch nicht. In welche Dinge griff der Erzbischof ein?«

»Er ließ fünfzehn Conversos verhaften«, erklärte Felipe, einer

---

* Der ursprüngliche Kardinalstitel ›Illustrissimi‹ wurde 1644 von Papst Urban VII. in ›Eminentissimi‹ umgewandelt, der dem heutigen ›Eminenz‹ entspricht.

plötzlichen Eingebung folgend. »Angeblich zur Vergeltung des Mordes an meinem Vater.«

Rektor Lucio erstarrte. »Euer Vater wurde ermordet?«

Felipe senkte den Kopf. »Ihr wißt, daß er Familiare war. Sein übergroßer Eifer dürfte ihn das Leben gekostet haben.«

»Und dafür ließ Ximenez de Cisneros fünfzehn Conversos verhaften? Kommt«, fuhr der Gelehrte erregt fort und griff nach Felipes Hand. »Auf der Stelle gehen wir zu Kardinal Bermuda, dem Ihr alles, aber auch alles berichten müßt.«

Felipe wußte nicht, wie ihm geschah. Seine ›fatale‹ Arbeit wurde übergangen, als existiere sie nicht. Hatte die Erwähnung des Erzbischofs dies bewirkt?

Auf dem Weg zum nahe gelegenen Haus des Kirchenfürsten sprach der Rektor kein Wort, und Felipe überlegte fieberhaft, wie er sich weiterhin verhalten sollte. Die Dinge liefen völlig anders, als er es sich vorgestellt hatte. Sein Plan, einen Sinneswandel vorzutäuschen, den die Ermordung seines Vaters ausgelöst habe, war wie eine Seifenblase geplatzt. Ohne es zu wollen, hatte er die von ihm beabsichtigte demütige Haltung aufgegeben und gegen Ximenez de Cisneros geredet.

Im Haus des Kardinals führte eine Magd die Besucher in einen Empfangsraum, in dem nur einige schlichte Holzstühle und ein Tisch standen, auf dem ein Gebetbuch lag. Aus einer Nische heraus lächelte eine Statue der Muttergottes mit dem Kind. Vom Garten her erscholl Frauengelächter, das plötzlich abbrach, dann aber erneut anhob. Gleich darauf kehrte die Magd zurück und forderte den Rektor und Felipe auf, ihr in die Bibliothek zu folgen, deren luxuriöse Einrichtung Felipe in Erstaunen setzte. In die getäfelten Wände waren Etageren eingelassen, deren gotisches Schnitzwerk mit den kostbaren Folianten, die in ihnen untergebracht waren, zu wetteifern schien. Den Steinboden bedeckten weiche Orientteppiche, auf denen zwanglos gruppiert bequeme Ledersessel und Faltstühle standen. In den Fensternischen befanden sich mit Brokatmatten gepolsterte Bänke, die zum Ausruhen einluden.

»Setzen wir uns«, sagte der Rektor, auf eine Sesselgruppe weisend, doch noch bevor sie Platz nehmen konnten, trat der Kardinal in den Raum.

»Das ist ja eine erfreuliche Überraschung«, begrüßte er den Rechtsgelehrten. »Und gestern befürchtetest du noch, unserem hoffnungsvollen Sprößling könnte etwas zugestoßen sein.«

Felipe traute seinen Ohren nicht. Der mit einem der höchsten Ämter der katholischen Kirche betraute Freund des Rektors nannte ihn einen hoffnungsvollen Sprößling? Und gestern noch hatte man über ihn gesprochen?

»Laßt Euch anschauen«, wandte sich der Kardinal an Felipe. »Ja, so ungefähr habe ich mir Euch vorgestellt. Vielleicht etwas draufgängerischer und weniger sensibel, aber eben doch als einen Widerstandsgeist, der vor Schwierigkeiten nicht zurückschreckt.«

Felipe wußte nichts zu erwidern. Er war gebannt von den braunschwarzen Augen des Kirchenfürsten, die menschliche Wärme verrieten. Sein krauses Haar sowie seine kühn gebogene Nase ließen ahnen, daß seine Vorfahren Juden gewesen waren. Er neigte zur Körperfülle und verbarg seinen Leibesumfang unter einer weitgeschnittenen Soutane.

Der Universitätsrektor warnte seinen Freund mit erhobenem Zeigefinger. »Du solltest vorsichtiger sein! Nach allem, was ich zu hören bekam, scheint aus unserem Oppositionsgeist ein Opportunist geworden zu sein. Er möchte seine Schrift ›Über die Rechte des Volkes dem König gegenüber‹ zurückziehen und beim Heiligen Offizium Selbstanklage erheben.«

Kardinal Bermuda starrte Felipe entgeistert an. »Ist das wahr?« fragte er mit ungläubigem Staunen in der Stimme.

Felipe war es vor Aufregung unmöglich, ein Wort hervorzubringen.

»So redet gefälligst«, brauste Bermuda auf, als Felipe wie hilfesuchend zum Rechtsgelehrten hinüberblickte. »Es kann doch nicht stimmen, daß Ihr, dessen Arbeit mich zutiefst beeindruckt hat, nicht mehr zu Euren Ausführungen steht. Nach der Lektüre Eures Schriftsatzes erklärte ich spontan: Den Verfasser dieser Arbeit werde ich bis in den Himmel hinein protegieren!«

Felipe stand wie gelähmt da.

»Wird hier denn jeder korrumpiert?« rief der Kardinal mit puterrotem Kopf.

Rektor Lucio bedeutete ihm, sich zu beruhigen.

Felipe schloß die Augen. Man lobte seine Arbeit und empörte sich darüber, daß er sie zurückziehen wollte? Er hatte doch die bestehende Ordnung angegriffen und dargelegt, daß ein König, der das Recht seines Volkes auf Schutz mißachtet und es der Willkür einer wie auch immer gearteten Institution ausliefert, seines Amtes unwürdig ist und zur Abdankung gezwungen werden muß. »Ich bitte um Vergebung, Illustrissimi«, sagte er kurz entschlossen. »Ich bin so verwirrt, daß ich nicht mehr klar sehe und Euch fragen muß, ob Ihr von meinem gegen die Inquisition gerichteten Schriftsatz sprecht.«

»Wovon denn sonst?«

»Und Ihr identifiziert Euch mit meinen Ausführungen?«

Der Kardinal hob abwehrend die Hände. »Wo denkt Ihr hin! Nein, mein Lieber, dafür seid Ihr mir zu weit über das Ziel hinausgeschossen. Auch entdeckte ich Unausgegorenes. Was mich begeistert, ist Eure Gradlinigkeit, Euer Mut und das Verlangen, unhaltbar gewordene Zustände anzuprangern.«

»Dann muß ich nochmals um Nachsicht bitten und eine weitere Frage an Eure Illustrissimi richten«, entgegnete Felipe, dem das Herz vor Aufregung in der Kehle klopfte. »Haltet Ihr, dem das hiesige Tribunal des Heiligen Offiziums untersteht, die politischen und kirchlichen Verhältnisse in unserer Heimat für unerträglich?«

»Haarsträubend sind sie!« ereiferte sich der Kirchenfürst. »Vor wenigen Tagen erst bestrafte die Inquisition einen Vater von sieben Kindern mit lebenslänglicher Galeere, nur weil er es gewagt hatte, beim Kartenspiel zu sagen: ›Selbst wenn Gott dir hilft – dieses Spiel wirst du nicht gewinnen!‹«

Felipe geriet in Feuer. »Warum kämpft Ihr dann nicht dafür, daß derartige Mißstände beseitigt werden?«

»Wer sagt Euch, daß ich das nicht tue?« entgegnete der Kardinal streng. »Bevor Ihr aber fortfahrt, mich zu insistieren, erwarte ich Antwort auf meine Frage. Ist es wirklich Eure Absicht, Selbstanklage wegen Ketzerei zu erheben?«

»Das war der Zweck meiner Reise«, erwiderte Felipe, ohne zu zögern. »Nun scheint mir das nicht mehr notwendig zu sein; denn Euren Worten zufolge steht nicht zu befürchten, daß Ihr meine Schrift zum Gegenstand einer Anklage machen oder sie gar dem Erzbischof von Toledo schicken werdet, wenn dieser sie anfordern sollte.«

»Was sind das für absurde Gedanken!« empörte sich der Rektor.

Felipe schaute zu dem Kirchenfürsten hinüber. »Ich glaube, ich bin Euch sowie meinem verehrten Lehrer eine umfassende Erklärung schuldig. Gestattet mir deshalb, über Geschehnisse zu berichten, die sich in Toledo zugetragen haben und mich dahin brachten, Anklage gegen mich erheben zu wollen.«

Kardinal Bermuda wies auf einen Sessel. »Was in Toledo geschieht, findet immer mein Interesse.«

Felipe berichtete nun in aller Ausführlichkeit, was er erlebt hatte. Er verschwieg nichts und fügte nichts hinzu, stellte Vermutungen ausdrücklich als solche dar und bekannte unumwunden, daß er den Tod seines Vaters zunächst als Strafe Gottes für das angesehen habe, was er und Isabel an jenem denkwürdigen Nachmittag getan hatten.

Im Gegensatz zu Rektor Lucio, der einige Male Einwürfe machte und Fragen stellte, hörte ihm Kardinal Bermuda fast regungslos zu. Den Kopf leicht vorgeneigt, die Ellbogen auf die Armlehnen seines Sessels gestützt und die gefalteten Hände an den Mund gelegt, bot er ein Bild der Ruhe und Konzentration.

Felipes Wangen glühten, als er seinen Bericht mit den Worten beendete: »Ihr werdet verstehen, daß ich keinen anderen Ausweg mehr sah, als mich anzuklagen. Ich konnte ja nicht wissen, daß mein ketzerischer Schriftsatz hier keine Empörung auslösen würde.«

Der Kirchenfürst erhob sich und sagte empört: »Sogar das Beichtgeheimnis versucht Ximenez anzutasten! Nichts ist diesem Menschen heilig. Und was hat ihn dahin gebracht? Der Zölibat, den er bis zur Bewußtlosigkeit verteidigt. Dabei bekennt er selber, sich in Gebirgsöden den härtesten Kasteiungen unterworfen zu haben, um mit aufkommenden Lustgefühlen fertig zu werden. Wider die Natur hat er gehandelt, die sich nun bitter an ihm rächt. Für mich ist er ein klassisches Beispiel für die Gefährlichkeit der zur Pflicht gemachten Ehelosigkeit. Sein Fanatismus und seine Intoleranz sind Folgen seiner Selbstpeinigungen.

Ich habe nichts dagegen, wenn Priester, denen es ein Bedürfnis ist, ehelos zu leben, sich dementsprechend einrichten. Es wird ihnen ebensowenig schaden wie anderen Junggesellen. Wer sich aber nach einem Weib sehnt und sich auspeitscht, nur um den Zölibat nicht zu verletzen, darf sich nicht wundern, wenn er Schaden nimmt. Aber lassen wir das unerfreuliche Thema und wenden wir uns unserem jungen Freund zu, der das seltene Glück hat, nicht tun zu müssen, was ihm widerstrebt.«

Felipe sah ihn verwundert an.

Der Kirchenfürst nahm eine unruhige Wanderung auf. »Mich hielt kein gütiges Geschick davon ab, Dinge tun zu müssen, denen ich gerne ausgewichen wäre. So wie Ihr Euch die Sicherheit Eurer Zukunft durch ein falsches Geständnis erkaufen wolltet, mußte ich im Interesse vieler Conversos meinen Kardinalshut mit schnödem Mammon erstehen. Ja, Ihr hört richtig«, fügte er hastig hinzu. »Ich habe den Kardinalstitel mit Geld erworben. Und warum tat ich das? Um Übelstände beseitigen zu können. Als Domherr war ich machtlos, nun jedoch . . . Die Verhältnisse haben sich geändert. Ich kann jetzt damit beginnen, eine Reform der Inquisition in die Wege zu leiten.«

»Reform?« fragte Felipe verblüfft. »Das Unrecht wollt Ihr reformieren?«

»Natürlich nicht«, entgegnete der Kardinal unwillig. »Wenn es nach mir ginge, würde das Heilige Offizium noch heute davongejagt. Das aber ist leider unmöglich. Wenn ich mich nicht bezähme, mache ich den gleichen Fehler, der Euch unterlaufen ist: ich gerate in Gefahr und kann niemandem mehr helfen. Umsichtig muß man handeln. Nicht wie Sixtus IV., der gegen die Methoden der Inquisition protestierte, aber nichts erreichte, weil er undiplomatisch vorging und sich die Katholischen Majestäten, mit denen er keinen Streit riskieren konnte, zu seinen Widersachern machte. Und wer ist heute das Oberhaupt der Kirche? Alexander VI., Sohn der Isabel Borgia! Von ihm ist das Schlimmste zu befürchten. Nachdem er Rechtswissenschaft studiert hatte, erkaufte er sich mit fünfundzwanzig Jahren den Kardinalshut. Auf gleiche Weise erwarb er nach dem Tode von Innozenz VIII. die Tiara. Vier Kinder hat er inzwischen, und was man von ihm, seinem Sohn Caesar und seiner Tochter Lukretia hört, kann einen nur erschauern lassen. Nein, von Alexander können wir keine Unterstützung erwarten, und deshalb habe ich mich im Interesse der erhabenen Lehre Christi, die heute überall zu einem politischen Hilfsmittel herabgewürdigt wird, dazu entschlossen, in das Räderwerk der Inquisition einzugreifen und den Versuch zu machen, es langsam zum Stillstand zu bringen.«

»Und dabei erhofft sich Seine Illustrissimi Eure Hilfe!« fiel der Rektor mit gewichtiger Miene ein.

Felipe schaute ungläubig von einem zum anderen.

»Ja, das ist wahr«, bestätigte der immer noch vor ihm stehende Kirchenfürst. »Nachdem ich Eure Schrift gelesen hatte, kam mir der Gedanke, Euch mit einer besonderen Aufgabe zu betrauen. Daran hat sich übrigens nichts geändert«, fügte er lächelnd hinzu. »Im Gegenteil, seit ich weiß, welche Komplikationen sich für Euch ergeben haben, sind meine Hoffnungen sogar gestiegen. Es muß Euch doch drängen, in die Tat umzusetzen, was Ihr in Eurer Schrift gefordert habt.«

Felipe glaubte keine Luft mehr zu bekommen. Er sah die gütigen Augen des Kirchenfürsten und vergegenwärtigte sich das halb geschlossene Lid des Erzbischofs von Toledo. Durch eine merkwürdige Gedankenassoziation erinnerte ihn das Brustkreuz des Kardinals plötzlich an das Medaillon mit dem Skarabäus, das er Isabel geschenkt hatte. Noch einmal erlebte er den Ritt mit ihr, drängten sich ihm die nachfolgenden Stunden auf, vernahm er die salbungsvolle Stimme des Kustoden und hörte er die hämmernden Worte: Das ist die Strafe Gottes! Die Strafe Gottes! Du mußt entsagen! Im Verzicht liegt der Verdienst!

Kardinal Bermuda legte ihm die Hand auf die Schulter. »Ist Euch nicht wohl?«

Felipe war es, als würde er aus einem wüsten Traum gerissen. »Doch, doch«, antwortete er verwirrt. »Ich finde mich nur noch nicht zurecht. Vor einer Stunde meinte ich noch, mich selbst anzeigen zu müssen, und nun macht Ihr mir das Angebot, in Eure Dienste zu treten. Das ist zuviel für mich.«

»Ihr sollt Euch weder jetzt noch heute entscheiden«, erklärte der Kirchenfürst beschwichtigend. »Seinem Leben eine völlig neue Richtung zu geben ist schließlich keine alltägliche Sache.«

Felipe stutzte. Eine völlig neue Richtung? Was mochte der Kardinal damit meinen? Kurz entschlossen fragte er ihn.

Bermuda blickte ihm offen in die Augen. »Reden wir nicht um den heißen Brei herum. Ihr seid nach Salamanca gekommen, um Euch den Weg in eine Ehe zu ebnen, seid aber, wie Ihr seht, an Verschwörer geraten, die Euch mit Haut und Haaren fressen möchten. Um mich konkreter auszudrücken: die Inquisition ist nicht von außen zu bezwingen; sie muß von innen her überwunden werden. Das aber braucht Zeit sowie hervorragend ausgebildete und in wahrhaft christlichem Sinne erzogene Priester. Ohne die buntscheckige Geistlichkeit unserer Tage wäre es Torquemada und Ximenez de Cisneros niemals möglich gewesen, eine ebenso unmenschliche wie unchristliche Inquisition zu etablieren. Die meisten unserer Kleriker sind ziemlich ungebildet. Sie besuchen die Schule erst, wenn sie in den Genuß ihrer Benifizien gekommen sind. Diesen Zustand gilt es als erstes abzustellen, und nach der Lektüre Eurer Schrift faßten Rektor Lucio und ich den Entschluß, Euch die Leitung eines neu zu schaffenden, modernen Priesterseminars anzuvertrauen.«

Felipes Nerven waren so angespannt, daß er hysterisch auflachte. »Ich, ein Laie, soll Priester ausbilden?«

»Das wäre unser Wunsch«, antwortete Kardinal Bermuda ernst. »Allerdings nicht als Laie, sondern als Priester. Den erforderlichen Geist besitzt Ihr. Was Euch noch fehlt, ist zu erlernen. In spätestens einem halben Jahr könnt Ihr die Weihe erhalten, und ebenso lange wird es dauern, bis mein Freund Lucio die Voraussetzungen zur Eröffnung des besagten Seminars geschaffen hat.«

Felipe war blaß geworden. »Ich bitte um Vergebung, Illustrissimi, aber ich kann doch nicht einfach Priester werden!«

»Erzählte ich Euch nicht, daß der heute regierende Papst Rechtswissenschaften studierte und sich mit fünfundzwanzig Jahren den Kardinalshut und später sogar die Tiara kaufte! So etwas erwartet natürlich niemand von Euch. Ihr sollt lediglich in die Lage versetzt werden, Menschen für Menschen zu erziehen, damit das Leid, das über unser Volk gekommen ist, irgendwann einmal sein Ende nimmt.«

»Aber ich bin, wie Ihr selber gesagt habt, nach Salamanca gereist, um mir den Weg in eine Ehe zu ebnen!« begehrte Felipe auf.

»Gewiß«, entgegnete der Kardinal unbeirrt. »Und damit kommt eine Entscheidung auf Euch zu, deren Schwere kein Außenstehender zu ermessen vermag. Deshalb wollen wir auch nicht verschweigen, daß wir Eure Streitschrift verbrennen und Euch in Frieden ziehen lassen werden, wenn Ihr erklärt, Euch für das irdische Glück entschieden zu haben. Berücksichtigt bei Euren Überlegungen aber, daß die Gefahr, die Euch und Eurer Braut im Falle Eurer Verehelichung droht, mit der Vernichtung Eurer Schrift keinesfalls gebannt ist. Ich kenne Ximenez de Cisneros. Er führt durch, was er sich in den Kopf gesetzt hat. Toriji ist meines Erachtens nur zu retten, wenn ihr beide Verzicht übt.«

Die letzten Worte trafen Felipe wie Keulenschläge, und erneut sagte ihm die innere Stimme: Im Verzicht liegt der Verdienst! Im Verzicht!

Nach kurzer Pause fuhr der Kardinal fort: »Wie immer Eure Entscheidung auch ausfallen mag, ein Verzicht wird Euch so oder so abverlangt werden. Ihr könnt lediglich wählen, ob Ihr auf Eure Braut oder auf die Chance verzichten wollt, der Menschheit jenen Dienst zu erweisen, den Ihr Eurem Gewissen folgend in einer aufrüttelnden Schrift gefordert habt.«

Als Felipe das Haus des Kardinals verließ, war er außerstande, einen klaren Gedanken zu fassen. Er kam sich wie ausgehöhlt vor, ahnte jedoch, daß es für ihn kein Zurück mehr geben würde. Das von Jugend an im Elternhaus, in der Schule und in der Kirche immer wieder gehörte Hohelied vom christlichen Caballero, der für Gott kämpft und leidet, belebte ihn wie der verführerische Laut einer Kithara. Für ihn stand es plötzlich fest, daß Gott selbst sich anschickte, in sein Dasein einzugreifen. Der Allmächtige rief ihn, um sich seiner zu bedienen. Den Menschen sollte er Hilfe bringen.

Aber wie sehr seine Neigung zu schwärmerischer Religiosität ihn auch drängte, das Angebot des Kardinals anzunehmen, er konnte sich nicht dazu entschließen. Immer wieder sah er im

Geiste Isabel vor sich. Ihre frische Art betörte ihn ebenso wie die Weichheit ihrer Lippen und ihre Leidenschaft. Würde er je auf sie verzichten können? Mußte das mit ihr Erlebte ihm nicht beständig Träume von erregender Glut vorgaukeln? In seiner Not versuchte er, sich jene Isabel zu vergegenwärtigen, die ihn mit Besorgnis erfüllt hatte. Stand nicht zu befürchten, daß er an ihrer Seite zur Abhängigkeit verdammt sein würde? Aber wie hart und unerbittlich er Isabel auch vor sich erstehen ließ, er liebte sie und wußte, daß es außer ihr keine andere Frau für ihn geben würde.

Er war schon nahe daran, nach Toledo zurückzukehren und das seiner Meinung nach vom Kardinal zu hoch eingeschätzte Risiko, eines Tages festgesetzt zu werden, in Kauf zu nehmen, als er am Ufer des Tormes einen befreundeten Studenten traf. »Alfonso!« rief er erfreut. »Wo hast du in den letzten Monaten gesteckt? Wie geht es dir?«

»Wie soll es einem schon gehen, wenn man in Spanien lebt«, antwortete der Kommilitone mit müder Geste. »Gerade gestern habe ich meinem Vater geschrieben: Unsere Heimat ist ein Land der Barbarei geworden. Niemand kann auch nur noch halbwegs gründlich Wissenschaft betreiben, ohne Gefahr zu laufen, der Ketzerei beschuldigt zu werden. Man hat jetzt sogar die Frechheit besessen, unseren Gelehrten in entscheidenden Dingen Schweigepflicht aufzuerlegen!«

»Soll das ein Witz sein?« entfuhr es Felipe.

»Mir ist das Spaßen vergangen«, erwiderte sein Kamerad voller Bitterkeit. »Betrachte nur die neuerlichen Maßnahmen gegen zwangsgetaufte Juden. Die Prophezeiung Davids: ›Sie werden Hunger leiden wie Hunde und rings um die Stadt streunen‹, ist Wirklichkeit geworden! Ich überlege ernstlich, ob ich die Heimat verlassen soll. Hier ersticke ich förmlich.«

Nicht zuletzt die Worte des Freundes waren es, die Felipe noch am gleichen Abend veranlaßten, einen langen Brief an Isabel zu schreiben, der er ausführlich von seiner Unterredung mit dem Kardinal berichtete und mitteilte, daß er sich nach reiflicher Überlegung dazu entschlossen habe, in Salamanca zu bleiben, um ihre Existenz nicht zu gefährden und sein Leben den Bedrängten des Landes widmen zu können.

»Hab' Verständnis für meinen Entschluß«, bat er am Ende seines Briefes. »Wenn ich nicht zu der Überzeugung gelangt wäre, daß dir Toriji im Falle unseres Zusammenbleibens genommen wird, säße ich nicht mehr hier, sondern hätte ich mich längst zu dir auf den Weg gemacht. Teile mir umgehend mit, daß du mich verstehst und meinen Verzicht richtig beurteilst. Ich übergebe diese Zeilen einem vertrauenswürdigen Burschen, dem ich den Auftrag erteilte, das von mir gemietete Maultier zurückzubringen und eine Nachricht von dir entgegenzunehmen.«

Felipe wartete vergeblich auf eine Antwort.

3

Isabel war nicht wiederzuerkennen. Felipes Brief hatte ihr alle Kraft genommen. Tagelang lief sie wie benommen umher, wochenlang hoffte sie, eine andere, bessere Nachricht zu erhalten, monatelang kämpfte sie gegen den Wunsch an, nach Salamanca zu reiten, um Felipe zu bestürmen, seinen Entschluß rückgängig zu machen. Doch ihr Stolz hielt sie zurück, einen Schritt in seine Richtung zu tun. Das geistige und charakterliche Erbe ihrer Vorfahren gebot ihr, die Wunde zu ignorieren, die Felipe ihr geschlagen hatte. Jahrhunderte von unerbittlicher Härte hatten die Sippe derer von Toriji geprägt. Wie ihre Vorfahren den Ansturm der Römer, Westgoten und Mauren überstanden hatten, ohne ihr Haupt zu beugen, so wollte sie die Schmach verwinden, die über sie gekommen war. Felipe ahnte ja nicht, was er ihr angetan hatte. Abgesehen von dem Dolchstoß, den er ihrem Herzen versetzte, zwang er sie, früher oder später bekennen zu müssen, schnöde verlassen worden zu sein. Es gab niemanden in Toledo, der sie nicht kannte und wußte, daß sie die Söhne der Granden verschmäht hatte. Zum Gespött der Leute mußte sie werden, wenn bekannt wurde, daß Felipe von ihr aus geradewegs in ein Priesterseminar gegangen war.

Tatsächlich kursierten schon bald die ersten Gerüchte. Die unsinnigsten Behauptungen wurden aufgestellt. Sagten die einen, Felipe habe sich mit einer temperamentvollen Andalusierin davongemacht, erklärten andere, er sei ins Ausland geflüchtet, um der Inquisition zu entgehen. Dritte wiederum wußten zu berichten, zwischen Isabel und Felipe sei ein Streit um den verhafteten Gutsverwalter entbrannt, und diese Mär verdichtete sich zu der Version, Ramon habe ein Verhältnis mit Isabel gehabt, das Felipe veranlaßt hätte, den Mauren zu denunzieren, was seinem Vater den Tod eingebracht und Felipe gezwungen habe, sein Heil in der Flucht zu suchen.

Die Gerüchte kamen auch zu Ohren der Mitglieder des Inquisitionstribunals, und obwohl diese über Felipes Studienwechsel und Aufnahme in das Priesterseminar informiert waren und genau wußten, daß zwischen seinem Verschwinden und Ramons Verhaftung keinerlei Zusammenhang bestand, forderte der Sekretär des Erzbischofs Isabel eines Tages auf, dem Hochwürdigen Herrn, der besorgt über die vielen Gerüchte sei, gelegentlich einen Besuch abzustatten.

Trotz ihrer verbindlichen Form hatte diese Aufforderung eine unerwartete Wirkung auf Isabel; sie bestätigte ihr, daß die Augen des Kirchenfürsten nach wie vor auf Toriji gerichtet waren. Diese Feststellung bedrückte sie aber nicht. Im Gegenteil, sie empfand Genugtuung darüber. Das Interesse des Erzbischofs bewies die Richtigkeit der von Felipe vertretenen Auffassung. Seine Sorge war also weder unbegründet noch übertrieben gewesen, und sein Wille, Priester zu werden, sprach eindeutig dafür, daß er ausschließlich sie liebte.

Diese Erkenntnis versöhnte Isabel. Sie dachte nicht mehr voller Grimm an Felipe und war manchmal nahe daran, ihm einen Brief zu schreiben, brachte es dann aber doch nicht über sich, dem Wunsch ihres Herzens zu entsprechen. Sie stolperte über ihren Stolz, und die daraus resultierende Unzufriedenheit mit sich selbst setzte ihr mehr zu als ihre Empörung über Felipes einsamen Entschluß. Hinzu kam die ungestillte Sehnsucht ihres erwachten Körpers, die sie so veränderte, daß sie kaum noch wiederzuerkennen war. An die Stelle ihres draufgängerischen Temperamentes, das sie allmorgendlich mit einem stürmischen Galopp hatte in den Tag hineinreiten lassen, trat ein unüberwindbarer Drang zur Gewalttätigkeit, den alle zu spüren bekamen. Ohne Peitsche war sie nicht mehr zu sehen, und wenn sie diese benutzte, spannten sich ihre Lippen wie zum Kuß. Die Lust zu quälen ließ sie Dinge tun, die sie früher keinesfalls getan hätte. So erklärte sie Ramons Kindern, die sich verabredungsgemäß einmal in der Woche in der Nähe eines Vorwerkes des Gutes einfanden, um die ihnen zugesagte Unterstützung entgegenzunehmen, ganz unvermittelt: »Ich weiß nicht, ob ich in der nächsten Woche noch in der Lage bin, euch zu helfen. Stellt euch vorsorglich darauf ein, daß ihr nichts mehr von mir erhaltet.«

Keine Sekunde hatte Isabel sich mit dem Gedanken getragen, Ramons Familie die zugesagte Hilfe zu entziehen. Sie wollte die Kinder nur ängstigen und befriedigte auf diese Weise ein Lustgefühl, das immer stärker in ihr wurde und sie schließlich dazu trieb, den wöchentlichen Unterstützungsbetrag in Tagesraten umzuwandeln, so daß Francisco und Barbara allmorgendlich über zehn Kilometer zurücklegen mußten, nur um einige armselige Maravedis in Empfang zu nehmen. Den Kindern machte das nichts aus, weil sie glaubten, ihre Gönnerin sei in finanzielle Schwierigkeiten geraten. Als Francisco aber einmal allein kam und Isabel seiner Schwester Faulheit vorwarf und aufgebracht erklärte, die fällige Rate zur Strafe erst am nächsten Tag zur Verfügung zu stellen, erkannte er trotz seiner Jugend, daß aus der temperamentvollen, manchmal vielleicht unberechenbar gewesenen Gutsherrin ein Geschöpf ohne Herz geworden war. Aus Wohltaten, die sie erwies, leitete sie das Recht ab, kommandieren und züchtigen zu können. Und nicht nur das. Sie nahm eine verführerische Haltung an, um Francisco zu reizen, doch dessen plötzlich verächtlicher Blick machte Isabel deutlich, daß sie durchschaut war. Das Blut schoß ihr in die Wangen. Sie gab ihrem Pferd die Sporen und jagte davon. Was war nur aus ihr geworden! Sie sehnte Felipe herbei. An seiner Seite wäre sie geschützt gewesen, so aber . . . Es wollte ihr nicht in den Kopf, daß er kurz vor der Priesterweihe stand.

Von Ximenez de Cisneros hatte sie dies erfahren. An ihren Besuch beim Erzbischof mochte sie nicht zurückdenken, wenngleich sie aus dem Gespräch als Siegerin hervorgegangen war.

Seine zumeist abrupt gestellten Fragen hatten sie an einen Kolk-
raben erinnert, der seinen Schnabel ungestüm in ein Opfer
schlägt.

Ximenez de Cisneros hatte die Unterredung mit den Worten
eingeleitet: »Ich ließ Euch bitten, mich aufzusuchen, weil die wi-
dersprechendsten Gerüchte über Euren Verlobten in Umlauf
sind. Wißt Ihr, wo er sich aufhält?«

»Ja«, antwortete Isabel im Bestreben, sich nicht bedrückt zu
zeigen. »Felipe ist in Salamanca, wo er neuerdings Theologie studiert.«

»Ihr steht mit ihm in Verbindung?« hatte der Kirchenfürst
sichtlich enttäuscht erwidert. »Und warum habt Ihr mir die
Möglichkeit einer Trennung verschwiegen, als ich mich bereit
erklärte, Euch trauen zu wollen?«

Isabel antwortete mit einem schmerzlichen Lächeln: »Zu jener
Stunde war die Entscheidung noch nicht gefallen. Mein Verlobter hatte mir nur erklärt, die Ermordung seines Vaters habe ihn
so getroffen, daß er sich mit dem Gedanken trage, der Welt zu
entsagen und sein Leben Gott weihen zu wollen.«

Das gelähmte Lid des Erzbischofs zuckte verdächtig. »Die Ermordung seines Vaters hat diesen Sinneswandel herbeigeführt?«

Isabel reizte es plötzlich, den gefürchteten Inquisitor mit einem Kompliment zu ärgern. »Ja, Hochwürdiger Herr«,
antwortete sie und richtete ihren Blick zu Boden, um einen
möglichst demütigen Eindruck zu erwecken. »Die Entscheidung
aber führtet Ihr herbei. Die Lektion, die Ihr mir in der Sakristei
erteiltet, war gewissermaßen der Funke, der das Pulver zur Ent-
zündung brachte.«

Ximenez de Cisneros hatte alle Mühe, zu verbergen, wie sehr
es ihn grämte, seinen Plan selbst zunichte gemacht zu haben.
Er war so ärgerlich darüber, daß ihm ein unverzeihlicher Fehler
unterlief. Ohne zu bedenken, daß er Isabel gefragt hatte, wo Felipe sich aufhalte, entgegnete er jovial: »Nun, es muß schon sehr
viel Pulver – will sagen: Bereitschaft – vorhanden gewesen sein;
denn Euer ehemaliger Verlobter steht bereits kurz vor der Priesterweihe.«

Sekundenlang war Isabel überrascht gewesen. Dann aber erkannte sie, daß der Erzbischof sich bei seinem Fehler ertappte. Augenblicklich erwiderte sie: »Ja, Felipe teilte es mir mit. Er ist sehr glücklich darüber, daß ihm die hohe Ehre so bald zuteil werden soll.«

Ximenez de Cisneros atmete erleichtert auf, und Isabel war so klug, ihre Genugtuung zu verbergen.

Während Isabel immer unduldsamer wurde und nur noch Freude empfand, wenn es ihr gelang, jemanden zu übertrumpfen, zu demütigen oder zu quälen, blieb ihr ehemaliger Gutsverwalter trotz der Ungewißheit über seine Familie weiterhin gefestigt. Nicht einmal sein Draufgängertum war gewichen. Hartnäckig schwieg er bei den Verhören, und selbst durch Folterungen ließ er sich nicht bewegen, auch nur die geringste strafbare Tat einzugestehen.

Nach wie vor wurde er von dem Dominikaner ›betreut‹, der ihn auf so diabolische Weise um seine Ruhe gebracht hatte. Ein halbes Jahr war seitdem vergangen, und immer noch wußte Ramon nicht, ob seine Familie bettelnd durch das Land zog oder in einem Gefängnis schmachtete. Und darauf kam es der Inquisition an. Er sollte zermürbt werden und in einem Augenblick, da seine Nerven rebellierten, zu Protokoll geben, was man von ihm zu hören wünschte: eine sich selbst oder andere Personen belastende Anschuldigung. Der Maure aber blieb standhaft, und die Kraft dazu gab ihm nicht zuletzt der Wille, sich an dem Mönch zu rächen, der ihn in die Ungewißheit über die Seinen gestürzt hatte. Ob ihm dies gelingen würde, wußte er nicht; das schien ihm auch nicht entscheidend zu sein. In erster Linie ging es ihm darum, seine Energie nicht erlahmen zu lassen.

Ramons Aussehen verriet allzu deutlich, was er durchzumachen hatte. Seine Haut war aschgrau geworden, seine Augen lagen in tiefen Höhlen, seine Wangen waren eingefallen, und einige Vorderzähne fehlten. Das war die Folge eines *Bostezos*, eines eisernen Gähners, der dazu diente, den Mund von Delinquenten, die durch Anwendung der Wasserfolter zum Reden gebracht werden sollten, offenzuhalten. Zweimal schon war Ramon dieser Tortur ausgesetzt gewesen. Beide Male hatte man ihn unbekleidet an eine auf dem Boden liegende Leiter gebunden, ihm den Bostezo in den Mund gesteckt und diesen so weit auseinandergeschraubt, daß eine *Toca*, ein Leinenstreifen, in seine Kehle geschoben und die von der Untersuchungskommission bestimmte Menge Wasser langsam in ihn hineingepumpt werden konnte.

Beim erstenmal hatten die empfindungslosen Schergen der Folterkammer, die Angehörige weltlicher Gerichte sein mußten, damit dem Heiligen Offizium keine Grausamkeiten nachgesagt werden konnten, zwei Kübel Wasser in ihn hineinfließen lassen. Zwei Eimer Wasser schüttete man in Ramon, der unvorstellbare Schmerzen erlitt und röchelte, als ginge sein Leben zu Ende.

Die auf einer Empore sitzenden Mitglieder der Inquisition schauten gelassen zu, und der Vorsitzende des Tribunals, ein gutmütig aussehender Bischof, versuchte sich abzulenken, indem er den ›Betreuer‹ des Gutsverwalters fragte, welchen Gesamteindruck er von dem Untersuchungsgefangenen habe.

»Das ist schwer zu sagen«, antwortete der Dominikaner. »Er ist nie aufsässig, versucht aber unentwegt, mich zu täuschen. Dauernd summt er eine merkwürdig rhythmische Melodie vor sich hin, und wenn er mich sieht, erkundigt er sich augenblicklich, ob ich sie kenne.«

Der Bischof schaute interessiert zu Ramon hinunter. »Seltsame Art, seine Unzurechnungsfähigkeit zu dokumentieren.«

»Am unverständlichsten dabei ist, daß er auf das entschiedenste abstreitet, verrückt zu sein«, fuhr der Mönch gesprächig fort. »Als Beweis dafür nennt er seine Leistungen als Verwalter von Toriji.«

Da die Tortur zu Ende war, unterbrach der Bischof die Unterhaltung. Ramon wurde von der Leiter losgebunden und mußte nackt vor das Tribunal hintreten, das in helles Gelächter ausbrach, als das Wasser nur so aus ihm herausfloß. Der Maure stöhnte und preßte die Lippen zusammen, um nicht laut aufzuschreien.

Der Bischof konnte den Anblick nicht ertragen. Er wandte sich an den neben ihm sitzenden Schriftführer und fragte diesen: »Wurde bereits beschlossen, wessen der Delinquent beschuldigt werden soll?«

Der Angesprochene unterdrückte sein Lachen. »Noch nicht. Er gehört zu den aus Vergeltungsgründen Festgenommenen. Vielleicht bekennt er heute etwas, das uns als Basis dienen kann.«

Der Inquisitor, ein hagerer Dominikaner mit scharfen Falten im Gesicht, hob seine Hand und wandte sich dem Gefolterten zu. »In nomine patris et filii et spiritus sancti. Wir haben die ›Peinliche Prozedur‹ unterbrochen, weil wir annehmen, daß Ihr jetzt bereit seid, Euer Vergehen zu bekennen.«

Ramon kannte die Worte schon. Jede Befragung begann mit der Feststellung, daß die Folterung unterbrochen sei. Auf diese Weise wurde eine Bestimmung umgangen, derzufolge jede Tortur nur einmal durchgeführt werden durfte.

»Ich hoffe doch, daß Ihr Eure Verstocktheit nunmehr aufgebt«, drang der Inquisitor auf ihn ein.

Die Schmach, nackt vor Menschen stehen zu müssen, die sich über seine Pein lustig machten, brannte wie ein Schandmal in Ramon. Daß der Mensch immer den Menschen quälen muß, ging es ihm durch den Sinn. Und wir nennen uns göttliche Geschöpfe!

»Wollt Ihr wieder nicht bekennen?« fuhr ihn der Inquisitor an.

»Doch«, stammelte Ramon mit letzter Kraft. »Ich würde ja selber gerne wissen, was für eine Melodie das ist: Tara, tara, tara – tam, tam, tara, tara . . .«

»Die Tortur wird fortgesetzt!« schrie der Dominikaner mit wutverzerrter Miene.

»Einen Augenblick!« widersprach der Bischof, dem plötzlich das Gerücht über Isabel und ihren Gutsverwalter einfiel. »Ich möchte den Untersuchungsgefangenen etwas fragen. Vielleicht bringt uns das weiter. Stimmt es«, fuhr er, an Ramon gewandt, fort, »daß Ihr ein Verhältnis mit Eurer Gutsherrin hattet?«

Der Maure stand wie versteinert da. Wollte man ihn hereinlegen? »Wer behauptet das?«

»Hier stellen wir die Fragen, mein Sohn«, wies ihn der Bischof väterlich zurecht. »Antwortet also!«

»Zwischen Señorita Isabel und mir hat niemals ein Verhältnis bestanden; das schwöre ich bei All . . .«

»Bei Allah, wolltet Ihr sagen?« triumphierte der Inquisitor.

»Um Gottes willen, nein!« rief Ramon erschrocken. Sein Fehler konnte ihm den Kopf kosten, wenn es ihm nicht gelang, auf der Stelle eine überzeugende Erklärung abzugeben. »Bei *allem*, was mir heilig ist, wollte ich sagen.«

»Euch sei geglaubt«, mischte sich der Bischof ein. »Würdet Ihr es aber für möglich halten, daß Señor Felipe, der Sohn des ermordeten Familiares und Verlobte Señorita Isabels, so etwas behauptet?«

Die Mitglieder des Tribunals horchten auf. Der Bischof war auf dem besten Wege, eine Meisterleistung zu vollbringen. Über kurz oder lang mußte seine Frage zu einer Denunzierung führen.

Gewitzt durch vorangegangene Vernehmungen, wußte Ramon, worauf man hinauswollte. »Señor Felipe kann so etwas nicht behaupten«, antwortete er keuchend. »Dazu fehlt ihm jeder Grund.«

»Und was wäre, wenn er es doch tun würde?«

»Er wird es nicht tun.«

»Und wenn er es bereits getan hat?«

»Dann hat er gelogen!« entgegnete Ramon, gegen seine Schmerzen ankämpfend.

Der Inquisitor fuhr in die Höhe. »Ihr wagt es, einen unbescholtenen Bürger der Lüge zu bezichtigen? Unverzüglich setzen wir die Wasserfolter fort!«

Ramon brach nicht zusammen. Er vertraute seinem eisernen Willen, und dieser gab ihm die Kraft, die neuerliche Tortur zu überstehen, ohne sich eines Vergehens zu bezichtigen. Sein Körper war jedoch so geschwächt, daß er seine Zelle nicht ohne Hilfestellung erreichen konnte. Aber wenn seine Unbeirrbarkeit das Tribunal auch beeindruckte, so half ihm dies nichts. Der erboste Inquisitor faßte den Entschluß, bei der nächsten Vernehmung die *Garrucha* anzuwenden, einen Flaschenzug, mit dem der Delinquenten an den Handgelenken hochgezogen und an den Füßen mit Gewichten behangen wurden. Diese an sich primitive Methode konnte ohne große Umstände überaus ›wirkungsvoll‹ gestaltet werden, und der unerbittliche Dominikaner erklärte Ramon mit süffisantem Lächeln, er werde ihn in vierzehn Tagen erneut vernehmen und den Knechten der Folterkammer den Auftrag geben, ihn im Falle der weiteren Verweigerung eines Geständnisses mit der Garrucha bis zur Decke hochzuziehen und von dort aus ›in das Seil fallen‹ zu lassen, was bekanntlich Verrenkungen und Brüche zur Folge habe.

Seine Hoffnung, den Gutsverwalter durch Einschüchterung zum Reden zu bringen, schlug fehl, und so landete Ramon zwei Wochen später nach einer dreistündigen Tortur mit gebrochenen Beinen in seiner Zelle.

Der Generalinquisitor Tomas de Torquemada, der seine Mitmenschen mit unvorstellbarer Grausamkeit gequält hatte, war gestorben und hinterließ neben vielen Hoffnungen, die Eingekerkerte und deren Angehörige an seinen Tod knüpften, erhebliche Besorgnis bei denen, die befürchteten, Papst Alexander VI. könnte den fanatischen Erzbischof von Toledo zum Nachfolger des Sevillianers machen.

Kardinal Bermuda teilte diese Sorge nicht, da er dem Papst im Auftrage vermögender Conversos eine beträchtliche Summe für den Fall zugesichert hatte, daß Ximenez de Cisneros nicht zum Großinquisitor ernannt werde. Dennoch besprach er sich sogleich mit seinen Vertrauten, zu denen auch Felipe gehörte, der bereits ein halbes Jahr nach Erhalt der Tonsur zum Priester geweiht worden war und seitdem das im Auftrage des Kirchenfürsten neugeschaffene Seminar leitete. Er tat dies zur großen Zufriedenheit Bermudas, der keinen Einspruch dagegen erhob, daß sein Schützling völlig neue Auffassungen vertrat. Unbeschwert erklärte Felipe seinen Schülern, die ersehnte Vereinigung mit Gott sei keineswegs, wie bisher gelehrt, ein Gnadengeschenk, das ausschließlich ›Erleuchteten‹ zuteil werde; es sei vielmehr jedem möglich, die erwünschte Vollkommenheit durch natürliche Fähigkeiten zu erwerben. Kein Mensch sei dazu verurteilt, geduldig darauf zu warten, daß ihn die *visio Dei* überkomme; im Willen eines jeden stecke die Kraft, Gott allezeit zu finden.

Die sich aus dieser These ergebende Umwälzung im Denken spornte seine Schüler an, die Vereinigung mit Gott durch eigene

Anstrengungen herbeizuführen, und Felipe förderte ihr Streben durch Exerzitien, in denen er ihre Fähigkeit zur Unterscheidung zwischen sittlichem und unsittlichem Handeln schärfte. Dabei kristallisierte sich wie von selbst heraus, daß seine Schüler, ohne daß darüber gesprochen wurde, die Methoden der Inquisition als unsittlich empfanden, wodurch sie zu überzeugten und nicht gedrillten Gegnern des bestehenden Systems wurden. Wenn alle zukünftigen Priester in diesem Sinne erzogen wurden, mußte das Heilige Offizium in spätestens einer Generation von einem Geist erfüllt sein, der dem der erhabenen Lehre Christi entsprach. Und das mußte zwangsläufig zur Abschaffung der Inquisition führen.

Zu denen, die sich nicht darüber wunderten, daß der mystizistisch veranlagte Felipe eine so nüchtern und klar durchdachte Konzeption entwickelte, gehörte an erster Stelle der Universitätsrektor Lucio. Er hatte seinem Lieblingsschüler nicht nur reales, sondern auch abstraktes Denken beigebracht und die hohe Kunst der Winkelzüge mit der Empfehlung umrissen: ›Schau nach links, wenn du gegen einen rechts von dir Stehenden vorgehen willst.‹ Felipe beherzigte diese Lehre, indem er seinen Schülern die Güte Gottes nahebrachte und damit die Unbarmherzigkeit der Inquisition anprangerte, ohne über diese zu reden.

Das Erreichte hätte Felipe glücklich machen müssen, doch er war es nicht. Wohl befriedigte ihn seine Tätigkeit in hohem Maße, sein Eifer aber war grenzenlos geworden und ließ ihn nicht mehr zur Ruhe kommen. Nichts ging ihm schnell genug, alles war ihm zuwenig. Die Folge war eine sich steigernde Nervosität, welche zu Ungerechtigkeiten führte, die unter seinen Schülern Besorgnis und Unsicherheit verbreiteten. Das Vertrauensverhältnis bekam Risse, und das war um so bedauerlicher, als zwischen den Zöglingen und den übrigen, sehr viel älteren Lehrern kein guter Kontakt bestand. Schuld daran war Felipe, der seine modernen Auffassungen in einem oftmals überheblichen, das Gestrige herabsetzenden Tonfall vortrug. Wenn er dies auch nicht beabsichtigte, es führte dazu, daß seine Schüler die bejahrten Lehrer als Relikte einer vergangenen Zeit betrachteten.

Doch es waren nicht Eifer, Unrast und Ehrgeiz, die Felipes Wesen veränderten; Ursache war einzig und allein seine ungestillte Liebe zu Isabel. Um nicht ständig an sie denken zu müssen, stürzte er sich über Gebühr in die Arbeit, wurde er ruhelos, krankhaft ehrgeizig, unzufrieden und unduldsam. Von morgens bis abends verfolgte ihn ihr Bild, und wenn er in besinnlichen Stunden Zwiesprache mit ihr hielt, tat er es mit dem Schmerz eines Mannes, der seine Frau verloren hat und sich seines Kopfes, seiner Arme und Beine beraubt fühlt. Er begriff sich selber nicht mehr. Während seiner Studienzeit hatte er auch oft an Isabel gedacht, niemals jedoch ihretwegen keinen Schlaf finden können. Auch war sie zu keiner Zeit so dominierend gewesen, daß er andere Frauen übersehen hätte. Jetzt aber sah er nur noch sie, und wenn er seine Empfindungen zu analysieren versuchte, dachte er an Kardinal Bermuda, der davor gewarnt hatte, Regungen des Körpers mit Kasteiungen zu unterdrücken. Irgendein Weib aber wollte er nicht haben. Er liebte Isabel, und oftmals grübelte er darüber nach, ob aus der Unterdrückung natürlicher Regungen jener Schaden erwachse, von dem der Kirchenfürst gesprochen hatte. Lag hier die Ursache seines veränderten Wesens?

Eine Antwort fand Felipe erst Monate später, und zwar in dem Augenblick, als der Kardinal ihn wie nebenbei fragte, ob er Lust habe, eine Reise nach Toledo zu machen.

»Aber natürlich!« erwiderte Felipe, ohne zu zögern.

Die lebhafte Antwort befriedigte den Kirchenfürsten. Ihm war Felipes Veränderung nicht entgangen, und er glaubte zu wissen, was seinem Günstling fehlte. Deshalb hatte er, als ihm von einem beim Toledanischen Inquisitionstribunal eingesetzten Geheiminformanten ein Bericht über das gegen den Gutsverwalter von Toriji eingeleitete Verfahren zuging, keine Sekunde gezögert, die Reise vorzuschlagen. »Lest dieses Schriftstück«, forderte er Felipe auf und übergab ihm eine umfangreiche Papierrolle.

Felipe öffnete sie und stutzte, als er sah, daß von Ramon die Rede war. »Soll ich mich seinetwegen nach Toledo begeben?«

Der Kardinal nickte. »Ich nehme an, daß Ihr es gerne tun werdet. Euer Bekannter wird unmenschlich gequält. Er scheint sich in den Kopf gesetzt zu haben, selbst das Schlimmste zu ertragen. Was er damit erreicht, brauche ich Euch nicht zu sagen. Man wird ihn eines Tages wegen ›Verstocktheit‹ dem Feuertod überantworten.«

Felipe las den Bericht und erbleichte angesichts der darin aufgeführten Scheußlichkeiten. »Und Ihr glaubt, daß ich ihm helfen könnte?«

»Ich hoffe es«, antwortete der Kardinal vorsichtig. »Mir fiel ein, daß Ihr seinerzeit den Verdacht hegtet, der Maure sei verhaftet worden, um Señorita Isabel ihres Gutsverwalters zu berauben und sie zu bewegen, Euch baldmöglichst zu heiraten. Das nahmt Ihr doch an, nicht wahr?«

»Ja«, erwiderte Felipe.

»Demnach wäre«, fuhr Kardinal Bermuda bedächtig fort, »die Verhaftung Eures Bekannten durch Euren Entschluß, Priester zu werden, sinnlos geworden, und ich könnte mir vorstellen, daß Ximenez de Cisneros jedes Interesse an ihm verloren hat. Wahrscheinlich erinnert er sich nicht einmal mehr an ihn. Ihr solltet deshalb unter dem Motto, alte Freunde und Bekannte aufsuchen zu wollen, nach Toledo reisen und dem Erzbischof den üblichen Höflichkeitsbesuch abstatten, in dessen Verlauf Ihr wie zufällig auf Euren Bekannten zu sprechen kommen und ein gutes Wort für ihn einlegen könnt. Vielleicht gelingt es Euch auf diese Weise, einen Menschen aus den Klauen der Inquisition zu befreien.«

Felipes Gedanken weilten bereits bei Isabel. Wie mochte sie ihn empfangen? Er fand keine ruhige Minute mehr und atmete wie erlöst auf, als alles Notwendige geregelt war und er das Maultier besteigen konnte. Aber nur wenige Stunden ritt er wie in Trance dahin, dann drängte sich ihm der steppenartige Charakter der altkastilischen Hochebene wieder auf.

Felipes Gedanken eilten der Zeit voraus, bis er am Abend des zweiten Tages die Festung Avila erreichte, über der unheimlich aussehende, graublaue Wolken hingen, die das von ihm geliebte silberne Licht dieser Stadt verbannten und ihr ein finsteres Aussehen verliehen.

Ein schlechtes Omen? Felipe war nicht abergläubisch, gewisse Dinge aber konnten auch ihn nervös machen. Unwetterwolken auf der Heimreise bedeuteten nun einmal nichts Gutes. Es fröstelte ihn daher, als er durch das von mächtigen Granitblöcken gebildete westliche Doppeltor in die Stadt einritt. Dahin war die Heiterkeit, die Avila sonst in ihm wachrief, dahin die Hoffnung auf . . .

Was erhoffte er sich eigentlich von seiner Reise? Ramon zu befreien? An dessen Schicksal hatte er bisher nur wenig gedacht. Unentwegt beschäftigte er sich mit Isabel. Er befürchtete, von ihr abgewiesen zu werden, und bangte vor der großzügigen Ungezwungenheit, mit der sie sich über Vergangenes hinwegzusetzen vermochte. Er träumte von ihren weiblichen Reizen und sorgte sich darum, ihnen zu erliegen. Er wünschte sie zu umarmen und zitterte davor, sein geistliches Kleid zu beschmutzen. Aber machte er sich nicht zuviel Gedanken? Konnte der Zölibat, zu dem er verpflichtet worden war, angesichts des Konkubinats der meisten Bischöfe, Kardinäle und Päpste überhaupt noch von Bedeutung sein?

Felipe verbrachte in Avila eine grüblerische Nacht, die ihn zu der Überzeugung gelangen ließ, daß Kardinal Bermuda ihn nicht zuletzt nach Toriji geschickt habe, um ihm die Möglichkeit zu geben, sich mit Isabel zu treffen. Er ritt deshalb am nächsten Morgen in wesentlich besserer Stimmung weiter und genoß den wohltätig herabrieselnden Regen, der dem Land ein völlig verändertes Aussehen gab.

Isabel war von einer Unruhe erfüllt, die sie nur noch schwer ertragen konnte. Nichts ging ihr mehr glatt von der Hand, und obwohl sie längst erkannt hatte, daß sie Toriji verlieren würde, wenn sie weitermachte wie bisher, brachte sie es nicht fertig, ihr Wesen zu ändern und wieder die überall geschätzte und beliebte Gutsbesitzerin von einst zu werden. Sie haßte die Rolle der herrschsüchtigen und unerbittlichen Herrin, in die sie hineingeraten war, ohne es zu wollen. Früher hatten sich die Mägde und Knechte mit ihren Sorgen und Nöten, Freuden und Verliebtheiten an sie gewandt, nun aber gab es niemanden mehr, der zu ihr kam. Aus Zuneigung und Achtung waren Ablehnung und Furcht geworden. Und das alles, weil die Nachricht von Felipes

Weihe zum Priester sie zum Gespött der Leute gemacht hatte. Die unflätigsten Witze wurden über sie gerissen, und die Granden der Gesellschaft, die sich vergeblich um sie bemüht hatten, nutzten die günstige Gelegenheit, sich zu rächen.

Isabel war der Verzweiflung nahe. Sie hatte verloren, was ihr lieb und wert gewesen war: ihren Verlobten, den Gutsverwalter, ihr Ansehen. In ihrem grenzenlosen Schmerz wurde sie erbarmungslos und ungerecht. Unerbittlich bestrafte sie jede Nachlässigkeit. Rücksichtslos setzte sie alte Knechte, denen ihr Vater ein Gnadenbrot zugedacht hatte, auf die Straße. Gefühlsroh erklärte sie Ramons Kindern, die sich allmorgendlich am Vorwerk von Toriji zur Entgegennahme der täglichen Unterstützungsrate einzufinden hatten: »Heute erhaltet ihr die letzten Maravedis. Meidet also in Zukunft alle Wege, die über meine Felder führen.«

»Aber Ihr habt versprochen, uns zu unterstützen!« entgegnete Francisco betroffen.

Isabel ließ ihre Peitsche pfeifend durch die Luft sausen. »Da wußte ich noch nicht, daß euer Vater zu jenen gehört, die den Familiare Rodrigo ermordet haben.«

Ramons Sohn wurde kreidebleich.

Isabel erschrak über sich selbst. Wie hatte sie behaupten können, was nach Felipes und ihrer eigenen Auffassung eine Lüge des Erzbischofs gewesen war.

»Wer hat Euch gesagt, daß mein Vater zu den Mördern gehört?« stammelte Francisco mit fast erstickter Stimme.

Isabel gab ihrem Pferd die Sporen und sprengte davon. Vor Scham hätte sie in den Boden versinken mögen. Wo mochte sie noch enden? Auf der Stelle hätte sie kehrtmachen müssen, um Francisco die Wahrheit zu sagen und ihm zu versichern, daß sie die zugesagte Unterstützung auch weiterhin gewähren würde. Sie fand aber nicht die Kraft dazu. Das Böse war wie eine Krankheit über sie gekommen, gegen die es kein Mittel gibt, und ihre Ungerechtigkeit richtete sich vor allem gegen Menschen, die zueinander hielten.

Darum schlug sie auch eines Nachmittags wegen eines belanglosen Fehlers auf eine junge Magd ein, die sie am Abend zuvor mit einem der Knechte Arm in Arm hatte spazierengehen sehen.

In dem Augenblick aber, da sie die Peitsche schwang, ritt Felipe in den Hof von Toriji ein.

Er sah Isabels unwürdiges Verhalten, rief entrüstet ihren Namen und eilte auf sie zu.

Ihre blaugrünen Augen weiteten sich. Ihr Mund öffnete sich in sprachlosem Staunen. Wie ermattet ließ sie ihren Arm sinken.

»Du kannst gehen«, sagte Felipe, mit gütiger Stimme an das Mädchen gewandt.

Isabel wollte aufbrausen, verlor jedoch plötzlich alle Kraft. Ihre Lippen zuckten. Über ihre Wangen liefen Tränen.

Felipe legte ihr die Hand auf die Schulter. »Laß uns ins Haus gehen.«

Sie starrte ihn an, als begreife sie nicht, daß er vor ihr stand. Seine vom viertägigen Ritt gebräunte Haut gab ihm ein gesundes Aussehen. Im Gegensatz zu früher fiel sein Haar nicht mehr bis auf die Schultern herab. In seiner dunklen Soutane wirkte er größer und schmaler, als sie ihn in Erinnerung hatte.

Felipe sah den rätselhaften Ausdruck ihrer Augen und spürte das Blut in seinen Adern. »Ich bin glücklich, dich nach so langer Zeit wiederzusehen.«

Isabel blieb stumm. Die unwahrscheinlichsten Dinge schossen ihr durch den Kopf. Wir werden gemeinsam nach Toledo fahren. Wie ein Geschwisterpaar werden wir durch die Stadt promenieren. Die Schandmäuler sollen aus dem Staunen nicht herauskommen. Das aufreizendste Kleid werde ich anziehen. Geifern sollen die Weiber. Lüstern sollen ihre Männer mir nachschauen. Und Felipe wird in Toriji wohnen! Das Gerede soll kein Ende nehmen.

Sie schob ihre Gedanken beiseite und sagte: »Du hast recht. Laß uns ins Haus gehen.«

Felipe blickte unschlüssig zu seinem Maultier hinüber. »Soll ich meinen Ranzen gleich mitnehmen?«

Isabels Augen flackerten. »Du hast keine Bedenken, mit mir unter einem Dach zu wohnen?«

Er schüttelte den Kopf.

Ihre Wangen röteten sich. Bis vor wenigen Augenblicken hätte sie noch tausend Eide geschworen, nicht mehr das geringste für Felipe zu empfinden. Nun aber lief es ihr heiß über den Rükken. War er ihretwegen gekommen? Hatte Sehnsucht ihn nach Toriji getrieben? »Rette mich«, bat sie ihn unvermittelt.

Felipe sah sie verwundert an. Der ihm fremd erschienene Ausdruck in Isabels Gesicht war plötzlich gewichen. Nichts Herrisches zeigte sich mehr. Sie erinnerte eher an eine Blume, die den Kopf hängenläßt. »Retten soll ich dich?« fragte er unsicher. »Wovor?«

Isabel schaute hilflos zu ihm hoch. »Ich bin verloren, Felipe. Seit du fortgegangen bist, quäle ich meine Untergebenen. Ich weiß, daß ich unrecht tue, finde aber nicht heraus aus dem Gestrüpp, in dem ich mich befinde. Der Herrgott hat dich mir in letzter Minute gesandt. Du weißt ja nicht, was es heißt, verlassen zu sein.«

Felipe blieb stehen. »Vielleicht hat der Herrgott mich wirklich geschickt. Aber du solltest dich jetzt nicht gehenlassen. Über unsere Probleme wollen wir erst sprechen, wenn wir ruhiger geworden sind und zu uns selbst gefunden haben.«

Ein Glücksgefühl, wie sie es lange nicht mehr empfunden hatte, durchströmte Isabel. Am liebsten hätte sie das Gesinde auf der Stelle beurlaubt und ihm einige Krüge Wein spendiert. Warum eigentlich nicht, sagte sie sich und winkte einen Knecht herbei, dem sie eine entsprechende Weisung gab.

Der Angesprochene traute seinen Ohren nicht.

Isabel lachte, wie sie es seit langem nicht mehr getan hatte. »Nun lauf schon und gib den anderen Bescheid. Den Wein erhaltet ihr von der Küche. Und heute abend gibt es eine in einem riesigen Topf gekochte *Cocido* mit Kichererbsen, Rindfleisch, Speck und *Chorizo*!«

»Chorizo!« stöhnte Felipe. »Wie lange habe ich diese Wurst nicht mehr bekommen!«

»Soll ich dir gleich ein Stück bringen? Dazu frisches Brot und einen Becher Wein?«

Er nickte lebhaft. »Zuvor aber noch ein Wort. Beim Gesinde solltest du nicht übertreiben.«

Sie sah ihn fragend an. »Wie meinst du das?«

»Sagtest du nicht, daß du deine Untergebenen gequält hast? Man könnte deine plötzliche Großzügigkeit falsch deuten.«

»Ach was«, entgegnete Isabel burschikos. »Laß sie denken, was sie wollen. Hauptsache, es gelingt mir, meine Fehler wiedergutzumachen. Das kann ich selbstverständlich nur, wenn du mir dabei hilfst«, fügte sie erpresserisch hinzu.

Felipe sah ihre glänzenden Augen und erwartungsvoll geöffneten Lippen. »Verfüge über mich«, erwiderte er. »Ich werde alles tun, um dir zu helfen.«

Vier Tage weilte Felipe bereits in Toriji, und immer wieder erzählte er von Salamanca, dem Kardinal, seinen Schülern und dem Universitätsrektor. Er tat es in erster Linie, um Isabel daran zu hindern, sich beständig aufs neue selbst anzuklagen. Als gelte es, eine Generalbeichte abzulegen, schilderte sie detailliert jede Ungerechtigkeit, die sie ihrem Gesinde angetan hatte. Nur eines verschwieg sie beharrlich: daß sie Elena und deren Kindern seit Monaten keine Unterstützung mehr gewährte. Hierüber wagte sie nicht zu sprechen, weil sie befürchtete, Felipe würde ihr diese Unbarmherzigkeit nicht verzeihen. Aber sie gelobte dem Herrgott, Ramons Angehörige so bald wie möglich aufzusuchen und ihnen zu helfen. Auch wollte sie alles nur Erdenkliche tun, um sie für die erlittene Pein zu entschädigen.

Diesen Entschluß faßte Isabel, noch bevor Felipe vom eigentlichen Zweck seiner Reise gesprochen und zum Ausdruck gebracht hatte, daß er hoffe, den schuldlos inhaftierten Gutsverwalter aus seiner furchtbaren Lage befreien zu können. Ihr Vorsatz war also keine Reaktion gewesen, und sie war überglücklich, als sie sah, daß Felipes Hoffnung, Ramon zu retten, sich steigerte, als er erfuhr, daß sie dem Erzbischof vorgeflunkert hatte, erst die Ermordung seines, Felipes, Vaters habe ihn bewogen, Priester zu werden.

»Meine Ausgangsbasis dürfte dadurch recht günstig sein«, sagte er und nahm sich vor, seine Erfolgschancen noch durch behutsame Kritik an der Zölibatsauffassung Kardinal Bermudas zu vergrößern. Das zwang ihn allerdings, sich mit Isabel nicht sehen zu lassen, und so blieb er tagsüber im Haus und ging mit ihr erst spazieren, wenn es dunkel geworden war.

Felipe war sich freilich darüber im klaren, daß Isabels plötzlicher Wandel die Knechte und Mägde ebenso beschäftigen würde wie die Tatsache, daß er das Haus tagelang nicht verließ. Er gab Isabel deshalb den Rat, das Gerücht zu verbreiten, er sei krank geworden und müsse das Bett hüten. Im übrigen empfahl er ihr, reinen Tisch zu machen und dem Großknecht die kommissarische Verwaltung des Gutes zu übertragen. »Wie durchsichtig diese Maßnahme im gegenwärtigen Zeitpunkt auch sein mag«, erklärte er ihr, »der Knecht wird im ureigensten Interesse dafür sorgen, daß Redereien über seine Beförderung – sprich: über dein verändertes Wesen und mein Hiersein – unterbunden werden.«

Felipes Empfehlung wirkte sich segensreich aus, er selbst aber wurde von Tag zu Tag unzufriedener. Wegen Ramon hatte er die Reise angetreten, für ihn jedoch hatte er noch nicht das geringste getan. Er schlug deshalb am Abend des vierten Tages vor, am nächsten Morgen nach Toledo zu reiten.

Isabel schürzte schmollend ihre Lippen. »Jetzt, wo ich gerade anfange, richtig aufzuleben, willst du mich schon wieder verlassen?«

»Ich will dich nicht verlassen, sondern nur den Erzbischof aufsuchen«, korrigierte Felipe sie. »Du darfst nicht vergessen, daß für Ramon jeder Tag von entscheidender Bedeutung sein kann. Vielleicht wird er morgen bereits verurteilt. Selbst Ximenez de Cisneros könnte ihm dann nicht mehr helfen.«

Isabel machte eine wegwerfende Handbewegung. »Warum sollte er ausgerechnet morgen verurteilt werden? Das ist zu unwahrscheinlich, als daß man eine solche Möglichkeit einkalkulieren müßte. Unabhängig davon bist du mir noch einen Preis dafür schuldig, daß ich mich bereit erklärt habe, auf den provokatorischen Auftritt in Toledo zu verzichten. Du ahnst ja nicht, was mir damit genommen ist. Ein einziger Spaziergang mit dir würde alle Redereien im Keime ersticken. Das aber sage ich dir: wenn Ramon freikommt, fahren wir zu dritt durch die Puerta del Sol. Platzen sollen die Spießer! Wie Gänse sollen sie schnattern: Gleich zwei Freier hat sie sich geangelt. Und der eine hat den anderen aus dem Kerker herausgeholt. Womöglich ist er nur Priester geworden, um dieses Heldenstück vollbringen zu können.«

»Deine Phantasie in Ehren«, fiel Felipe unwillig ein, »doch jetzt wirst du geschmacklos.«

»Weil du mich geärgert hast«, entgegnete sie trotzig.

»Ich . . .?«

»Hast du nicht erklärt, schon morgen nach Toledo fahren zu wollen?«

Felipe grinste. »Einer von uns muß ja schließlich so vernünftig sein, den Alltag nicht zu vergessen. Aber, bitte: von mir aus soll auch die Unvernunft zu Wort kommen. Ich werde erst übermorgen fahren.«

»Überübermorgen!« widersprach Isabel. »Denk an den Spruch Martials: ›Lebe heute, morgen wird es zu spät sein!‹«

Felipe ließ sich umstimmen. Warum sollte er nicht einmal nur an sich selbst und an Isabel denken, die Schweres durchgemacht hatte und es in Zukunft ebenfalls nicht leicht haben würde. Sie liebten sich und waren entschlossen, immer aufeinander zu warten und sich niemals mit einem anderen Menschen zu verbinden. Wenn das Leben sie auch getrennt hatte, es gab etwas, das sie unlösbar miteinander verband.

Felipe blickte in Isabels blaugrüne Augen. »Weißt du, was ich gestern vor dem Einschlafen ausgerechnet habe? Daß es noch hundertneunundzwanzig Tage sind, bis du nach Salamanca kommst. Ich freue mich wie ein Kind darauf, dir die Stadt zu zeigen.«

Isabel umarmte ihn.

Es ist wunderbar, wie sie zu sich selbst zurückgefunden hat, dachte er beglückt. Allem Anschein nach führte der Herrgott mich wirklich in letzter Minute zu ihr.

Nur spärlich erhellte ein sternübersäter Himmel die mondlose Nacht, durch die Francisco und Barbara sich an das äußere Mauerwerk der Stallungen von Toriji heranschlichen, um dort durch ein Fenster Nahrungsmittel entgegenzunehmen, die eine unerschrockene Magd für sie sammelte. Es war nicht viel, was das Gesinde den Angehörigen des ehemaligen Gutsverwalters zur Verfügung stellen konnte, für Francisco aber, der in diesem einen Jahr hart und bitter geworden war, bedeutete das wenige mehr als alle Schätze der Erde. Ihm zeigte das immer wieder pünktlich erscheinende Mädchen, daß es noch Menschen gab, die an seinen Vater glaubten.

Francisco und seine Schwester hatten das Fenster kaum erreicht, da flüsterte ihnen die Magd, die bereits auf sie wartete, erregt zu: »Ich habe eine gute Nachricht für euch. Ihr erhaltet heute das Doppelte von dem, was ich euch bisher bringen konnte. Sogar eine Wurst ist dabei. Der Großknecht hat sie gestiftet. Señorita Isabel machte ihn zum kommissarischen Verwalter. Jetzt läuft alles wieder wie am Schnürchen.«

Wenngleich Francisco diese Feststellung mit gemischten Gefühlen aufnahm, empfand er Erleichterung bei dem Gedanken, daß sich in Toriji die unerträglich gewordenen Verhältnisse gebessert hatten. »Und was hat die Señorita zur Besinnung gebracht?« fragte er verblüfft.

Die Magd kicherte. »Genügt es dir, wenn ich sage, daß Señor Felipe aufgetaucht ist?«

»Der frühere Verlobte?«

Sie nickte. »Angeblich ist er krank. Liebeskrank, nennen wir es. Vor sechs Tagen ist er hier aufgetaucht, und seitdem hat er das Haus nicht mehr verlassen. Die Señorita ist nicht wiederzuerkennen. Dauernd trällert sie.«

»Du meinst, die beiden haben was miteinander?«

»Das ist doch klar. Aber das ist ihre und nicht unsere Sache, hat der Großknecht gesagt. Für uns ist nur wichtig, daß die Señorita wieder vernünftig geworden ist. Außerdem war sie ja mit Señor Felipe verlobt.«

»Aber er ist doch Priester geworden!« entrüstete sich Francisco.

»Geistliche sind Menschen wie wir, hat uns der Großknecht gesagt. Und jeder soll sich an die eigene Nase fassen.«

Señorita Isabel muß eine Ketzerin sein, schoß es Francisco durch den Kopf. Sonst hätte sie Señor Felipe nicht verführen können. Vielleicht gibt man Vater frei, wenn ich sie anzeige. Gleich morgen werde ich das Tribunal aufsuchen. Barbara muß mitkommen und alles bezeugen. Mutter gegenüber werden wir schweigen. Ihr haben wir ja auch nicht erzählt, was die Señorita von Vater behauptet hat.

Noch während Francisco die von der ebenso gutherzigen wie unerschrockenen Magd gesammelten Nahrungsmittel entgegennahm, faßte er den Plan, seinen Vater zu retten und die ihm verhaßt gewordene Gutsherrin ins Unglück zu stürzen.

Bereits am nächsten Morgen begab er sich mit seiner Schwester zum Inquisitionspalast und erklärte dem Dominikanerbruder in der Empfangsloge, daß er eine Anzeige zu erstatten habe.

»Gegen deine Eltern?« fragte der Mönch gewohnheitsgemäß. Es gab genügend Jugendliche, die ihre Erzieher eines Vergehens bezichtigten, nur um ein unkontrolliertes Leben führen zu können. Denunzianten dieser Art schickte er zu einem Kollegen, der es meisterlich verstand, ihnen die Hölle so heiß zu machen, daß viele von ihnen schleunigst wieder verschwanden.

»Wir werden doch unsere Eltern nicht anzeigen«, empörte sich Francisco.

»Handelt es sich um Verwandte?«

»Nein, wir wollen eine Frau melden, die einen Geistlichen verführt hat und jetzt mit ihm zusammen lebt.«

Die Brauen des Dominikanerbruders hoben sich. »Das ist eine schlimme Anschuldigung. Da werde ich euch am besten zu Pater Blanco führen.«

Der Bezeichnete war ein ehrwürdiger Franziskaner, dem ein Sekretär als Protokollführer zur Verfügung stand. Er hörte sich eine Weile an, was Francisco zu berichten hatte, fragte dann aber plötzlich und mit absichtlicher Schärfe in der Stimme: »Warum erstattest du diese Anzeige?«

Francisco war verwirrt. »Um meinen Vater zu retten.«

»Ist er im Gewahrsam der Inquisition?«

»Ja.«

»Sein Name?«

»Ramon de Sidi Mimoun.«

Der Sekretär blickte verwundert auf. Ihm war bekannt, daß der Erzbischof am Fall des Gutsverwalters von Toriji ein persönliches Interesse nahm.

»Ramon de Sidi Mimoun?« wiederholte Pater Blanco nachdenklich.

Der Sekretär flüsterte ihm etwas zu.

»Ja, richtig«, murmelte der Franziskaner. »Wo waren nur

meine Gedanken.« Damit wandte er sich wieder Francisco zu. »Dein Vater verwaltete das Gut Toriji, nicht wahr?«

»Seit achtzehn Jahren«, antwortete Ramons Sohn stolz.

»Und warum denunzierst du seine einstige Herrin?«

»Ich will beweisen, daß wir aufrechte Christen sind.«

»Ist da nicht auch Rache im Spiel?«

Francisco senkte den Kopf.

»Nun mal heraus mit der Sprache! Was treibt dich, Rache zu nehmen?«

Der Sohn des Gutsverwalters blickte ängstlich auf. »Señorita Isabel hat behauptet, mein Vater gehöre zu einer Gruppe von Männern, die den Familiare Rodrigo ermordet hätten. Das ist aber nicht wahr. Eine gemeine Lüge ist das! Mein Vater würde sich niemals an einem Mord beteiligen.«

Die Lippen des Franziskaners spitzten sich. Brachte der Zufall hier Licht in eine finstere Geschichte? Wie konnte Isabel de Toriji von Dingen wissen, die nicht einmal dem Heiligen Offizium bekannt waren?

»Ihr solltet den Erzbischof verständigen«, raunte ihm der Sekretär zu.

Pater Blanco stutzte. »Weshalb?«

Der Sekretär führte seine Hand an den Mund, so daß Francisco und Barbara nicht hören konnten, was er sprach. »Ich erinnere mich, daß der Hochwürdige Herr, dem ich vertretungsweise einmal zugeteilt war, ein besonderes Interesse an allem nimmt, was mit Toriji zusammenhängt. Deshalb mein Rat.«

Der Franziskaner blickte unschlüssig vor sich hin. Wie wissenswert die gegen Señorita Isabel erhobene Anschuldigung auch sein mochte, sie betraf keine der vom Heiligen Offizium erlassenen Bestimmungen. Die Gutsherrin hatte sich allenfalls der Unzucht schuldig gemacht, und für dieses Vergehen war das weltliche Gericht und nicht die Inquisition zuständig. Bei Felipe lagen die Dinge ähnlich. Mit der Verletzung des Zölibats verstieß er gegen kein Gesetz, sondern gegen eine disziplinare Vorschrift. Wieso aber war der Junge überhaupt so genau informiert? »Wer hat dir erzählt, daß Señorita Isabel mit dem Priester zusammenlebt?« fragte er ärgerlich.

Francisco stieg das Blut in den Kopf. »Wir kennen Señor Felipe und sahen ihn vor sieben Tagen nach Toriji reiten, und seitdem hat er das Gutshaus nicht wieder verlassen.«

»Und wer hat dir das gesagt?«

Ramons Sohn erkannte, daß er sich verrannt hatte.

»Belogen hast du mich!« fuhr ihn der Franziskaner an und wandte sich Barbara zu. »Auch du kommst in den Kerker, wenn ich nicht auf der Stelle die Wahrheit erfahre!«

Francisco blieb nichts anderes übrig, als Farbe zu bekennen. Er tat es jedoch so geschickt, daß die Magd, die ihnen Nahrungsmittel hatte zukommen lassen, nicht belastet wurde. In seiner Sorge, ihren Namen nennen zu müssen, lenkte er das Gespräch erneut auf Isabel und bekannte rücksichtslos, daß sie seine Mutter ein halbes Jahr lang mit Geld versorgt, die Unterstützung dann aber von heute auf morgen eingestellt habe.

»Begründete sie ihren plötzlichen Sinneswandel?« fragte Pater Blanco.

»Ja. Sie behauptete, mein Vater gehöre zu den Männern, die den Familiare ermordet haben.«

Nun zögerte der Franziskaner keine Sekunde mehr, Ximenez de Cisneros aufzusuchen. Wenn Isabel de Toriji Unterstützungszahlungen geleistet und diese mit der genannten Begründung eingestellt hatte, mußte sie etwas wissen, das der Inquisition unbekannt war. Und das verlangte ein sofortiges Eingreifen.

Die Kapuze tief in die Stirn gezogen, lauschte Erzbischof Ximenez de Cisneros dem Bericht seines Ordensbruders Pater Blanco. Wenngleich er sofort erfaßte, daß indirekt er es gewesen war, der Isabel die Behauptung in den Mund gelegt hatte, Ramon gehöre einer Gruppe von Mördern an, so dachte er auf Grund seiner falschen Frömmigkeit doch, Gott sei es gewesen, der ihn veranlaßt habe, die Unwahrheit zu sagen, damit die Herrin des Gutes Toriji sich dieser eines Tages bediene und einen Fehler mache, der ihre herrliche Besitzung in den Schoß der Kirche bringen würde. Franciscos unverhofftes Auftauchen mußte ein Hinweis des Allmächtigen sein, der ihn offensichtlich ermutigen wollte, den von ihm, Ximenez de Cisneros, zur Verbreitung des christlichen Glaubens geplanten Feldzug nach Afrika durchzuführen und Toriji als Basis für den von langer Hand vorzubereitenden Troß zu benutzen*.

Der Erzbischof war so in Gedanken versunken, daß Pater Blanco sich gezwungen sah, ihn mit der vorsichtig gestellten Frage nach dem weiteren Verlauf der Dinge in die Gegenwart zurückzurufen.

Ximenez de Cisneros kniff die Lider zusammen. »Für wann ist das nächste Autodafé angesetzt?«

»Für den zehnten Dezember.«

»Schon in drei Wochen? Dann werden wir uns sehr beeilen müssen. Wieviel ›Versöhnungen‹ liegen vor?«

»Rund neunhundert.«

»Eine stattliche Zahl.«

»Verbrennungen voraussichtlich siebenundzwanzig; unter anderem die des Vaters unseres heutigen Denunzianten.«

Der Kirchenfürst rieb sein Kinn. »Ich hätte Lust, den unnachgiebigen Mauren laufenzulassen. Toriji braucht einen tüchtigen Verwalter.«

Der Franziskaner machte eine bedenkliche Miene. »Er wird nicht mehr arbeiten können.«

Der Erzbischof gab sich empört. »Ihr wißt, daß ich Quälereien nicht dulde!«

»Jawohl, Hochwürdiger Herr.«

»Unter diesen Umständen können wir den Delinquenten natürlich nicht freilassen. Sein Zustand würde ein übles Gerede heraufbeschwören.«

»Und was soll mit den Kindern geschehen?«

Ximenez de Cisneros hob erstaunt den Kopf. »Worauf wollt Ihr hinaus?«

»Sollten wir ihnen zur Belohnung nicht die Arbeitsbewilligung erteilen?«

»Einen Präzedenzfall schaffen?« empörte sich der Erzbischof. »Ich denke, wir haben wichtigere Dinge zu tun. Bis zum zehnten

* 1507 erhielt Ximenez de Cisneros von Papst Julius III. den Kardinalshut und die Ernennung zum Großinquisitor. Zwei Jahre später führte er seinen Feldzug gegen die Mauren durch, der ein Vermögen kostete, welches rigoros beschafft wurde. Allein in Toledo ließ das Heilige Offizium über 2 500 Menschen auf dem Scheiterhaufen verbrennen.

Dezember muß alles erledigt sein. Ich selbst übernehme den Vorsitz. Der Betreuer soll den Inhaftierten die dreimalige Aufforderung zur Gewissenserforschung innerhalb einer Woche stellen. Danach sofort das Verhör und so weiter. Am besten beginnen wir mit der Señorita. Sie wird schnell gestehen.«

Der Franziskaner sah seinen Vorgesetzten betroffen an. »Ihr wollt auch den Priester dem Tribunal überantworten?«

»Müssen wir ihm nicht die Möglichkeit geben, sich zu entlasten?« entgegnete Ximenez de Cisneros heuchlerisch. »Aller Voraussicht nach befindet er sich in der Kammer der Señorita, wenn diese heute nacht festgenommen wird. Wohl oder übel ist er da der Inquisition vorzuführen.«

Pater Blanco durchschaute den Erzbischof. Er wagte es jedoch nicht, ihn auf die Unrechtmäßigkeit seines Vorgehens hinzuweisen.

Isabel und Felipe wurden mitten in der Nacht von zwei Fackelträgern und einigen dunkel gekleideten Männern aus dem Schlaf gerissen und im Namen des Heiligen Offiziums für verhaftet erklärt. Zwei Hellebardiere führten sie ab und gaben ihnen keine Möglichkeit, miteinander zu sprechen.

Felipe ahnte sogleich, daß die Aktion nicht seinem Verstoß gegen den Zölibat galt. Er wußte, daß es zwecklos war, zu protestieren, und bis Kardinal Bermuda von seiner Festnahme erfahren würde, konnten Wochen vergehen. Hilfe vermochte der ihm wohlgesonnene Kirchenfürst ohnehin nicht zu senden. Gegen den Erzbischof ließen sich keine Soldaten mobilisieren.

Auch Isabel gab sich keinen Illusionen hin. Es lag auf der Hand, daß sie nicht abgeführt wurde, weil Felipe in ihrer Kammer geweilt hatte. Es ging um Toriji. Was aber konnte man ihr vorwerfen? Die Knie versagten ihr fast den Dienst. Hatte Ximenez de Cisneros tatsächlich gesiegt? Und sie war so naiv gewesen zu glauben, ihn getäuscht zu haben.

Isabel wie Felipe erkannten den Ernst ihrer Lage, und beide fragten sich besorgt, wie der andere auf die kommenden Belastungen reagieren würde. Besonders Felipe hegte in dieser Hinsicht große Befürchtungen, die sich noch steigerten, als er feststellte, daß die vorgeschriebenen Aufforderungen zur Gewissenserforschung in ungewöhnlich kurzen Intervallen an ihn gerichtet wurden. Offensichtlich erfuhren sie eine Sonderbehandlung. Dafür sprach auch der Raum, in den er eingeliefert worden war; er befand sich in einem absolut sauberen Zustand.

»Hat Señorita Isabel eine Zelle wie ich?« war das erste gewesen, was er den ihn ›betreuenden‹ Dominikaner gefragt hatte, als dieser vierundzwanzig Stunden nach der Verhaftung bei ihm erschienen war.

»Ich bin nicht gekommen, um Auskünfte zu erteilen, sondern um Euch aufzufordern, Euer Gewissen zu erforschen und Eure Vergehen dem Tribunal zu gegebener Zeit zu bekennen«, hatte der Pater erwidert und Felipe mit einem Abscheu betrachtet, als stünde der Teufel vor ihm.

Auch Isabel versuchte, den Dominikaner auszuhorchen. Er duldete jedoch kein Gespräch und richtete stereotyp die Aufforderung zur Gewissenserforschung an sie, wobei er beim dritten Male warnend hinzufügte: »Morgen werdet Ihr verhört. Denkt daran, daß nur die Wahrheit Euch nicht in Widerspruch zu den Aussagen Eures früheren Verlobten setzen wird.«

Ich soll unsicher werden, sagte sich Isabel. Sie hielt es für ausgeschlossen, daß ihre und Felipes Aussagen sich nicht decken würden.

Isabel kannte die Methoden der Inquisition nicht, sonst hätte sie ihrer Vernehmung mit größerer Sorge entgegengesehen. Es sollte aber nicht lange dauern, bis sie begriff, daß sie einem teuflischen System ausgeliefert war. Sie verlor schon den Mut, als sie in ein Kellergewölbe geführt wurde, das nur im vorderen Teil erhellt war. Auf einer erhöhten Galerie saß ein gutes Dutzend Priester und Mönche, die sie neugierig musterten und hämisch feixten, als ihr ›Betreuer‹ sie unwirsch bis dicht vor den Platz des noch nicht erschienenen Vorsitzenden schob. Irritiert blickte sie in den unbeleuchteten Teil des Raumes, in dem einige wie Handwerker gekleidete Männer standen.

Nur wenige Minuten vergingen, bis eine Tür am Ende der Galerie geöffnet wurde. Im selben Moment erhoben sich die Mitglieder des Tribunals vor dem schlurfend eintretenden Erzbischof, der seine Kapuze wie gewöhnlich tief ins Gesicht gezogen hatte und die Arme in den Ärmeln seiner Kutte verschränkt hielt.

Isabel stockte der Atem. Wenn Ximenez de Cisneros persönlich den Vorsitz übernahm, war es schlecht um sie bestellt. Ihr Stolz aber gebot ihr, Haltung zu bewahren und der Verhandlung gefaßt entgegenzusehen.

»In nomine patris et filii et spiritus sancti«, murmelte der Erzbischof, während er Platz nahm und sich flüchtig bekreuzigte. »Die Vorgeführte ist mir bekannt und so weiter und so weiter. Beginnen wir also mit der Vernehmung.« Damit senkte er den Kopf, so daß sein Gesicht nicht zu sehen war.

Noch während das Tribunal sich setzte, richtete der Inquisitor, der die unkonventionelle Art des Kirchenfürsten kannte, die erste Frage an Isabel. »Habt Ihr Euer Gewissen erforscht?«

»Ja«, antwortete sie, ohne zu zögern. »Und ich weiß, daß das, was mein ehemaliger Verlobter und ich getan haben, in den Augen der Kirche Sünde ist.«

Ihre prompte und unerschrockene Antwort verblüffte nur Ximenez de Cisneros nicht. Er bewunderte Isabels ungebrochenen Elan und war gespannt, wann sie ihre Sicherheit verlieren würde.

»Drückt Euch verständlicher aus«, erwiderte der Inquisitor unzufrieden. »Was habt Ihr getan?«

»Wir haben uns geliebt.«

»Lieben ist doch keine Sünde.«

»Ich bin der gleichen Meinung. Die Kirche aber ist gegenteiliger Auffassung, wenn die Liebe unverheirateter Menschen zur Umarmung führt.«

»Befleißigt Euch eines anderen Tones und redet nicht in Rätseln«, fuhr der Inquisitor sie an. »Ich will wissen, was Ihr und Euer einstiger Verlobter getan habt?«

Da Isabel erkannte, wohin man sie treiben wollte, antwortete sie bedenkenlos: »Ich habe mich ihm hingegeben.«

Die Angehörigen des Tribunals fuhren zusammen.

»Genug!« befahl Ximenez de Cisneros dem Inquisitor. Dann hob er den Kopf und fragte Isabel, sich verbindlich gebend: »Hat Eure Gewissenserforschung sonst noch Früchte getragen?«

372

»O ja!« erwiderte sie lebhaft. »Ich weiß heute, daß ich mein Gesinde viel zu schlecht behandelt habe. Auch habe ich mich in unverzeihlicher Weise über das Gebot der Nächstenliebe hinweggesetzt.«

»Erfreulich, daß Ihr das einseht«, entgegnete der Erzbischof irritiert. »Ihr sollt hier jedoch nicht beichten, sondern Handlungen bekennen, für die das Heilige Offizium zuständig ist.«

Isabel war auf der Hut. Aller Wahrscheinlichkeit nach waren Felipe und sie auf Grund einer Denunziation verhaftet worden; es bestand also die Möglichkeit, daß das Tribunal über ihre Unterstützung von Ramons Familie Bescheid wußte. Ich werde Farbe bekennen müssen, sagte sie sich und antwortete: »Vermutlich fällt folgendes in den Bereich der Inquisition. Ich habe die Angehörigen meines früheren Gutsverwalters nach dessen Inhaftierung finanziell unterstützt.«

»Wußtet Ihr nicht, daß so etwas verboten ist?«

»Gewiß.«

»Und Ihr habt der Familie dennoch bis heute geholfen?«

»Nein, ich gewährte die Unterstützung nur etwa ein halbes Jahr lang.«

»Warum nicht länger?«

Isabel blickte zu Boden. »Mit Bestimmtheit vermag ich das nicht zu sagen.«

»Habt Ihr der Familie eine Begründung für Euren Sinneswandel gegeben?«

»Ja.«

»Sie lautete?«

»Ich erklärte, der Verhaftete habe einer Gruppe von Männern angehört, die für den Tod des Familiares Rodrigo verantwortlich seien.«

Ihre Unerschrockenheit ist frappierend, dachte Ximenez de Cisneros. Ihn reizte es plötzlich, ein wenig mit dem Feuer zu spielen. »Wie seid Ihr zu dieser Behauptung gekommen?« fragte er mit betont gleichgültiger Stimme.

Die diabolische Art des Erzbischofs erschreckte Isabel. Sollte sie sagen, was sie wußte. Kurz entschlossen antwortete sie: »Erinnert Ihr Euch nicht, Hochwürdiger Herr? Als ich mit meinem damaligen Verlobten nach der Totenmesse in der Sakristei mit Euch zusammentraf, brachte einer der anwesenden Franziskaner zum Ausdruck, daß mein Gutsverwalter am Mord des Familiares beteiligt gewesen sein könnte.«

»Ja, richtig«, erwiderte Ximenez de Cisneros verblüfft. »Ich erinnere mich, daß von einer solchen Möglichkeit die Rede war.«

»Und an diese erinnerte ich mich, als ich nach einer Begründung für meine Zahlungseinstellung suchte.«

Der Erzbischof bewunderte Isabels diplomatisches Geschick, aber ebendarum drängte es ihn, ihr auf der Stelle eine Niederlage beizubringen. Das Mittel dazu besaß er in Form eines Medaillons, welches ihm der Wärter, der mit der Durchsuchung der Zellen beauftragt war, kurz vor Beginn der Verhandlung übergeben hatte. »Wißt Ihr, was das ist?« fragte er wie nebenbei und zog aus dem Ärmel seiner Kutte den Anhänger mit dem Skarabäus, den Felipe ihr geschenkt hatte.

Isabel erbleichte. Wie kam ihr Amulett, das sie bei ihrer Verhaftung getragen und unmittelbar nach der Einlieferung unter ihrem Lager verborgen hatte, in die Hände des Kirchenfürsten?

»Ich frage nochmals, ob Ihr wißt, was das ist?« insistierte Ximenez de Cisneros.

Isabel versuchte, unbesorgt zu erscheinen. »Ein Skarabäus. Ein Glückskäfer, wie sein Verkäufer mir sagte.«

»Wer verkaufte ihn Euch?«

»Ein alter Mann, der nach Santiago de Compostela pilgerte, wie er uns erklärte.«

»Uns . . .?«

»Ja, meinem damaligen Verlobten und mir.«

Das halb geschlossene Auge des Erzbischofs zuckte hoch. »Schenkte Euch Euer Verlobter das Medaillon?«

»Ja.«

»Und er hat Euch erzählt, daß es sich bei dem Käfer um einen Skarabäus handelt?«

»Ich glaube, ja.«

»Was Ihr glaubt, interessiert mich nicht!« entgegnete Ximenez de Cisneros plötzlich schneidend. »Über Euren Glauben wird das Tribunal zu gegebener Zeit urteilen. Von Euch wünsche ich ein klares Ja oder Nein auf meine Frage, die ich übrigens nachher auch noch an jemand anderen richten werde. Auf diese Weise läßt sich die Wahrheit Eurer Aussage schnell und sicher kontrollieren.«

»Ich bitte um Vergebung, Hochwürdiger Herr«, erwiderte Isabel verwirrt. »Aber ich weiß wirklich nicht, ob der alte Pilger oder Felipe mir sagte, daß es sich bei dem Käfer um ein von den Ägyptern verehrtes Tier handelt.«

»Ach, es ist Euch bekannt, daß der Skarabäus als heilig angesehen wurde?«

Isabel spürte die ausweglose Enge, in die sie getrieben wurde. »Der Begriff heilig ist für mich an das Christentum gebunden«, antwortete sie schlagfertig. »Wenn die Ägypter den Skarabäus als heilig ansahen, irrten sie eben.«

Glänzend pariert, dachte Ximenez de Cisneros und spitzte die Lippen. »Meine Frage lautete anders. Ich wünsche zu wissen, ob Euch die Bedeutung des Skarabäus bekannt war.«

»Ja, das war sie.«

»Seit wann?«

»Seit dem Tage, an dem mein Verlobter mir den Anhänger schenkte.«

»Ihr habt mit ihm über seine Bedeutung und Herkunft gesprochen?«

»Ja.«

»Und es ist Euch nicht der Gedanke gekommen, ein heidnisches Amulett in den Händen zu halten?«

»Nein«, erwiderte Isabel entmutigt.

Ihr veränderter Tonfall entging dem Erzbischof nicht, und da die Erfahrung ihn gelehrt hatte, daß die Anwendung der Folter in Augenblicken der Depression die größte Wirkung erzielt, gab er den Knechten im Hintergrund zu verstehen, die Fackeln zu entzünden und sich bereit zu machen. »Eure Antwort erscheint mir so unglaubwürdig, daß ich eine Kontrolle vornehmen muß«, sagte er, an Isabel gewandt. »Entkleidet Euch!«

Ihre Augen weiteten sich vor Entsetzen. »Bitte, erspart mir diese Schmach. Ihr wißt, daß die Limpieza de sangre . . .«

»Hier geht es nicht um die Reinheit des Blutes Eurer Familie, die unbestritten ist, sondern um die Wahrheit Eurer Aussage!« unterbrach Ximenez de Cisneros sie streng. »Zieht Euch also aus, wenn Ihr nicht wollt, daß Euch die Kleidung gewaltsam genommen wird.«

Isabel sah die lüsternen Blicke der Tribunalsmitglieder und entgegnete verzweifelt: »Ich kann mich doch nicht vor diesen Männern . . .«

Der Erzbischof hob seine Hand.

Zwei feiste Gestalten ergriffen Isabel und rissen ihr die Kleider vom Leib.

Unfähig, noch etwas zu sagen, weinte sie still vor sich hin.

»In conspectu tormentorum!« befahl Ximenez de Cisneros.

Die Schergen ergriffen Isabel und führten sie zu einem *Potro*, einer Folterbank, auf welche die Opfer gelegt und mit Stricken gefesselt wurden, die zur Nabe eines Rades führten. Wurde dieses gedreht, dann schnitten die Seile immer tiefer in das Fleisch ein.

Der Erzbischof vermutete, daß der Anblick des Potros genügen würde, um Isabels Haltung zu erschüttern. Und er täuschte sich nicht.

»Ich unterschreibe, was Ihr wollt«, rief sie außer sich. »Nur foltert mich nicht!«

Ximenez de Cisneros atmete erleichtert auf. Der häßliche Anblick einer Folterung war ihm zuwider. »Ihr bekennt also, ein Medaillon getragen zu haben, von dem Ihr wußtet, daß es heidnischer Herkunft ist.«

»Ja.«

»Und das war auch Eurem Verlobten bekannt!«

»Woher soll ich das wissen?« begehrte Isabel auf.

»Ich habe Euch doch erklärt, daß Ihr nur zwischen einer klaren Aussage und der Folter wählen könnt!« fuhr der Erzbischof sie an.

Isabel ließ den Kopf sinken. Wozu sich quälen lassen. Das Urteil stand ohnehin fest. Man wollte Toriji und würde das Gut so oder so bekommen.

»Heraus mit der Sprache«, forderte Ximenez de Cisneros sie auf. »Wußte Euer Verlobter, daß er Euch ein heidnisches Amulett schenkte?«

»Ja, aber . . .«

»Danke, das genügt. Zieht Euch an und unterschreibt das Protokoll. Zu Eurer Belehrung weise ich vorsorglich darauf hin, daß im Falle des Widerrufes einer Aussage automatisch die Folter zur Anwendung gelangt. Vergeßt das nicht.«

Ximenez de Cisneros zweifelte nicht mehr daran, daß der Herrgott sein persönlicher Verbündeter geworden war. Allein die Tatsache, daß Felipe ein heidnisches Medaillon gekauft und es Isabel geschenkt hatte, die es aus Angst in ihrer Zelle versteckte, sprach für das Walten des Allmächtigen. Toriji sollte der Kirche geschenkt werden. In seinem Fanatismus war der Erzbischof zutiefst davon überzeugt, ein Werkzeug Gottes zu sein, und dieses Bewußtsein gab ihm die Kraft, sich über Menschen hinwegzusetzen, als seien sie Stubenfliegen.

Das unerwartet leicht gewordene Verhör Isabels blieb naturgemäß nicht ohne Auswirkung auf die Vernehmung Felipes, der bald erkannte, daß die von Ximenez de Cisneros gesponnenen Fäden nicht zu durchkreuzen waren. Ausschließlich über den Anhänger wurde er verhört, und er konnte nicht leugnen, gewußt zu haben, daß es sich bei dem Skarabäus um ein von den Ägyptern als heilig verehrtes Symbol handelte.

»Aber ich erwarb das Medaillon nicht aus religiösen, sondern aus ästhetischen Gründen«, verteidigte Felipe sich hartnäckig. »Seine Form und seine Farben waren es, die mich begeisterten.«

Es half ihm nichts. Am Schluß seiner Vernehmung, die eine halbstündige Tortur einschloß, unterschrieb auch er in der Erkenntnis, daß jeder Versuch zu kämpfen sinnlos sei und den Weg des Leidens nur verlängere, ein Protokoll, in dem er eingestand, ein heidnisches Götzenbild verschenkt zu haben, um magische Gewalt über einen Menschen zu gewinnen. Des weiteren bestätigte er notgedrungen, ketzerische Gespräche über ägyptische, griechische und römische Religionen in der Absicht geführt zu haben, seine frühere Verlobte und spätere Geliebte haltlos zu machen und in einen sinnenfreudigen Zustand zu versetzen.

Felipe rechnete mit dem Schlimmsten. Kein Zweifel konnte mehr darüber bestehen, daß die gegen Isabel und ihn erhobenen Anschuldigungen nur Mittel zum Zweck gewesen waren. Es ging um Toriji, und er wußte, daß ein Menschenleben keinen Wert hat, wenn es um Besitz und Macht geht. Die Inquisition war ein Instrument der Macht, dessen sich die Reyes Católicos vermittels einiger dem religiösen Wahn verfallenen Kirchenfürsten bedienten. Man mißbrauchte den Namen Christi und degradierte seine Kirche.

Wir leben in einer finsteren Welt, dachte Felipe, den die Vorstellung, bald zu sterben, erlöst haben würde, wenn Isabel nicht gewesen wäre. Der Gedanke, sie auf einem Scheiterhaufen enden zu sehen, brachte ihn nahezu um den Verstand.

Isabel reagierte anders. Sie konnte kaum noch an Felipe denken. Die Angst, bei lebendigem Leibe verbrannt zu werden, zerrüttete ihre Nerven, und der kleine Funken Hoffnung, der noch in ihr glimmte, wurde zur brennenden Qual, wenn sie sich vergegenwärtigte, ein Leben lang, nur mit dem Sanbenito bekleidet, bettelnd durch die Straßen gehen zu müssen. Angst, Hoffnung und Verzweiflung umnebelten ihre Sinne schließlich so sehr, daß sie die fürchterlichsten Schreie ausstieß.

Felipe hörte Isabel und konnte ihr nicht helfen. Er flehte den Gefängniswärter an, ihm Papier und Tinte zu bringen, damit er dem Erzbischof schreiben und ihn bitten könne, Isabel eine Erleichterung zu verschaffen. Vergebens.

»Dafür ist es zu spät«, erklärte der Wärter, ein alter, treuherziger Mann. »Die Tribünen sind bereits errichtet. Morgen findet das Autodafé statt.«

Felipe lief ein Schauer über den Rücken.

Der Alte grinste verlegen. »Wußtet Ihr das nicht?«

»Treibt keinen Spaß mit mir«, fuhr Felipe ihn an. »Auch Ihr könntet eines Tages hinter diesen Gittern sitzen.«

Der Wärter wurde unsicher. »Entschuldigt, Señor, es war nicht so gemeint.«

»Hoffentlich«, erwiderte Felipe und benutzte die günstige Gelegenheit, den Alten zu bitten, Isabel de Toriji unverzüglich davon in Kenntnis zu setzen, daß die Entscheidung am nächsten Morgen fallen werde. »Damit verletzt Ihr keine der Euch gegebenen Weisungen«, fügte er hastig hinzu.

Der Alte sah ihn betroffen an. »Wird die Señorita dann nicht verzweifelt sein?«

»Es gibt nichts Schlimmeres als Ungewißheit«, antwortete Felipe. »Señorita Isabel wird im ersten Moment erschrecken, wie ich eben erschrak. Dann aber wird sie ruhig werden und zu Gott beten.«

Der Wächter zuckte die Achseln und trottete davon.

Eine halbe Stunde später wußte Felipe, daß er das Richtige getan hatte. Isabels Schreie waren verstummt.

Nach einer Nacht, in der Isabel und Felipe kein Auge schließen konnten, erschienen an ihren Zellentüren je zwei Familiares, die mit Flammen und Teufeln bemalte Sanbenitos und spitz zulaufende Papphüte bei sich führten.

Isabel stockte der Atem beim Anblick der drei Fuß hohen Kopfbedeckung. Sie war also zum Feuertod verurteilt! Wie von einem Schüttelfrost erfaßt, griff sie nach dem Gitter ihrer Zelle und sank zu Boden. »Ich bereue!« rief sie, dem Wahnsinn nahe. »Ich bereue! Meldet dem Hochwürdigen Herrn, daß ich bereue! Ich will nicht bei lebendigem Leibe verbrennen.«

Die Familiares traten in die Zelle. »Wenn Ihr ernstlich bereut, wird Euer Wunsch erfüllt werden.«

»Ich möchte beichten und die Sakramente empfangen«, flehte Isabel.

Die Männer hoben sie vom Boden und stülpten ihr den sackartigen Sanbenito über den Kopf. »Sakramente sind Euch verweigert. Wir werden aber dafür sorgen, daß Eure ›Erlösung‹ nicht von den Flammen herbeigeführt wird. Voraussetzung ist, daß Ihr auf dem Weg zum Scheiterhaufen fleißig betet. Eure Schuhe müßt Ihr ablegen und diese Kerze in der Hand halten.«

Isabel glich einer Marionette. Ohne ihre Miene zu verziehen, ließ sie sich eine hohe, mit obszönen Bildern bemalte Kopfbedeckung aufsetzen, die sie als zum Tode verurteilte Hure kennzeichnete. Sie zog ihre Schuhe aus und verließ die Zelle mit der Kerze in der Hand. Wie betäubt nahm sie wahr, daß sich zu den Familiares vier oder fünf Mönche gesellten, die Gebete herunterleierten. Das Gehen fiel ihr schwer. Sie rang nach Luft. Ihr Herz hörte fast auf zu schlagen. Schwindel überkam sie.

In diesem Augenblick erschien Felipe auf der anderen Seite des Ganges. Auch er war von Mönchen und Familiares umgeben und trug den Sanbenito sowie den Hut der zum Tode Geweihten. »Isabel!« rief er, als er sie erblickte. »Verzage nicht! Der Tod wird uns vereinen und uns geben, was das Leben uns versagte.«

»Schweigt!« fuhr ein Dominikaner ihn an.

Felipes Augen ruhten voller Liebe auf Isabel. »Wir werden zusammen sein.«

»Wenn Ihr nicht augenblicklich schweigt, lasse ich Euch einen Knebel in den Mund stecken!« wetterte der Pater.

Felipe fügte sich. Zu allem war er bereit, wenn er nur in Isabels Nähe bleiben konnte.

Ihre blaugrünen Augen waren matt, als hätte sie die Schwelle zum Jenseits bereits überschritten.

Wenn ich ihr doch Kraft geben könnte, dachte Felipe verzweifelt.

Sie wurden auf die Straße geführt, deren Steine bitterkalt waren. Aber das war nicht so schlimm wie die neugierigen Blicke der Menschen, die sich vor dem Inquisitionspalast drängten.

Die Familiares wiesen die Büßer an, sich zu einer Prozession zu formieren. Dabei wollte es der Zufall, daß Ramon zu Isabel und Felipe stieß. Er wurde von zwei Knechten gestützt; offensichtlich konnte er nicht allein gehen. Wie unbeteiligt schaute er an Isabel vorbei. Er hatte abgeschlossen mit dem Leben. Man hatte ihn zermürbt.

Plötzlich aber, als er den Kopf wandte und sein Blick Isabels Gesicht streifte, fuhr er zusammen. »Señorita!« keuchte er fassungslos. »Ihr seid . . .?«

Die Knechte schlugen ihm auf den Mund.

Isabel wollte etwas sagen, doch einer der Familiares kam ihr zuvor. »Denkt daran, daß Ihr darum gebeten habt, vom Feuertod befreit zu werden«, raunte er ihr zu. »Wenn Ihr sprecht, müssen wir Euer Verhalten als Beweis dafür ansehen, daß Ihr nicht aufrichtig bereut.«

Isabel schwieg, wenngleich sie hätte schreien mögen. Die schnelle Reaktion des Familiares hatte ihr die Augen geöffnet. Nicht der Zufall, sondern der teuflische Geist des Erzbischofs hatte sie zwischen Felipe und Ramon gestellt. Das Volk sollte sich des Gerüchtes erinnern und den Rückschluß ziehen, daß der Herrgott nicht mit sich spaßen läßt.

Was folgte, war ein Spießrutenlaufen bis hinunter zur Kathedrale, vor deren Portal zwei Kapläne jedem der annähernd tausend Büßer mit Asche das Zeichen des Kreuzes auf die Stirn malten. Indessen fand in der Kirche ein feierlicher Gottesdienst statt, und als dieser beendet war, begannen die *Padres Inquisitores* die Namen der Verurteilten aufzurufen. Den meisten wurde auferlegt, an den folgenden sechs Sonntagen mit entblößtem Oberkörper vor der Kathedrale zu erscheinen und sich dort selbst zu geißeln. Darüber hinaus wurde ihnen jede Betätigung im öffentlichen Dienst untersagt und die Versicherung abgenommen, nie im Leben wieder ein Gewand aus buntem Stoff zu tragen, andernfalls die auferlegte Buße in eine sofort vollstreckbare Bestrafung durch den Feuertod umgewandelt werde.

Für Isabel, Felipe und Ramon war es eine kaum zu ertragende Tortur, unter Anhörung von über neunhundert Urteilen, Verwarnungen und Ermahnungen fast sieben Stunden lang auf ihre Hinrichtung warten zu müssen. Und als es endlich soweit war, sorgte zum zweitenmal eine ›göttliche‹ Regie dafür, daß sie auf Scheiterhaufen gestellt wurden, die ein Dreieck bildeten, so daß jeder seinen beiden Leidensgefährten gegenüberstand.

Isabel war der Ohnmacht nahe, als ein Knecht begann, sie zu entkleiden, um sie an einen Pfahl zu binden, der aus dem Holzstapel herausragte.

»Seid unbesorgt«, flüsterte ihr einer der Familiares zu. »Der Hochwürdige Herr hat Gnade walten lassen. Ihr werdet nicht dem Feuertod preisgegeben.«

Ramon, der bis zu diesem Augenblick alles stumm hingenommen hatte, verlor die Beherrschung, als er sah, daß Isabel entblößt an den Pfahl gebunden werden sollte. »Ihr Schweine!« schrie er mit einer Stimme, die selbst den Erzbischof zusammenfahren ließ. »Genügt es euch nicht, unschuldige Menschen zu töten? Müßt ihr sie auch noch erniedrigen?«

»Die *Mordaza*!« kommandierte Ximenez de Cisneros, der mit dem Vorsitzenden des Rates von Kastilien und den Vertretern des Herrscherhauses in einer vor der Kathedrale errichteten Loge Platz genommen hatte. »Die Mordaza!«

»Eure Knebel werden nicht verhindern können, daß die Welt erfährt, welches Unglück Ihr und die Reyes Católicos über dieses Land gebracht habt«, schrie Ramon unbeirrt weiter. »Der Tag, an dem das Volk sich erheben wird, um Euer schändliches Treiben zu beenden, ist nicht mehr fern. Ich werde ihn nicht erleben. Die Qualen aber, die Ihr und Euresgleichen Tausenden bereitet habt, werden Hunderttausende dafür kämpfen lassen, daß die Macht der Herrscher und Kirchenfürsten gebrochen und in die Hände des Volkes gelegt wird!«

Ein Knecht stürzte auf Ramon zu und schob ihm die Mordaza in den Mund.

»Wenn die Schuld dieses Unmenschen noch eines Beweises bedurft hätte, dann wurde er soeben geliefert!« rief der Erzbischof außer sich vor Zorn. »Jetzt hat der Maure sein wahres Gesicht gezeigt. Aber der Herrgott wird Rache nehmen und dem Teufel vorwerfen, was des Teufels ist.«

Isabel schaute verzweifelt zu Felipe hinüber. Warum unternahm er nichts, um sich vor dem Feuertod zu retten?

Felipe ahnte, was in Isabel vor sich ging. Es beruhigte ihn, daß wenigstens sie nicht bei lebendigem Leibe verbrannt werden würde. Auch er war nahe daran gewesen, Reue vorzutäuschen. Sein Stolz aber verbot ihm, um Gnade zu winseln und Abbitte für eine Tat zu leisten, die er nicht begangen hatte. Er vermochte nichts anderes zu tun, als klopfenden Herzens zu Isabel hinüberzublicken.

Unter Fanfarenklängen marschierte eine Kolonne von Fackelträgern auf.

Felipe starrte in die Gesichter der Zuschauer. Was mochte sie bewegen, sich das Leid ihrer Mitmenschen anzusehen?

Ein Kommando wurde gegeben.

Die Fackelträger entzündeten die Scheiterhaufen der ›reuelosen‹ Sünder.

Nach Luft ringend, starrte Felipe zu Isabel hinüber. Ein Knecht war über eine Leiter zu ihr hinaufgeklettert.

An Ramon fuhren die ersten Flammen hoch.

»Herrgott, steh mir bei!« stöhnte Felipe, als lodernde Glut ihn erfaßte. Durch gelbrote Schleier sah er, daß Isabel erdrosselt wurde. »Der Herr sei mit dir!« flehte er mit letzter Kraft.

Mit der ›Barke der Nacht‹ gelangten die Seelen von Isabel und Felipe ins Jenseits, das sich ihnen jedoch nicht so darbot, wie sie es erwartet hatten. Es gab weder einen rachsüchtigen Gott noch auf Wolken dahinschwebende Engel, weder behörnte Teufel noch riesige Flammenherde. Das Jenseits war antlitzlos, und es klagte:

Erlöst kann nur werden, wer den Nachweis der Bewährung erbracht hat. Ihr seid ihn schuldig geblieben. Wohl habt ihr euch bemüht, ein gutes Leben zu führen, ihr wurdet aber unduldsam, als es euch einen Verzicht abverlangte. Ihr saht nur euch und schautet über die Not eurer Mitmenschen hinweg.

Eure Bewährung müßt ihr nun in einem weiteren Leben suchen, in dem euch wieder Zeichen gesandt werden, die euch nachdenklich stimmen sollen. Achtet darauf!

ISABELLE UND PHILIPPE

1

Ein heiterer Sonntag neigte sich seinem Ende entgegen. Blaugolden leuchtete der Himmel über Paris. Der betäubende Duft des persischen Flieders aus den Gärten des feudalen Viertels Faubourg Saint-Germain mischte sich mit dem herben Geruch der Seine, deren grüne Ufer von weißen und gelben Blumen übersät waren. Die Glocken der Kirche sangen im metallischen Chor: silbrig die der Sainte-Chapelle; feierlich die der Kathedrale Notre-Dame; dumpf die berühmt gewordene von Saint-Germain-l'Auxerrois, welche in der Bartholomäusnacht die ›Pariser Bluthochzeit‹, die Ermordung der Hugenotten, eingeläutet hatte.

Wie verführerisch der Abend aber auch sein mochte, die Straßen von Paris waren leer. Man schrieb den 3. Mai 1789. Wer über kein Fuhrwerk verfügte, um damit in der Frühe des nächsten Morgens nach Versailles fahren zu können, hatte sich spätestens am Mittag dieses Tages zu Fuß auf den Weg zur Residenz des Königs gemacht. Hunderttausende nahmen es in Kauf, eine Nacht im Freien zu kampieren, nur um Zeuge des großen Augenblickes zu werden, da Ludwig XVI. und seine Gemahlin Marie Antoinette, gefolgt vom Hofstaat sowie allen Abgeordneten des Reiches, in feierlicher Prozession die Tagung der Generalstände einleiteten, an der erstmalig sechshundert Vertreter des dritten Standes, also des Volkes, teilnehmen sollten.

Widerstrebend hatte Louis Seize seine Einwilligung hierzu gegeben; ihm war keine andere Wahl geblieben. Hunger, Arbeitslosigkeit und leere Staatskassen hatten in Paris zu Unruhen geführt, die Schlimmstes befürchten ließen und auf die Dauer weder von der Polizei noch von der Garde unterbunden werden konnten. In seiner Not hatte der König den Genfer Bankier Nekker, der auf Grund seiner weitreichenden Geschäftsverbindungen allein noch in der Lage zu sein schien, dringend benötigte Kredite zu beschaffen, zum Finanzminister ernannt. Doch der Schweizer hatte die Berufung nicht ohne weiteres akzeptiert. Er hatte eine Verdoppelung der Anzahl der Vertreter des dritten Standes verlangt, so daß den je dreihundert Abgeordneten des hohen Adels und der Geistlichkeit sechshundert Kaufleute, Landwirte, Handwerker, Advokaten und niedrige Beamte gegenüberstanden.

Nicht soziale Überlegungen hatten den über Nacht vom Volk stürmisch gefeierten Bankier bewogen, seine Forderung zur unerläßlichen Bedingung zu machen. Er war sich darüber im klaren, daß Frankreich nur gesunden konnte, wenn die Ausgaben verringert und die Einnahmen vergrößert wurden. Das aber erforderte Maßnahmen, die den Interessen der Aristokratie und des Klerus zuwiderliefen. Die verschwenderische Hofhaltung, die allein in Versailles fast zehntausend Höflinge, Domestiken und Lakaien erforderte, mußte drastisch eingeschränkt und eine Steuerreform eingeleitet werden, die alle Bewohner des Landes in gleicher Weise belastete*.

»Neck-ér wird sein Ziel nicht erreichen«, prophezeite Philippe de Tessé, ein gertenhaft gewachsener, hochintelligenter junger Mann, den die verführerische Abendstimmung bewogen hatte, mit seiner Frau Isabelle noch einen Spaziergang entlang der Seine zu machen. Er trug ein zartblaues Jackett mit hochstehendem Kragen, dazu gelbseidene Kniehosen und beigefarbene Strümpfe. Seinen Zweispitz hielt er unter dem Arm. Der Mode entsprechend, fiel sein kurzgeschnittenes Haar in die Stirn, was seinem Profil eine klassische Note verlieh.

Neben ihm wirkte seine Frau, deren tizianrotes Haar ebenfalls

---

* In jenen Tagen gehörte die Hälfte des französischen Bodens der Krone, dem Adel und der Geistlichkeit. Die Grundsteuer war jedoch nicht vom Eigentümer, sondern vom Pächter zu zahlen. Einem Bauern, der aus 20 Morgen Land 200 Livres Gewinn erwirtschaftete, verblieben nach Abzug der Steuern etwas mehr als 100 Livres. Dagegen standen einem Abt jährlich 400 000 zur Verfügung; einem Kardinal eine Million. Steuern zahlten beide in ebenso geringem Maße wie die Prinzen von Geblüt, die bei einem Jahreseinkommen von 24 Millionen insgesamt 188 000 Livres Steuer entrichteten.

nach vorne gekämmt war, ungewöhnlich klein. Sie hatte jedoch eine durchaus normale Größe und besaß auffallend schöne, fast dunkelgrüne Augen. Ihr stark dekolletiertes, im wiederaufkommenden griechischen Stil geschnittenes Kleid aus fließender weißer Seide war unter der Brust so gerafft, daß diese gut zur Geltung kam, ihre Figur im übrigen aber nur schemenhaft in Erscheinung trat. Über ihrer Robe trug sie einen indischroten Umhang.

Das recht kostspielige Gewand hatte Philippe seiner Frau anläßlich der Geburt ihrer Tochter Barbe geschenkt, die inzwischen fünf Monate alt war und von ihrem dreijährigen Bruder François zärtlich umhegt wurde.

An dem Tage, da Philippe das attraktive Kleid vor Isabelle ausgebreitet hatte, war sie im ersten Moment betroffen gewesen. Dann aber sah sie, daß ihr Mann aus dem Material des Umhanges ein Halsband hatte anfertigen lassen, ohne das sie die weit ausgeschnittene Robe nicht hätte tragen können, da ihr Hals eine unschöne Narbe aufwies.

Philippe störte diese sich manchmal stark verfärbende und dann unangenehm in Erscheinung tretende Verletzung in keiner Weise. Im Gegenteil, erst diese hatte ihm den Mut gegeben, sich Isabelle zu offenbaren; denn auch er war mit einer Entstellung behaftet. Seit seiner Kindheit litt er darunter, daß die Haut seiner rechten Wange wie verdorrt aussah, geradeso, als wäre sie verbrüht oder verbrannt worden. Er hatte schon geglaubt, daß ihn nie eine Frau lieben würde, doch dann war Isabelle wie eine Märchenfee in sein Leben getreten. Sie schrak nicht zusammen wie andere, die seine entstellte Wange zum erstenmal erblickten, sie begegnete ihm vielmehr von Anfang an wie einem geliebten Menschen. Seit jener Stunde waren beide zutiefst davon überzeugt, füreinander auf die Erde gekommen zu sein. Diese Meinung änderten sie auch nicht, als offensichtlich wurde, daß schwere Jahre auf sie zukamen und ihre Zukunft ungesichert sein würde.

Es begann mit Schwierigkeiten, die ihre unterschiedliche Herkunft ihnen bereitete. Isabelle war die Tochter eines Jagdaufsehers, Philippe der einzige Nachkomme eines Landadeligen, der sich in unübersehbare Schulden verstrickt hatte, die er durch eine Geldheirat seines Sohnes loszuwerden hoffte. Spielleidenschaft und Maitressen hatten ihn ruiniert. Seine Frau war vor Kummer darüber gestorben. Ihn aber traf der Schlag, als Philippe ihm unumwunden erklärte, eine mittellose Bürgerin heiraten zu wollen. Von dem Schlag erholte er sich nicht. Gelähmt siechte er dahin.

Philippe heiratete Isabelle und übernahm die Führung des Hofes, doch erst als sein Vater gestorben war, wurde der volle Umfang der Verschuldung erkennbar. Philippe konnte nichts anderes tun, als das Gut zu verkaufen, und als alle Gläubiger zufriedengestellt waren, verblieben ihm außer einer auf der Pariser Seine-Insel Saint-Louis gelegenen Villa, die er trotz ihres verwahrlosten Zustandes um keinen Preis hergeben wollte, noch fünftausend Livres und ein kleines Jagdhäuschen, welches er so weit herrichten ließ, daß er es mit Isabelle bewohnen konnte. Keine Minute jedoch dachte er daran, das Leben eines verarmten Adeligen zu führen und sich von ein paar Taubenschlägen, Froschteichen und Kaninchengehegen zu ernähren. Er wollte Isabelle die große Welt zu Füßen legen und ihre Halsnarbe mit einem kostbaren Perlenkollier verdecken.

Aber Philippe war kein Träumer, wenngleich er in den darauffolgenden Monaten nichts anderes tat, als von morgens bis abends in Büchern zu lesen, die er den verschiedenen Bibliotheken der nur zwei Wegestunden entfernt gelegenen Stadt Rouen entlieh. Er informierte sich über alles, was er glaubte wissen zu müssen, wenn er es zu etwas bringen und die Pariser Gesellschaft für sich gewinnen wollte. Und das wollte er. Im Gegensatz zu früher, da die Entstellung seiner rechten Gesichtshälfte sein Handeln gelähmt hatte, drängte es ihn nun unwiderstehlich, sich in Kreisen zu bewegen, denen er bisher ausgewichen war. Isabelles Liebe hatte sein Selbstvertrauen geweckt.

Sein Denken und Handeln drehte sich nur noch um Isabelle. Für sie wollte er vermögend werden wie Necker, Rothschild und Bethmann es geworden waren. Unentwegt beschäftigte ihn die Frage, wie diese Bankiers es zuwege gebracht haben mochten, binnen weniger Jahre Millionen zusammenzutragen. Im Bestreben, es ihnen gleichzutun, las er neben Werken von Voltaire,

Montesquieu und Rousseau alles, was über Zettelbanken, über die Stückelung von Geldnoten, das Zinswesen, den Giroverkehr, Lombarddarlehen,˙ Hypotheken, Prolongationsgeschäfte, Aktien, den Börsenhandel und dergleichen geschrieben worden war. Und als er meinte, aus Büchern nichts mehr lernen zu können, faßte er den Entschluß, nach der Geburt des ersten Kindes, das Isabelle für das Frühjahr erwartete, vorübergehend in einem Bankhaus zu volontieren. Und zwar in Paris. Dort stand ihm die verfallene Villa auf der Île Saint-Louis zur Verfügung, und dort war der Sitz des Bankhauses Bethmann, dessen Juniorchef ihm anläßlich der Tilgung der Schulden seines Vaters ein anerkennendes Schreiben gesandt hatte. Er hoffte, in seinem Unternehmen einige Monate tätig sein zu dürfen.

Auf Philippes Entschluß, allein nach Paris zu gehen, reagierte Isabelle erstaunlich gelassen. Sie kannte die Titel der Bücher, die er wie Liebesromane verschlungen hatte. »Traité des opérations de banque«, »Le crédit et les banques«, »Les opérations de bourse et de change« lauteten sie und hatten ihr gezeigt, daß Philippe sich intensiv mit dem Bank-, Börsen- und Kreditwesen beschäftigte. Das aber konnte nur sinnvoll sein, wenn er eines Tages das Jagdhaus verließ, um im Bank-, Börsen- und Kreditwesen tätig zu werden.

Isabelle hatte freilich nicht damit gerechnet, daß ihr Mann beabsichtigte, nach Paris zu gehen. Sie hatte geglaubt, er würde sich in Rouen ein Tätigkeitsfeld suchen. Aber es war gewiß richtig, sich nicht mit einem kleinen Schritt zu begnügen, wenn ein großer getan werden konnte. Sie erklärte sich deshalb mit allem einverstanden und tat dies nicht zuletzt, weil sie ahnte, daß Philippe für sie nach den Sternen greifen wollte. Das mochte vermessen sein, eine unerklärliche Gewißheit sagte ihr jedoch, daß er erreichen würde, was er sich vorgenommen hatte.

Im Frühjahr schenkte Isabelle einem gesunden Jungen das Leben, und vier Wochen später trat Philippe die lang vorbereitete Reise an.

»Wenn ich etwas Glück habe, werde ich dich und François spätestens in einem halben Jahr holen«, hatte er ihr zum Abschied gesagt. »Du weißt, wie sehr ich euch liebe.«

Das Glück war Philippe hold. Der Juniorchef des Bankhauses

Bethmann entsprach seiner Bitte, ihn in den verschiedenen Abteilungen seines Hauses volontieren zu lassen, aber schon nach zwei Monaten erkannte Philippe, daß die Praxis seine Kenntnisse nur wenig zu erweitern vermochte. Unschätzbar jedoch war für ihn der Einblick, den er in die Vermögensverhältnisse der Bankkunden gewann. Ohne sich Notizen zu machen, was einem Vertrauensbruch gleichgekommen wäre, registrierte er die Adressen aller Persönlichkeiten, deren Bekanntschaft er zu einem späteren Zeitpunkt zu suchen gedachte.

Systematisch ging Philippe vor. Dazu gehörte auch, daß er die auf der Seine-Insel gelegene verwahrloste Villa, deren Mobiliar schon zu Lebzeiten seines Vaters in die Hände irgendwelcher Weiber geraten war, von außen völlig neu herrichten ließ, obwohl ihn dies fast achthundert Livres kostete. Die Ausgabe war notwendig, wenn er den Versuch machen wollte, in der Gesellschaft Fuß zu fassen. Innen mochte das Haus wie eine Räuberhöhle aussehen; als Strohwitwer kam er nicht in die Verlegenheit, Einladungen aussprechen zu müssen. Die äußere Fassade aber mußte ohne Tadel sein, zumal die Villa am vornehmen Quai de Bourbon lag.

Weitere leidige Unkosten verursachte die Beschaffung von zwei erstklassig geschneiderten Anzügen. Sie verringerten Philippes Barschaft so weit, daß er bei bescheidenem Leben gerade noch zwei Monate auskommen konnte. Es wurde deshalb höchste Zeit, sich um Aufnahme in die Gesellschaft des Hochadels zu bemühen.

Und nun kam Philippe ein glücklicher Umstand zu Hilfe. Als er das Vorzimmer des Juniorchefs aufsuchte, um diesem zu erklären, daß er seine Tätigkeit zu beendigen wünsche, befand sich dessen Sekretär gerade nicht im Raum. Auf seinem Arbeitstisch aber lag ein Schreiben, das Philippes Neugier augenblicklich weckte. Er sah an dem Briefkopf, daß es sich um die Mitteilung des internen Informationsdienstes der fünf größten Banken Europas handelte. Ohne zu zögern trat er an den Arbeitstisch und las die Nachricht, die nüchtern war wie alles, was mit dem Bankwesen zu tun hat. Dennoch versetzte sie ihn in fieberhafte Erregung. Das Schicksal spielte ihm eine Chance zu, wie er sie sich günstiger nicht wünschen konnte. Mit etwas Geschick mußte es ihm nun möglich sein, binnen kürzester Frist das Vertrauen einiger namhafter Mitglieder der Aristokratie zu gewinnen.

Die gedankliche Volte, die Philippe in jenem Moment schlug, war kennzeichnend für die Beweglichkeit seines Geistes; denn er hatte lediglich gelesen, daß die Pariser Wasserwerke ihr Grundkapital um zwei Millionen Livres erhöhen und mit Beginn des kommenden Monats entsprechende Aktien herausgeben würden.

Für Philippe war diese Information Gold wert. Er wußte, daß der Kurs der allgemein geschätzten Aktie auf hundertzweiunddreißig stand und weitersteigen mußte, wenn die neue Emission stark gefragt werden würde. Und dafür wollte er sorgen.

Viel Zeit verblieb ihm allerdings nicht. Bis zur Ausgabe der neuen Aktien waren es nur noch vierzehn Tage! Nachdem er sich im besten Einvernehmen von den Herren Bethmann verabschiedet hatte, fertigte er als erstes eine Liste all jener Persönlichkeiten an, deren Vermögensverhältnisse ihm besonders imponiert hatten. Dann nahm er den Stadtplan zur Hand und ordnete die Adressen nach Wohnbezirken und Straßen, so daß er, wenn er seine Besuchscour antrat, nicht kreuz und quer durch Paris fahren mußte.

In jenen Tagen machte man ›Antrittsbesuche‹ nicht, um sich vorzustellen. Man erwartete vielmehr, daß Besucher ihre Visitenkarte zwischen zehn und zwölf Uhr abgaben, zu einem Zeitpunkt also, da die vornehme Welt noch schlief oder sich beim ›Lever‹ befand, wie die Morgentoilette genannt wurde, die zwei bis drei Stunden in Anspruch nahm.

So erledigte Philippe binnen zweier Vormittage an die zwanzig Besuche, und schon achtundvierzig Stunden später flatterten ihm die ersten, nach Lavendel und Puder duftenden Billetts mit Einladungen zum Diner beziehungsweise Souper ins Haus. Denn ebenso, wie ein ungeschriebenes Gesetz es verlangte, seinen Antrittsbesuch in eine für den Empfang unmögliche Zeit zu legen, gehörte es zum guten Ton, die Entgegennahme einer Visitenkarte umgehend mit einer Einladung zu beantworten.

In Philippes Fall hatte die prompte Beantwortung allerdings einen besonderen Grund. Man war begierig darauf, von einem Mitglied der Familie Tessé Interna über Madame de Tessé zu erfahren, die sich als Hofdame Marie Antoinettes einer noch größeren Unbeliebtheit erfreute als die Königin selbst. Und das wollte viel besagen.

Philippe war sich darüber im klaren, daß man ihn auf Madame Tessé ansprechen würde, doch das belastete ihn nicht. Zwischen der Hofdame und seiner Familie bestanden keine verwandtschaftlichen Beziehungen. Bedrückender war für ihn der Gedanke an seine unansehnliche Wange. Wie würden die Damen der Gesellschaft auf diese Entstellung reagieren? Ihn beschäftigte die verdorrte Wange plötzlich wieder so sehr, daß er sich wie verlassen vorkam, als er den Weg zur Herzogin von Orléans antrat, deren Einladung er den Vorrang vor allen anderen gab. Nicht nur, weil sie als ungeheuer vermögend galt. Es war stadtbekannt, daß ihr Gatte ein liederliches Leben führte und sich vornehmlich mit Huren herumtrieb, und dies ließ Philippe hoffen, daß die Duchesse darüber den Stolz und die Arroganz des Hochadels verloren habe.

In einem grünseidenen Anzug, dessen Revers mit breiten Goldborten besetzt war, fuhr er im Fiaker zum Palais Royal, das Richelieu erbaut hatte und in den Besitz des Duc d'Orléans übergegangen war. In den Arkaden des riesigen Gebäudekomplexes befanden sich die elegantesten Geschäfte von Paris, in seinen Gartenanlagen aber gaben sich Stutzer, Kurtisanen, Soldaten und Huren ihr Stelldichein. Luxus und Verderbtheit wohnten hier dicht beieinander.

Philippe wies den Kutscher an, vor dem Südportal zu halten, entlohnte ihn und wurde von einem Lakaien über eine breite Freitreppe zur ersten Etage geführt, wo ihn ein zweiter Lakai an einen dritten weiterleitete, der ihm die Tür zum Empfangsraum öffnete.

Angesichts der Kostbarkeiten, die sich Philippe darboten, stockte ihm beinahe der Atem. Wohin er schaute: Teppiche in leuchtenden Farben, goldgleißende Möbel, damastschimmernde Fauteuils und Bergèren, Vitrinen mit Schäferpärchen aus Porzellan, seidenbespannte Wände, Brokatvorhänge, Gobelins aus der Weberei Hautelisse, funkelnde venezianische Lüster, orientalische Vasen.

Durch eine wie von Geisterhänden sich öffnende Tür trat Ihre

Durchlaucht, die Duchesse d'Orléans, Prinzessin Luise von Bourbon-Penthièvre, in den Raum. Ihr folgte eine kleine ältere Dame.

Seine rechte Gesichtshälfte so gut wie möglich abwendend, verneigte sich Philippe.

Die Herzogin ging auf ihn zu. Sie war von schlanker Gestalt und trug ein kostbares Kleid aus chinesischer Seide, dessen mit Rubinen und Diamanten besetzte Gürtelschnalle bei jedem Schritt ein gleißendes Feuer versprühte. Ihr zartblondes, hoch aufgestecktes Haar war von einer Perlenkette durchzogen.

Ihre Begleiterin stützte sich auf einen Ebenholzstock. Sie war in ein dunkles, unauffälliges Atlasgewand gekleidet, an ihren Fingern aber blitzten hochkarätige Smaragde und Brillanten.

»Monsieur«, sagte die Duchesse und reichte Philippe die Hand.

Er hob sein Gesicht und blickte in zwei wasserblaue, ausdruckslose Augen. Sich über ihre Hand beugend, entgegnete er: »Ich danke Durchlaucht für die Freundlichkeit . . .«

»Darf ich bekannt machen«, unterbrach ihn die Herzogin mit kalter Stimme. »Monsieur de Tessé – meine Tante, Marquise Henriette de Penthièvre.«

Philippe neigte sich in vollendeter Form über die dargebotene Hand. Dann richtete er sich langsam auf, immer noch bestrebt, seine unansehnliche Wange zu verbergen.

Die Duchesse betrachtete ihn mit blasierter Miene. »Wir speisen zu viert.«

Ein Denkmal der Eitelkeit, ging es Philippe durch den Sinn. Über Geld werde ich mit ihr nicht sprechen können.

Die Augen der Herzogin weiteten sich.

Philippe wußte Bescheid. Seine Wange war entdeckt.

Für den Bruchteil einer Sekunde verkrampfte sich das Gesicht der Duchesse, dann aber veränderte sich ihre Miene, als würde sie von innen erhellt. Nichts Überhebliches war mehr zu entdecken. Ihre ausdruckslosen Augen erhielten einen seidigen Schimmer, und mit völlig veränderter, liebenswürdig warmer Stimme forderte sie Philippe auf, in einem der Fauteuils Platz zu nehmen.

Mit ihr werde ich doch über Geld reden können, dachte er erleichtert und angetan zugleich. Wenn er von Isabelle absah, die über seine Entstellung hinweggegangen war, als existiere sie nicht, hatte er noch keinen Menschen erlebt, der sich wie die Herzogin von Orléans zu beherrschen vermochte.

Aber auch die alte Marquise bewahrte Haltung. Als sie Philippes verdorrte Wange gewahrte, zuckte ihr Mundwinkel zwar verdächtig, doch dann kniff sie die Augen zusammen und richtete ihren Blick auf Philippes Haar. »Verzeihen Sie meine Neugier, Monsieur«, sagte sie mit altersschwach hoher Stimme. »Ich möchte Sie etwas fragen. Friert man nicht am Kopf, wenn man sich das Haar so kurz schneiden läßt?«

Philippe schmunzelte. »Anfangs schon, Marquise.«

»So, so«, krächzte die eigenwillige Tante der Duchesse. »Na ja, das läßt sich denken. Aber warum haben Sie sich Ihr Haar eigentlich schneiden lassen?«

»Du bist unmöglich, Henriette«, mischte sich die Herzogin ein.

»Ich verstehe die Frage«, beeilte sich Philippe zu versichern. »Und ich möchte sie beantworten. Ich finde kurze Haare einfach praktischer als lange. Außerdem passen sie meines Erachtens hervorragend zur neuen Mode.«

»Das mag sein«, entgegnete die Marquise unzufrieden. »Ich habe aber gehört, kurze Haare seien ein Ausdruck des Protestes gegen die bestehende Ordnung.«

»Wenn dem so wäre, würde ich sie mir sofort wieder wachsen lassen«, erwiderte Philippe galant.

»Ein anderes Thema, Henriette!« forderte die Duchesse streng und warf ihrem Gast einen um Entschuldigung bittenden Blick zu. »Sie kommen aus der Provinz Languedoc?«

Marie Antoinettes Hofdame soll durchgehechelt werden, dachte Philippe und antwortete: »Nein, Durchlaucht. Ich stamme aus der Normandie und bin mit Madame de Tessé nicht verwandt.«

»Nicht?« fragte sie verwundert.

»Enttäuscht Sie das?«

Die Wangen der Herzogin röteten sich. »Oh, keineswegs.«

»Im Gegenteil«, krächzte die Marquise mit sich überschlagender Stimme. »Madame de Tessé . . .« Sie machte eine wegwerfende Bewegung. »Sprechen wir lieber von Ihnen, Monsieur. Seid wann sind Sie in Paris?«

»Seit fünf Monaten«, antwortete Philippe.

»Und da machen Sie erst heute Ihren Antrittsbesuch?« fragten beide Damen fast wie aus einem Munde.

Sie reagierten, wie Philippe es erwartet und provoziert hatte. »Ich verstehe, daß Sie konsterniert sind«, antwortete er verbindlich. »Aber es gab Gründe, die mich zur Zurückhaltung zwangen. Zunächst wußte ich nicht, ob ich für längere Zeit in Paris bleiben würde. Und später, als ich den Entschluß gefaßt hatte, meinen Wohnsitz hierherzuverlegen, hielt ich es für richtig, meine Kenntnisse auf dem Sektor des Börsenhandels zunächst noch durch eine Informationstätigkeit, wie ich es nennen möchte, bei einer namhaften Bank zu erweitern. Was würden Sie, Durchlaucht, wohl gesagt haben, wenn ich die Unverfrorenheit besessen hätte, während dieser Zeit in Ihrem Salon zu verkehren?«

Der Duchesse gefiel Philippes Offenheit. »In einer Bank waren Sie tätig?« fragte sie interessiert.

»Ja, in mir steckt ein wenig von einem Hasardeur«, antwortete er leichthin. »Doch erschrecken Sie nicht. Ich hasse alles, was nur vom Zufall abhängt und keinen Verstand verlangt. Ergo spiele ich nicht mit Karten, sondern mit Aktien. Zugegeben, das erfordert Kapital und einen hohen Einsatz, aber dafür ist der Gewinn entsprechend groß und das Risiko gleich Null, wenn man die Regeln kennt und den Markt genau beobachtet. Um ihn in all seinen Verschachtelungen kennenzulernen, scheute ich mich nicht, einige Monate bei Bethmann zu volontieren. Die Herren verstehen ihr Geschäft.«

»Sogar so gut, daß sie mich noch arm machen werden«, beliebte die Herzogin zu scherzen.

»Charmant, charmant!« entgegnete Philippe, auf den Ton eingehend. Es fiel ihm plötzlich nicht mehr schwer, sich höfisch zu geben.

»Kann man das Spiel mit Aktien in meinem Alter noch erlernen?« fragte die Marquise piepsend.

Philippe nickte. »Warum nicht? Sie brauchen nur täglich zur Börse zu gehen. Vorher müssen Sie natürlich, wie ich es getan habe, das Bankfach studieren.«

Das Gespräch wurde durch den Eintritt einer jungen Dame unterbrochen, die auf den ersten Blick eine starke Faszination ausstrahlte. Bei näherer Betrachtung verlor sich dieser Eindruck jedoch. Ihre bräunliche Haut und ihr in der Mitte gescheiteltes Haar ließen sie fast wie eine Inderin aussehen. Ihre zu breite Nase und aufgeworfenen Lippen paßten allerdings nicht in dieses Bild. Es ging etwas betörend Sinnliches von ihr aus.

Die Herzogin machte sie und Philippe miteinander bekannt.

Madame d'Anviers sah kaum zu ihm hinüber.

Er war verblüfft. Madame d'Anviers war ihm dem Namen nach bekannt. Ihr um viele Jahre älterer Mann hatte sich mit einem ihrer Verehrer duelliert, dabei den Tod gefunden und ihr ein riesiges Vermögen hinterlassen.

Die Freundin der Duchesse berichtete von einem Ball in Raincy und würdigte Philippe auch weiterhin keines Blickes.

Er hingegen mußte sie ständig anschauen. Ihr exotischer Reiz verwirrte ihn. Woher kannte er sie nur?

»Du machst dir keinen Begriff, wie aufgetakelt die ›Österreicherin‹ wieder war«, plapperte die attraktive Witwe abfällig über die Königin. »Eine ganze Landschaft mitsamt einer Windmühle war in ihrer turmhohen Frisur untergebracht. Und benommen hat sie sich wie eine korsische Bergziege.«

Ein Lakai meldete, daß das Essen bereit sei.

Durch einen in blauen Farben gehaltenen Salon begab man sich in einen kleinen, runden Speiseraum, dessen weiß-goldene Möbel sich prächtig gegen einen roten Teppich abhoben.

Die Herzogin plazierte Philippe so, daß Madame d'Anviers links von ihm saß und seine verunstaltete Wange nicht sehen konnte.

Er verneigte sich dankbar vor Ihrer Durchlaucht.

Über deren Gesicht lief ein rosiger Schimmer.

Das macht sie noch hübscher, dachte Philippe.

Die Marquise attackierte unterdessen einen Lakaien, der ihr den Ebenholzstock nicht rechtzeitig abgenommen hatte.

Das Essen wurde aufgetragen. Wildpastete. Oxtail clair. Périgordtrüffeln. Hammelkoteletts. Hähnchen, goldgelb gebraten. Fruchtsalat mit Vodka. Café.

Philippe war froh, daß kein sich über Stunden hinziehendes üppiges Mahl gereicht wurde. Er saß zwischen den Damen wie eine Wespe in der Wabe.

Irgendwo im Hintergrund spielte eine Harfe. Gleich Perlen reihten sich die Töne aneinander und füllten den Raum.

Mit der Zeit wurde Philippe nervös. Er sah keine Möglichkeit, das Gespräch auf die Börse zurückzuleiten, ohne sich verdächtig zu machen.

Die Duchesse erhob sich und beendete die Tafel. Kurz darauf verabschiedete sie ihre Freundin so abrupt, daß diese erstaunt zu Philippe hinüberblickte. Gleichaltrige Männer beachtete sie normalerweise nicht. In diesem Augenblick aber gestand sie sich ein, einen Fehler gemacht zu haben. Der neue Gast hatte etwas an sich, das sich nicht ohne weiteres definieren ließ. Sollte Ihre Durchlaucht . . .?

Die Marquise ließ sich ihren Stock geben und reichte Philippe die Hand. »Ich *muß* mich verabschieden, Monsieur«, sagte sie seltsam betont. »Zu gerne hätte ich mich mit Ihnen noch über die Börse und Aktien unterhalten.«

»Ich stehe Ihnen jederzeit zur Verfügung«, entgegnete Philippe zuvorkommend.

»Sie kennen meine Anschrift?«

»Ich bin gewiß, von Ihnen ein verführerisch duftendes Kärtchen zu erhalten.«

»Charmeur!«

Die Herzogin trat hinzu. »Du willst schon gehen, Henriette?«

»Von *wollen* kann keine Rede sein«, antwortete die Marquise böse und kramte in ihrem Pompadour herum. »Zuvor möchte ich *deinem* Gast aber noch *meine* Karte überreichen. Er hat mir eben versprochen, mich über das Spiel mit Aktien zu informieren. Wenn es mir gefällt, nehme ich künftig daran teil.«

Die Duchesse, die ihrer Tante durch ein Zeichen zu verstehen gegeben hatte, sie mit dem Gast allein zu lassen, schlug die Hände zusammen. »Dann solltest du noch etwas blieben, Henriette. Ich möchte nämlich Monsieur de Tessé bitten, mir zu erklären, wie ein Spekulationsgeschäft vor sich geht. Alle Welt kauft heute Aktien. Sogar der Glücksspieler Talleyrand.«

Philippe lachte. »Hat der Herr Bischof Ihnen das anvertraut?«

»Nein, mir erzählte es seine Geliebte.«

»Dann wird es stimmen.«

Nun lachte auch die Herzogin.

Zu dritt gingen sie in den Blauen Salon und nahmen in winzigen Sesseln vor einem niederen Tischchen Platz.

»Wenn ich nur wüßte, wo ich anfangen soll«, begann Philippe, sich verlegen stellend. »Das ›Spiel‹ mit Aktien, wie ich es vorhin leichtfertig nannte, ist ziemlich kompliziert und nicht mit wenigen Worten zu erklären. Wenn Sie Ihr Geld nutzbringend anlegen wollen, sollten Sie nicht selber spekulieren, sondern Ihren Bankier oder einen Makler beauftragen, dies für Sie zu tun. Das hat den Vorteil, daß Sie kein Lehrgeld zahlen müssen. Nachteilig ist allerdings, daß Sie auf diese Weise nie am wirklich großen Geschäft beteiligt werden. Das spielen die Herren sich selber zu. Anfang nächsten Monats zum Beispiel erhöht ein bekanntes und solides Unternehmen sein Kapital um zwei Millionen Livres und bringt eine entsprechende Menge neuer Aktien auf den Markt. Wer die Chance zu nutzen weiß, wird binnen einer Woche einen Kursgewinn von etwa dreißig Punkten verbuchen können.

»Was heißt das?« fragte die Marquise lauernd.

»In Zahlen ausgedrückt: wer für hunderttausend Livres Aktien kauft, wird sie nach kurzer Frist für hundertdreißigtausend verkaufen können. Das zu tun wäre jedoch unklug. Die Aktie bringt nämlich Dividende. In dem von mir genannten Fall wurden bisher rund zehn Prozent gezahlt.«

»Das sind ja sechs mehr, als mir der Gauner Rothschild gewährt«, eiferte sich die Marquise und stieß entrüstet ihren Stock auf den Boden. »Bei einer Anlage von dreihunderttausend Livres würden die Zinsen die Unkosten meines Haushaltes bereits decken. Im Alter wird man bescheiden«, fügte sie wie zu ihrer Entschuldigung hinzu. »Mit dreißigtausend komme ich wirklich schon ganz gut zurecht*.«

---

* Die Kaufkraft des Livre betrug in jenen Tagen etwa das Dreifache der heutigen D-Mark.

Was sollte Philippe dazu sagen?

Die Herzogin reichte Konfekt. »Werden Sie von den genannten Aktien welche erstehen?«

»Aber gewiß. Es wäre doch dumm, wenn ich meine Kenntnisse nicht ausnutzen würde. Ich bedaure nur, im Augenblick nicht groß einsteigen zu können. Meine Mittel sind anderweitig gebunden.«

»Bestimmt nicht nutzlos!« warf die Marquise anzüglich ein.

Philippe lächelte. »Bei den zur Debatte stehenden Aktien würde der Gewinn aber ungleich höher sein.«

Die Duchesse sah ihn aufmunternd an. »Hätten Sie nicht Lust, ihn zusätzlich zu kassieren?«

Philippe horchte auf. Spielte Ihre Durchlaucht mit dem Gedanken, ihm Geld zur Verfügung zu stellen? In seinen kühnsten Träumen hätte er an eine solche Möglichkeit nicht gedacht. »Wie darf ich Ihre Frage verstehen?« erkundigte er sich vorsichtig. »Natürlich hätte ich Lust. Ich sehe nur keinen Weg.«

»Aber ich!« erklärte die Herzogin beinahe triumphierend. »Wäre es nicht denkbar, daß wir drei – meine Tante, Sie und ich – eine Interessengemeinschaft zum Ankauf von Aktien bilden? Die Marquise und ich verstehen nichts von Wertpapieren, Sie hingegen sehr viel. Da wäre es doch für jeden von uns vorteilhaft, wenn wir uns zusammentun würden. Sie stellen Ihr Wissen und Ihre Geschicklichkeit zur Verfügung, wir das erforderliche Geld.«

Ein verlockenderes Angebot konnte Philippe sich nicht wünschen. Dennoch zögerte er, es zu akzeptieren. Sei vorsichtig, sagte er sich. Gehe keine zu starke Bindung ein. »Sie sehen mich überrascht, Durchlaucht«, erwiderte er nach kurzer Überlegung. »Bisher habe ich noch nie ein Kompagnongeschäft getätigt, und ich möchte das eigentlich auch in Zukunft nicht tun.«

Die Duchesse konnte ihre Enttäuschung nicht verbergen.

»Verstehen Sie mich richtig«, fuhr Philippe schnell fort, um nur ja keine Verstimmung aufkommen zu lassen. »Ich bin gerne bereit, für Sie und die Marquise den Ankauf von Aktien zu übernehmen, keinesfalls aber möchte ich an Ihrem Nutzen partizipieren.«

Seine Stellungnahme machte die Herzogin ratlos. »Ihr Stolz

ehrt Sie, Monsieur«, antwortete sie. »Leider, würde ich am liebsten hinzufügen. Denn nun wird aus dem schon erträumten Geschäft nichts werden.«

Philippe gab sich erstaunt. »Und warum nicht? Ich habe mich doch erboten . . .«

». . . in einer Weise tätig zu werden, die es uns unmöglich macht, Ihre Hilfe in Anspruch zu nehmen!«

Philippe preßte die Hände gegeneinander. »Lassen Sie mich überlegen, wie wir zu einer für beide Teile befriedigenden Lösung kommen könnten.«

»Ja, tun Sie das, Monsieur!« krächzte die Marquise. »Ich möchte unbedingt für dreihunderttausend Livres Aktien kaufen. Dann brauche ich meinen Haushalt nicht mehr aus der eigenen Tasche zu bezahlen.«

Vermögen scheint geistige Fähigkeiten zu reduzieren, dachte Philippe und wandte sich der Herzogin zu. »Welchen Betrag möchten Sie anlegen, Durchlaucht?«

»Darüber habe ich mir noch keine Gedanken gemacht. Wären fünfhunderttausend zuviel?«

»Keineswegs«, antwortete er mit unbeweglicher Miene. »Je höher der Einsatz, desto lukrativer der Gewinn.«

»Und wie könnten wir uns arrangieren?«

Philippe blickte nachdenklich vor sich hin. »Ich mache Ihnen einen Kompromißvorschlag. Sie stellen mir für die Dauer von einer Woche zweihunderttausend Livres zur Verfügung.«

»Das ist kein Kompromiß«, protestierte die Duchesse. »Damit wollen Sie Ihre uneigennützige Tätigkeit nur verschleiern.«

»Sie täuschen sich, Durchlaucht«, widersprach Philippe. »Für den Betrag würde ich mir ausschließlich Aktien der besagten Gesellschaft kaufen.«

»Aber dann können Sie das Geld doch nicht schon eine Woche später zurückzahlen.«

»Das ist ein neuerlicher Irrtum«, entgegnete Philippe lächelnd. »Ich kann es zurückerstatten, weil ich acht Tage später wieder über eigene Mittel verfüge. Eine kurzfristige Kapitalhergabe würde mir also einen beachtlichen Gewinn einbringen.«

Philippe war wie berauscht, als er das Palais Royal verließ. In seiner Tasche steckte eine Vollmacht, die ihn berechtigte, über eine Million Livres zu verfügen. Er begriff nicht, wieso die Herzogin ihm einen solch hohen Betrag bedenkenlos anvertrauen konnte, doch er ahnte, daß sein Vergleich über das Spiel mit Karten und Aktien den Ausschlag gegeben hatte. Weder Ihrer Durchlaucht noch der skurrilen Marquise Henriette de Penthièvre ging es darum, Geld zu verdienen; beide besaßen so viel, daß sie nicht wußten, wieviel sie besaßen. Ihnen ging es um den Reiz des neuen Spieles, das sich nicht mit Whist vergleichen ließ, welches große Aufmerksamkeit erfordert, im Endeffekt aber doch keine aufregenden Gewinne oder Verluste bringt. Wie hinreißend war dagegen die Vorstellung, bei Kursanstiegen enorme Beträge einstreichen zu können und als Zugabe auch noch Dividende zu erhalten. Man konnte nur bedauern, den versierten Monsieur de Tessé nicht schon früher kennengelernt zu haben. Es mußte unbedingt dafür gesorgt werden, daß er mit gewissen Damen der Gesellschaft nicht zusammenkam. Im Salon der frivolen Tochter des Bankiers Necker, die den schwedischen Baron von Staël-Holstein geheiratet hatte und seither vollauf damit beschäftigt war, ihrem Mann Hörner aufzusetzen, durfte er keinesfalls verkehren.

Die Duchesse wäre gewiß sehr enttäuscht gewesen, wenn sie erfahren hätte, daß Philippe bereits an diesem Abend bei Madame Staël zu Gast sein würde. Doch er hatte nicht die Absicht, in ihrem Salon über Aktien zu sprechen. Er wußte, wessen Tochter sie war. Zudem hatte der Juniorchef des Bankhauses Bethmann ihm die Einladung vermittelt, um ihm die Möglichkeit zu bieten, im Haus der Schweizerin, das im großen Stil geführt wurde, Kontakt mit namhaften Persönlichkeiten des Hofes aufzunehmen.

Da Madame Staël allgemein als eine zwar lebenshungrige, aber überaus geistreiche Intellektuelle bekannt war, die für Rousseau schwärme und die Morgenröte einer besseren Zeit heraufdämmern sehe, war Philippe überrascht, einer attraktiven jungen Dame vorgestellt zu werden, die eine starke Sinnlichkeit ausstrahlte. Ihre Lippen glänzten verführerisch. Hemmungen schien sie nicht zu kennen.

»Haben Sie sich die Wange verbrannt?« war das erste, was sie Philippe fragte.

Er empfand ihre offene Art keineswegs als störend, doch das änderte sich, als sie sich bei ihm einhakte und, ihre üppige Brust an ihn pressend, im Plauderton erklärte:

»Ich finde schöne Männer uninteressant. In ihnen steckt nichts Teuflisches; sie sind also langweilig. Erst dort, wo der Weg der Tugend verlassen wird, fängt das Leben an zu pulsieren. Finden Sie nicht auch?«

Philippe blickte verblüfft in das tiefe Dekolleté seiner Gastgeberin. »Ich kann das schlecht beurteilen. Möglich, daß Sie recht haben.«

Madame Staël blieb stehen und betrachtete ihn aus verschleierten Augen. »Haben Sie etwa den Pfad der Tugend noch nie verlassen?«

»Hier wäre erst einmal eine Definition nötig«, erwiderte er steif. »Was verstehen Sie unter Tugend?«

»Sie fangen an mich zu langweilen«, entgegnete sie unwillig.

»Wie jene schönen Männer, von denen Sie sprachen?«

Neckers Tochter lachte und führte Philippe in einen Salon, in dem an die dreißig Gäste versammelt waren. »Die Partie haben Sie gewonnen, Monsieur. Spielen wir eine zweite. Gefällt Ihnen Paris?«

»Sehr!«

»Haben Sie schon Freundinnen?«

»Ich bin verheiratet.«

»Was hat das damit zu tun? Verheiratet ist doch fast jeder.«

»Gewiß. Aber ich liebe meine Frau.«

Madame Staël blieb zum zweitenmal stehen. »Habe ich richtig gehört? Sie lieben?«

»Meine Frau!«

»Mon Dieu! Man liebt doch nicht mehr! Man spielt die Liebe!«

Philippe nickte zustimmend. »Sie haben recht, Madame. Man! Dazu zähle ich nicht.«

Augenblicklich entzog sie ihm ihren Arm. »Monsieur, ich bedaure, Sie kennengelernt zu haben.«

Die Gäste waren wie erstarrt.

Philippe verneigte sich. »Ich nicht, Madame. Für mich war diese Begegnung recht aufschlußreich.« Damit drehte er sich um und verließ den Raum.

Seine Schlagfertigkeit und Unerschrockenheit wurde zum Gesprächsthema der Pariser Gesellschaft, und man beeilte sich, Philippe mit Einladungen zu überhäufen. Endlich war der verhaßten Tochter des in der Gunst des Königs sich sonnenden Bankiers Paroli geboten.

Philippe begriff nicht, warum man ihm plötzlich mit einer Ehrerbietung begegnete, als hätte er eine Heldentat vollbracht. Sogar die Herren Bethmann drückten ihm verstohlen die Hand. Er nutzte die Gelegenheit, sie zu fragen, weshalb Madame Staël eigentlich so verhaßt sei.

Der Seniorchef des Bankhauses schürzte die Lippen. »Zynisch, wie ich bin, möchte ich sagen: weil sie offen tut, was andere heimlich treiben. Madame Staël macht aus ihren Liebschaften kein Hehl. Das nimmt man ihr übel.«

»Dann habe ich ja die falsche attackiert«, entgegnete Philippe nachdenklich.

»Um Gottes willen, lassen Sie das bloß niemanden hören!« beschwor ihn der Bankier. »Sie haben das Glück, über Nacht der Gesellschaft liebstes Kind geworden zu sein. Ein Kratzer an ihrem Nimbus, und man stürzt Sie in den Abgrund. Ihre Börsenpläne können Sie dann aufgeben.«

»Vorerst habe ich andere Sorgen«, entgegnete Philippe, dem der Augenblick günstig erschien, die Vollmacht der Herzogin zu präsentieren. »Ich bin mit einem Geschäft beauftragt, bei der Ihre Durchlaucht, die Duchesse d'Orléans, nicht persönlich in Erscheinung treten möchte. Legen Sie deshalb den in diesem Papier genannten Betrag auf ein Sonderkonto, für das ich zeichnungsberechtigt bin.«

Bei der Erwähnung des Namens der Herzogin hoben sich die Augenbrauen der Bankherren, nach Überreichung der Vollmacht aber krümmten sich ihre Rücken.

»Warum haben Sie uns Ihre Bekanntschaft mit der Duchesse verheimlicht?« fragte der Seniorchef überrascht. »Ihr Rencontre mit Madame Staël erscheint nun natürlich in einem besonders interessanten Licht.«

Obwohl Philippe gern erfahren hätte, was hinter dieser Bemerkung steckte, verzichtete er darauf, danach zu fragen.

»Häßlichkeit verkauft sich offensichtlich gut«, sagte Bethmann junior, als Philippe gegangen war.

Der Bankier sah seinen Sohn verwundert an. »Wie meinst du das?«

»Man nennt Monsieur de Tessé nur noch den ›Mann mit der glühenden Wange‹ und dichtet ihm bereits ein entsprechendes Temperament an. Bin gespannt, wann er sein erstes Duell bestehen muß.«

Philippe hatte auch weiterhin Glück. Ohne daß er sich sonderlich anstrengte, übertrugen ihm drei weitere Damen der Gesellschaft vierhunderttausend Livres zum Ankauf von Aktien der Pariser Wasserwerke. Und nicht nur das. Die Gräfin Argenteuil, die bereits Wertpapiere des genannten Unternehmens in Höhe von zweihunderttausend Livres besaß, entsprach, ohne zu zögern, Philippes Ersuchen, ihm ihre Papiere kurzfristig zu Spekulationszwecken zur Verfügung zu stellen, wobei er sich verpflichtete, einen etwaigen Kursverlust zu übernehmen.

Der Juniorchef des Bankhauses Bethmann hatte schon recht mit der überspitzten Bemerkung, daß Philippes Gesichtsentstellung nicht ganz ohne Zugkraft sei. Er täuschte sich jedoch in der Annahme, daß der junge Finanzmann bald in irgendwelche Affären verstrickt sein würde. Philippe erweckte keine trügerischen Hoffnungen, sondern Gefühle der Seriosität und Zuverlässigkeit. Seine Erfolge kamen also nicht von ungefähr.

Auch an der Börse fand er guten Kontakt. Für ihn war dies wichtig, weil er nicht die Berechtigung besaß, das *Corbeille*, das Parkett, aufzusuchen, in dem die Wertpapiere unter lauten Zurufen gekauft und verkauft wurden. Er war auf Makler sowie Kommissionäre angewiesen, und selbst mit der sogenannten ›Kulisse‹, den nicht autorisierten, aber geduldeten Vermittlern, mußte er auf gutem Fuße stehen, wenn das von ihm geplante Börsenmanöver reibungslos ablaufen sollte.

Da es bis zum Ersten des kommenden Monats, an dem die Emission stattfinden sollte, nur noch wenige Tage waren, benutzte Philippe die ihm verbleibende Zeit zu Streifzügen durch die am Rande der Place de la Bourse gelegenen Destillen, in denen die meisten Makler und Börsianer verkehrten. Immer wieder verwickelte er sie in Gespräche, um von ihnen zu lernen.

Als dann zwei Tage vor dem Ersten plötzlich das Gerücht auftauchte, die Pariser Wasserwerke würden ihr Kapital erhöhen und neue Aktien im Werte von zwei Millionen Livres anbieten, tat Philippe etwas sehr Merkwürdiges und unsinnig Erscheinendes. Bei einem Kurs von hundertzweiunddreißig verkaufte er mit Hilfe einer ganzen Anzahl von Maklern und Vermittlern binnen einer Stunde die Hälfte der Aktien, die er sich zu Spekulationszwecken hatte zur Verfügung stellen lassen. Der Kurs sank dadurch um fast sieben Punkte und bescherte Philippe einen Gesamtverlust von annähernd fünftausend Livres.

Am nächsten Morgen blieb er abwartend bis etwa zehn Uhr. Dann verkaufte er den Rest der ihm überlassenen Papiere, was ihm einen weiteren Verlust von über viertausend Livres einbrachte. Aber den verschmerzte er gerne; denn er hatte erreicht, was er wollte, nämlich daß die Börse von einer hektischen Unruhe erfaßt worden war.

Warum, so fragte man sich, werden die Papiere der Wasserwerke ausgerechnet in einem Augenblick abgestoßen, da das Unternehmen sein Kapital erhöhen und neue Aktien auf den Markt bringen will? Das war doch das Dümmste, was man tun konnte! Oder gab es Dinge, von denen man nichts wußte? Spekulierte irgendwer auf Baisse*?

Man wurde vorsichtig, horchte umher und erfuhr vertraulich, daß die zum Verkauf gelangten Papiere aus dem Besitz eines der Aufsichtsräte der Wasserwerke stammen sollten. Wenn das stimmte, mußte das Unternehmen in Schwierigkeiten geraten sein. Wurden womöglich deshalb neue Aktien ausgegeben?

Wer das Gerücht ausgestreut hatte, wußte niemand. Es kam aus irgendeiner Destille. Gegenerklärungen nutzten nichts. Sie verstärkten nur das aufgekommene Mißtrauen und veranlaßten potente Kunden, vom Kauf der neuen Aktien vorerst Abstand

---

* à la baisse = Spekulation auf Sinken des Preises; à la hausse = Spekulation auf Steigen des Preises.

zu nehmen. Der Kurs war immerhin von hundertzweiunddreißig auf hundertfünfzehn gesunken.

Am darauffolgenden Morgen suchte Philippe bereits vor Öffnung der Börse die Destille Letort auf, in der die versiertesten Spekulanten von Paris verkehrten. Der Wirt hatte die glänzende Idee gehabt, eine Anzahl junger Burschen zu beauftragen, kontinuierlich zwischen der Börse und seinem Lokal hin und her zu laufen und die Kurse auszurufen, die im Corbeille notiert wurden. Man war somit nicht gezwungen, das endlose Geschrei der Kommissionäre, Makler und Vermittler über sich ergehen lassen zu müssen, sondern bestellte sich einen Aperitif und mietete sich einen Stuhl, für den der geschäftstüchtige Wirt einen Livre pro Stunde verlangte.

Philippe trug an diesem Tag die dunkle Seidenpelerine und den Zylinder der Börsianer. Ohne auf seine Umgebung zu achten, nahm er an einem Tisch neben der Tür Platz, in deren Nähe sich die *Remisiers* aufhielten, deren Aufgabe es war, Kauf- und Verkauforders im Eiltempo zur Börse zu tragen.

Kurz nach neun Uhr wurden die ersten Notierungen bekanntgegeben. »Staatsrenten sechsundneunzig! Wasserwerke hundertfünfzehn!« riefen die Melder.

»Soll man nun kaufen oder nicht?« knurrte ein nahe bei Philippe sitzender älterer Herr unzufrieden. »Wasserwerke gehörten zu den zuverlässigsten Papieren. Wenn der gestrige Rutsch nicht eingetreten wäre . . .«

»Vielleicht hat jemand *à la baisse* spekuliert.«

»Würde ich auch sagen, wenn das beunruhigende Gerücht nicht aufgetaucht wäre.«

»Wir werden ja sehen, was sich tut. Zum Kauf bleibt uns immer noch Zeit.«

»Da haben Sie recht. Nach dem Abrutsch dürfte mit einer plötzlichen *Hausse* nicht zu rechnen sein.«

Einer der Laufburschen rief in das Lokal: »Staatsrenten gleichbleibend. Wasserwerke hundertvierzehn!«

»Um einen weiteren Punkt gefallen!« grollte der Herr vom Nebentisch. »Keiner hat Mut. Aber ist das ein Wunder? Wenn das Gerücht stimmt, würde man sein Geld verlieren.«

»Stimmt es nicht, geht eine einmalige Chance verloren.«

»Das ist es ja, was mich so nervös macht!«

Philippe übergab einem Remisier einen Zettel, auf den er ›200 000 Wasserwerke‹ notiert hatte.

Der Vermittler stutzte. »Au comptant?«

»Selbstverständlich per cassa! Vite, vite!«

»Ich kenne Sie nicht, Monsieur«, wandte der Remisier ein. »Welche Sicherheit . . .?«

Philippe, der diesen Einwand erwartet und herbeigesehnt hatte, hielt dem Vermittler eine Bestätigung des Bankhauses Bethmann unter die Nase, derzufolge er über eine Million Livres frei verfügen konnte.

»Genügt Ihnen das?«

»Selbstverständlich, Monsieur!«

»Dann laufen Sie!«

Der Remisier eilte davon, und es dauerte nur wenige Minuten, bis die Melder schrien: »Wasserwerke hundertfünfundzwanzig!«

Der Herr vom Nebentisch war außer sich. »Schlagartig um elf Punkte gestiegen? Zum Teufel, ich hätte doch kaufen sollen. »He, ich übernehme zehntausend«, rief er einem der Vermittler zu.

»Wasserwerke?«

»Was denn sonst?«

»Vorsichtig, Messieurs! Vorsichtig!« rief ein Börsianer, der mit gerötetem Gesicht in den Raum stürzte. »Dem Kursanstieg liegt ein Stützungsankauf des Bankhauses Bethmann zugrunde.«

»Woher wissen Sie das?«

»Eben wurden zweihunderttausend im Auftrage von Bethmann gebucht.«

Philippe holte tief Luft. Die Gerüchte fürchtende, jedoch jederzeit Gerüchte kolportierende Börse machte aus der Bestätigung des Bankhauses Bethmann ein Gespenst, das für ihn arbeitete.

»Wenn Bethmann Stützungskäufe tätigt, stimmt etwas nicht«, warnte der Börsianer erregt. »Man will uns Sand in die Augen streuen. Wir sollen kaufen. Aber jetzt heißt es erst einmal abwarten. Tendenz lustlos.«

»Ich kaufe dennoch für zehntausend!« rief der ältere Herr vom Nebentisch. »Los, Remisier! Rennen Sie um Ihr Leben!«

Der Börsianer zuckte die Achseln. »Es muß auch solche geben.«

Das wäre eigentlich der richtige Augenblick, um Lokal und Börse in einen Hexenkessel zu verwandeln, dachte Philippe und übergab dem Vermittler, der für ihn schon gearbeitet hatte, einen Zettel mit der Weisung, für siebenhunderttausend Livres zu kaufen. »Nichts anmerken lassen«, flüsterte er ihm dabei zu. »Sie erhalten einen Sonderlohn.« Die Augen des Remisiers traten hervor und glichen denen eines Karpfens.

»Vite, vite!« trieb Philippe ihn zur Eile an.

In der Destille Letort schlug wenige Minuten später die Meldung: »Wasserwerke hundertzweiundvierzig!« wie eine Bombe ein. Die Börsianer sprangen von ihren Stühlen, schrien und gestikulierten, als hätten sie den Verstand verloren.

Philippe atmete auf. Die Hälfte des ihm zur Verfügung gestellten Betrages hatte er zum Kurs von hundertfünfundzwanzig untergebracht. Am liebsten hätte er den Rest ebenfalls auf einen Schlag gebucht, aber dann liefe er Gefahr, die Entwicklung einer echten Hausse zu unterbinden. Der Kurs konnte dann schnell wieder sinken. Er mußte jetzt mit kleinen Beträgen arbeiten, auch wenn die Preise dadurch ungünstiger wurden und die Gewinnspanne laufend abnahm. Das erzielte Surplus war bereits so groß, daß bei einem Kurs von hundertsiebzig, mit dem nunmehr gerechnet werden durfte, ein Gesamtgewinn von dreihunderttausend Livres zu erwarten war.

Philippes Schätzung wurde weit übertroffen. Beim Stand von hundertundsiebzig brachte er die letzten fünfzigtausend Livres unter, die Aktie aber stieg um weitere sechzehn Punkte und trieb den Gesamtkursgewinn auf die schwindelerregende Summe von rund fünfhunderttausend Livres. Das ergab insgesamt einen Wertzuwachs von über dreißig Prozent, und Philippe konnte sich ausmalen, wie begeistert die Herzogin von Orléans und die anderen Damen der Aristokratie sein würden, wenn sie von seiner gelungenen Spekulation erfuhren. Seine gesellschaftliche Stellung war gesichert, und finanziell hatte er keine Sorgen mehr. Er konnte den geliehenen Betrag unverzüglich zurückerstatten und darüber hinaus einen echten Gewinn von annähernd siebzigtausend Livres auf sein Konto legen. Und damit ließ sich schon einiges anfangen.

Über Nacht war Philippe ein vermögender Mann geworden. Er dachte aber nicht daran, sein Geld leichtfertig auszugeben. Wohl erteilte er den Auftrag, die Villa auf der Seine-Insel, deren Fassade er bereits hatte renovieren lassen, völlig instand zu setzen und mit erlesenen Teppichen, Vorhängen und Möbeln auszustatten. Diese Investition war notwendig, wenn er seine Frau nach Paris holen und mit ihr am gesellschaftlichen Leben teilnehmen wollte. Und das war sein sehnlichster Wunsch. Er engagierte deshalb außer einer Köchin und einem Gärtner auch gleich einen livrierten Türsteher, den er zwar nicht benötigte, aus Repräsentationsgründen aber haben mußte. Der ›Charon‹ an der Pforte war zum Statussymbol geworden.

Das Perlenkollier, das Philippe Isabelle schenken wollte, wagte er jedoch noch nicht zu kaufen. Das Glück hatte ihn verwöhnt; unter Umständen benötigte er jetzt viel Zeit, bis sich ihm eine neue Chance bieten würde.

Mit Genugtuung stellte Philippe fest, daß sein Börsenmanöver ihm den Ruf eines raffinierten Spekulanten und vielfachen Millionärs eingebracht hatte. Er sonnte sich in der seltsamen Achtung, die man ihm deshalb zollte, gab sich im übrigen aber so bescheiden, daß aus der Achtung bei manchen eine Wertschätzung erwuchs, die ihm echte Freundschaften einbrachte.

Eines Tages war es dann endlich so weit, daß die am Quai de Bourbon gelegene kleine Villa einem Schmuckkästchen glich, in dem nur noch Isabelle und François fehlten. Philippe konnte es kaum erwarten, seine Frau und seinen Jungen nach Paris zu holen. Mit vielen Schachteln und Schächtelchen, die Wäsche, Strümpfe, Schuhe und ein englisches Reisekostüm enthielten, trat er die Fahrt zu der nahe von Rouen gelegenen Jagdhütte in einer gemieteten *Berline* an, deren viersitziger Kutschkasten über hochgekröpften Langbäumen aufgehängt war. Zwei mit Fenstern versehene Türen gaben dem mit stählernen Federn versehenen Fahrzeug ein elegantes Aussehen.

Philippe befand sich in einer Hochstimmung, wenngleich das Wetter ihm einen dicken Strich durch die Rechnung machte. Es regnete in Strömen. Aber auch das hat seine Reize. Anstatt auf die im Flußgebiet der Seine liegenden Plateaus zu achten, die ohnehin nichts Besonderes zu bieten vermochten, las er den Bericht über einen Prozeß, der ganz Paris in Atem hielt, weil durch den Verlauf der Verhandlung die ungeheure Verschwendungssucht des königlichen Hofstaates aufgedeckt wurde. Und das zu einer Zeit, da schlechte Ernten den Hunger in Frankreich auf ein unerträgliches Maß gesteigert hatten.

»Steht auf gegen Adel und Klerus!« hieß es in Brandschriften, die überall von Hand zu Hand gingen.

Die Gazetten hüteten sich freilich, eine so eindeutige Forderung zu erheben. Aber auch sie brachten mit erstaunlicher Klarheit zum Ausdruck, daß es unanständig sei, von den unveräußerlichen Rechten, Freiheiten und Privilegien des Adels sowie der Geistlichkeit zu sprechen, wenn das Volk elend dahinvegetiert und der Staat seiner Sorgen nicht Herr zu werden vermag.

Philippe betrachtete die Angelegenheit vom Standpunkt des Börsianers. Wenn unerfreuliche Nachrichten über den Hofstaat politisch hochgespielt werden, muß es an der Börse zu Kurseinbrüchen kommen, sagte er sich. Wer gut informiert ist und seine Aktien kurz vorher verkauft, kann der Entwicklung in aller Ruhe entgegensehen und die günstig veräußerten Papiere zurückerwerben, sobald ihr Kurs den erwünschten Tiefstand erreicht hat. Der Kutscher riß ihn aus seinen Gedanken. »Monsieur, Rouen kommt in Sicht. Geben Sie mir Bescheid, wenn ich die Hauptstraße verlassen soll.«

Philippe blickte nach draußen. Es hatte aufgehört zu regnen. Durch vereinzelte Wolkenlücken leuchtete ein azurblauer Himmel. Wie mochte Isabelle auf ihn warten! »Der nächste Weg links führt direkt zur Jagdhütte«, antwortete er und ertappte sich dabei, daß er sich der primitiven Behausung schämte.

Wenn wir doch schon auf dem Weg nach Paris wären, ging es ihm durch den Sinn. Die Landschaft bedrückte ihn plötzlich. Wohin er blickte, alles kam ihm fremd, klein und eng vor. Ihm graute vor dem Besuch, den er am nächsten Tag den Schwiegereltern abstatten mußte. Dabei verstand er sich gut mit ihnen.

Schließ die Augen und denk an Isabelle, befahl er sich. Ihre Gegenwart wird die Dinge verändern.

Er täuschte sich nicht. Dennoch war bei seiner Ankunft alles ganz anders, als er es sich vorgestellt hatte. Strahlend vor Glück, den Jungen vor sich her führend, ging Isabelle ihm einige Schritte entgegen, bei denen François unbeholfen ein Bein vor das andere setzte und gicksende Laute von sich gab.

»François läuft schon?« rief Philippe überrascht.

Isabelle lachte und nahm den Jungen auf den Arm. »Nur wenn du ihn wie eine Puppe vor dir herschiebst.«

Philippe umarmte Isabelle und das Kind.

Ihre dunkelgrünen Augen strahlten. »Du siehst prächtig aus.« Er küßte sie.

»Um Gottes willen, zerdrück mir den Buben nicht!« keuchte Isabelle, als sein Kuß leidenschaftlich wurde. »Wir sind nicht mehr allein. Du mußt dich gedulden.«

Ja, natürlich, dachte Philippe irritiert. Die Zeit des unkontrollierten Lebens ist vorbei.

Isabelle streichelte seine Wange. »Ich bin ja so froh, dich wieder bei mir zu haben.«

»Mir geht es nicht anders«, erwiderte er glücklich. »Ich habe mich schrecklich nach dir gesehnt. Laß dich anschauen. Ich . . .« Er stutzte, da er erst jetzt gewahrte, daß Isabelle ihr Haar nach der neuen Mode gekürzt und in die Stirn gelegt hatte. Die Frisur stand ihr ausgezeichnet. Aber was mochten die Damen der Gesellschaft, die ihr Haar nach wie vor hoch aufsteckten und mit Perlen, Bändern, Blumen und allen möglichen Verzierungen schmückten, zu einer Frisur *à la grecque* sagen? Außer Madame d'Anviers, deren blauschwarzes und in der Mitte gescheiteltes Haar glatt anlag, hatte er noch in keinem Salon eine moderne Frisur gesehen.

»Gefalle ich dir nicht?« fragte Isabelle belustigt.

»Oh, doch!« beeilte sich Philippe zu versichern. »Selbstverständlich! Mich irritierte lediglich deine neue Haartracht. Aber nicht etwa, weil ich daran etwas auszusetzen hätte«, fügte er schnell hinzu. »Im Gegenteil, sie ist für dich wie geschaffen. Ich befürchte nur, daß du in Paris nicht ohne Toupet auskommen wirst. Ich meine, in der großen Gesellschaft.«

Isabelle sah ihn verwundert an. »Wir verkehren in der großen Gesellschaft?«

Er nickte und legte seinen Arm um ihre Schulter. »Ich habe es geschafft, Isabelle! Wir sind vermögend! Absichtlich habe ich dir nichts darüber geschrieben. Ich wollte es dir selber sagen. Die Villa auf der Seine-Insel ist ein Traumschlößchen geworden. Eine Haushälterin, ein Gärtner und ein Türsteher warten darauf, dich als ihre Herrin begrüßen zu dürfen.«

Er hat sein Ziel erreicht, dachte Isabelle glücklich. Wie hätte es auch anders sein können. Aber Türsteher, Toupet, große Gesellschaft . . .? »Komm herein und erzähl der Reihe nach«, forderte sie ihn auf und hielt ihm François hin. »Ist er nicht süß?«

»Sehr!« antwortete Philippe unsicher. Sollte er den Jungen übernehmen? Die Vorstellung, das Kind auf dem Arm zu halten, war ihm unheimlich. »Er ist noch netter, als ich es erhoffte. Ich habe ihm einen reizenden Anzug mit Culotte, Strümpfen, Schuhen und allem, was dazu gehört, mitgebracht.«

Isabelle lachte hellauf. »François kann doch noch keinen Anzug tragen!«

Philippe machte ein entgeistertes Gesicht. »Mon Dieu, du hast recht. Na, dann bin ich besonders froh, daß ich auch dir etwas mitgebracht habe.«

Ihre Augen waren voller Schalk. »Etwa ein Toupet?«

Er war verblüfft. »Mir scheint, das Alleinsein hat dich sehr selbstbewußt gemacht.«

»Vielleicht sogar so sehr, daß du dich noch wundern wirst«, entgegnete sie hintergründig.

»Worüber?«

Sie gab ihm einen Kuß und eilte auf das Haus zu. »Das wirst du schon merken. Lade zunächst einmal deine Sachen ab, damit du den Kutscher entlassen kannst. Ich möchte brennend gerne mit dir allein sein.«

Isabelle besaß ein glückliches Naturell, welches ihr spielend darüber hinweghalf, daß Philippe sich für François nicht so begeisterte, wie sie es erwartet hatte. Das ist nicht seine, sondern meine Schuld, sagte sie sich. Er reagierte entsprechend seiner Mentalität, während ich meine Erwartungen zu hoch schraubte. Damit war für sie der Fall erledigt, und es konnte nichts mehr geben, was sie in dieser Sache noch hätte bedrücken oder zu Grübeleien veranlassen können. Sie nahm die Dinge, wie sie waren, und sie haßte es, Gegebenheiten zu komplizieren.

Aus diesem Grunde hatte sie sich auch kurz entschlossen dem Haus zugewandt und Philippe aufgefordert, den Kutscher zu entlassen. Sie spürte, daß er sich danach sehnte, sie in die Arme zu schließen, und da sie sein Verlangen als natürlich empfand und sich ebenfalls darauf freute, mit ihm allein zu sein, begab sie sich in das Haus, setzte François auf den Boden des Wohnraumes, legte einige Spielhölzer vor ihn hin und streichelte sein Köpfchen.

»Mein kleiner Prinz«, sagte sie dabei, »sei nicht traurig, wenn du in der nächsten Stunde nicht die gewohnte Beachtung findest. Der König naht, und alle, alle haben zu gehorchen. Ich verspreche dir aber, nach der etwas komplizierten und umständlichen Empfangszeremonie wieder ganz für dich dazusein.«

»Höre ich richtig?« rief Philippe, der unbemerkt in das Zimmer eingetreten war. »Kompliziert und umständlich nennst du die Empfangszeremonie?«

Sie flog herum und breitete die Arme aus. »Philippe!«

Er warf die Schachteln, die er bei sich trug, zur Seite, umarmte Isabelle und küßte sie mit aufgestauter Leidenschaft.

»Philippe!« stammelte Isabelle. Ihr Herz war dem Zerspringen nahe.

Er zwang sich, vernünftig zu bleiben, und flüsterte ihr ins Ohr: »Ich habe entsetzlich auf dich gewartet!«

»Ich nicht minder«, seufzte sie. »Zumal es gar nicht so einfach ist, allein hier draußen zu leben. Du hattest es da leichter.«

Er nahm ihren Kopf in die Hände. »Jetzt werden wir uns nicht wieder trennen.«

Sie kuschelte sich an seine Brust. »In Samt und Seide bist du zurückgekehrt . . . !«

»Gefällt dir meine neue Robe?«

»Sehr! Ungeheuer vornehm siehst du aus. Bestimmt warst du bei den Damen der Gesellschaft der Hahn im Korb.«

»Eifersüchtig?«

Isabelle lachte. »Ich werde doch nicht so töricht sein, mich selber krank zu machen. Außerdem fürchte ich keine Madame de Puisieux.«

Philippe stutzte. »Wen fürchtest du nicht?«

»Eine Kokotte à la Madame de Puisieux.«

Er sah sie ein wenig ratlos an. »Den Namen habe ich noch nie gehört.«

Isabelle unterdrückte ihren Triumph. »Das ist erstaunlich. Ich hatte geglaubt, daß du über das Leben der einflußreichsten Schriftsteller unseres Jahrhunderts einigermaßen informiert bist.«

»Von wem redest du eigentlich?« fragte Philippe, nun sichtlich verwirrt.

»Ist das so schwer zu erraten? Erinnere dich des sympathischen jungen Mannes, der, übrigens genau wie du, gegen den Willen seines Vaters eine arme Bürgerstochter heiratete, sich infolge deren Bigotterie jedoch von ihr entfremdete und in die Netze eines herzlosen Weibes geriet, ebenjener Madame de Puisieux.«

»Meinst du Diderot?«

»Jawohl, Denis Diderot, den man auch die Seele der Enzyklopädisten nennt. Zu Rousseau, Buffon, Montesquieu oder einem anderen unserer berühmten Männer würde das von mir gezeichnete Bild wohl kaum passen.«

Philippe starrte Isabelle an. »Was weißt du von diesen Schriftstellern und Gelehrten?«

Ihr fiel es nicht leicht, nachdenklich auszusehen; zu groß war die Genugtuung, die sie über Philippes Verwunderung empfand. »Laß mich überlegen«, antwortete sie bedächtig. »Mir erscheint es unmöglich, das Werk eines Mannes wie Rousseau mit nur wenigen Worten zu umreißen. Vielleicht kann man seine Erklärung, Zivilisation sei verfehlt, als den Grundgedanken seines Werkes bezeichnen. Buffon hingegen schrieb über die Beredsamkeit. Das gleiche gilt für Montesquieu. Seine Hauptbedeutung liegt freilich . . .«

»Genug!« rief Philippe und schloß Isabelles Lippen mit einem Kuß.

Ihre grünen Augen funkelten wie Smaragde. Die große Überraschung war ihr gelungen. Aus Liebe zu ihrem Mann hatte sie in den vergangenen Monaten jede freie Minute dazu benutzt, sich mit den Werken der französischen Dichter und Denker vertraut zu machen. Der Leiter der Kapitelbibliothek von Rouen hatte sie beraten, ihr Vater den Nachschub der Bücher übernommen.

Philippe ahnte, was Isabelle für ihn getan hatte. Der Gedanke, daß sie sich aus eigenem Antrieb und ohne darüber ein Wort zu verlieren weitergebildet hatte, überwältigte ihn.

Das Glück war bei beiden vollkommen. Philippe bedauerte nur sehr, Isabelle nicht sogleich über die Schwelle der Pariser Villa tragen zu können, dort ein Glas Champagner mit ihr zu trinken und gemeinsam ein Bad in der Wanne zu nehmen, die er in der Mitte des Badezimmers im Fußboden hatte einbauen lassen.

Doch dann zeigte ihm die Gegenwart, daß auch eine kleine Jagdhütte genügend Gelegenheit bietet, sich an der Schönheit seiner Frau zu erfreuen.

Als Philippe Isabelle zwei Tage später in ihr neues Heim führte, glaubte sie fast, das Paradies zu betreten. Sie war noch trunken von der Fahrt und der Vielfältigkeit der Bilder, die sich ihr aufgedrängt hatten. Unwirklich war ihr das Dahinschweben in dem mit weichen Federn ausgestatteten Wagen vorgekommen, unwirklich wie alles, was sie gesehen hatte: den Hügel von Montmartre mit seinen Windmühlen, das Verkehrsgewühl vor der Porte Royale, die nicht enden wollenden Straßen, das Palais Luxembourg, die rotberockte Schweizer Garde und die in schneller Folge wechselnden Häuser, Villen und Paläste, deren Fenster überheblich auf sie hinabzublicken schienen.

An das hochmütige Aussehen der Fenster mußte Isabelle in den nachfolgenden Monaten und Jahren oft denken; denn wie glücklich sie sich in ihrem neuen Heim auch fühlte und wie sehr ihr Mann sie verwöhnte, sie war von einer beklemmenden Angst erfüllt. Philippe hatte sie in die Gesellschaft eingeführt, diese aber richtete eine eisige Wand vor ihr auf und ließ sie ihre niedere Herkunft spüren, sobald ihr Mann nicht zugegen war.

Es fielen sogar beleidigende Bemerkungen, auf die Isabelle gerne gebührend reagiert hätte, aber sie beherrschte sich, um Philippe keine Schwierigkeiten zu bereiten. Viele Damen der Aristokratie hatten ihm ihre Aktien sowie namhafte Beträge anvertraut, mit denen er nach eigenem Gutdünken spekulieren konnte. Da mußte sie manche Anzüglichkeit in Kauf nehmen und konnte nur hoffen, daß die Gegenseite auf die Dauer vor ihrer Geduld kapitulieren würde.

Darin täuschte sie sich jedoch. Ihre Sanftmut wurde falsch gedeutet und reizte die zum Hofstaat der Königin gehörende Marquise de Polignac eines Tages sogar, die Gebote des Anstandes so sehr zu verletzen, daß Isabelle ihr eine Antwort nicht schuldig bleiben konnte.

Es begann ganz harmlos. »Sie erwarten ein Kind?« wurde sie von einer der Damen gefragt, als sie in der für Schwangere typischen Haltung in einem niedrigen Fauteuil Platz genommen hatte.

Isabelle nickte. »Ja, Madame.«

Daraufhin erkundigte sich die Marquise mit einem merkwürdigen Unterton in der Stimme: »Und wann ist es soweit?«

»Wir rechnen, daß das Kind Anfang Dezember geboren wird.«

Die Hofdame vergewisserte sich, daß keiner der Herren in der Nähe war. »Ich staune über Ihre Vermessenheit«, erwiderte sie dann verächtlich. »Bekanntlich wird nur der Adel geboren. Das Volk wird geworfen!«

Isabelle war es, als hätte sie einen Schlag ins Gesicht bekommen. Sie wollte aufspringen, entgegnete jedoch plötzlich beherrscht: »Wo ist da ein Unterschied, wenn beide im gleichen Salon verkehren?«

Die Marquise war wie erstarrt.

Ihre Durchlaucht, die Herzogin von Orléans, erhob sich und deutete ein dezentes Klatschen an. »Mein Kompliment, Madame de Tessé. Sie sind Ihres Gatten würdig.« Damit wandte sie sich der Marquise zu: »Entschuldige mich, ich muß mich um die Herren kümmern. Nous verrons . . .«

Ihre Reaktion kam der Aufforderung gleich, sich zu verabschieden, was die Marquise dann auch unverzüglich tat.

Für Isabelle war das Eis gebrochen. Sie freute sich aber nicht darüber. Die Zurechtweisung einer Hofdame Marie Antoinettes konnte nicht ohne Folgen bleiben.

Da Isabelle über die Sticheleien, denen sie seit Jahr und Tag ausgesetzt gewesen war, beharrlich geschwiegen hatte, verlor Philippe beinahe die Nerven, als er von der Attacke der Marquise hörte. »Haben sich dir gegenüber auch andere schon schlecht benommen?« rief er rot vor Zorn.

Isabelle schüttelte den Kopf. Wozu die Dinge komplizieren. »Natürlich nicht. Und wenn es jemand getan hätte, würde ich ähnlich wie heute pariert haben.«

Er schloß sie in die Arme. »Deine Antwort war großartig. Sie wird in den Salons die Runde machen!«

»Und mich gesellschaftlich erledigen«, konstatierte Isabelle nüchtern.

»Im Gegenteil!« widersprach Philippe. »In gewissen Kreisen wird man sich natürlich entrüsten, im Zirkel der Herzogin ist dir der Beifall aber sicher. Schon allein, weil die Polignac zum Hof gehört, bei dem der Herzog von Orléans in Ungnade gefallen ist. Man vermutet, daß er hinter jenen Horden steht, die seit geraumer Zeit durch die vornehmen Stadtviertel ziehen, Drohrufe ausstoßen und Kutschen stoppen, seltsamerweise jedoch niemals jemandem etwas zuleide tun.«

Isabelle war betroffen.

Philippe sah es. »Ich weiß, das klingt unglaubwürdig. Es gibt jedoch Anzeichen dafür, daß der Herzog den Rabauken pro Kopf und Tag zwölf Livres zahlt.«

»Aber warum denn?« entsetzte sich Isabelle. »Welches Interesse sollte er daran haben, Unruhe und Angst zu verbreiten?«

»Im Börsenjargon ausgedrückt: er spekuliert auf Baisse. Frankreichs Staatsschuld ist riesengroß geworden. Wenn kein Wunder geschieht, wird das Volk sich über kurz oder lang gegen den Hof auflehnen, der nach wie vor ein Sündengeld verpraßt. Man hat kein Verständnis mehr dafür, daß der König den ganzen Tag über seiner Lieblingsbeschäftigung nachgeht und Türschlösser schmiedet, anstatt sich um Staatsgeschäfte zu kümmern. Und was tut die Königin? Sie hält sich für die Langeweile in ihrer Ehe durch Feste schadlos, die Millionenbeträge verschlingen. Das muß zur Auflehnung der Massen führen, und genau das ist es, was der Herzog sich wünscht. Mit Hilfe einer Revolte hofft er, sich selbst auf den Thron schwingen zu können.«

Isabelle war ratlos. »Und du glaubst, daß Ihre Durchlaucht von den Plänen des Herzogs weiß?«

»Sie wird sie kennen, wurde aber wahrscheinlich nicht offiziell informiert. Das Paar lebt ja nicht miteinander. Doch zurück zur Marquise de Polignac. Ihretwegen brauchst du dir keine Sorge zu machen. Sie kann uns nicht schaden.«

An diesen Satz sollte Isabelle sich in nicht allzu ferner Zeit mit klopfendem Herzen erinnern. Vorerst jedoch trug sie in aller Ruhe ihr zweites Kind aus, und sie genoß es, in den letzten Monaten keinerlei gesellschaftlichen Verpflichtungen nachkommen zu müssen. Sie mochte nicht unter Menschen sein, die sich unablässig ›meine Liebe‹ und ›teuerste Freundin‹ nannten. Wenn es nach ihr gegangen wäre, würde sie keinen einzigen Salon mehr aufgesucht haben, doch Philippes Tätigkeit ließ dies nicht zu.

Auch ihm machte es kein Vergnügen, überall das gleiche reden und sich anhören zu müssen. Parade der Platitüden, nannte er die Empfänge des Hochadels, die nur dann anregend und interessant wurden, wenn ein Gastgeber den Mut aufbrachte, einige Schriftsteller oder Journalisten einzuladen. Deren Thesen wurden von den meisten zwar als ebenso erschreckend empfunden wie ihr provozierend kurzgeschnittenes Haar, aber ebendeshalb brachten sie Leben in die sterile Unterhaltung derer, die sich ›Crème de la Crème‹ nannten.

Philippe liebte Diskussionen mit jungen Männern, die sich nicht nur mit den Lehren der alten Philosophen beschäftigten. Ihr Versuch, das Tor zu einer neuen Zeit mit revolutionären Ideen aufzustoßen, begeisterte ihn. Wenn er sie reden hörte, bildete er sich ein, Zusammenhänge zwischen den Unruhen im Arbeiterviertel von Saint-Antoine und dem Geist einiger Gelehrter des achtzehnten Jahrhunderts zu entdecken. War die Schlacht um die Ideologie bereits gewonnen? Es schien so. Zumindest war etwas in Bewegung geraten.

Das bewies unter anderem auch der Entschluß des Königs, die Abgeordnetenzahl des dritten Standes entsprechend der Forderung des Schweizer Bankiers Necker zu verdoppeln und die Einberufung der Generalstände mit einer Prozession einzuleiten, an der außer ihm und der Königin der gesamte Hofstaat sowie alle Abgeordneten des Reiches teilnehmen sollten.

2

»Neck-èr wird sein Ziel nicht erreichen«, prophezeite Philippe, den die verführerische Abendstimmung des 3. Mai 1789 bewogen hatte, mit Isabelle einen Spaziergang an der Seine zu machen.

Sie sog den betäubenden Duft des persischen Flieders ein, der den Gärten des feudalen Viertels Faubourg Saint-Germain entströmte. »Und warum, glaubst du, wird die Einberufung der Generalstände zu nichts führen?«

»Weil die Aristokratie und der Klerus nicht daran denken, sich ihre Vorrechte streitig machen zu lassen«, antwortete Philippe. »Wie sehr sie gewillt sind, ihre Stellungen zu behaupten, zeigt die vom König an die Vertreter des Volkes ergangene Weisung, sich während der Tagung im Schloß von Versailles nur in völlig schwarzer Tracht zu zeigen, ohne jeden Schmuck, die Hutkrempen tief herabgebogen. Eine solche Demütigung schafft böses Blut. Man wird sich streiten, und aus ist es mit gemeinsamen Beschlüssen. Dem stiernackigen Grafen Mirabeau, der sich dem Volk doch nur verschrieben hat, um Macht zu gewinnen, bietet sich damit freilich die ersehnte Gelegenheit, eine Orgie der Raserei zu entfesseln.«

»Könnte das für Neck-èr nicht günstig sein?« fragte Isabelle unsicher. »Er will doch den Adel und die Geistlichkeit zu Steuern heranziehen und die Ausgaben des Hofes drastisch kürzen.«

Philippe schnippte mit dem Finger. »Und wenn ihn sechshundert Mirabeaus unterstützen würden, er könnte sich nicht durchsetzen. Leider! Es wäre nämlich ein tolles Geschäft zu machen, wenn Neck-èr Erfolg hätte.«

Isabelle lachte. »Für dich scheint es nichts mehr zu geben, was du nicht ausschließlich unter kommerziellen Aspekten betrachtest.«

»Andere machen es ebenso«, entgegnete Philippe gut gelaunt. »Neck-èr zum Beispiel setzt alles daran, die katastrophale Finanzlage unseres Landes zu verbessern. Er handelt aber nicht aus philanthropischen Gründen.«

»Immerhin verzichtet er auf das ihm zustehende Ministersalär!«

»Und schenkte dem König eine Million! Etwa, weil er nicht weiß, was er mit seinem Geld anfangen soll? Nein, er tat es, damit ihm niemand dreinredet und er ungehindert alle Möglichkeiten ausschöpfen kann, die sich ihm als Finanzminister bieten. So erklärt er im Augenblick jedem, der es hören will, er könne das Volk nicht mit ausländischem Getreide versorgen, weil die Staatskasse leer sei. Er selbst aber kauft auf eigene Rechnung ganze Schiffsladungen auf. Ahnst du, warum? Die Preise werden in schwindelerregende Höhen steigen!«

Isabelle blieb wütend stehen.

»Und warum prangert niemand diese Schurkerei an? Es muß doch zur Katastrophe führen, wenn mit der Not des Volkes Geschäfte gemacht werden.«

Philippe hakte sich bei ihr ein. »Reg dich nicht auf. Zu allen Zeiten wurde das Unglück des einen zum Glück des anderen. Heute sind diese, morgen jene vermögend. Sollen nun diejenigen, die gewisse Dinge frühzeitig erkennen, ihre Hände in den Schoß legen, anstatt aus ihrem Wissen ein lukratives Geschäft zu machen?«

»Geschäft! Geschäft! Das Wort kann ich bald nicht mehr hören«, erboste sich Isabelle. »Neck-èr hortet Getreide, du spekulierst auf eine Umschichtung der Werte, der Herzog von Orléans will den Thron erringen. Jeder denkt nur an seinen Vorteil, niemand an das hungernde Volk. Das muß doch schiefgehen! In Saint-Antoine stehen die Frauen von morgens bis abends vor den Bäckerläden, nur um ein klitschiges und kaum genießbares Brot zu erhalten. Ich war in der vorigen Woche dort und habe mir das angesehen. Grauenhaft, sage ich dir. Jedes Gesicht trägt die Merkmale der Not und des Elends. Die Stimmung ist so gefährlich, daß die Bäcker ihre Geschäfte zugemauert haben und das Brot durch eine Klappe reichen. Selbstverständlich erst nach Erhalt des Geldes. Und wie sieht es dagegen in unserem Viertel und in Faubourg Saint-Germain aus? Wir erhalten blütenweißes Brot frei Haus geliefert!«

»Wäre es dir lieber, es nicht zu bekommen?« entgegnete Philippe unwillig.

»Natürlich nicht. Ich meine nur . . .«

Er zog Isabelle an sich.

»Keine Ausrede, Chérie! Wie du beim Brot den sich dir bietenden Vorteil wahrnimmst, so handle ich im Geschäftsleben. Jeder ist sich selbst der Nächste; alles andere ist Gewäsch. Und damit wollen wir das Thema fallenlassen. Genießen wir lieber den herrlichen Maiabend, und freuen wir uns auf die Rückkehr in unser Heim.«

Isabelle drückte unwillkürlich Philippes Arm. »Obwohl ich nun schon zwei Jahre in Paris bin, kann ich es immer noch nicht fassen, daß uns die Villa gehört. Ich gehe manchmal durch die Zimmer und streichle die Sessel, Vitrinen, Vasen . . .«

Philippe wollte sie mit einem Kuß unterbrechen, hielt sich aber plötzlich zurück, da vor ihnen in der Dämmerung eine Gestalt auftauchte.

Isabelle sah ihn verwundert an.

Er deutete mit einer Kopfbewegung nach vorne.

Sie schaute in die gewiesene Richtung und stutzte. Ihnen entgegen schritt ein athletisch gewachsener, einfach gekleideter Mann, dessen pockennarbiges Gesicht ihr seltsam bekannt vorkam.

Der Fremde schien zu spüren, daß sie ihn musterte. Er lüftete seinen Hut und trat einen Schritt zur Seite, wie um Platz zu machen.

Seine Reaktion ließ Philippe zu Isabelle hinüberblicken. Kannten sich die beiden? Ihr Gesichtsausdruck schien ihm merkwürdig angespannt zu sein. Er wandte sich wieder dem Fremden zu, bemerkte dessen vernarbtes Gesicht und dachte: Das ist doch . . . Nein, er täuschte sich. Da er seinen Zweispitz unter dem Arm hielt, dankte er für den erwiesenen Gruß mit einer leichten Verneigung.

Die brennenden Augen des Mannes starrten ihn und Isabelle an, als seien sie Wesen aus einer anderen Welt.

»Das war ja unheimlich«, sagte Isabelle, als sie den Fremden hinter sich gelassen hatten. »Der hat uns angeschaut, als wollte er etwas von uns.«

Philippe nickte. »Im ersten Augenblick bildete ich mir ein, ihn zu kennen.«

»Merkwürdig, mir ging es genauso!«

»Dann wird uns eine Ähnlichkeit mit irgend jemand anderem einen Streich gespielt haben.«

Isabelle lief plötzlich ein Schauer über den Rücken. Hoffentlich war das kein böses Omen.

Die erste Sitzung der Reichsstände im Schloß von Versailles verlief nicht ganz so ergebnislos, wie Philippe es vorausgesagt hatte.

Zwar drohte der in der Luft liegende Zündstoff, der durch die Tatsache, daß die Vertreter des Volkes den Sitzungssaal nur durch eine Seitentür betreten durften, noch angereichert worden war, gleich nach Beginn der Tagung zu explodieren, aber kein Geringerer als der gutmütige König war es, der die heraufziehende Gefahr mit einer souveränen Geste bannte.

Anlaß war allerdings auch er selbst gewesen. Er hatte einige wohlwollende Worte an die Versammlung gerichtet und dabei, der Etikette entsprechend, den Kopf entblößt. Danach setzte er seinen historischen Biberhut wieder auf, und Adel sowie Geistlichkeit folgten seinem Beispiel. Aber nicht sie allein. Trotzig stülpten sich auch eine ganze Reihe der bürgerlichen Abgeordneten, denen dieses Recht nicht zustand, ihre Hüte auf den Kopf.

Der Saal glich im nächsten Moment einem Hexenkessel.

»Découvrez-vous! – Hüte ab!« riefen die in goldstrotzenden Uniformen und Galafräcken erschienenen Mitglieder des hohen Hauses.

»Couvrez-vous! – Hüte auf!« schrie das in den Galerien geduldete Volk dagegen.

Einige Militärs zückten bereits ihre Degen, doch da erhob sich der König, nahm seinen Biberhut ab und grüßte nach allen Seiten. Er war eben ein Grandseigneur.

Seine Geste verhinderte, daß die Abgeordneten sich prügelten, aber weder an diesem noch an einem der nächsten Tage und Wochen kam es zu der erwünschten Zusammenarbeit zwischen den Abgeordneten der höheren Stände und den Vertretern des Volkes. Der Hof tat alles, um eine Verständigung zu verhindern. Durch ein Intrigenspiel erreichte er, daß die bürgerlichen Abgeordneten den Verhandlungssaal leer vorfanden, als sie zur zweiten Sitzung erschienen. Adel und Geistlichkeit hatten in anderen Sälen Platz genommen; jeder Stand für sich allein. Mit drei Parteien konnte die Krone leichter fertig werden als mit einer.

Die Vertreter des Volkes ließen sich nicht beirren. Nachdem sie den Astronomen Bailly zu ihrem Präsidenten gewählt hatten, forderten sie die Aristokratie und den Klerus zu einer gemeinsamen Sitzung auf, wobei sie unmißverständlich zu verstehen gaben, daß sie in allen anstehenden Fragen nach eigenem Gutdünken entscheiden würden, wenn es zu keiner Zusammenarbeit kommen sollte.

Adel und Geistlichkeit beantworteten diese Herausforderung mit überheblichem Schweigen, woraufhin der dritte Stand sich am 17. Juni im Namen des souveränen Volkes zur ›Nationalversammlung‹ erklärte und sogleich den Beschluß faßte, die von Necker gewünschte Steuerbewilligung zu beantragen.

Den Ratgebern des Königs fiel nun nichts Besseres ein, als den für die Volksvertreter reservierten Saal wegen Renovierungsarbeiten zu sperren. Die ›Nationalversammlung‹ reagierte prompt: sie etablierte sich in einem in der Nähe des Schlosses gelegenen Ballhaus, das für die Freunde des Ballspiels *Jeu de paume* errichtet worden war, und hier leistete sie den Schwur, sich erst wieder zu trennen, wenn das Land eine Verfassung erhalten habe.

Daraufhin ließ der Hof auch das Ballhaus sperren.

Vergebens.

Der dritte Stand verlegte seinen Sitz in die Kirche Saint-Louis.

Nun griff der König persönlich ein. Er befahl eine gemeinsame Sitzung, bezeichnete in ihr die Beschlüsse der Volksvertreter als ungültig und erklärte abschließend: »Nunmehr befehle ich Ihnen, sofort auseinanderzugehen und morgen früh den für jeden Stand bestimmten Saal aufzusuchen, um dort getrennt Ihre Besprechungen weiterzuführen.«

Die Abgeordneten des Volkes blieben wie gelähmt sitzen, während Louis Seize, gefolgt vom Adel und Klerus, den Saal verließ.

Kaum waren die Volksvertreter allein, da stieß der Zeremonienmeister, ein hageres Männchen mit hängenden Schultern, seinen Stab ärgerlich auf den Boden und verkündete von oben herab:

»Messieurs, Sie haben den Befehl des Königs vernommen! Räumen Sie auf der Stelle den Saal!«

Im Nu schwang sich Mirabeau auf die Tribüne und nutzte die Chance, die sich ihm bot. »Monsieur Brezé!« rief er zornbebend. »Wir haben vernommen, was man dem König zu sagen geraten hat. Sie aber, der Sie hier weder über Sitz noch Stimme verfügen, sind nicht der Mann, uns an unsere Pflichten zu erinnern. Gehen Sie und sagen Sie denen, die Sie geschickt haben, daß wir durch den Willen des Volkes hier sind und nur mit Bajonetten fortgebracht werden können.«

Seine Worte wurden der vor den Toren des Versailler Schlosses harrenden Menschenmenge übermittelt, die augenblicklich den Eingang zu stürmen begann. Die Schweizer Garde erhielt den Befehl zu schießen, doch sie weigerte sich. Johlend erreichte das Volk den Sitzungssaal, wo es Zeuge des Beschlusses der Nationalversammlung wurde, sich für unverletzlich zu erkären und zu proklamieren, daß jeder, der Hand an einen Abgeordneten legt, gleichgültig, wer den Befehl dazu auch erteile, als Verräter der Nation anzusehen und des Todes schuldig sei.

Dieser beeindruckende Beschluß veranlaßte den Herzog von Orléans sowie weitere sechsundvierzig Mitglieder des Adels, sich mit den Volksvertretern zu vereinen, und der König, im Grunde darüber erleichtert, empfahl nun dem Rest der bevorzugten Stände, dem Beispiel zu folgen.

Diese aber dachten nicht daran, zu kapitulieren. Ohne dazu berechtigt zu sein, befahlen sie den königlichen Truppen, die Tore von Paris zu besetzen, Schanzen auf dem Montmartre auszuheben und mit Kanonen ausgerüstete Einheiten nach Versailles zu verlegen.

Paris geriet in Aufruhr. Niemand arbeitete mehr. Alt und jung waren auf den Straßen und diskutierten Tag und Nacht.

»Die Entwicklung ist beängstigend«, hatte Philippe eben seiner Frau gesagt und sie gebeten, alle Vorräte schnellstens zu ergänzen, als vor ihrer Villa ein Wagen hielt, dem drei robuste Männer entstiegen, die den Türsteher kurzerhand beiseite schoben, die Haustür aufstießen und den ihnen betroffen entgegeneilenden Diener aufforderten, sie unverzüglich zum Herrn des Hauses zu führen, andernfalls sie ihm das Genick brechen würden.

Dem Lakaien blieb nichts anderes übrig, als dieser Weisung Folge zu leisten.

Angesichts des plötzlichen Lärms im Vestibül blickte Philippe unwillig auf, doch noch bevor er etwas sagen konnte, wurde die Tür aufgerissen. Isabelle schrie auf, als sie drei Männer eintreten und geradewegs auf Philippe zugehen sah.

Er begriff nicht, was vor sich ging. »Was fällt Ihnen ein?« rief er aufgebracht. »Wie kommen Sie dazu . . .?«

»Sie sind Monsieur de Tessé?« fragte der Wortführer.

»Allerdings!«

»Dann fordere ich Sie auf, uns auf der Stelle zu folgen!«

Philippe glaubte nicht richtig zu hören.

Isabelle stürmte auf ihn zu und umklammerte ihn.

»Ich möchte wissen, wohin ich Ihnen folgen soll?« empörte sich Philippe.

Der Angesprochene überreichte einen mit einem königlichen Siegel verschlossenen Bogen. »Bitte, Monsieur.«

Philippe wurde blaß. »Eine *Lettre de cachet**?«

---

* *Lettres de cachet* hießen Verhaftungsbriefe, mit denen mißliebige Personen des Landes verwiesen bzw. ohne Urteil in Gefängnisse gebracht wurden. Mit Hilfe dieser Briefe, die Angehörige des Hofes ›blanko‹ erhielten, so daß der Name des zu Verhaftenden nur noch eingesetzt zu werden brauchte, wurde ein unglaublicher Mißbrauch getrieben. Wer einen Widersacher beseitigen wollte, schaffte ihn mit einer Lettre de cachet fort. Maitressen bedienten sich dieses bequemen Mittels in hohem Maße.

»Ja, Monsieur.«

»Dann erübrigt es sich, den Inhalt zu lesen.«

Der Wortführer zuckte die Achseln. »Werden Sie uns widerstandslos folgen?«

»Darf ich fragen, wohin?«

»Zur Bastille.«

Isabelle schluchzte.

Philippe schloß sie in die Arme. »Bleib ruhig! Es muß eine Verwechslung vorliegen. Außerdem werden auf solche Weise Verhaftete in der Regel schon nach wenigen Tagen wieder entlassen.«

»Du willst mich nur trösten«, rief sie verzweifelt.

»Ganz gewiß nicht«, beschwor er sie. »Sie werden das bezeugen können, nicht wahr?« wandte er sich hilfesuchend an den Wortführer.

Der grinste. »Sie folgen uns widerstandslos?«

»Ja.«

»Dann beeilen Sie sich. Kleidung und Wäsche dürfen Sie mitnehmen. Ebenfalls Geld.«

Minuten später saß Philippe in einem Wagen, dessen Fenster verhangen waren. Seine Gedanken überschlugen sich. Er bemerkte kaum die Männer, die ihn begleiteten. Im Geiste sah er Isabelles fahles Gesicht und ihre angstgeweiteten Augen, die voller Tränen gewesen waren. Ihr Stolz hatte sie daran gehindert, ein Wort der Klage laut werden zu lassen.

Wer mag uns das angetan haben, fragte Philippe sich immer wieder. Madame Staël? Die Marquise de Polignac? Jemand, der durch meine Börsenmanöver Geld verlor?

Nach einer kurzen Fahrt liefen die auf dem Kopfsteinpflaster rumpelnden Räder plötzlich so ruhig, als rollten sie über glatte Planken hinweg.

»Die Brücke«, sagte einer der Männer und schob einen der Fenstervorhänge zur Seite.

Philippe gewahrte die aus rostbraunen Quaderblöcken errichtete Mauer der Bastille, die im Laufe der Jahrhunderte zum Begriff für Tyrannei geworden war. Er erinnerte sich daran, daß es Eingeweihte gab, die behaupteten, nur die *Cachots*, die feuchten und grabähnlichen Höhlen unter dem Hofraum der Festung, seien zu fürchten, nicht jedoch die einstmals als Bollwerk gegen England errichtete Zwingburg als solche. In ihren trockenen Räumen brauche man weder Angst vor Krankheiten noch vor Langeweile zu haben, da die meisten Insassen verfolgte Freigeister seien.

Tatsächlich wurden seit Louis Quartorze vorzugsweise Protestanten, Spione, Zeitungsschreiber und Mitglieder vornehmer Familien in die Bastille eingeliefert. Auch befanden sich in der von achtzig französischen Invaliden und vierzig Schweizer Gardisten bewachten Festung selten mehr als zwanzig Gefangene. Seit dem Regierungsantritt des milde gesonnenen Königs Louis Seize waren es meistens sogar nur zehn, denen es allerdings seit geraumer Zeit besonders schlecht zu ergehen schien. Jedenfalls drangen immer häufiger die fürchterlichsten Schreie aus den Fenstern der Bastille.

Philippe packte das Grauen, als er die mächtigen Quaderblöcke des Gefängnisses erblickte. Es wollte ihm nicht in den Kopf, daß er aus einem traumhaft schönen Leben in den Abgrund gestürzt werden sollte.

Der Wagen rumpelte in einen Hof, hielt dort kurz an und fuhr weiter in einen zweiten Hof, von dem eine Zugbrücke in einen dritten führte.

»Monsieur!« sagte der Wortführer der drei Männer und stieß die Wagentür auf. »Wir sind am Ziel. Bitte, steigen Sie aus.«

Philippes Blick fiel auf ein unbezwingbares Gitter. Absurd erschien ihm plötzlich alles. Angesichts der meterdicken Mauern und armstarken Eisenstäbe konnte er nicht begreifen, daß man ihn in aller Höflichkeit aufforderte, den Wagen zu verlassen.

Durch einen Gewölbegang und über eine ausgetretene Wendeltreppe folgte er dem Wortführer in einen kahlen Raum, wo ihnen ein junger Offizier entgegentrat.

»de Flue, Capitaine der Schweizer Garde«, schnarrte er, vor Philippe die Hacken zusammenschlagend. Seine Augen blitzten, als habe er eine Siegesmeldung zu überbringen.

»de Tessé«, erwiderte Philippe überrascht und verwirrt zugleich.

Der Offizier reichte ihm die Hand. »Freut mich, Sie kennenzulernen. Wir haben gestern abend eine Wette über Ihr Alter abgeschlosen. Ich habe auf dreißig getippt und möchte annehmen, damit gut zu liegen. Stimmt's?«

»Ich bin achtundzwanzig«, antwortete Philippe hölzern. Er war wirklich nicht zu Späßen aufgelegt.

Der Capitaine schürzte die Lippen. »Dann habe ich nicht gewonnen. Dennoch freue ich mich, Sie als erster begrüßen zu dürfen. Wir hoffen, durch Sie eine starke Belebung des Gedankenaustausches und des gesellschaftlichen Lebens zu erfahren.«

Philippe wußte nicht, was er dazu sagen sollte. War er an einen Verrückten geraten?

Der Mann, der ihn in die Bastille gebracht hatte, verbeugte sich vor dem Offizier.

»Darf ich mich jetzt verabschieden?«

Capitaine de Flue hob gönnerhaft die Hand. »Gewiß, mein Lieber. Aber vielleicht sollten wir unserem Gast zuvor noch die Möglichkeit geben, einen Wunsch zu äußern.« Damit wandte er sich an Philippe. »Kann unser Freund etwas für Sie tun, Monsieur de Tessé?«

Der schaute ratlos von einem zum anderen. »Ich weiß nicht . . . Was könnte er denn für mich tun?«

Der Gardeoffizier lachte jungenhaft. »Beispielsweise Ihrer Gattin mitteilen, daß es Ihnen gutgeht. Die Bastille ist ja so schrecklich verrufen. Völlig zu Unrecht, wie Sie bald feststellen werden. Zur Zeit haben wir nur sieben Häftlinge, unter denen sich nicht ein einziger Verbrecher befindet. Vier von ihnen haben zwar Wechselfälschungen begangen, aber das kann man heutzutage ja nur noch als Kavaliersdelikt betrachten.«

Wenn es so weitergeht, werde ich den Verstand verlieren, dachte Philippe fasssungslos.

Capitaine de Flue dämpfte seine Stimme. »Für fünfzig Livres setzt unser Freund Ihre Gattin binnen einer Stunde davon in Kenntnis, daß Sie sich innerhalb der Festung frei bewegen und nach eigenem Belieben einrichten können. Die Küche ist hervorragend, und es stehen Ihnen auf Wunsch die erlesensten Weine zur Verfügung. Das einzige, was Ihnen fehlen wird, sind Spaziergänge im Freien. Früher gab es auch die, aber der Festungskommandant ließ den im dritten Hof gelegenen Garten mit Gemüse bestellen, das in den Hallen der Champeaux verkauft wird. Er macht eben aus allem ein Geschäft*.«

Philippe wollte gerade etwas erwidern, als ein Herr mit lebhaften Gebärden auf ihn zueilte.

»Sade!« keuchte der etwa Fünfzigjährige und bewegte seine Rechte, als präsentiere er einen Degen. »Donatien Alphonse François, Marquis de Sade! Ich begrüße Sie im Namen aller, die dazu verdammt sind, ohne Licht und Luft zu leben.«

»de Tessé«, stellte Philippe sich vor. Der überschwengliche Marquis gefiel ihm nicht. Sein Haar war ungepflegt. Hinter seinen stechenden Augen schien ein Irrlicht zu flackern. Seine Oberlippe zierte ein wie von Motten zerfressenes Bärtchen.

»Ihren Vornamen, geliebter Freund«, bat der Marquis.

Philippe nannte ihn.

Marquis de Sade umarmte ihn mit theatralischer Geste. »Lassen Sie uns Freunde sein. Freunde in der Not. Sie wissen ja nicht, was ich durchgemacht habe. Meine Leidensgeschichte wird Sie erschüttern. Grauen und Entsetzen werden mit Polypenarmen nach Ihnen greifen.« Er ließ Philippe plötzlich los und raufte sich die Haare. »Seit elf Jahren bin ich meiner Freiheit beraubt! Und wer hat mich angezeigt! Beweinen Sie mich, Monsieur: meine eigene Frau! Um an mein Geld heranzukommen, beschuldigte sie mich der Giftmischerei und – wappnen Sie sich, Monsieur! – der Sodomie, der Unzucht mit Tieren! Aber das nützte ihr nichts. Das Parlament von Aix sprach mich frei! Freigesprochen wurde ich, Monsieur! Und dennoch sitze ich in der Bastille; ein klassisches Opfer der Willkür!«

Das Gehabe des Marquis erinnerte Philippe an italienische Schauspieler, die sich bei dramatischen Stellen auf das leidenschaftlichste gebärden, um zu zeigen, wie sehr es sie packt.

Captaine de Flue unterbrach den Marquis. »Entschuldigen Sie,

---

* Es erscheint angebracht, an dieser Stelle darauf hinzuweisen, daß die hier gegebene Schilderung der Verhältnisse in der Bastille den Tatsachen entspricht. Das gesamte Personal, angefangen vom Kommandanten de Launey bis zum Küchenjungen, hatte sich seine Stellungen durch Schmiergelder erkauft und zog gewaltigen Nutzen daraus. Nach vorsichtigen Schätzungen erpreßte allein de Launey von seinen wenigen Gefangenen jährlich einen Betrag von rd. 60 000 Livres. Wer über kein Vermögen verfügte, kam in ein anderes Gefängnis.

mein Lieber, ich muß unseren neuen Gast schnell etwas fragen.«
Damit wandte er sich an Philippe. »Sollen wir Ihre Gattin nun
im besprochenen Sinne informieren?«

»Ja, natürlich«, erwiderte Philippe, der nichts mehr verstand.

»Fünfzig Livres bekommt unser Freund«, flüsterte der Offizier.

»Verderben Sie die Preise nicht!« ereiferte sich der Marquis.
»Zahlen Sie nur die Hälfte von dem, was man von Ihnen verlangt.«

Philippe übergab einen Schein.

»Mon Dieu!« stöhnte Marquis de Sade. »Es ist unerträglich,
was man mit uns macht. Für mich wurde Schmerz bereits zur
Lust. Eine ganz neue Welt hat sich mir aufgetan. Ich transpo-
niere die erlittenen Qualen in Erlebnisse . . . Zwei Bücher habe
ich bereits geschrieben. ›Justine ou les malheurs de la vertu‹ und
›La Philosophie dans le boudoir‹. Sobald ich hier herauskomme,
lasse ich sie drucken. Ich werde Ihnen einige Passagen vorlesen.
Sie werden staunen!«

Wenn man einen Mann loswerden will, muß man ihn wie
eine Frau behandeln, dachte Philippe. Komplimente rauben das
Urteilsvermögen. Sich erfreut stellend, erwiderte er: »Ich
bin gespannt auf Ihr Werk, von dem ich schon viel gehört
habe.«

Die Augen des Marquis wurden starr. »Wie ist das möglich?
Die Bücher sind doch noch gar nicht erschienen.«

»Ich weiß«, antwortete Philippe gelassen. »Gelesen hat sie
noch niemand. Dennoch spricht man in den Pariser Salons bereits über Ihr Œuvre. Die Mauern der Bastille sind offensichtlich
nicht dick genug, um Ihren Geist aufhalten zu können.«

Marquis de Sades' Miene entspannte sich. Seine Augen erhielten einen milden Glanz. »Wie wohltuend Sie zu sprechen verstehen«, entgegnete er verklärt. »Endlich ein Mensch, der im
Menschen nicht nur Ware erblickt, die gebraucht und geformt
wird. Sie sind ein Grandseigneur, Monsieur. Ich erwarte Sie zu
einer Flasche Œil de perdrix, dessen blaßrote Farbe sie an ein
Mädchen erinnern wird, das man bei einer kleinen Lüge ertappt.
Monsieur!« Er verneigte sich und ging davon.

In den darauffolgenden Tagen glaubte Philippe manchmal, an seinem Verstand zweifeln zu müssen. Er war seiner Freiheit beraubt worden, führte aber ein in seiner Art phantastisches Leben. Der Kommandant der Bastille hatte ihm nach einer kurzen Unterredung, bei der etliche Geldscheine ihren Besitzer wechselten, einen Wohnraum zugewiesen, der gut möbliert und mit Teppichen ausgelegt war. Lediglich das durch ein vergittertes Fenster einfallende Licht ließ zu wünschen übrig, doch es gab genügend Öllampen, die den Raum erhellten. Das Essen war ausgezeichnet, und das Weinsortiment entsprach dem eines erstklassigen Restaurants.

Belastend waren allerdings die täglichen Zusammenkünfte der Gefangenen, bei denen erschreckend viel getrunken und mehr noch geredet wurde. Besonders unangenehm war es dabei für Philippe, daß ihm jeder seine Leidensgeschichte erzählen wollte. Ihm blieb nichts anderes übrig, als geduldig einem nach dem anderen zuzuhören.

Grauen überkam ihn, wenn er sich vorstellte, jahrelang in der Bastille leben zu müssen. Er begriff nicht, daß seine Mitgefangenen der festen Überzeugung waren, über kurz oder lang in die Freiheit zurückkehren zu können. Dabei waren ihre Argumente durchaus einleuchtend. Übereinstimmend berichteten die Gazetten, daß die Erregung der Pariser Bevölkerung über die vom Hof befohlene Truppenzusammenziehung sich mit jedem Tag steigere.

»Die Macht der Krone wird gebrochen«, prophezeite der geistreiche und zumeist vernünftig wirkende, dann aber plötzlich wieder wie ein Verrückter sich gebärdende Marquis de Sade. »Und das bedeutet für uns Amnestie und Entlassung. Nicht umsonst lenke ich die Aufmerksamkeit der Bevölkerung schon seit Monaten auf die Bastille.«

»Wie soll ich das verstehen?« erkundigte sich Philippe verwundert.

»Haben Sie noch nie von den fürchterlichen Schreien gehört, die seit einiger Zeit aus dieser Festung dringen?«

»Gewiß.«

Marquis de Sade warf sich in die Brust. »Monsieur, ich habe die Ehre, zu bekennen, daß ich derjenige bin, der den Eindruck erweckt, hier würden Folterungen vorgenommen. Mein ist die Rache, spricht der Herr. Ich schreie um Hilfe, als würde ich meines Lebens beraubt. Auf diese Weise räche ich mich dafür, daß ich widerrechtlich gefangengehalten werde.«

Philippe vermochte kaum zu glauben, daß die in Paris vielfach erörterten Schreie von einem Psychopathen stammten. »Und was sagt der Kommandant dazu?« fragte er skeptisch.

Marquis de Sade machte eine geldzählende Bewegung. »Lumpen kassieren und schweigen. Um aber nochmals auf die Krone zurückzukommen: da rauschen Tausende von Höflingen durch den Park von Versailles und ergötzen sich mit ihren Damen an Spielen wie ›Blindekuh‹, während zur gleichen Zeit im Ratssaal des Schlosses der junge Marquis de Lafayette, der im amerikanischen Befreiungskrieg als Offizier unter Washington kämpfte, seine in Anlehnung an die Unabhängigkeitserklärung der Vereinigten Staaten konzipierte ›Erste europäische Erklärung der Rechte der Menschen und der Bürger‹ verliest. Sie werden es erleben, Monsieur de Tessé, die Stimme Lafayettes wird nicht ungehört verhallen. Man hat ihn bereits zum Oberbefehlshaber einer neu zu bildenden Nationalgarde ernannt, und er war so klug, eine Kokarde zu schaffen, welche das Rot und Blau der Stadt Paris mit dem Weiß der Bourbonen vereint.«

Während Marquis de Sade dies sagte, wurde im Palais Royal, in dessen Gartenanlagen, Spielhöllen und Cafés sich seit Mirabeaus unerschrockener Rede täglich Tausende versammelten, um über die politische Lage zu diskutieren, plötzlich gemeldet, Louis Seize habe Necker, der dem Adel und der Geistlichkeit keine Sonderrechte mehr einräumen wollte, mit sofortiger Wirkung seines Amtes enthoben.

Die Nachricht wirkte wie ein Fanal. Überall rotteten sich Menschen zusammen. Die Polizei wollte sie auseinandertreiben, aber die Empörung war zu groß. Pflastersteine wurden geworfen. Die ersten Schüsse fielen und bildeten den Auftakt zu einer fanatischen Rede des Advokaten Camille Desmoulins, der auf einen Tisch sprang und mit drohend erhobener Pistole schrie:

»Bürger! Sollen wir wie gejagte Hasen sterben? Sollen wir wie Schafe um Gnade blöken, wo gewetzte Messer vonnöten sind? Ich persönlich bin bereit, für die Freiheit zu sterben. Das ist freilich nicht jedermanns Sache. Aber all jenen, denen die Freiheit nicht wichtig genug ist, um ihr Leben dafür zu riskieren, nenne ich einen anderen Grund, für den es sich lohnt, zu kämpfen. Vierzigtausend Paläste und Schlösser warten darauf, unter den Bürgern verteilt zu werden! Gibt es einen größeren Lohn der Tapferkeit? Die Stunde der Gerechtigkeit ist gekommen. Ihr Feldruf lautet: Aux armes! – Zu den Waffen! Unser Zeichen soll eine grüne Kokarde sein. Grün ist die Farbe der Hoffnung!«

Das Volk hob Desmoulins auf die Schultern und schrie: »Aux armes! – Zu den Waffen! Aux armes! – Zu den Waffen!«

Von Bäumen und Sträuchern wurden Blätter abgerissen und zu Kokarden geformt. Desmoulins weinte vor Glück. Aus einem Postamentengeschäft wurden die Büsten von Necker und Louis Philippe d'Orléans herausgeholt und wie Siegestrophäen in Richtung auf die Tuilerien getragen. Berittene des Regiments Royal Allemand erhielten den Befehl einzugreifen. Die Deutschen zogen ihre Säbel und ritten in die Menschenmenge hinein. Erste Opfer wälzten sich in ihrem Blut.

Die Pariser waren nicht mehr zu halten. Sie stürmten die Waffengeschäfte und eilten zum *Hôtel de Ville*, zum Rathaus, um die Sturmglocke zu läuten und das Arsenal zu plündern.

Die Unruhe auf den Straßen wuchs lawinenartig an und teilte sich auch den Insassen der Bastille mit, wo Marquis de Sade plötzlich erregt rief:

»Messieurs, die Stunde der Rettung ist gekommen! Noch bevor das Volk sich wieder verläuft, werde ich tun, was ich mir schon seit langem vorgenommen habe.« Damit eilte er in den Hof der Festung und schleppte ein Rohr, das zur Entleerung der Fäkaliengrube benutzt wurde, in die oberste Etage, schob es durch das Fenster und schrie, das übelriechende Rohr als Megaphon benutzend: »Helft uns, wir werden ermordet! Alle Gefangenen sollen ermordet werden, damit niemand über hier vorgenommene Folterungen berichten kann. Rettet uns! Rettet uns! Rettet uns!«

Seine Rufe blieben nicht ungehört und trugen mit dazu bei, den von Desmoulins entfesselten Aufstand des Volkes in eine unkontrollierte Raserei zu verwandeln. »Aux armes!« hatte der

Advokat gerufen. Nun stürmten die Massen, die im Hôtel de Ville die erhofften Waffen nicht vorgefunden hatten, zum *Hôtel des Invalides*. In seinen Kellern lagerten achtundzwanzigtausend Flinten, die sofort erbeutet wurden. Ein Zurück gab es nun nicht mehr. Wozu auch? Die Waffen schürten das Feuer der Begeisterung zu einem alles versengenden Brand. Aus der Revolte wurde eine Revolution, die zum Palais Royal flutete, dort einen Gerichtshof etablierte und dann in breiten Reihen der Bastille entgegendrängte. Und wie jeder entfesselte Aufstand, einem unergründlichen Gesetz folgend, Anführer aus der Situation heraus gebiert, stand auch in Paris an der Spitze des in Bewegung geratenen Volkes plötzlich ein unbekannter junger Mann, der im Rausch der Ereignisse weder Gott noch die Welt fürchtete.

»Zur Bastille!« schrie er immer wieder. »Zur Bastille!«

Sein Ruf pflanzte sich zehntausendfach fort, verstummte aber jäh, als die Festung erreicht wurde, von deren Zinnen sich drohend Kanonenrohre auf die Menge richteten.

Thuriot, der vom Geschehen hochgespülte Anführer, sah die Angst in den Gesichtern der Menschen, die eben noch begeistert gewesen waren. Wut packte ihn und steigerte den zornigen Geist der Revolution, der von ihm Besitz ergriffen hatte. »Seid unbesorgt!« rief er beschwörend. »Man wird nicht schießen! Ich werde den Kommandanten der Bastille zur Übergabe auffordern!« Damit setzte er sich in Bewegung und ging allein auf das Bollwerk zu.

Augenblicklich forderte der Kommandant ihn auf, die Brücke nicht zu betreten, andernfalls er ihn vom Erdboden wegfegen lassen würde.

Thuriot glich einer Bulldogge. Den Kopf vorgestreckt, die Arme angewinkelt und die Hände zu Fäusten geballt, schritt er mit grimmiger Miene der Brücke entgegen.

»Ich gebe den Befehl zu feuern!« rief de Launey.

Thuriot ging weiter, als höre er nichts.

»Zum letztenmal: ich lasse schießen!« donnerte der Kommandant.

Philippe, der den unerschrockenen jungen Mann von seinem Fenster aus beobachtete, hielt den Atem an.

Thuriot betrat die Brücke.

»Ich lasse feuern!«

Für Thuriot gab es kein Hindernis und keinen Aufschub. Mit jedem seiner Schritte aber wurde für den Kommandanten die Situation gefährlicher. Wenn er jetzt noch schießen ließ, bestand die Möglichkeit, daß Zehntausende zu blindwütigem Angriff übergingen. Aber konnte er es unwidersprochen hinnehmen, daß die Festung von einem dahergelaufenen Kerl betreten wurde?

»Im ersten Hof erwartet Sie der Tod!« schrie er, der Verzweiflung nahe.

»Sie werden nicht daran vorbeikommen, sich mit mir zu unterhalten«, rief Thuriot zurück und ging auf den ersten Hof zu.

Die Menschen standen wie erstarrt.

Welche Verwegenheit, dachte Philippe. Furcht und Mitleid scheinen dem Burschen unbekannt zu sein.

Erneute Warnung.

Thuriot mißachtete sie und schritt durch den ersten Hof in den zweiten hinein, überquerte die Zugbrücke und erreichte das Gitter, das den dritten Hof einschloß. »Monsieur!« rief er nunmehr. »Im Namen des Volkes fordere ich Sie auf, die Geschütze zurückzuziehen und die Bastille zu übergeben.«

Der Kommandant hatte nur noch Angst. Er beteuerte, daß ihm auf Grund eines Abkommens mit der Stadt die Entscheidungsgewalt allein nicht zustehe, versicherte jedoch, daß er die Geschütze zurückziehen lasse und keinen Schießbefehl erteile, sofern die Bastille nicht angegriffen werde.

Das war Thuriot zuwenig. »Ich werde noch in dieser Stunde das Hôtel de Ville aufsuchen, um mit dem Wahlmännerausschuß über die Ihnen zustehende Entscheidungsgewalt zu verhandeln«, erklärte er. »Zuvor aber möchte ich mich persönlich davon überzeugen, daß die Kanonen zurückgenommen wurden. Lassen Sie mich also zu Ihnen hinaufkommen.«

Kommandant de Launey war nicht gewillt, diese Forderung zu erfüllen. Nach einigem Hin und Her mußte er sich jedoch seinen Offizieren, denen das furchtlose Auftreten des jungen Mannes imponierte, schweren Herzens beugen. So stieg Thuriot zu den Zinnen hinauf, winkte von dort dem begeisterten Volk zu und rief überglücklich: »Die Bastille wird übergeben, sobald ich mit den Stadtvätern verhandelt habe.«

Verhandeln? Das schmeckte nicht. Hatte man sich die Waffen etwa zum Spaß besorgt? Und sollte der Menschenschinder de Launey mit heiler Haut davonkommen? Kurz entschlossen stürmte eine Gruppe beherzter Männer über die Zugbrücke und ergriff drei Invaliden, die den Auftrag hatten, Thuriot aus der Festung hinauszuführen.

Das Verhängnis nahm seinen Lauf. Von oben und unten wurde plötzlich geschossen, wobei die Salven der Revoltierenden wirkungslos an den Mauern des unbezwingbaren Steinriesen abprallten, das Volk seine Unbeherrschtheit aber mit dem Blut vieler bezahlen mußte. Die Invaliden der Bastille erzwangen schließlich die Übergabe der Festung, indem sie sich weigerten, weiterhin auf ihre Landsleute zu schießen.

Die Menge stürmte die Treppen hinauf, hob die Gefangenen auf die Schultern und trug sie jubelnd ins Freie.

Philippe wurde von Frauen und Männern umarmt und geküßt. Vierzehn Tage lang hatte er ein zwar unfreies, aber durchaus bequemes Leben geführt, nun feierte man ihn und die anderen Gefangenen, als hätten sie jahrelang für die Freiheit und den Fortschritt gekämpft.

Doch das war erst der Anfang. Man erwies den befreiten ›Helden der Nation‹ die Ehre, Zeuge der Ermordung des Festungskommandanten zu sein, der mit Beilen, Stöcken und Mistforken auf bestialische Weise umgebracht wurde. Dann enthauptete man den Toten, steckte seinen Kopf auf eine Pike, band einen Strick um seinen Leib und schleifte ihn grölend durch die Straßen.

Philippe war kreidebleich. Er versuchte, sich von dem Pöbel zu entfernen, wurde jedoch immer wieder von kräftigen Armen gepackt und auf die Schultern gehoben. Tatenlos mußte er zusehen, wie man schließlich auch noch zwei Kanoniere der Bastille an einer Laterne aufknüpfte. Man sang dazu und tanzte um die Laterne herum.

Der Advokat Camille Desmoulins benutzte die Gelegenheit, den improvisierten Galgen als ›die Königin der Laternen‹ zu feiern und zu erklären: »Was ist die Laterne des Diogenes gegen diese hier? Der große Gelehrte suchte einen Menschen, sie aber wird zweihunderttausend finden!«

Philippe lief eine Gänsehaut über den Rücken. Desmoulins' Worte kamen der Aufforderung zum Massenmord gleich. Fort, dachte er voller Abscheu und Auflehnung. Nichts kann mich jetzt noch halten.

»Die Aristokraten an die Laternen!« schrien Tausende wie besessen, und im jäh ausbrechenden Begeisterungstaumel gelang es Philippe, sich von der Masse zu lösen und das Weite zu suchen.

Es war schon dunkel, als Philippe sein Heim erreichte und vom Türsteher, den die Nachricht von der Erstürmung der Bastille bereits hoffnungsvoll gestimmt hatte, mit vor Aufregung heiserer Stimme begrüßt wurde.

»Ist meine Frau noch auf?« unterbrach Philippe ihn hastig.

»Selbstverständlich, Monsieur. Über eine Stunde hat sie neben mir gestanden und auf Sie gewartet. Aber dann wurden im Norden und Osten die furchtbaren Schreie laut. Madame erwartet Sie in ihrem Boudoir.«

»Philippe!« rief im selben Moment Isabelle und eilte auf ihn zu.

Wortlos schloß er sie in die Arme. Unglaubwürdig erschien ihm mit einem Male, was er in den letzten Stunden erlebt hatte. Er sehnte sich nach den Kindern. Dann aber hatte er nur noch den unwiderstehlichen Drang, sich zu säubern, von oben bis unten zu säubern.

Isabelle küßte ihn und stammelte verliebte Worte.

Er strich über ihr Haar. »Verzeih, wenn ich dir im Augenblick nicht sagen kann, was ich empfinde. Die vergangenen Stunden waren zu schrecklich. Ich glaube, ich muß erst alles von mir herunterwaschen. Bitte, laß ein Bad richten.«

Isabelle wurde lebhaft. »Ich habe schon vorgesorgt; die Wasserzuber stehen bereits auf dem Herd.«

Philippe führte Isabelle ins Haus. »Zu den Kindern gehe ich nachher. Erst muß ich sauber sein. Ich wage es kaum, dich anzufassen.«

Sie musterte ihn von der Seite. Er sah abgekämpft aus, keineswegs aber so, als sei er in der Bastille verwahrlost.

Philippe gewahrte Isabelles forschende Augen und lächelte wie jemand, der sich unsicher fühlt.

Wie verändert er ist, dachte sie beklommen.

Sein Blick glitt über Wände, Bilder, Möbel, Teppiche und blieb an einem Lüster hängen. Die Reinheit des blinkenden Kristallgehänges faszinierte ihn.

Isabelle schob ihn auf die Schlafzimmertür zu. »Geh und mach dich bereit. Ich kümmere mich inzwischen um das Bad.«

»Ist die Magd nicht da?«

»Doch, doch. Ich will nur dafür sorgen, daß das Wasser die richtige Temperatur hat.«

Man muß allem Anschein nach erst in der Bastille gewesen sein, um würdigen zu können, was eine Frau für ihren Mann alles tut, dachte Philippe und blickte hinter Isabelle her. Seine Füße waren ihm schwer wie Blei. Am liebsten hätte er sich gleich hingelegt.

Im Schlafzimmer brannte eine Standlampe aus geschliffenem Alabaster.

Philippe zog sein Jackett aus und ließ sich wie erschlafft auf einen seidenüberzogenen Stuhl sinken. Ich werde diesen Anzug, diese Schuhe und alles, was ich am Leibe trage, verbrennen, schwor er sich und entledigte sich seiner Kleidung plötzlich in einer Hast, als hätte sie Feuer gefangen. Dann schlüpfte er in einen Bademantel und betrachtete sich im Spiegel. »Für dich wird die Zukunft entweder sehr schwer oder sehr leicht werden«, murmelte er vor sich hin. »Die Folgen des heutigen Tages sind nicht abzusehen. Hinter dem Ruf: ›Die Aristokraten an die Laternen!‹ steht das Verlangen, jene vierzigtausend Schlösser und Paläste zu kassieren, von denen Desmoulins sprach.«

Philippe nahm eine ruhelose Wanderung auf, in der ihm tausenderlei Gedanken durch den Kopf jagten, bis Isabelle ihn in die Gegenwart zurückholte.

»Hast du mich nicht gehört?« fragte sie ihn, von einer eigenartigen Unruhe erfüllt. »Ich habe dich schon zweimal gerufen.«

Er bemerkte ihre Veränderung nicht. »Entschuldige, ich bin noch etwas durcheinander.«

Sie begleitete ihn in den Baderaum, in dessen Marmorboden sich das Licht einiger in rubinroten Gläsern stehender Kerzen spiegelte. Unwillkürlich änderte sich Philippes Stimmung. »Ein reizender Empfang«, sagte er, Isabelle umarmend.

»Nun steig schon in die Wanne!« entgegnete sie spröde.

Er sah sie verwundert an. »Und was ist mit dir? Möchtest du mir nicht Gesellschaft leisten?«

Über ihr Gesicht glitt ein Schatten. »Bitte, heute nicht.«

»Und warum nicht?«

Sie zuckte die Achseln.

Seine Lippen spannten sich. »Bin ich dir zu schmutzig?«

»Ach was.«

»Was ist denn los?«

»Nichts. Nur . . . Um ehrlich zu sein: ich bin zu abgespannt. Die vierzehn Tage sind nicht spurlos an mir vorübergegangen. Und jetzt heißt es auch noch, vor dem Palais Royal würden namhafte Persönlichkeiten aufgehängt und geköpft. Der Charon hat es eben der Küche gemeldet.«

»Ich werde dem schwatzhaften Türsteher die Leviten lesen«, erboste sich Philippe. »Wie kommt er dazu, euch Weiber verrückt zu machen?«

Der ungewohnte Ton ließ Isabelle zusammenfahren. »Er meint es doch gut, wenn er uns informiert.«

»Dummes Zeug!« brauste Philippe auf. »Gerüchte entsprechen selten der Wahrheit.«

»Beruhige dich«, bat Isabelle. »Ich werde dem Charon gleich sagen, daß er in Zukunft sein Wissen für sich behalten soll.«

Philippe hielt sie zurück. »Hat er wirklich gesagt, daß am Palais Royal Hinrichtungen stattfinden?«

»Ja.«

»Wenn das der Fall ist . . .« Er zog seinen Mantel aus und stieg in die Wanne. »Laß mich allein. Ich muß etwas überlegen.«

Was in Philippe vor sich ging, erfuhr Isabelle nicht.

Der Abend des 14. Juli 1789, der sich mit blutigen Lettern in das Buch der Geschichte eintrug, blieb auch für Isabelle und Philippe nicht ohne Folgen. Isabelle wurde nicht damit fertig, daß Philippe ihrer Weigerung, zu ihm in die Wanne zu steigen, zwar Verständnis entgegengebracht, dies aber in einer Form getan hatte, die einer Strafe gleichkam. Philippe hingegen, der sehr genau wußte, daß sein plötzlich verändertes Verhalten nichts mit Isabelles Zurückhaltung zu tun gehabt hatte, nahm es ihr übel, daß er nicht bekam, was er im Grunde genommen nicht mehr hatte haben wollen, als die Meldung von der Ermordung namhafter Persönlichkeiten sein Denken veränderte. In jenem Augenblick ahnte er, was die Ausrufer der Börse am nächsten Morgen schreien würden, und sein ganzes Sinnen und Trachten galt einzig und allein der Frage, wie der für die Ordnung und Sauberkeit der Geschäfte verantwortliche Börsenälteste daran gehindert werden könnte, katastrophale Kurseinbrüche durch Schließung des Hauses zu unterbinden. Blieb die Börse offen, dann ließ sich aus dem politischen Desaster ein großes Geschäft machen.

Darüber konnte er mit Isabelle leider nicht reden. Das Wort ›Geschäft‹ war für sie ein rotes Tuch geworden. Er schwieg deshalb und nahm übel, wo es nichts übelzunehmen gab.

Am nächsten Morgen aber schloß er sie zärtlich in die Arme. »Ich glaube, wir haben gestern beide versagt. Wahrscheinlich weil unsere Nerven einer zu starken Belastung ausgesetzt waren. Wollen wir das Mißverständnis vergessen?«

Sie küßte ihn. »Welche Frau ergreift nicht die Hand, die ihr gereicht wird.«

Beide schienen glücklich zu sein, doch schon wenige Minuten später, als Philippe beiläufig erwähnte, er wolle in die Stadt fahren, drohte der Friede wieder dahinzuschwinden. Isabelle war es unverständlich, daß Philippe beabsichtigte, sie und die Kinder an diesem von Lärm und Aufruhr erfüllten Morgen allein zu lassen.

»Ich muß doch schließlich wissen, was los ist«, erklärte er ihr beschwörend und fügte versöhnlich hinzu: »Sei versichert, ich kehre sofort zurück, wenn irgend etwas nicht in Ordnung sein sollte.«

Isabelle gab nach, und Philippe fuhr in einem Fiaker, dessen Kutscher ihm zur Befreiung aus der Bastille wortreich gratulierte, geradewegs zur Börse. Doch bereits in der Rue de Rivoli wurde der Wagen von einigen Männern, die rot-weiß-blaue Kokarden an ihren Mützen trugen, mit schußbereiten Flinten aufgehalten.

»Aussteigen!« kommandierte ihr Anführer herrisch.

Philippe, der sich die schwarze Seidenpelerine der Börsianer übergeworfen hatte, neigte sich gelassen zum Fenster hinaus. »Darf ich fragen, warum?«

»Weil die Zeiten sich geändert haben!« brüllte der Sprecher. »Raus aus dem Wagen!«

»He, was fällt euch ein«, schrie der Kutscher wütend dagegen. »Der Herr da ist Monsieur Tessé, der bis gestern in der Bastille gesessen hat.«

Die Männer starrten Philippe ungläubig an. Seine entstellte Wange schien dafür zu sprechen, daß sie nicht belogen wurden.

»Waren Sie wirklich in der Bastille?« fragte einer von ihnen.

Philippe nickte.

»Warum tragen Sie dann keine Kokarde?«

»Weil ich nicht wußte, daß so etwas nötig ist. Der Kommandant der Bastille hat uns nichts davon gesagt.«

Schallendes Gelächter quittierte den billigen Scherz.

»Vielleicht ist einer von Ihnen so freundlich und überläßt mir seine Kokarde«, fuhr Philippe sachlich fort. »Ich zahle fünf Livres.«

Wie auf Kommando griffen alle nach ihren Mützen.

Auf dieser Erde wird sich nie etwas ändern, ging es Philippe durch den Kopf. »Würdet ihr mir auch eine für meinen Kutscher verkaufen?«

Der winkte ab. »Nicht nötig, Monsieur. Ich hab 'ne grüne.«

»Die gilt nicht mehr«, erklärten ihm die Männer. »Man hatte nicht bedacht, daß Grün die Farbe eines Prinzen ist.«

Welch ein Theater, dachte Philippe und steckte sich die ihm übergebene Kokarde an die Pelerine. »In Ordnung, Messieurs?«

Die Männer grinsten. »Passez!«

Auf dem Weg zur Börse wurde der Wagen noch zweimal angehalten. Philippe rechnete deshalb nicht mehr damit, die Geschäftsräume offen vorzufinden. Als er das Gebäude aber verschlossen antraf, war er zu seiner eigenen Verwunderung ganz froh darüber. Wie hatte er angesichts der grauenhaften Bilder des vergangenen Tages überhaupt an Geschäfte denken können? Noch dazu an Spekulationen, die auf einer Katastrophe basiert hätten. Er begriff sich selber nicht mehr und wies den Kutscher an, auf schnellstem Wege zurückzufahren. Wahrhaftig, Isabelle hatte recht. Er gehörte jetzt zu ihr und den Kindern.

Philippe sollte seinen Entschluß, dem Getriebe der Stadt für eine Weile den Rücken zu kehren, nicht bereuen. Angesichts der entsetzlichen Nachrichten aber, die Tag für Tag über die Mauer der Villa drangen, wurde es immer schwieriger für ihn, Isabelle davon zu überzeugen, daß für sie, die Kinder und für ihn selbst keinerlei Gefahr bestehe.

»Vergiß nicht«, sagte er ihr wohl hundertmal, »daß ich in der Bastille gesessen habe! Ich segne den Menschen, der uns ins Unglück stürzen wollte, mich aber zu einem ›Verfolgten‹ gemacht hat. Wir sind tabu!«

Die große Furcht hatte begonnen. Niemand vermochte sie zu unterdrücken. Vor der Macht des Proletariats zitterte jeder; sogar die Abgeordneten des dritten Standes. Mit Schrecken erkannten sie, daß die von ihnen gerufenen Geister nicht mehr zu beherrschen waren. Der Pöbel regierte die Straße, und er gab sich auch nicht zufrieden, als der König den abgesetzten Finanzminister Necker zurückholte. Es half ebenfalls nichts, daß Seine Majestät sich dazu bewegen ließ, eine große Kokarde, das Zeichen der Revolution, an seinen Rock zu heften. Furcht bewog ihn nachzugeben, und Furcht veranlaßte ihn, seinen Brüdern, den Grafen von Provence und Artois, heimlich den Auftrag zu erteilen, das Land zu verlassen und die europäischen Fürsten- und Herrscherhäuser um geeignete Maßnahmen gegen die Revolutionäre zu bitten. Sein Vorgehen war noch gefährlicher als die Bemerkung, die von Minister Foulon in einer unglückseligen Stunde gemacht wurde: »Wenn kein Brot da ist, muß das Volk eben Heu fressen.«

Foulon erhielt seinen Denkzettel. Man erhängte ihn, schlug ihm das Haupt ab, stopfte seinen Mund voll Heu und steckte den Kopf auf eine Pike. Das allein aber genügte nicht. Man bemächtigte sich seines Schwiegersohnes, schnitt diesem vor Tausenden den Leib auf, riß ihm das Herz aus der Brust und warf es unter die johlende Menge.

»Freiheit, Gleichheit und Brüderlichkeit!« hieß die Losung dieses Tages.

Ungezählte Adelige flüchteten in die Schweiz, nach Italien und Deutschland.

Doch nicht nur die Übergriffe des Pöbels, auch die Beschlüsse der Nationalversammlung hatten verheerende Folgen. Man proklamierte die Abschaffung der Leibeigenschaft, der gutsherrlichen Gerichtsbarkeit und des ausschließlichen Jagdrechtes, woraufhin die hocherfreuten Bauern im ganzen Land die Archive stürmten, um die Eintragungen ihrer Pflichtleistungen zu vernichten. Schlösser wurden überfallen, geplündert und angezündet. Und was man ein Leben lang nicht hatte tun dürfen: man jagte, wo das Wild nur anzutreffen war. Seit Menschengedenken hatten in Frankreich Bürger und Bauern ihre Anwesen und Pachtgebiete frei von Mauern, Hecken und Zäunen halten müssen, damit die Jagd der Privilegierten ungehindert durchbrausen konnte. Seit Menschengedenken fand das Wild seine Nahrung auf den Äckern, von denen es nicht vertrieben werden durfte. Nun griff man zur Waffe und schoß nieder, was vor den Lauf kam.

Kräfte wurden frei, die sich nicht mehr bändigen ließen. Plünderungen gehörten zur Tagesordnung. Gewalttaten und Zerstörungen führten Frankreich an den Rand des Abgrundes.

Im Schloß von Versailles aber feierte man nach wie vor großilluminierte Feste, auf denen der Champagner in Strömen floß. Das hungernde Volk geriet hierüber in Rage, und es verlor die Geduld vollends, als anläßlich eines Festmahles, das die Offiziere der Leibgarde gaben, die Farben der Revolution öffentlich beschimpft und ihr Symbol, die blau-weiß-rote Kokarde, zertrampelt wurde.

»Warum lassen wir uns das gefallen?« empörte sich ein Weib, das mit anderen in einer Schlange vor einem Bäckerladen stand. »Wenn unsere Männer keinen Mut mehr haben, müssen wir ihn aufbringen!«

Als hätte sie damit ein Signal gegeben, bildete sich unversehens ein Zug von etwa hundert Frauen, die zum Hôtel de Ville marschierten, um den Bürgermeister aufzufordern, gegen die Mißstände in Versailles einzuschreiten. Der *Maire* aber war nicht anwesend, woraufhin die erregten Weiber ihrem Zorn sichtbaren Ausdruck verleihen wollten. Sie stürmten das Rathaus, um die Räume zu verwüsten, aber da griff, wie so oft in der Geschichte der Menschheit, ein Unbekannter in das Geschehen ein und gab dem Verlauf der Dinge eine entscheidende Wendung. Der bis zu dieser Stunde nie hervorgetretene Bote Maillard stellte sich den Anstürmenden mit einer Trommel in den Weg und rief: »Auf nach Versailles! Wir marschieren nach Versailles!«

Nach Versailles? Ein Taumel ergriff die Frauen. Natürlich, man mußte den König aus seinem Schloß herausholen und ihn zwingen, seinen Wohnsitz in Paris zu nehmen. Der Palast ›Les Tuileries‹* stand ja zur Verfügung. Ohne es geplant oder organisiert zu haben, traten die Weiber einen erstaunlichen Marsch an. Zunächst hundert, dann tausend, zehntausend, hunderttausend und schließlich gar zweihunderttausend Frauen machten sich auf den Weg nach Versailles. Wer nicht freiwillig kam, wurde aus seiner Wohnung gezerrt. Pardon wurde nicht gegeben. Gräfinnen und Herzoginnen marschierten neben Dirnen, Hausfrauen, Arbeiterinnen und den ›Damen der Markthalle‹, die am resolutesten zugriffen, wenn jemand sich nicht einreihen wollte.

Sie waren es auch, die François und Barbe rücksichtslos von Isabelle trennen wollten, als diese auf ihrem Spaziergang entlang der Seine in die Nähe des Zuges geriet.

»Aber ich kann meine Kinder doch nicht einfach hier stehenlassen«, rief sie verzweifelt und stemmte sich gegen die Frauen.

»Der Junge ist groß genug, um den Weg nach Hause zu finden«, wetterte eines der Weiber und stieß Isabelle die Stufen zum Pont Sully hoch. »Den Wagen des Babys hat er ohnehin geschoben. Oder etwa nicht?«

---

* Der von Katharina de Médici erbaute Palast erhielt den seltsamen Namen, weil an seiner Stelle früher eine Ziegelfabrik stand (Tuile = Dachziegel). 1871 wurde das Palais von den Communards bis auf die Grundmauern niedergerissen. Sein Name lebt in der heutigen Parkanlage ›Les Tuileries‹ fort.

»Hilfe!« schrie Isabelle und ließ sich zu Boden sinken. »Meine Kinder! Meine Kinder!«

Ein Schlag traf sie ins Gesicht. »Jetzt weht ein anderer Wind, verdammte Canaille. Für uns ist es ein Vergnügen, feinen Persönchen das Fürchten beizubringen. Los, steh auf, oder es hagelt Hiebe!«

»Hilfe!« rief Isabelle. »Hilfe!«

Die ›Damen der Markthalle‹ stürzten sich auf sie, wurden aber im selben Moment energisch zurückgerissen.

»Was fällt euch ein?« donnerte eine ungewöhnlich tiefe Stimme.

Isabelle sah ein pockennarbiges Gesicht, das sich über sie beugte.

»Sind Sie verletzt, Madame?«

»Ich weiß nicht . . . Meine Kinder . . .«

Der Fremde reichte ihr die Hand und versetzte gleichzeitig einer der Frauen, die ihn angreifen wollte, einen Stoß. »Wenn ihr nicht augenblicklich verschwindet, bekommt ihr es mit mir zu tun! Ich bin der Arzt dieser Dame. Sie ist im fünften Monat.«

Die Weiber blickten betroffen drein. »Wenn Madame uns das gesagt hätte . . .«

»Schon gut«, unterbrach sie der Pockennarbige und wandte sich Isabelle zu. »Sie machen mir ja schöne Geschichten. Und die ›Damen‹ haben vollkommen recht. Sie hätten gleich sagen müssen, daß Sie in anderen Umständen sind.«

Isabelle sah ihn verwirrt an.

»Jetzt gehen Sie unverzüglich heim und legen sich hin«, fuhr er nach einem Blick auf seinen Chronometer fort. »Ich werde in etwa einer halben Stunde bei Ihnen vorsprechen, um Sie vorsorglich zu untersuchen.« Damit nahm er den weinenden François auf den Arm. »So, und nun trockne ich dir die Tränen, dann ist alles wieder gut. Nicht wahr, meine Damen?« wandte er sich an die Weiber.

Die lachten und verschwanden.

»Madame«, sagte der Unbekannte und setzte François wieder ab, »es war mir eine Ehre, Ihnen behilflich sein zu können. Für die Zukunft wünsche ich Ihnen alles Gute. Au revoir, Madame!«

444

Sagte es, tätschelte der mit großen Augen im Wagen sitzenden Barbe die Wange und eilte davon, noch bevor Isabelle etwas entgegnen konnte.

Wie versteinert blickte sie hinter ihm her. Wer war der Fremde? Sie wußte, daß er ihr bereits einmal begegnet war: an jenem Abend, als sie mit Philippe einen Spaziergang entlang der Seine gemacht hatte. Die Frühlingsluft war erfüllt gewesen vom Duft des Jasmins und des persischen Flieders. Nun leuchteten Astern, die Vorboten des Winters.

Isabelle fror plötzlich. Sie mußte fort, fort aus Paris. Die Stadt raubte ihr den Atem. Wie ruhig war das Leben daheim bei den Eltern gewesen, wie herrlich das in der kleinen Jagdhütte. Warum nur wollte Philippe auf Biegen oder Brechen ein vermögender Mann werden? Was hatten sie davon, in einer traumhaften Villa zu wohnen, wenn Verhaftungen, Mord und Totschlag drohten. Sie mußte mit Philippe reden. So ging es nicht weiter. In einer Stadt, in der ohne Gerichtsurteil geköpft und gehängt wurde, konnte sie nicht leben.

Philippe war außer sich, als er nach Hause kam und erfuhr, was sich zugetragen hatte. Sein Entsetzen aber steigerte sich, als Isabelle ihn bestürmte, mit ihr Paris zu verlassen.

»Nur weil ein paar Marktweiber dich zwingen wollten, an ihrem verrückten Marsch teilzunehmen, glaubst du, nicht mehr in dieser Stadt leben zu können?« erregte er sich.

»Nein«, erwiderte sie in aller Ruhe. »Das Rencontre mit den Frauen war lediglich ein auslösender Faktor. Schon lange sehne ich mich fort von hier. Paris raubt mir den Atem. In der Zeit, da du in der Bastille warst, wurde ich von Träumen gequält, in denen ich bedroht und gewürgt wurde. Noch heute werde ich diese Vorstellung nicht los.«

»Das verstehe ich«, entgegnete Philippe im Bestreben, Isabelles Erregung zu dämpfen. »Und es ist gut, daß du es mir sagst; denn nur wenn ich alles weiß, kann ich dir helfen. Aber muß man das Kind gleich mit dem Bad ausschütten? Paris steckt im Augenblick in einer Krise, die in einigen Wochen vorübergehen wird . . .«

»Eben nicht!« fiel Isabelle heftig ein. »Angesichts der Symptome, die sich uns zeigen, ist doch klar zu erkennen, daß wir erst am Anfang einer Revolution stehen. Was mag noch alles auf uns zukommen, wenn Mord und Totschlag jetzt schon gang und gäbe sind.«

»Bitte, übertreib nicht«, widersprach Philippe ungehalten. »Würden Mord und Totschlag regieren, brauchtest du mich nicht aufzufordern, Paris zu verlassen. Dann ginge ich von selber. Aber so entsetzlich die vorgekommenen Hinrichtungen auch sein mögen, sie sind kein hinreichender Grund für mich, auf das Land zu flüchten. Wir stehen vor der Geburt einer neuen Zeit, und Geburten gehen nun einmal Wehen voraus.«

»Und was würdest du sagen, wenn jener Fremde mich nicht befreit hätte und François so ungeschickt gewesen wäre, den Wagen mit Barbe in die Seine rollen zu lassen?«

Philippe rang die Hände. »Du wurdest befreit, und François ließ den Wagen nicht in die Seine rollen! Im übrigen liegen Meldungen vor, daß sich die Weiber in Versailles recht vernünftig verhalten. Der König hat eine Abordnung empfangen und die Erfüllung der vorgetragenen Wünsche zugesichert. Er wird nach Paris umsiedeln, und du wirst in wenigen Tagen froh sein, daß ich die Nerven nicht verloren habe.«

Isabelle erhob sich aus dem Fauteuil, in dem sie gesessen hatte, und ging auf Philippe zu. »Möchtest du mich verlieren?«

»Dumme Frage«, antwortete er unwillig.

Sie stützte sich auf die Armlehnen seines Sessels und beugte sich über ihn. »Du verlierst mich aber, wenn du mich nicht aus Paris herausbringst. Ob du es glaubst oder nicht, hier sterbe ich vor Angst.«

Er sah ihre flehentlich auf ihn gerichteten Augen und spürte, daß sie mit der Entwicklung nicht mehr fertig wurde. »Ich mache dir einen Vorschlag«, erwiderte er versöhnlich. »Zunächst einmal warten wir die nächsten Tage ab. Vielleicht gestalten sich die Verhältnisse so positiv, daß du bleiben möchtest. Wenn nicht, dann werde ich mich bemühen, in der Nähe deiner Eltern eine geeignete Wohnung zu finden.«

»Aber mir geht es doch nicht darum, in einer anderen Stadt zu leben«, widersprach sie heftig. »Ich möchte unsere Kinder so erziehen, wie Rousseau es in seinem Werk ›Emile‹ aufgezeichnet hat. Fern von der Welt und den verderblichen Einflüssen der Gesellschaft sollen ihre Seelen sich bilden. Zur Jagdhütte möchte ich zurück! Dort werden François und Barbe lernen, natürlich und richtig zu fühlen und zu denken.«

Ihr Schwarm für Rousseau erfüllt sie mit dem penetranten Stolz, eine tugendhafte Frau zu sein, dachte Philippe betroffen. »Hör zu, Chérie!« entgegnete er beschwörend. »Nach dem Leben in diesen Räumen wirst du es in der Jagdhütte nicht lange aushalten und mich schon nach vierzehn Tagen bitten, dich zurückzuholen.«

Isabelle richtete sich steif auf. »Du würdest mich allein lassen, wenn ich nicht mehr hier bleiben kann?«

Philippe zog sie an sich. »Nun muß ich die vorhin an mich gestellte Frage zurückgeben: Möchtest du mich verlieren?«

Sie sah ihn entgeistert an.

»Dann laß mich in Paris, wenn du unbedingt fort willst. In der Jagdhütte würde ich es sein, der zugrunde geht.«

Isabelle spürte, daß Philippe sie weder täuschen noch unter Druck setzen wollte. Aber wie sollte es weitergehen? Sie mußte heraus aus der Stadt.

Vielleicht ist es das beste, ihrem Wunsch zu entsprechen, überlegte Philippe. Sie hat sich verrannt, und tausend Worte werden sie nicht wieder zur Vernunft bringen. Nur das Leben in der Jagdhütte vermag das noch.

»Nun gut«, sagte Isabelle, sich auf Philippes Schoß setzend. »Ich kann nicht erwarten, daß du mich verstehst, wenn ich kein Verständnis für dich aufbringe. Auch bin ich mir darüber im klaren, daß es für einen Mann nicht ohne weiteres möglich ist . . .« Sie stockte und vergrub ihr Gesicht an seiner Schulter. »Warum müssen wir in einer solch schrecklichen Zeit leben? Ich liebe dich und möchte keinen Tag ohne dich sein, aber hier halte ich es einfach nicht mehr aus. Paris erdrückt mich!«

Philippe strich über ihr Haar. »Ich werde dich und die Kinder zur Jagdhütte bringen, mache allerdings zur Bedingung, daß eine Magd die grobe Arbeit übernimmt.«

Isabelle blickte wie erlöst auf.

»Und ich werde euch oft besuchen«, fuhr er mit warmer Stimme fort. »Nach Rouen verkehren neuerdings ja Diligencen.

Da ist es kein Problem, schnell einmal hinüberzuflitzen. Du mußt mir jedoch versprechen, sofort zurückzukommen, wenn hier wieder völlige Ruhe eingekehrt ist.«

Sie umarmte und küßte ihn. »Und du bist mir nicht böse?«

»Natürlich nicht«, antwortete er und dachte: Aber enttäuscht.

3

Sturmböen kündigten den kommenden Winter an, als Philippe vor der Posthalterstelle von Rouen in eine der hohen, mit elliptischen Federn ausgerüsteten Diligencen einstieg, die in knapp vier Stunden nach Paris fuhren. Sie brauchten an den Meilensteinen nicht den üblichen Wegezoll zu entrichten und hielten lediglich an, wenn es galt, die Pferde zu wechseln. Es war ein Genuß, mit ihnen durch die Landschaft zu jagen, die Fuhrleute aber fluchten böse hinter ihnen her, weil ein Gesetz bestimmte, daß Diligencen sofort Platz zu machen sei. Dabei wußte jeder, daß diese schnellen, von acht bis zwölf Pferden gezogenen Fahrzeuge, zumeist nur von Stutzern, Kurtisanen und Glücksrittern benutzt wurden, denen Geld und Zeit in Hülle und Fülle zur Verfügung standen.

Der Abschied von Isabelle schwang noch in Philippe nach, als er im hinteren, aufgeschlagenen Teil der Diligence Platz nahm. Glückstrahlend war Isabelle mit der kleine Barbe auf dem Arm an ihn herangetreten und hatte gesagt: »Ich liebe dich und freue mich schon jetzt auf die Stunde, in der ich dir zeigen kann, welch ein Segen es ist, daß unsere Kinder hier in der freien Natur aufwachsen. Du wirst dich wundern, was hier aus ihnen wird.«

Von mir war überhaupt nicht die Rede, stellte Philippe ein wenig eifersüchtig fest. Bei ihr dreht sich alles nur noch um die Kinder und um Rousseau. An eine Rückkehr nach Paris scheint sie schon nicht mehr zu denken.

Wenn Philippe auch wußte, daß es unrecht war, Isabelles Worte so zu mißdeuten, er tat es, um seiner verletzten Eitelkeit ein Wundpflaster auflegen zu können. Das Gefühl, nicht richtig gewürdigt worden zu sein, half ihm auf seltsame Weise, sich damit abzufinden, für eine Weile getrennt von seiner Familie leben zu müssen; denn tief im Herzen wurde er nur schwer damit fertig, daß Isabelle Paris um jeden Preis hatte verlassen wollen.

Philippe begriff dies um so weniger, als die Lage in der Stadt sich wesentlich beruhigt hatte. Louis Seize und Marie Antoinette waren in den Palast ›Les Tuileries‹ eingezogen, und die Nationalversammlung hatte nicht gezögert, ihnen unverzüglich zu folgen. Es gab kein Versailles mehr, nur noch ein Paris, und die bis dahin verhaßt gewesene ›Österreicherin‹ hatte sich auf erstaunliche Weise die Herzen der Bevölkerung errungen. In einem Augenblick, da jede andere Frau verzagt gewesen wäre, hatte sie den Mut aufgebracht, auf ihren Balkon hinauszutreten und in die Läufe der Flinten zu blicken, die auf das Schloß gerichtet waren. Minutenlang bot sie sich als Zielscheibe dar, aber niemand wagte es, den Hahn abzuziehen. Ihre Tapferkeit fand eine solche Bewunderung, daß die Menge voller Begeisterung in den Ruf ausbrach: »Vive la Reine! – Es lebe die Königin!«

Und dennoch: der Einzug des königlichen Paares in Paris war makaber. Vor dem Wagen von Louis Seize wurden die Köpfe einiger Soldaten der Leibgarde, die beim ersten Ansturm auf das Schloß ums Leben gekommen waren, auf Piken einhergetragen. Stunden hindurch dauerte der Marsch, der nur einmal unterbrochen wurde, um – einem Perückenmacher die Möglichkeit zu geben, die Köpfe der Getöteten zu kämmen und zu pudern.

Philippe dachte an die Ereignisse der zurückliegenden Wochen, die insgesamt gesehen eine merkliche Beruhigung der Gemüter eingeleitet, es aber nicht fertiggebracht hatten, Isabelle umzustimmen. Er grämte sich darüber, bis seine Gedanken von einer Gruppe junger Männer und Frauen abgelenkt wurden, die ungebührlich laut in die Diligence einstiegen. Glücklicherweise begaben sie sich in den vorderen Teil des Wagens, der eine Art Coupé für sich bildete, doch Philippe täuschte sich, wenn er glaubte, glimpflich davongekommen zu sein. Noch bevor die Fahrt begann, knallten Pfropfen, schäumte Champagner, ertönten unflätige Lieder und hingen Pappfiguren an den Fenstern, die obszöne Bewegungen ausführten.

Philippe hatte für die pornographischen Bilder, Karikaturen und Spielsachen, die plötzlich überall angeboten wurden, nichts übrig; aber sie störten ihn auch nicht. Ihm schien dieser von der Revolution entfesselte Trieb ein Regulativ zu sein, das Schlimmeres verhütete. Dennoch war er ganz froh, als sich der Wagen in Bewegung setzte und das Rasseln der Räder die gegrölten Lieder und Zoten übertönte.

Er genoß die rasende Fahrt durch den herbstlichen Tag, wenngleich der Anblick der Felder deprimierend war. Sie lagen durchweg brach und machten deutlich, daß auch auf dem Lande keine produktive Arbeit mehr geleistet wurde.

Wirtschaftlich gehen wir einer Katastrophe entgegen, dachte er eben, als die Diligence ihr Tempo jäh verringerte und auf offener Strecke stehenblieb.

Von draußen erscholl erregtes Stimmengewirr.

Da Philippe im aufgeschlagenen Teil des Wagens saß, beugte er sich über dessen Rand und bemerkte ein blau-rotes Kabriolett, das mit gebrochener Hinterachse schräg auf der Landstraße lag. Die Postkutscher sprangen vom Bock, um das beschädigte Fahrzeug aus dem Wege zu schaffen, was aus irgendeinem Grunde Schwierigkeiten bereitete. Als es aber endlich geschafft war, sah Philippe hinter dem Kabriolett eine Dame hervorkommen, die trotz des unförmigen englischen Staubmantels, den sie trug, sehr anziehend wirkte. Ihr glatt anliegendes, blauschwarzes Haar war in der Mitte gescheitelt und bildete einen lebhaften Kontrast zu ihrer braunen Haut, die ihr ein exotisches Aussehen verlieh.

Philippe hielt den Atem an. Das ist doch . . . Großer Gott, er kam nicht auf ihren Namen. Im Salon der Herzogin von Orléans hatte er sie kennengelernt. Sie war die Witwe des überaus vermögend gewesenen Gutsbesitzers . . . d'Anviers, hieß sie! Ihr um viele Jahre älterer Mann hatte sich mit einem ihrer Verehrer duelliert und dabei den Tod gefunden.

Madame d'Anviers übergab ihren schweren Mantel einem Kutscher, der offensichtlich zu ihr gehörte. Sie trug einen enganliegenden Rock und eine gestreifte Bluse, wie Philippe sie sich aufreizender nicht vorstellen konnte. Mit den Bewegungen einer Raubkatze schritt sie auf die Diligence zu.

Philippe lehnte sich schnell zurück. Allem Anschein nach

wollte Madame d'Anviers ihre Reise in dem Postwagen fortsetzen. Ob sie seinerzeit seine entstellte Wange bemerkt hatte? Er glaubte es nicht. Sie hatte bei Tisch links von ihm gesessen und während der Unterhaltung über ihn hinweggesehen, als sei er Luft. Er erinnerte sich nur zu deutlich daran. Unablässig hatte er sie anschauen müssen und sich eingebildet, sie irgendwoher zu kennen.

Madame d'Anviers wurde von der fragwürdigen Reisegesellschaft mit Schnalzlauten, Pfiffen und sonstigen Ungehörigkeiten begrüßt, doch sie reagierte darauf, als besitze sie weder Augen noch Ohren.

Philippe, der eine Zeitung vor sich gehalten hatte, hob seinen Kopf und tat so, als bemerke er den neuen Fahrgast erst in diesem Augenblick. »Madame d'Anviers?« rief er verwundert und erhob sich hastig.

Sichtlich überrascht ging sie auf ihn zu. »Oh, Monsieur . . .« Sie unterbrach sich mit einem verführerischen Lächeln. »Bitte, helfen Sie mir. Wie war doch Ihr Name?«

Philippe verneigte sich. »de Tessé, Madame.«

Sie reichte ihm die Hand. »Nehmen Sie mir meine Vergeßlichkeit nicht übel. Ich erinnere mich aber sehr genau an Sie.«

»Hoffentlich in gutem Sinne«, erwiderte er und registrierte im Unterbewußtsein: Sie benutzt Eau de Lavande.

»Sogar in sehr gutem«, entgegnete Madame d'Anviers. »Beim Abschied . . .« Sie schwieg plötzlich.

Die Wange, dachte er und unterdrückte den Schmerz, den er darüber empfand. Nur selten noch bemerkte er Reaktionen, die seine Entstellung hervorriefen. Die Jahre in Paris hatten ihn so frei gemacht, daß er seine unansehnliche Gesichtshälfte zumeist völlig vergaß. Warum heute nicht? »Was geschah beim Abschied?« fragte er, um Madame d'Anviers und sich selbst zu helfen.

Sie legte ihre Hand auf seinen Arm. »Entschuldigen Sie mein Erschrecken. Es tut mir sehr leid. Aber ich wußte nicht . . .«

»Wollen Sie sich zu mir setzen?« unterbrach er sie mit einer einladenden Geste.

»Gerne«, antwortete sie erleichtert. »Eine Unterhaltung mit Ihnen wird die Fahrt gewiß sehr verkürzen.«

»Schade«, entgegnete Philippe und wies zu der Bank hinüber, auf der er gesessen hatte. »Bitte, nehmen Sie links von mir Platz.«

Dieser Hinweis machte sie für den Bruchteil einer Sekunde unsicher. Dann aber fragte sie resolut: »Wieso ist es schade, wenn ein Gespräch mit Ihnen mir die Zeit verkürzt?«

»Weil ich mich möglichst lange mit Ihnen unterhalten möchte!«

Sie warf ihm einen herausfordernden Blick zu. »Und warum möchten Sie das?«

»Darüber habe ich noch nicht nachgedacht«, antwortete er leichthin und nahm neben ihr Platz. »Vielleicht, weil ich Sie gerne anschaue. Ich erinnere mich, daß ich im Salon der Herzogin dauernd zu Ihnen hinüberblicken mußte und mir einbildete, Sie irgendwoher zu kennen. Sie würdigten mich jedoch keines Blickes.«

Die Diligence fuhr an und nahm schnell Fahrt auf.

»Herrlich, diese Geschwindigkeit«, sagte Madame d'Anviers. »Um aber auf Ihre Feststellung zurückzukommen: Sie täuschen sich, Monsieur. Ich erinnere mich sehr genau daran, daß ich beim Abschied, und das war es, was ich Ihnen vorhin sagen wollte, ehrlich bedauerte, mich zu intensiv mit der Duchesse beschäftigt zu haben.«

Philippe lachte. »Genau das behauptete ich eben. Ich war Luft für Sie.«

»Jetzt sind Sie boshaft«, erwiderte Madame d'Anviers schmollend.

Sie ist betörend, dachte Philippe und schaute zu den Walnußbäumen hoch, die den Straßenrand säumten. »Wenn ich durch meine Bosheit erreiche, daß Sie sich heute intensiv mit mir beschäftigen, will ich zufrieden sein.«

Seine Offenheit gefiel ihr. Auch sein Aussehen. Als Liebhaber könnte er verwirrend sein. Das notwendige Temperament stand ihm zweifellos zur Verfügung. Ob er und die Herzogin . . . .? »Beschäftigen wir uns also mit Ihnen«, entgegnete sie spöttisch und steuerte die Frage an, die sich ihr aufgedrängt hatte. »Sind Sie oft im Salon Ihrer Durchlaucht anzutreffen?«

»Oft wäre übertrieben«, antwortete Philippe unbefangen. »Ich berate die Duchesse in finanziellen Fragen und verwalte ihre Börsenpapiere.«

Madame d'Anviers dunkle Augen weiteten sich. »Ach, dann sind Sie der Mann, von dessen Spekulationen man überall spricht?«

Philippe wehrte bescheiden ab. »Mon Dieu, ich habe etwas Glück gehabt, das ist alles. Übrigens war ich an dem Tage, an dem ich die Ehre hatte, Ihnen vorgestellt zu werden, zum ersten Male bei der Herzogin zu Gast. Ich machte ihr damals Vorschläge, die ihr sehr zum Vorteil gereichten.«

Daß ich nicht gleich darauf gekommen bin, dachte Madame d'Anviers mit sich selbst unzufrieden. Seine Entstellung hätte es mir sagen müssen. Er ist der Mann mit der ›glühenden Wange‹! Noch heute werde ich ihn mir verpflichten. Dann bin ich nicht mehr nur in politischer, sondern auch in finanzieller Hinsicht abgesichert. »Sie kommen jetzt aus Rouen?«

»Ja, ich habe meine Frau und meine Kinder dorthin gebracht.«

Also keine Hindernisse, ging es ihr durch den Sinn. »Warum gerade nach Rouen?«

Philippe erzählte von Isabelles Angst und ihrem Wunsch, Paris für eine Weile zu verlassen.

»Und wer versorgt Sie jetzt?«

»Unsere Haushälterin.«

»Ich verstehe Ihre Gattin nicht ganz«, entgegnete Madame d'Anviers, sich nachdenklich gebend. »Sie hätte . . .«

». . . bei mir bleiben müssen, wollen Sie sagen?« fiel Philippe augenblicklich ein. »So einfach ist das nicht. Es gibt Dinge, die sich mit wenigen Worten nicht erklären lassen. Wechseln wir deshalb das Thema. Was führte Sie nach Rouen?«

Wie energisch er werden kann, dachte Madame d'Anviers und antwortete ein wenig verwirrt: »Ich komme aus Caen, wo ich ein Gut besitze, das ich persönlich verwalte. Übrigens mit dem Erfolg, daß es bei mir bis jetzt noch keine Auflehnung gegeben hat. Einige Leute versuchen zwar, meine Bauern und Knechte aufzuwiegeln, aber das glückt ihnen nicht so recht.«

Philippe sah seine Begleiterin prüfend an. »Und womit haben Sie das erreicht?«

Madame d'Anviers warf den Kopf in den Nacken. »Ich befolge seit Jahr und Tag die Ratschläge eines guten Freundes, der als Journalist tätig ist. Er stammt nicht aus unseren Kreisen, ist aber hoch intelligent und sehr vernünftig. Ich nenne ihn mein ›soziales Gewissen‹. Zumeist schreibt er für den *Ami du peuple*. Ich sollte Sie mit ihm zusammenbringen. Vielleicht haben Sie seinen Namen schon gehört. Er heißt Raymond Fer.«

»Nein, es tut mir leid . . .«

»Er war kürzlich in England, um das dortige Regierungssystem zu studieren.«

»Interessant«, erwiderte Philippe, der nicht die geringste Lust verspürte, sich über einen Mann zu unterhalten, den Madame d'Anviers ihren Freund nannte.

»Er ist wirklich ein großartiger Mensch«, fuhr sie in nüchterner Berechnung fort. »Und seine Formulierungen sind unglaublich treffend. Louis Seize nennt er einen ›Baumwollballen‹; Lafayette ›Scipio Americanus‹; General Dumouriez einen ›Kasperle-Cäsar‹; Neck-èr ›Phrase und Gewäsch‹. Ist das nicht herrlich?«

Philippe nickte und schaute nach draußen. Der Wind riß das Laub von den Bäumen und streute es über die Felder. »Ich werde mir den *Ami du peuple* gelegentlich einmal kaufen.«

Die Festung ist sturmreif geschossen, dachte Madame d'Anviers befriedigt und fragte: »Wie ist eigentlich Ihr Vorname? Es interessiert mich, festzustellen, ob er zu Ihnen paßt.«

»Philippe«, antwortete er, nun gar nicht mehr steif.

Sie wiederholte den Namen mit schwärmerischem Timbre. »Phili-ppe! Ich heiße Hélè-ne.«

»Ein wunderschöner Name«, versicherte er galant.

Ihre Augen sprühten Feuer.

Er mußte sich beherrschen, gelassen zu bleiben. »Und woher haben Sie, wenn ich fragen darf, Ihren kupferfarbenen Teint?«

»Von der Sonne«, antwortete sie und lehnte sich wie zufällig so zu ihm hinüber, daß ihre Arme sich berührten. »Zu meinem Gut gehört ein an der Seine-Bucht gelegener Küstenstreifen, an dem ich ein Sommerhaus besitze, das es mir gestattet, zu baden und zu sonnen, wie der Herrgott mich geschaffen hat. Splitternackt liege ich dort im Sand.«

Philippe lief es heiß über den Rücken. Der Teufel schien in diesem Weib zu stecken.

Madame d'Anviers war im Umgang mit Männern erfahren und wußte, daß es Zeit wurde, das Thema zu wechseln. Sie verwickelte Philippe deshalb in ein Gespräch über die politischen Ereignisse und kam auch auf Gerüchte zu sprechen, denen zufolge mit der Schaffung einer neuen Währung gerechnet werden mußte. »Soll man da nun Wertpapiere kaufen oder nicht?« fragte sie und wies, ohne eine Antwort abzuwarten, zu den Windmühlen von Montmartre hinüber, die gerade in Sicht kamen. »Wie wäre es, wenn wir heute abend zusammen essen würden?«

»Eine glänzende Idee!« begeisterte sich Philippe. »Vielleicht bei Véry?«

»Oh, là là! Der Herr liebt Vorspeisen!«

»Wie Ouvertüren!«

»Zu welchem Spiel?«

Die Sprache wurde doppelsinnig; das Parkett glitschig. Beide aber steuerten den gleichen Kurs.

»Hinsichtlich des Spiels möchte ich mich noch nicht festlegen«, antwortete Philippe anzüglich. »Darf ich fragen, wo Sie wohnen, Madame?«

»Im Hotel Richelieu. Das Haus ist einzigartig geführt. Ich besitze dort ein Appartement.«

Philippe sprang über seinen Schatten.

»Glauben Sie, daß im Richelieu noch ein Zimmer zu bekommen ist?«

»Davon bin ich überzeugt«, antwortete Madame d'Anviers mit einer Sicherheit, die jeden Zweifel ausschloß. »Im Richelieu steigen in erster Linie Offiziere ab, und die sind, wie Sie wissen, zur Zeit sehr dünn gesät.«

Bin ich ein Lückenbüßer, fragte sich Philippe. Es war ihm gleichgültig. Im Geiste sah er seine Begleiterin nackt vor sich, von oben bis unten braun gebrannt.

In einem Fiaker fuhren Hélène d'Anviers und Philippe de Tessé am Palais Royal vorbei den Tuilerien entgegen, um auf den Terrassen des Feuillants bei Véry zu speisen. In den Arbeitervierteln von Paris gab es kein Brot, im Schlemmerlokal der Hautevolee hingegen war die Speisekarte ein gedrucktes Heft, das neben den Hauptmahlzeiten vierzehn Horsd'œuvres und siebenundzwanzig verschiedene Geflügel-Entrées anbot. Monsieur Véry, der die Angewohnheit hatte, sich als ›Restaurateur, Glacier et Limonadier au Jardin des Tuileries‹ vorzustellen, legte größten Wert darauf, daß die Revolution in seinen Räumen nicht spürbar wurde. Es war schlimm genug, daß sie existierte.

Madame d'Anviers bemerkte mit Befriedigung, daß Philippe von mehreren Gästen achtungsvoll gegrüßt wurde, wie ihm auch das Personal eine ungewöhnliche Aufmerksamkeit zuteil werden ließ. Sie schätzte Männer, die besondere Beachtung fanden, und sie genoß die souveräne Gelassenheit, mit der Philippe die erlesensten Speisen und Getränke auswählte. Von allem bestellte er nur winzige Portionen, die am Tisch auf blau züngelnden Weingeistöfen fertig zubereitet wurden.

»Sie sind ein großer Verführer«, sagte sie ihm, als der Mokka serviert wurde.

Er verneigte sich.

»Komplimente dieser Art befriedigen mich ungemein, Madame Hélène.«

»d'Anviers, wenn ich bitten darf«, korrigierte sie ihn mit entwaffnendem Lächeln.

Philippe stutzte. »Grundsätzlich?«

Sie nickte.

Er konnte es nicht unterlassen, zu entgegnen: »Sehr klug von Ihnen.«

Ihre Augen wurden schwarz wie Kohle. »Das hat noch niemand gewagt zu sagen.«

»Was mich nicht wundert«, erwiderte er frech und fügte aggressiv hinzu: »Aber ich bin nicht wie andere.«

Madame d'Anviers war außer sich. Sollte sie aufbegehren? Dann war die Nacht nicht mehr zu retten. Unverschämt war dieser de Tessé. Aber seine Arroganz war auch imponierend. Ob er in der Umarmung . . .? Seine schlanken Hände, sein sinnlicher Mund . . . Es gelang ihr nur mühsam, ihre Erregung zu verbergen.

Philippe beobachtete Madame d'Anviers und sah, daß ihre Augen, die kalt wie ein Winterhimmel geworden waren, neuen Glanz erhielten. Er schob seine Hand zu ihr hinüber. »Kennen Sie schon das neueste Bonmot von Mirabeau?«

Ihre Lippen zuckten. »Nein.«

»Er sagte: Wir Franzosen sind eigenartige Menschen. In der Rhetorik verwenden wir Monate auf die Festlegung einiger Silben, die Ordnung der Monarchie aber stürzen wir in einer Nacht.«

Sie begriff nicht, worauf Philippe hinauswollte.

»Auf uns bezogen«, fuhr er lächelnd fort, »sollen wir bei den besagten Silben bleiben oder etwas zum Einsturz bringen?«

Madame d'Anviers atmete auf. »Sie meinen, in einer Nacht?«

»In *dieser* Nacht!«

Sie strich über seine Hand. »Ich bin für den Einsturz und schlage vor, keine Zeit mehr zu verlieren.«

Im Fiaker war sie dann wieder so zurückhaltend, daß Philippe sie nicht mehr verstand. Er ahnte nicht, daß Madame d'Anviers nur zu genau wußte, wie Steigerungen erzielt und Abflachungen vermieden werden.

»Eine gute Viertelstunde bitte ich mir Zeit zu lassen«, flüsterte sie Philippe zu, als der Wagen vor dem Hotel anhielt. »Ich lasse die Tür unverschlossen.«

Er entlohnte den Kutscher und schlenderte noch einige Minuten über die schlecht erleuchtete Straße. Dabei drängte sich ihm Isabelles Bild auf, aber er schob es unwillig beiseite. War es nicht sie gewesen, die ihn im Stich gelassen hatte?

Später jedoch, als er sein Zimmer im Morgenrock verließ und über einen unangenehm knarrenden Korridor zum Appartement von Madame d'Anviers ging, wurde er sich plötzlich bewußt, wie würdelos sein Verhalten war.

Behutsam öffnete er die ihm bezeichnete Tür und verriegelte sie hinter sich. Gedämpftes Licht, das eine Milchglaskugel verbreitete, die von einer Negerfigur gehalten wurde, gab dem Salon eine intime Note. Der Duft eines herben Parfüms lag in der Luft.

»Monsieur . . .?« rief Madame d'Anviers aus dem angrenzenden Schlafzimmer.

»Madame . . .?« antwortete Philippe im gleichen Tonfall.

»Ich erwarte Sie!«

»Enchanté!« antwortete er beinahe belustigt und trat in ein Schlafgemach, das für eine Königin gemacht zu sein schien. Ein mit reichem Zierat versehenes Doppelbett, das zwei Stufen erhöht in der Mitte des Raumes stand, war von einem ausladenden Himmel überdeckt, dessen goldener Sims Putten zeigte. Im Hintergrund des Raumes standen Kandelaber mit Kerzen, die ein ruhig wogendes Licht gaben.

Philippe war verblüfft, als er Madame d'Anviers auf einem schwarzen Laken liegen sah: nackt, gebräunt am ganzen Körper, den rechten Arm unter den Kopf geschoben, die Hüfte leicht verdreht, ein Bein angewinkelt.

Tizians Eleonora scheint ihr vorzuschweben, schoß es ihm durch den Kopf.

Sie streckte einen Arm nach ihm aus.

Er ging auf sie zu und hatte mit einem Male das Gefühl, als nähere er sich einem wildfremden Menschen. War das wirklich die Frau, die er zu besitzen wünschte? Er hatte sie sich mädchenhafter vorgestellt. Diese Schultern, Brust, Hüfte und Schenkel aber gehörten einer reifen Frau.

Seine Sinne rebellierten.

Madame d'Anviers ergriff seine Hand.

»Gefalle ich Ihnen?«

Er sah ihre fiebrig glänzenden Augen. Ihr herrlicher Leib spannte sich. Unfähig, sich noch beherrschen zu können, warf er sich über sie und küßte sie in ungezügeltem Verlangen. Der Duft ihres Körpers hüllte ihn in eine betäubende Wolke. Sie wälzte sich mit ihm zur Seite und streifte seinen Morgenrock zurück.

Er spürte ihre glatte Haut und suchte ihren Mund.

Sie zog an einer Kordel, die vom Betthimmel herabhing.

Philippe glaubte, seinen Augen nicht trauen zu dürfen. Am Kopf- und Fußende des Bettes wurden Spiegel sichtbar, die von schwerer Atlasseide verdeckt gewesen waren.

Madame d'Anviers Augen glichen denen einer auf der Lauer liegenden Katze.

»Luder!« keuchte er und verbiß sich in ihre Lippen.

Sie schob seinen Morgenrock vollends fort und lag plötzlich über ihm.

Er blickte zu ihr hoch und bemerkte, daß der Betthimmel ein einziger, rosagetönter Spiegel war, so daß er seine Partnerin von beiden Seiten betrachten konnte. Seine Nerven vibrierten. Er fühlte sich wie im Rausch.

Die Nacht war erfüllt von Wollust und Leidenschaft; Liebe kannte sie nicht. Sie brauste wie ein Orkan dahin und endete ebenso unsentimental, wie sie begonnen hatte. Zärtlichkeiten waren Madame d'Anviers fremd. Wenn sie sich jemandem hingab, diente dies der Befriedigung eigener Gelüste, allenfalls noch der Absicherung ihres großzügigen Lebensstils. Bei Philippe traf beides zu. Sie war während der ganzen Erntezeit auf ihrem Gut gewesen und sehnte sich nach körperlicher Erlösung, gleichzeitig aber wünschte sie, sich den als gerissenen Spekulanten apostrophierten Monsieur de Tessé, den der Zufall ihr über den Weg geschickt hatte, für die Zukunft zu verpflichten.

Doch nicht alles, was Hélène d'Anviers tat, geschah aus nüchterner Berechnung. So hatte sie nicht den geringsten Hintergedanken, als sie im Morgengrauen bei der Verabschiedung sagte: »Einen Wunsch habe ich noch, den Sie mir erfüllen müssen. Ich möchte den Mann des Geldes mit dem Mann der Feder zusammenbringen. Wenn wir heute nachmittag wegen des Ankaufes der Wertpapiere alles geregelt haben, könnten wir meinen Freund im Café Bérgère treffen. Ich bin überzeugt, daß Sie sich gut mit ihm verstehen werden.«

Das geht zu weit, dachte Philippe, der keinen Wert darauf legte, einen Mann kennenzulernen, dem er höchstwahrscheinlich in die Quere gekommen war.

»Er ist vielleicht schon etwas älter als Sie«, fuhr Madame d'Anviers gesprächig fort. »Und er gleicht nicht gerade dem mythischen Adonis; sein Gesicht ist von Narben übersät. Aber er strahlt eine ungewöhnliche Ruhe aus. Eine Begegnung könnte von großer Bedeutung für Sie beide sein.«

Philippe sah im Geiste den Pockennarbigen, der seiner Frau

und ihm an einem Frühlingsabend begegnet war und von dem Isabelle ihm gesagt hatte, daß es der gleiche Mann gewesen sei, der ihr beigestanden und beruhigend auf sie eingeredet habe, als die Marktweiber sie von ihren Kindern trennen wollten. »Wo wohnt Ihr Freund?« fragte er unwillkürlich.

»Im Judenviertel um Saint-Paul«, antwortete Madame d'Anviers. »Warum interessiert Sie das?«

»Ach, ich bin auf der Île Saint-Louis zu Hause und dachte eben an ein vernarbtes Gesicht, das mir einmal bei einem Spaziergang an der Seine aufgefallen ist. Wenn Ihr Freund in Saint-Paul wohnt, könnte er es gewesen sein.«

»Wäre das nicht ein merkwürdiger Zufall, wenn Sie ihn von Ansehen her bereits kennen würden?«

Philippe nickte.

»Ich darf Sie also mit meinem Freund bekannt machen?«

In drei Teufels Namen, ja, dachte er und antwortete: »Gewiß.«

»Dann bis heute nachmittag.«

In seinem Hotelzimmer hielt Philippe sich nicht lange auf. Das Bedürfnis, den Abstand zu Madame d'Anviers so schnell wie möglich zu vergrößern, trieb ihn in sein Heim, wo er ein erfrischendes Bad nahm und sich ein englisches Frühstück servieren ließ, das er jedoch beendete, als der Diener ihm die Morgengazette brachte.

Um den Staatsbankrott zu verhindern, hatte die Nationalversammlung ›Assignaten‹ ausgegeben, zinstragende Anweisungen auf Einnahmen, die aus dem Verkauf der mit sofortiger Wirkung enteigneten Kirchengüter zu erwarten waren. Verfügt hatte der Staat eine Ausgabe von vierhundert Millionen Assignaten in Werten von fünf- bis zehntausend Livres.

Philippes Hirn glich einem Räderwerk. Scheine bis zu zehntausend Livres bei einer Ausgabe von vierhundert Millionen sind eine Diskrepanz, sagte er sich. Außerdem reicht die Summe bei weitem nicht aus. Man wird weitere Assignaten drucken müssen. Achthundert Millionen! Eine Milliarde! Die Folge kann nur eine Inflation sein. Jetzt heißt es Schulden machen und mit geliehenem Geld, das man später leicht zurückzahlen kann, Kirchengüter kaufen, welche die Gemeinden übernehmen sollen, aber nicht werden übernehmen können, weil ihnen die erforderlichen Mittel fehlen. Die große Umschichtung beginnt!

Philippe konnte nicht schnell genug aus dem Haus kommen. Sein Kopf war herrlich klar nach dieser Nacht. Und Isabelle hatte mit den Kindern das Terrain geräumt; auf niemanden brauchte er Rücksicht zu nehmen. Er konnte loslegen, wie er wollte.

Schon eine Stunde später konferierte er mit den Herren des Bankhauses Bethmann. Danach verhandelte er mit dem Institut M. A. Rothschild und Söhne. Anschließend eilte er die Freitreppe des Palais Royal hinauf, um die Herzogin von Orléans zu sprechen, die sich freilich, wie konnte es am Vormittag um elf Uhr anders sein, noch beim Lever befand.

Doch er gehörte inzwischen zum engsten Freundeskreis und durfte selbst zu ungewöhnlicher Zeit damit rechnen, empfangen zu werden.

Philippe täuschte sich nicht. Der Lakai, den er ersuchte, Ihrer Durchlaucht seine Anwesenheit zu melden, kehrte nach wenigen Minuten zurück und bat darum, ihm zu folgen.

Philippe war der Annahme, hinter einen im Schlafzimmer oder Ankleideraum stehenden Paravant geführt zu werden. Seine Verwunderung war deshalb groß, als der Diener ihn in ein marmorverkleidetes Bad führte, dessen Wände im oberen Teil mit Tritonen, Delphinen und Nereiden bemalt waren. Die Herzogin saß in einer schwarzweiß gebänderten Onyxwanne, über deren Rand glitzernder Schaum quoll. Um ihr Haar war ein Turban gewunden, der ihr ein fast orientalisches Aussehen verlieh.

»Bonjour, mon cher!« rief sie Philippe entgegen. »Was sagen Sie zu dieser neuen Art des Badens? Der Coiffeur der Prinzessin Lamballe hat das Präparat erfunden. Völlig unsichtbar wird man im Wasser.« Damit hob sie einen Arm aus dem Schaum und reichte Philippe die Hand zum Kuß.

»Ich bin entzückt! Und wie frisch Sie aussehen! Aphrodite, möchte man ausrufen!«

»Charmeur!«

»Ich übertreibe nicht, Durchlaucht! Sehen Sie nur!« Er hob ihre Hand. »Ist es nicht zauberhaft, dieser duftige Schaum auf Ihrer rosigen Haut?«

Die Augen der Herzogin strahlten. »Gestern nahm ich mein erstes Schaumbad. Wer hätte gedacht, daß ein Mann aus dem Volke uns eines Tages die Möglichkeit bieten würde, in der Wanne sitzend liebe Freunde zu empfangen. Aber damit sind wir beim Thema. Was ist geschehen, daß Sie mich so dringend zu sprechen wünschen? Wurde der König gestürzt?«

Philippe erschrak.

»Sie rechnen mit solcher Möglichkeit?«

»Nicht unbedingt. Aber so geht es nicht weiter. Seine Autorität ist total dahin.«

Die Orléans drängen auf den Thron, dachte Philippe.

»Sie werden wissen, daß der Herzog gewisse Bestrebungen unterstützt.«

»Man gibt ihm bereits den Beinamen Egalité!«

Ihre Durchlaucht tat, als höre sie dies zum erstenmal. »Wie zutreffend!«

Philippe dachte sich seinen Teil und erwiderte im Bestreben, die Stimmung weiterhin zu heben: »In politischer Hinsicht wäre der Herzog gewiß der richtige Mann.«

Die Duchesse lächelte hintergründig. »In *politischer* Hinsicht! Wie diplomatisch Sie sich ausdrücken.«

»Pardon, ich hatte nicht die Absicht . . .«

»Ich weiß, mein Lieber«, unterbrach ihn die Herzogin. »Aber wir brauchen uns nichts vorzumachen. Menschlich und politisch, das sind zwei Dinge. Unabhängig davon hoffe ich immer noch, daß es mir gelingt . . . Nun, Sie wissen schon.«

Philippe verneigte sich und fand, daß es nicht das schlechteste wäre, der Vertraute einer Königin zu werden.

»Entre nous«, fuhr die Duchesse mit gedämpfter Stimme fort und richtete sich ein wenig auf, wodurch ihre schön geformten Schultern aus dem Schaum heraustauchten und ihr Brustansatz sichtbar wurde. »Wir sind darüber informiert, daß Louis Seize und Marie Antoinette sich mit dem Gedanken tragen, das Land zu verlassen.«

Philippes Hirn arbeitete im selben Moment präzise wie ein Uhrwerk. Nicht nur die Orléans, auch ich könnte mir nichts Besseres wünschen, dachte er. Eine Flucht des Königs würde die Kurse an der Börse ins Bodenlose sinken lassen. Wer dann im entscheidenden Augenblick . . . »Durchlaucht!« platzte es förmlich aus ihm heraus. »Informieren Sie mich laufend über den Stand der Dinge. Unter Umständen können wir da Millionen und abermals Millionen verdienen.«

»Wirklich?«

»Aber nur, wenn die Flucht absolut geheim bleibt. Niemand darf etwas erfahren!«

»Dafür sorgen wir schon im ureigensten Interesse.«

»Mir haben Sie es aber eben anvertraut!« entgegnete Philippe beinahe vorwurfsvoll.

Ihre Wangen röteten sich.

Er bemerkte es und nutzte die Chance, der Herzogin mit der Schüchternheit eines stillen Verehrers zu schmeicheln. »Sie sind von einer jungfräulichen Schönheit!«

Ihre Durchlaucht war sichtlich verwirrt.

Philippe schien dies der rechte Augenblick, den Grund seines Besuches zu nennen, und er tat es in einer Form, daß die Duchesse glauben mußte, er flüchte vor sich selbst. Beinahe tolpatschig und ohne alle Umschweife steuerte er sein Ziel an, das schlicht und einfach lautete: Leihen Sie mir schnellstens so viel Geld wie möglich, und ich mache die Ausgabe der Assignaten zu einem für uns beide überaus großartigen und lukrativen Geschäft.

»Sind drei Millionen ausreichend?« fragte die Herzogin, als er seine Ausführungen beendet hatte.

»Gewiß. Sie müßten allerdings langfristig zur Verfügung stehen, weil Geschäfte dieser Art . . .«

»Das ist mir schon klargeworden«, fiel die Duchesse ihm ins Wort, um zu zeigen, daß sie gut aufgepaßt hatte. »Verfügen Sie also beim Bankhaus Bethmann über die genannte Summe.«

»Darf ich gleich eine entsprechende Vollmacht ausstellen?«

»Selbstverständlich. Mein Ecritoire finden Sie im kleinen Salon.«

Philippe holte das Schreibbänkchen, legte es sich auf die Oberschenkel und stellte, während die Herzogin den neuesten Gesellschaftsklatsch zum besten gab, die erforderliche Vollmacht aus. Dann trocknete er Ihrer Durchlaucht galant eine Hand ab, reichte ihr die Feder und hielt ihr das Écritoire hin, so daß sie ihm, in der Wanne sitzend, das Verfügungsrecht über drei Millionen Livres übertragen konnte.

Artigkeiten, Verbeugungen und ein wie von einem Schauspieler dargebotener Kratzfuß beendeten den Empfang, der Philippe in die Lage versetzte, über insgesamt sieben Millionen Livres zu verfügen. Denn die zuvor schon aufgesuchten Bankhäuser hatten ihm bereits einen Kredit von je zwei Millionen unter der Bedingung eingeräumt, dafür gekaufte Liegenschaften sicherheitsübereignet zu bekommen.

Für Philippe wurde es ein anstrengender Tag, der erst gegen Abend, nachdem er Madame d'Anviers beraten und die Anlage ihres frei verfügbaren Vermögens übernommen hatte, die ersehnte Entspannung brachte. Er begleitete seine neue Kundin über die Rue de Richelieu zum Palais Royal, wo ihr Freund Raymond Fer täglich einige Stunden im Café Bérgère verbrachte, das als politische Nachrichtenzentrale galt.

Der Journalist saß allein an einem Marmortischchen, als Madame d'Anviers und Philippe auf ihn zugingen. Er trug eine Nikkelbrille. Sein Haar war rötlich. Seinen braunen Augen haftete der forschende Blick eines Wissenschaftlers an. Am auffälligsten an ihm aber waren die entspannten Züge seines pockennarbigen Gesichtes, das eine ungewöhnliche Ruhe ausstrahlte. Man konnte ihn für dreißig, aber auch für bedeutend älter halten.

Verwirrt betrachtete er Philippe, als Madame d'Anviers ihn mit diesem bekannt machte. »Entschuldigen Sie, Monsieur«, sagte er, nachdem sie sich die Hand gereicht hatten. »Haben wir uns nicht bereits kennengelernt?«

Philippe schüttelte den Kopf. »Nicht im Sinne des von Ihnen gewählten Wortes. Aber Sie begegneten meiner Frau und mir einmal an einem wunderschönen Maiabend in der Nähe der Seine-Inseln.«

Der Journalist nahm seine Brille ab, wodurch sich der forschende Ausdruck seiner Augen noch verstärkte. »Dann sind Sie der Gatte der jungen Dame, der ich am Tage des denkwürdigen Marsches nach Versailles behilflich sein durfte.«

»Stimmt«, antwortete Philippe und reichte ihm erneut die Hand. »Nachträglich danke ich Ihnen auch noch von ganzem Herzen dafür. Meine Frau erlitt in jener Stunde einen Schock, den sie bis heute nicht überwunden hat. Sie bestand darauf, Paris zu verlassen.«

Raymond Fer tat einen vernehmlichen Seufzer. »Wie mich das freut!«

Philippe blickte erstaunt auf.

»Haben die Herren etwas dagegen, wenn ich mich inzwischen setze?« fragte Madame d'Anviers patzig.

»Oh, pardon!« entschuldigten sich beide wie aus einem Munde und schoben ihr einen Stuhl hin.

Sie nahm Platz, als befinde sie sich in großer Robe in einer Theaterloge.

»Ich weiß nicht, wie ich Ihnen meine Reaktion erklären soll«, nahm der Journalist das unterbrochene Gespräch wieder auf. »Es gibt Menschen, die einem auf den ersten Blick sympathisch beziehungsweise unsympathisch sind, nicht wahr?«

»Ja.«

»Warum das so ist, vermag niemand zu sagen. Aber darauf will ich nicht hinaus. Ich wollte nur deutlich machen, daß mir Ihre Gattin vom ersten Moment an, ich denke jetzt an jenen Abend an der Seine, außerordentlich sympathisch war. Ich war zutiefst beeindruckt von ihr, und da ich mir an fünf Fingern abzählen kann, was Paris noch bevorsteht, erleichtert es mich, zu hören, daß Ihre reizende Frau mit den Kindern die Stadt verlassen hat.«

»Um mich scheinen die Herren sich überhaupt nicht kümmern zu wollen«, erboste sich Madame d'Anviers.

Philippe de Tessé und Raymond Fer sahen sich an und wußten, daß sie das gleiche dachten.

»Was darf ich Ihnen bestellen?« fragte Philippe galant.

»Mandelmilch«, antwortete Madame d'Anviers versöhnt und wandte sich an ihren Freund. »Ich lernte Monsieur de Tessé vor langer Zeit im Salon der Duchesse d'Orléans kennen und traf ihn gestern zufällig wieder, als die Achse meines Kabrioletts gebrochen war und ich in eine Diligence umsteigen mußte. Sie werden sich vorstellen können, wie verblüfft ich war, einen Bekannten im Wagen sitzen zu sehen. Noch größer aber wurde meine Verwunderung, als ich feststellte, daß Monsieur de Tessé jener gerissene Börsianer ist, von dem zur Zeit in allen Salons die Rede ist. Nun, ich habe ihn inzwischen beauftragt, mein nutzlos bei den Banken liegendes Vermögen sinnvoll arbeiten zu lassen. Jetzt habe ich beides: Sie, meinen politischen Berater, ihn, meinen kommerziellen Ratgeber.«

Philippe wunderte sich nicht darüber, daß Madame d'Anviers den Mann, den sie so betont ihren Freund genannt hatte, nicht duzte. Ihre Taktik hatte er bereits am Abend zuvor unschwer durchschaut.

Raymond Fer betrachtete Philippe, als versuche er dessen Gedanken zu ergründen. Das also ist der Mann mit der ›glühenden Wange‹, dachte er und sagte: »Von Ihnen möchte ich gerne erfahren, wie Sie den Beschluß der Nationalversammlung hinsichtlich der Beschlagnahmung des Kirchengutes und Ausgabe der Assignaten beurteilen.«

Philippe lachte. »Auf einen einfachen Nenner gebracht: die Idee hätte von mir sein können.«

Madame d'Anviers strahlte ihn an. In Geldangelegenheiten war er bereits ihr Hausgott geworden.

»Ich sage das, weil beide Maßnahmen goldene Ströme in meine Taschen fließen lassen werden«, fügte Philippe in aller Offenheit hinzu.

Raymond Fer sah ihn betroffen an. »Der Beschluß ist auch in finanzieller Hinsicht schlecht?«

»Wahrscheinlich gab es keinen anderen Ausweg«, erwiderte Philippe. »Aber was besagt Ihr: auch?«

»Daß er in politischer Hinsicht eine Katastrophe ist! Nur um Deckung für neues Geld zu schaffen, hat man die Kirche enteignet und ihre Klöster und Orden aufgelöst. Gut, es mag noch angehen, daß man dem lieben Gott keine Unterstützung mehr angedeihen lassen will. Daß man aber vergißt, was Kirchen und Klöster auf dem Gebiet der Ausbildung und Erziehung geleistet haben, ist mir unverständlich. Es will mir einfach nicht in den Kopf, daß man glaubt, auf Priester, Mönche und Nonnen verzichten zu können. Wer hat denn die Schulen, Krankenhäuser und Waisenheime geschaffen und geführt?«

»Sie sind ein Gegner der Revolution?« fragte Philippe überrascht.

»Keineswegs«, antwortete der Journalist. »Ich bejahe alles, was dem Volke dient. Wenn aber heute dieser und morgen jener Stand außerhalb des Gesetzes gestellt wird, erwächst dem Staat an Stelle des erhofften Nutzens ein Schaden, der nicht wiedergutzumachen ist. Eine Revolution, die sich keine Zeit nimmt, opfert eine Generation. Ich sprach darüber gerade gestern mit Madame Staël, die sich unermüdlich für eine bessere Zeit einsetzt. Ihre Begeisterung für die Revolution ist nun in Resignation umgeschlagen.«

Philippe konnte es nicht unterlassen, zu entgegnen: »Galt Madames Begeisterung nicht in erster Linie den Männern der Revolution?«

Raymond Fer war wie erstarrt.

»Worauf wollen Sie hinaus?«

»Auf das lustvolle Leben, das Madame Staël führt.«

»Mit Klatsch sollten Sie sich nicht befassen«, erwiderte Raymond Fer zurechtweisend. »Es mag sein, daß die Tochter Neckèrs das ist, was man gemeinhin ›mannstoll‹ nennt, aber . . .«

»Kein aber!« unterbrach ihn Madame d'Anviers, der das Gespräch endlich Spaß machte. »Zur Zeit reist Madame Staël mit ihrem Liebhaber Narbonne durch die Lande.«

Philippe tat es mit einem Male leid, die abfällige Bemerkung über die Tochter Neckers gemacht zu haben.

»Was geht uns das Privatleben anderer an?« entgegnete Raymond Fer ohne jede Schärfe. »Wie immer Madame Staël auch veranlagt sein mag, es wäre ungerecht, nur eine ihrer Seiten zu betrachten und nicht zuzugeben, daß sie in geistiger Hinsicht eine außerordentliche Frau ist. Lesen Sie nur ihre ›Lettres sur les écrits et le caractère de J. J. Rousseau‹«, fügte er, an Philippe gewandt, hinzu. »Vermutlich werden Sie die notwendige Kritik vermissen und den Tenor überschwenglich finden, ich bin aber überzeugt, daß Sie mir recht geben, wenn ich sage: Sie hat etwas, von dem man sich wünschte, daß unsere verantwortlichen Männer es besäßen.«

»Ich werde mir die Schrift beschaffen«, erwiderte Philippe, der mit Schrecken erkannte, wie leichtfertig er geurteilt hatte.

»Vielleicht können wir uns dann gelegentlich darüber unterhalten.«

»Sehr gerne«, antwortete Raymond Fer. Irgend etwas fesselte ihn an Philippe, obwohl er ihn im Grunde seines Herzens ablehnte. Menschen, deren Streben ausschließlich der Vermehrung ihres Vermögens galt, waren ihm zuwider. Man müßte versuchen, diesen Börsianer vor den Karren des Volkes zu spannen, ging es ihm durch den Kopf. Dann sähe die Sache wesentlich anders aus.

Philippe sah das forschende Auge des Journalisten und dachte: ein seltsamer Mensch. Er ist mir fremd und nah zugleich.

»Also, Messieurs«, erklärte Madame d'Anviers nachsichtig, »ich sehe, daß ich recht daran tat, Sie zusammenzubringen. Beide verehren Sie geistig hochstehende Frauen, und beide sehen Sie über die Gegenwart hinweg, wenn von der Zukunft die Rede ist. Ich aber möchte jetzt meine Mandelmilch trinken, und ich bitte Sie herzlich, die Gegenwart, zu der ich mich zähle, bis zu meinem Fortgang im Gespräch zu belassen.«

Philippe klatschte Beifall. »Madame, Ihre Lektion stecken wir uns hinter den Spiegel. Nicht wahr, Monsieur?« wandte er sich an Raymond Fer.

Der nickte zustimmend. »Gewiß. Schließlich verehren wir ja, wie hier soeben festgestellt wurde, außergewöhnliche Frauen.«

Madame d'Anviers lächelte geschmeichelt. »Messieurs, Ihre Parade ist bewundernswert!«

Die beiden Männer blinzelten sich verstohlen zu.

Unwillkürlich fragte sich Philippe, ob der Journalist der Geliebte Madame d'Anviers sei. Er konnte es sich nicht vorstellen.

Sein Gegenüber hingegen dachte: Ich muß diesen Menschen für meine Pläne gewinnen. Aber wie?

Gut eine Viertelstunde leistete Hélène d'Anviers ihnen noch Gesellschaft, dann verabschiedete sie sich. Das Gespräch geriet dadurch ins Stocken und kam erst wieder in Gang, als Philippe sich nach den Tagungen der Nationalversammlung erkundigte.

»Sie finden neuerdings in der Reitschule statt«, antwortete Raymond Fer, sichtlich froh, ein Thema gefunden zu haben. »Leider, möchte ich hinzufügen. Die Räume sind dort so groß, daß derjenige, der verstanden werden will, schreien muß. Und bekanntlich redet selten jemand allein. Also schreien dauernd zehn bis zwanzig Abgeordnete durcheinander und hören nicht den Präsidenten, der verzweifelt Ruhe fordert. Darüber amüsiert sich das auf den Galerien hockende Volk, dessen Gejohle den herrschenden Lärm zu einem infernalischen Creszendo steigert. Mirabeau sandte mich deshalb kürzlich nach London, um die Arbeitsweise des englischen Parlamentes zu studieren.«

»Das war gewiß sehr interessant für Sie.«

»Ja, aber auch bedrückend; denn jetzt wissen wir erst, an wieviel Dingen es noch mangelt. Staatsformen wollen erworben sein. Drüben herrscht eiserne Disziplin. Bei uns hingegen sitzt das Volk auf der Galerie und beklatscht oder verhöhnt die Ausführungen der Abgeordneten. Wenn Sie sich den Hexenkessel einmal ansehen würden, machten Sie bestimmt den Vorschlag, der Galerie eine beratende Stimme einzuräumen.«

Philippe lachte. »Sie scheinen mich für einen Sarkasten zu halten.«

Raymond Fer schüttelte den Kopf. »Ich sehe in Ihnen vielmehr einen nüchtern und real denkenden Menschen. Am liebsten würde ich Sie vor einen Wagen spannen, den ich und andere Männer meines Schlages nicht zu ziehen vermögen. Sie würden ihn bestimmt in Schwung bringen.«

Philippe horchte auf. »Und wie heißt das Gefährt?«

»Darüber möchte ich noch nicht sprechen. Es könnte sein, daß es Sie verwirrt, wenn Sie hören, was ich Ihnen zutraue. Aber vielleicht dürfte ich Sie morgen zu einem Bummel durch die Stadt und anschließend zu einem Abendessen mit dem Amerikaner Morris einladen.«

»Morris?« fragte Philippe nachdenklich. »Wer ist das?«

»Ein Abgeordneter des amerikanischen Präsidenten Washington. Seit Monaten antichambriert er in den Vorzimmern unserer Minister. Die Vereinigten Staaten möchten Frankreich mit Waren beliefern, um ihre Schulden aus dem Unabhängigkeitskrieg loszuwerden. Man sollte meinen, wir würden mit beiden Händen zugreifen. Aber nein! Mister Morris rennt gegen Wände an.«

Philippe witterte augenblicklich ungeahnte Chancen und Verdienstmöglichkeiten. »Und was will man liefern?« fragte er wie nebenbei.

Raymond Fer blickte unschlüssig vor sich hin. »Das soll Mister Morris Ihnen selber sagen. Ich möchte nicht vorgreifen, bin aber überzeugt, daß er froh sein wird, Sie kennenzulernen. Umgekehrt dürfte es das gleiche sein. Geschäfte interessieren Sie doch, oder?«

Das Treffen mit dem Amerikaner kam nicht sogleich zustande, da dieser nach England gereist war. Der Journalist bedauerte dies sehr und bemühte sich, die Zeit bis zur Rückkehr des Abgeordneten nicht ungenutzt verstreichen zu lassen. Wann immer es sich einrichten ließ, sprach er bei Philippe vor, und beide stellten mit der Zeit fest, daß sie trotz ihrer Wesensverschiedenheit viele Dinge aus dem gleichen Gesichtswinkel betrachteten und beurteilten. Ohne sich darum zu bemühen, kamen sie sich menschlich näher, und da beide gerne gut aßen und edle Weine schätzten, entwickelte sich bald eine Freundschaft, die nicht vorauszusehen gewesen war.

Einige Wochen gingen so dahin, bis der amerikanische Abgeordnete nach Paris zurückkehrte. Raymond Fer, der den in Aussicht genommenen Bummel durch die Stadt aus taktischen Gründen noch nicht durchgeführt hatte, erinnerte Philippe nun an die Vereinbarung und bewog ihn, den Spaziergang gleich am nächsten Nachmittag mit ihm anzutreten.

Bin gespannt, was er damit bezweckt, dachte Philippe amüsiert.

Pünktlich um drei Uhr holte Raymond ihn am Quai de Bourbon ab und erklärte: »Als erstes werden wir uns den König ansehen, der wie üblich um halb vier in den Anlagen der Tuilerien spazierengehen wird.«

»Wenn du denkst, ich hätte Louis Seize noch nicht gesehen, täuschst du dich«, erwiderte Philippe. »Den Weg können wir uns also ersparen.«

»Du hast versprochen, mir widerspruchslos zu folgen«, entgegnete Raymond bestimmt.

Er ist der netteste aller Narren, ging es Philippe durch den Kopf.

Eine halbe Stunde später änderte er seine Meinung. Der Journalist zeigte ihm einen König, der an einem Teich stand und Fische fütterte. Das Futter entnahm er einer goldenen Schale, die ein Diener hielt.

»Biscuit!« war alles, was Raymond dazu sagte. »Biscuit!«

Und das Volk hungert, dachte Philippe.

Von den Tuilerien gingen sie zum Boulevard des Capucines, wo Raymond Philippe aufforderte, mit ihm in ein chinesisches Bad zu gehen. »Badeanzüge werden zur Verfügung gestellt«, fügte er schnell hinzu, um jeden Widerspruch im Keim zu ersticken.

Da Philippe schon einiges über das Bad gehört hatte, war er gespannt, ob die Erzählungen wirklich der Wahrheit entsprachen.

Eine hinter einer Kasse sitzende Matrone übergab ihnen rotweiß gestreifte Badeanzüge aus Perkal, und ein Badewärter führte sie zu Kabinen, in denen sie sich ausziehen und ihre Kleidung aufhängen konnten. Dann wurden sie – von Lachsalven geschüttelt, die ihre an Sträflingsanzüge erinnernden Badekostüme bei ihnen auslösten – in Einzelbaderäume geleitet, vor deren Tür die Frage: »Mit oder ohne Massage?« an sie gerichtet wurde.

»Mit!« antwortete Philippe, der die Usancen des Hauses nicht kannte.

Sogleich erschien ein junges Bademädchen in seiner Kabine.

»Nein, doch lieber ohne!« korrigierte er sich schnell, woraufhin das Mädchen verschwand und ein schnauzbärtiger Bademeister in den Raum trat.

Nach dem Bad, das nach Tannenwald duftete, sich ansonsten jedoch in nichts von einem normalen Wannenbad unterschied, wurde eine Tasse Bouillon gereicht, mit der man, wie in einem Kurort aus dem Gesundbrunnen heraustretend, seine Badekabine durch eine rückwärtige Tür verließ und in einen Raum gelangte, der mit Lampions, roten Gitterwänden, bunten Bändern und sonstigen Dingen, die man hier für chinesisch hielt, ausgestattet war. Einen komischen Kontrast dazu bildeten die in rotweiß gestreifte Badeanzüge gekleideten Herren der Schöpfung, die sich auf Ruhebetten räkelten und von Mädchen bedienen ließen, die seidene Pluderhosen und orientalische Jäckchen trugen.

In der Mitte des Raumes befand sich ein kaltes Buffet. Hummer, Langusten, Gänsebrust, Leberpasteten, Roastbeef und viele andere Fleischsorten, Sülzen, Saucen und Salate waren dort verführerisch aufgebaut.

Raymond deutete auf die illustre Tafel. »Hast du Lust, etwas zu essen? Wir befinden uns in erlauchter Gesellschaft. Ich sehe den Prince d'Anjou, Duc de Coigny, Marquis d'Escars, Comte Breteuil, Baron Mercy, um nur einige wenige zu nennen.«

»Nein, danke«, antwortete Philippe, der nun wußte, was Raymond mit dem Besuch des Bades bezweckte. Ihm sollte vor Augen geführt werden, in welchem Stile die Aristokratie trotz ihres Sturzes und der im Lande herrschenden Not weiterlebte. Das war ihm freilich ohnehin bekannt gewesen, aber er gestand sich ein, daß Wissen und Erleben zweierlei Dinge sind.

»Noch irgendwohin?« fragte Philippe, als sie das chinesische Bad verlassen hatten und Raymond einen Fiaker herbeiwinkte.

Der Journalist nickte. »Wir fahren jetzt zur anderen Seite der Seine.«

»Und welche Überraschung erwartet mich dort?«

»Das wirst du schon sehen.«

Philippe kletterte kopfschüttelnd in den Wagen.

Raymond nannte eine Straße, die im vornehmsten Viertel von Paris lag. Dann stieg auch er ein und öffnete völlig ungeniert zwei Knöpfe seines Hemdes. »Entschuldige«, sagte er dabei und griff unter das Hemd. »Mein Talisman hat sich verheddert.«

Philippe sah ihn verwundert an. »Du trägst einen Talisman?«

Raymond nickte. »Sogar einen recht ungewöhnlichen. Genaugenommen ist es ein Medaillon mit einem blauen Käfer, der eine runde Scheibe hält. Man behauptet, der Anhänger stamme aus Ägypten.«

»Und warum trägst du ihn?«

Raymond zuckte die Achseln. »Um ehrlich zu sein: weil ich ihn nicht ablegen mag. Meine Mutter hing ihn mir um, als ich noch ein Kind war. Jetzt denke ich, es könnte mir Unglück bringen, wenn ich mich von ihm trenne.«

Nach einer relativ kurzen Fahrt hielt der Wagen vor einer Villa, die in einem prächtigen Garten lag. Ein Lakai eilte herbei, um den Schlag zu öffnen. Der Türsteher stieß das schmiedeeiserne Tor auf und stellte sich in Positur. Auf den Stufen zum Eingang des Hauses erschien ein livrierter Diener.

Philippe sah Raymond fragend an. »Möchtest du mir nicht verraten, wem wir hier unsere Aufwartung machen?«

»Der Marquise de Castelux. Bekannter Name. Weitverzweigte Familie. Sehr geschäftstüchtig. Eigentlich geht man erst zu späterer Stunde hierher.«

»Es wird gespielt?«

»Wie man es nimmt.«

Der Diener verneigte sich. »Darf ich bitten, Messieurs. Die Dame des Hauses erwartet Sie.«

Durch ein Vestibül, in dem die Bildnisse der Ahnen mehrerer Generationen hingen, wurden sie in einen Salon geführt, den weite Flügeltüren mit einer überdachten Terrasse verbanden, auf der mehrere junge Damen in russischen Korbstühlen saßen. Aus einer Nische des Raumes eilte den Eintretenden eine mollige ältere Dame entgegen, deren Bewegungen an einen flatternden Schmetterling erinnerten. Ihr Gesicht war stark gepudert, ihre wie dunkle Kirschen glänzenden Augen aber leuchteten, als wäre sie ein junges Mädchen.

»Messieurs«, begrüßte sie Philippe und Raymond übertrieben lebhaft und schlug die Hände zusammen. »Ich bin entzückt, Sie empfangen zu dürfen.«

Auf der Terrasse erhoben sich einige der geschmackvoll gekleideten Damen und traten in den Salon ein.

»Kommt, kommt!« rief die Marquise und breitete ihre Arme aus.

Der Diener öffnete eine Tür zum Nebenraum, in dem zwanglos verteilt etwa zehn junge Damen in bequemen Sesseln saßen. Wie von unsichtbaren Fäden gelenkt, erhob sich eine nach der anderen und ging auf den Salon zu.

»Jetzt ist es aber genug«, zischte Philippe ungehalten. »Hier spiele ich nicht mit.«

»Denkst du ich?« raunte Raymond zurück und wandte sich an die Patronin des Hauses. »Wir waren noch nicht Ihre Gäste und möchten uns zunächst etwas umschauen.«

»Aber bitte, Messieurs. Das ist doch selbstverständlich. Zumal die Auswahl recht groß ist.«

»Und wie sind die Preise?« fragte Raymond zwar leise, aber doch ungeniert.

Die Marquise betrachtete Philippe abschätzend. »Zwei Louis d'ors. Präsente nach Belieben. Im Falle von Sonderwünschen für jede weitere Partnerin pro Stunde einen Louis d'or. Souper und Getränke werden gesondert berechnet und können im Saal oder auf dem Zimmer serviert werden.«

Philippe betrachtete die Mädchen, die mehr oder weniger verlegen dastanden und gequält lächelten.

»Wir sind im Augenblick konkurrenzlos«, flüsterte die Marquise sichtlich stolz.

»Vielleicht dürfen wir einige der Damen zu einer Limonade einladen«, entgegnete Raymond, der nicht die geringste Unsicherheit zeigte.

»Bitte, die Terrasse steht Ihnen zur Verfügung.« Madame gab ein Zeichen, und wie zufällig begaben sich fünf der jungen Mädchen nach draußen, während die übrigen im Nebenraum verschwanden.

»Bitte, fühlen Sie sich wie zu Hause«, erklärte die Marquise maliziös und ließ die Gesellschaft allein.

Raymond schien alles genau überlegt zu haben. Kaum war das bestellte Getränk serviert, verwickelte er die Mädchen in ein so geschickt geführtes Gespräch, daß Philippe erfuhr, was ihm vermittelt werden sollte. Die Bewohnerinnen des Hauses hatten sich widerspruchslos jedem Mann hinzugeben und erhielten dafür außer der leihweise zur Verfügung gestellten Kleidung und Wäsche gerade soviel Lohn in Naturalien, wie ihre Eltern und Geschwister zum Leben benötigten. Was aus den Mädchen wurde, interessierte die Marquise nicht; Hauptsache, sie scheffelte ein Vermögen in Louis d'or zusammen. Ausschließlich Goldstücke nahm sie in Zahlung.

Philippe steckte den bedauernswerten Geschöpfen unauffällig einige Scheine zu und verließ das Haus, ohne die Marquise noch eines Blickes zu würdigen. Was zu regeln war, überließ er Raymond, der ihm mit hochrotem Gesicht folgte. Offensichtlich war nicht alles ganz reibungslos abgegangen.

»Jetzt möchte ich aber wissen, warum du mich in dieses Haus geführt hast?« erboste sich Philippe.

»Ich wollte dir zeigen, wie es ist, wenn jemand nur an seinen eigenen Vorteil und nicht an diejenigen denkt, die dafür bluten müssen. Tausend Arme machen einen Reichen; das ist eine alte Geschichte. Wie bitter aber muß es für die Armen sein, wenn die Reichen über die Armut ihrer Mitmenschen glatt hinwegsehen.«

Durch mich ist noch niemand arm geworden, dachte Philippe irritiert. Ich nutze keine Menschen aus, sondern verdiene, weil andere weniger geschickt sind und verlieren. Was bezweckt Raymond also mit seinem idiotischen Gang durch Paris? »Laß uns Schluß machen«, entgegnete er unwirsch.

»Wie du willst«, erwiderte der Freund. »Wenn wir die Seine überqueren, kommen wir auf die Rue Saint-Paul, in deren Nähe ich wohne. Vielleicht siehst du dir die Gegend einmal an.«

Philippe wäre am liebsten nach Hause gegangen, aber er hatte Raymond versprochen, ihm bedingungslos zu folgen.

Es dauerte nicht lange, bis sie das um Saint-Paul gelegene Viertel erreichten. Die Straßen waren eng und winkelig, die Menschen zerlumpt und schmutzig. Übler Gestank schlug ihnen entgegen. Notdurft wurde an Häuserwänden verrichtet, Abfall und Unrat aus den Fenstern auf die Straße geworfen. In den Lokalen würfelten armselige Gestalten um Kupfermünzen. Soldaten schacherten mit Dirnen, die ein halbes Brot verlangten. Das war zuviel. Brot gab es auch in den Kasernen kaum noch. Selbst der Sold wurde nicht mehr regelmäßig bezahlt. In Nancy hatte das Regiment Château Vieux bereits die rote Fahne gehißt!

»Warum wohnst du bloß in dieser Gegend?« fragte Philippe, als sie das Marais passiert hatten.

»Damit ich das Elend nicht vergesse«, antwortete Raymond ohne jedes Pathos. »Ich könnte mir heute ein Zimmer in einem besseren Viertel leisten, aber ich habe gesehen, wohin das führt. Meine früheren Freunde leben jetzt drüben.« Er wies in die Richtung von Fauburg Saint-Germain. »Ausgerechnet sie sind es, die das von uns vorhin besuchte Haus in erster Linie frequentieren.«

»Dann müssen sie aber ganz schön viel verdienen.«

Raymonds Gesicht verdunkelte sich. »Verdienen? Sie bekommen ihr Geld von Großgrundbesitzern, denen man eine Entschädigung für die Enteignung ihrer Güter zusicherte. In England, wo man die Sklaverei abschaffen will, überlegt man sich jetzt schon, welche finanzielle Unterstützung man Pflanzern geben muß, die sich bereit erklären, Sklaven als Arbeiter anzustellen, um so dafür zu sorgen, daß die Produktion nicht ins Stocken gerät. Bei uns hingegen wirft man einigen wenigen Riesenbeträge in den Rachen. Die Folge: stillgelegte Güter und arbeitslose Menschen. Es geht bergab anstatt bergauf. Ich sehe den Tag schon kommen, an dem ein Orkan über unser Land hinwegfegt.«

»Was beweist, daß eine Revolution nur in dem Maße gelingt, in dem sie vorbereitet wird«, entgegnete Philippe abfällig.

Raymond tat die Bemerkung mit einer Handbewegung ab. »Was heißt hier: vorbereitet wird? Gesinnungen machen Revolutionen! Der Geist unserer Philosophen breitete sich zunächst in der französischen Akademie aus und eroberte sich später über Bücher und Zeitschriften das Bürgertum sowie das Volk. Als dieses aber den Klassenkampf entfesselte, brach die bürgerliche Ideologie von Freiheit und Gleichheit zusammen. Alles lief anders, als es sollte. Unsere Philosophen wünschten keinen allgemeinen Umsturz. Ihnen lag es am Herzen, das Königtum zu stärken und ihm die Kirche zu unterwerfen.«

»Sie mögen die Revolution nicht gewollt haben«, warf Philippe ein, »haben sie aber gemacht!«

»Das ist richtig«, bestätigte Raymond. »Die himmelschreiende Unordnung der öffentlichen Finanzen und die Unfähigkeit der Regierung, die Krise einzudämmen, müssen jedoch zu den entscheidenden Ursachen hinzugezählt werden. Frankreichs Bürger waren Gläubiger eines Staates geworden, der sein Geld zugunsten des Hofes und der Privilegierten verschleuderte. Zu einem solchen Schuldner hat niemand Vertrauen. Aufgabe der Regierung wäre es gewesen, den Raubbau an öffentlichen Geldern zu unterbinden und jene nationale Vertretung zu organisieren, die das Volk verlangte. Um die Revolution zu vermeiden, hätte man sie selber machen müssen. Da man das nicht tat, brach sie aus, und wir steuern nun dem Zeitpunkt entgegen, da sich die Spannungen der Welt, in der wir leben, mit ideologischen Forderungen zu einem furchtbaren Gemisch verbinden.«

Raymonds Worte beeindruckten Philippe und beschäftigten ihn noch, als sie das Palais Royal erreichten, wohin der Freund den amerikanischen Abgeordneten zum Abendessen gebeten hatte. »Jetzt erklär mir nur eins«, sagte Philippe, als sie auf die Drehtür des in der ersten Etage gelegenen Restaurants zu gingen. »Wir werden gleich ausgezeichnet essen und trinken, nicht wahr?«

»Höchstwahrscheinlich.«

»Dann möchte ich wissen, inwiefern wir uns anders verhalten als die Menschen, die du mir heute vorgeführt hast?«

»Was mich betrifft, ist der Unterschied groß«, antwortete Raymond, ohne zu zögern. »Im Gegensatz zu jenen bin ich mir des Elends um mich herum bewußt. Und was dich anbelangt, da möchte ich glauben, daß du dein Glück in Zukunft nicht mehr so ungetrübt genießen beziehungsweise als selbstverständlich hinnehmen wirst wie bisher.«

»War es das, was du erreichen wolltest?«

»Ja.«

»Und was hat der Amerikaner mit der ganzen Geschichte zu tun?«

Raymond schob Philippe auf die Drehtür zu. »Das wirst du schon merken.«

Das Restaurant gehörte zu den vornehmsten von Paris und war in seiner Art richtungweisend geworden. Man saß auf roten Plüschbänken unter goldgerahmten Spiegeln an Tischen, die so angeordnet waren, daß Wägelchen mit Horsd'œuvres, Salaten und Patisserien ebenso herangeschoben werden konnten wie die ›Voiture‹, unter deren gewölbter Haube aus getriebenem Silber eine gesottene Rindslende auf der richtigen Temperatur gehalten wurde. Die sich lautlos bewegenden Kellner servierten nicht, sondern zelebrierten die heilige Handlung des Servierens. Ein Kellermeister kredenzte die Weine, als übe er ein sakrales Amt aus, und der ganz in Weiß gekleidete Koch, der das Fleisch höchstpersönlich vorlegte, glich mit seiner hohen Kopfbedeckung einem erhabenen Priester des Alten Testaments.

Der Amerikaner saß bereits im Speiseraum, als Philippe und Raymond eintraten. Er erhob sich und ging ihnen mit ungelenken Bewegungen entgegen. Sein ausgeprägtes Gesicht täuschte über seine kleine Statur hinweg und ließ vergessen, daß er ein Holzbein hatte. »Morris«, stellte er sich, an Philippe gewandt, vor.

»de Tessé.«

»Es freut mich, Sie kennenzulernen.«

»Die Ehre ist auf meiner Seite, Monsieur.«

In den stahlblauen Augen des Amerikaners lag ein Lächeln. »Genug der Formalitäten.«

Raymond begrüßte ihn wie einen alten Freund. »Schön, Sie wieder einmal zu treffen.«

»Ja, das freut mich auch«, entgegnete Mister Morris. »Besonders nach der Andeutung, die Sie machten. Heute morgen mußte ich mir doch tatsächlich Einmischung in Staatsgeschäfte vorwerfen lassen.«

Die Backenknochen des Journalisten traten kantig hervor. »Wer hat sich diese Frechheit erlaubt?«

Der Amerikaner machte eine wegwerfende Bewegung.

Man nahm Platz, und der Oberkellner trat an den Tisch heran, um die Wünsche entgegenzunehmen. Ihm folgte der Kellermeister, der einige Vorschläge unterbreitete und nicht mit der Wimper zuckte, als Mister Morris für sich nur um kaltes Wasser bat. Er hatte schon Lords erlebt, die zum Essen Wasser tranken.

»Ich habe meinem Freund noch nicht gesagt, in welcher Angelegenheit Sie hier gegen Wände anrennen«, nahm Raymond das Gespräch wieder auf, nachdem sie bestellt hatten. »Bitte, informieren Sie ihn selber.«

Der Abgeordnete der Vereinigten Staaten nahm von dem vor ihm liegenden Besteck das Messer in die Hand. »Unsere Regierung möchte die Schulden, die wir während des Unabhängigkeitskrieges in Frankreich gemacht haben, so schnell wie möglich tilgen. Uns steht jedoch kein Geld zur Verfügung, und Präsident Washington beauftragte mich, den Vorschlag zu unterbreiten, unsere Verpflichtung durch die Lieferung von Landesprodukten abzudecken. Getreide, Tabak und Salzfleisch stehen in ausreichendem Maße zur Verfügung. Aber man lehnt ab. Man brauche Geld, sagt man mir. Keine Waren. Außerdem sei Tabak nicht von Interesse. Das will ich gelten lassen. Salzfleisch könne man nicht abnehmen, weil Irland dies liefere und dafür Bordeauxweine beziehe. Well, das ist eine Begründung, die stichhaltig wäre, wenn das Volk hier nicht hungern würde.«

»Und was sagt man wegen des Getreides?« fragte Philippe gespannt.

»Für Lieferungen dieser Art sei einzig und allein Minister Neck-èr zuständig. Der aber empfängt mich nicht!«

Philippes Augen brannten. »Sie werden wissen, warum. Wenn Amerika Getreide liefert, verliert Neck-èrs Hort seinen Wert. Für Mehl wird zur Zeit der vierzig- bis fünfzigfache Preis gezahlt.«

»Dazu kann ich mich nicht äußern«, entgegnete Mister Morris steif. »Ich weiß nur, daß ich von Minister Neck-èr nicht empfangen werde, obwohl sich unser Gesandter seit Wochen intensiv darum bemüht.«

»Und unserem Volk kracht der Magen!« knurrte Raymond böse.

»Zum Teufel, warum ändern wir das nicht?« erboste sich Philippe.

»Wie könnte man das?« fragte Mister Morris erwartungsvoll, da Raymond ihm den Reichtum des Börsianers als geradezu sagenhaft geschildert hatte.

»Verkaufen Sie *mir* Ihre Ware. Mit dem Erlös decken Sie die Schulden Ihrer Regierung, und unserem Volk ist geholfen.«

Der Amerikaner blieb zurückhaltend. »Ein großartiger Gedanke, der Ihnen ein Vermögen einbringen wird. Oder gedenken Sie zum Erwerbspreis zu verkaufen?«

»Natürlich nicht.«

Raymond wurde unruhig. »Was würdest du aufschlagen?«

Philippe grinste. »Darüber reden wir später. Zunächst einmal möchte ich erfahren, wieviel Geld investiert werden müßte.«

Mister Morris ließ das Messer, mit dem er spielte, wie das Pendel eines Metronoms hin und her schwingen. »Bei einer Ladung von drei Schiffen schätze ich neun bis zehn Millionen Livres.«

»Wieviel?« fragte Philippe entsetzt. »Neun bis zehn Millionen . . .?«

»Grob geschätzt.«

»Das ist allerdings wesentlich mehr, als ich vermutete.«

Raymond sah ihn entgeistert an. Sein als Spekulationsgenie

bekannter Freund zuckte bei neun bis zehn Millionen Livres zusammen?

In Philippes Kopf wirbelten Zahlen durcheinander. Wenn er die ihm zum Kauf von Kirchengütern zur Verfügung gestellten sieben Millionen nahm . . . Aber das ging nicht. Die Banken hatten ihm ihre Kredite unter der Bedingung eingeräumt, ausschließlich Grundstücke zu erwerben und diese stets sogleich sicherheitsübereignen zu lassen. Er konnte allenfalls die drei Millionen von der Herzogin in die Waagschale werfen. »Warum gleich mehrere Schiffe?« fragte er, in der Hoffnung, in das Geschäft doch noch einsteigen zu können. »Lassen Sie uns mit einem anfangen!«

»Das geht nicht«, antwortete der Amerikaner. »Die Unkosten für das Heranschaffen der Ware und Beladen eines einzelnen Seglers wären zu groß.«

Philippe fuhr sich über die Stirn.

Raymond schüttelte den Kopf. »Und ich habe geglaubt, du könntest die Summe ohne weiteres aufbringen.«

»Nur ein Narr ist so naiv, zu denken, daß ein einzelner Mensch über einen derartigen Betrag frei verfügen kann«, erwiderte Philippe verärgert.

Morris legte dem Journalisten die Hand auf den Arm. »Was habe ich Ihnen gesagt!«

»An der Börse ist man aber davon überzeugt, daß zehn Millionen kein Betrag für ihn sind«, ereiferte sich Raymond. »Zwanzig, hat man mir gesagt, zwanzig Millionen macht der Mann mit der ›glühenden Wange‹ jederzeit locker!«

»Du warst an der Börse?«

»Ja, ich wollte wissen . . .«

Philippe lachte schallend. »Mon Dieu, wie kann ein vernünftiger Mensch nur so naiv sein.«

Der Journalist zuckte die Achseln.

Erst in diesem Augenblick wurde Philippe sich bewußt, wie man ihn an der Börse nannte. Der Mann mit der ›glühenden Wange‹? Und man hielt ihn für fähig, zwanzig Millionen auf die Beine zu bringen? Das war eine Verpflichtung! Er mußte die Sache nochmals überdenken. Zehn Millionen müßten wirklich zu beschaffen sein. Wenn er die Grundstücke, die er mit dem

Kapital der Herzogin kaufen wollte, gleich wieder belieh, standen ihm erneut drei Millionen zur Verfügung. Und die konnte er beim Genfer Bankier Panchard deponieren, der sich auf Louis Seize stützte wie Necker auf das Volk. Von Panchard ließ sich ein Bogen nach Wien spannen, wo Leopold II., der Bruder Marie Antoinettes, daran interessiert sein mußte, daß die Verhältnisse in Frankreich keiner Katastrophe entgegendrängten. »Vielleicht kann ich die erforderliche Summe doch aufbringen«, sagte er, während er sich in Gedanken noch mit diplomatischen Schachzügen beschäftigte.

Raymonds Gesicht erhellte sich. »Ich hab's gewußt. Du wirst es schaffen. Und das Volk wird dir danken. Treffen Sie ruhig schon Ihre Vorbereitungen, Mister Morris. Die Ladung von drei Schiffen wird übernommen.«

Philippe schüttelte den Kopf. »Dein Vertrauen zu mir scheint unbegrenzt zu sein.«

»Zumindest in punkto Geld.«

»Ich wollte, du ahntest, was ich unternehmen und riskieren muß, um in dieses Geschäft einsteigen zu können.«

»Das möchte ich gar nicht wissen«, erwiderte Raymond treuherzig. »Hauptsache, es kommt zustande.«

Für Philippe begannen anstrengende Tage und Wochen, aber er schaffte, was er sich in den Kopf gesetzt hatte. Bereits nach zwei Monaten kam es zwischen ihm und Mister Morris zu einem Vertrag, demzufolge er Getreide, Tabak und Salzfleisch im Werte von neun Millionen Livres erwarb und sich verpflichtete, anfallende Einfuhrgebühren selbst zu übernehmen. Über den zu erwartenden Gewinn schwieg er. Er hatte nicht die Absicht, die Not der Menschen in ungebührlicher Weise auszunutzen, dachte aber auch nicht daran, sich als Philanthrop zu betätigen. Einige Millionen mußten schon hängenbleiben. Schließlich trug er das Risiko des Geschäftes.

Auf dem Grundstücksmarkt entwickelten sich die Dinge ebenfalls zu seiner vollen Zufriedenheit. Die Gemeinden, die zum Teil schon so verarmt waren, daß sie Notgeld drucken lassen mußten, verkauften Liegenschaften aus dem Kirchenvermögen zu Preisen, die höchstens ein Fünftel ihres reellen Wertes ausmachten. Und der Staat kam nicht daran vorbei, neue Assignaten auszugeben. Der Erstausgabe von vierhundert Millionen folgten weitere achthundert Millionen und dann nochmals sechshundert Millionen Livres, wobei Mirabeau, der das Papiergeld zwar verdammte und es eine schleichende Pest nannte, die neuen Ausgaben befürwortete, um Necker endgültig zu stürzen. Persönliche und politische Gesichtspunkte rangierten vor ökonomischen, und das leidende Frankreich mußte zu allem Überfluß auch noch die Pein einer Inflation ertragen.

Philippe hatte die Entwicklung richtig vorausgesehen und brauchte nur noch zu warten, bis das Geld nichts mehr wert war. Der Erlös aus dem Verkauf eines einzigen Grundstückes setzte ihn dann in die Lage, die geliehenen Gelder zurückzuzahlen.

Zufrieden aber war er nicht. Isabelle und die Kinder fehlten ihm in einem Maße, wie er es nie für möglich gehalten hätte. Wenn er durch seine still gewordene Villa schritt, sehnte er herbei, was ihn früher manchmal gestört hatte: den Lärm der Kinder.

»Ich habe mich entschlossen, meine Frau zurückzuholen«, sagte er eines Abends zu Raymond, mit dem er sich in jenen Tagen oft im Café Bérgère traf. »Ohne Isabelle halte ich es einfach nicht mehr aus. Und ob du es mir glaubst oder nicht: ich, der ich mich nie sonderlich um meine Kinder gekümmert habe, sehne mich mit einem Male nach ihnen. Ich befürchte bloß, daß meine Frau weiterhin da draußen bleiben will.«

»Du mußt ihr sagen, daß Lafayettes Nationalgarde das Leben in Paris heute sicherer macht, als es auf dem Lande sein kann.«

Philippe sah seinen Freund bittend an. »Willst du ihr das nicht erzählen?«

»Ich soll mitkommen?«

»Ja. An dir hat sie einen Narren gefressen. Bei meinem letzten Besuch habe ich ihr alles, aber auch alles von dir erzählen müssen!«

»Unseren Besuch in dem galanten Haus hast du hoffentlich verschwiegen.«

Philippe lachte. »Im Gegenteil! Ich habe ihr die Geschichte zunächst so erzählt, als hättest du mich verführen wollen.«

»Und das hat sie dir abgenommen?«

»Leider nicht. Du bist ja ihr Retter aus höchster Not!«

»Komm, übertreib nicht.«

»Nein wirklich! Was du sagst, ist das Evangelium. Ganz besonders, seit sie weiß, daß du dich bemühst, meine Profitgier in den Dienst des Volkes zu stellen. Komm also mit und hilf mir, Isabelle umzustimmen.«

Raymond zierte sich nicht lange, und so fuhren sie am nächsten Morgen in einer gemieteten Berline nach Rouen, wo Isabelle heimlich einen Juchzer tat, als sie Philippe in Begleitung seines neuen Freundes vor der Jagdhütte aus dem Wagen steigen sah. Wie ein junges Mädchen stürzte sie nach draußen, umarmte und küßte ihren Mann und gab schließlich auch Raymond einen Kuß.

»Zum Dank dafür, daß Sie mir seinerzeit so entscheidend geholfen haben«, sagte sie und konnte es nicht verhindern, daß das Blut ihr in den Kopf stieg.

Raymond sah es und wurde verlegen.

Philippe hingegen dachte: Ich werde ihr nie sagen können, daß ich sie betrogen habe.

Die herbeieilenden Kinder lenkten seine Gedanken in eine andere Richtung.

»Du bist ja noch größer geworden!« rief er dem fünfjährigen François entgegen und breitete die Arme aus, um ihn darin aufzufangen.

Der Junge rannte in sie hinein und umklammerte seinen Vater, als wollte er ihn nie wieder loslassen.

»Und wer kommt denn da so schnell gelaufen?« rief Philippe der kleinen Barbe zu, die einer pausbäckigen Puppe glich und sich gicksend in seine Arme fallen ließ.

Philippe wird nie erfassen, welches Glück er hat, dachte Raymond. Er war allein und hätte gerne Frau und Kinder gehabt, doch das Leben hatte es anders gewollt. Tag und Nacht hatte er geschuftet, um Hélène, seiner gleich ihm aus ärmlichen Verhältnissen stammenden Jugendliebe, ein besseres Leben bieten zu können. Dann aber war ein Greis gekommen, dessen geistige Fähigkeit sich umgekehrt proportional zur Größe seiner Besitzung verhielt. Hélène fiel es nicht schwer, den alten Herrn zur Heirat zu bewegen und ihn so zu betrügen, daß er an einem Duell nicht vorbeikam.

»Ich bin sehr glücklich, daß Sie mitgekommen sind«, sagte Isabelle, an Raymond gewandt, als dieser die Kinder beobachtete, die wie Kletten an ihrem Vater hingen.

»Hoffentlich bleiben Sie dieser Auffassung«, entgegnete er hintergründig. »Philippe möchte Sie nämlich nach Paris entführen, und er erteilte mir den Auftrag, Sie davon zu überzeugen, daß es in der Stadt zur Zeit sicherer als auf dem Lande ist.«

»Er will, daß ich zurückkomme? O Philippe!« rief Isabelle, lief auf ihn zu und umarmte ihn und die Kinder. »Noch heute folge ich dir nach Paris. Ich bin des Alleinseins schon lange müde.«

»Und was ist mit deiner Schwärmerei für Rousseau?«

Sie küßte ihn.

Isabelles Rückkehr fiel in eine denkbar ungünstige Zeit. Schon wenige Tage nach ihrem erneuten Einzug in die Pariser Villa erschien außer Atem ein Bote, der Philippe bat, unverzüglich die Herzogin von Orléans aufzusuchen.

Isabelle wurde sogleich wieder nervös, doch Philippe beruhigte sie und versicherte ihr, in aller Kürze zurück zu sein.

Das war er auch, aber in einem Zustand höchster Erregung. Der König und die Königin planten, am 20. Juni, also in vier Tagen, das Land zu verlassen. Eine Baronin von Korff, die in Wirklichkeit Sullivan hieß und Engländerin war, hatte einen geeigneten Wagen beschafft und ihn durch den Schweden Axel von Fersen* nach Paris bringen lassen. Die Duchesse verbürgte sich für die Richtigkeit der Meldung, die ihr, wie sie sagte, von einer bestochenen Vertrauensperson der ›Österreicherin‹ übermittelt worden sei.

Philippe vermutete, daß der Herzog von Orléans die Flucht begünstigte, wenn nicht gar betrieb, um selbst auf den Thron zu gelangen. Auf jeden Fall verhinderte er sie nicht, obwohl er

---

* Axel von Fersen handelte im Auftrage des schwedischen Königs Gustav III., der seinem ›Bruder auf dem Thron‹ durch einen ergebenen Offizier helfen wollte. Umstritten ist, ob von Fersen ein Geliebter der Königin war.

wissen mußte, welche Gefahr damit für das Land heraufbeschworen wurde.

Auch Philippe, der klar erkannte, wohin eine Flucht des Herrscherpaares führen mußte, unternahm nichts, um den verhängnisvollen Entschluß durch eine Indiskretion zu vereiteln. Er hätte Raymond nur einen Hinweis zu geben brauchen, und der aufrechte Journalist, der sich eine konstitutionelle Monarchie wünschte, würde sofort alle Hebel in Bewegung gesetzt haben, um die Durchführung des Planes unmöglich zu machen. Statt dessen jonglierte Philippe mit Zahlen und begann bereits am nächsten Morgen mit dem Verkauf von Wertpapieren, den er in den beiden folgenden Tagen behutsam steigerte, so daß die Kurse nicht allzusehr und überstürzt sanken. Am 20. Juni stieß er dann plötzlich so viel ab, daß es zu gewaltigen Kurseinbrüchen kam, er selbst jedoch noch relativ gute Erlöse erzielte. Dann wartete er in aller Ruhe den darauffolgenden Tag ab, der so verlief, wie es vorauszusehen gewesen war. Die Flucht des Königs wurde entdeckt. Kanonenschüsse riefen die Abgeordneten zusammen. An der Börse schlug die Nachricht wie eine Bombe ein und ließ den Kurswert der Papiere binnen weniger Minuten von hundertzwanzig auf dreißig sinken.

Das Pariser Volk geriet außer sich. Es stürmte den Palast ›Les Tuileries‹ und plünderte ohne Sinn und Verstand. Freudenmädchen wälzten sich im Bett der Königin. Männer balgten sich um den Thron des Regenten. Hunderte von Weibern tanzten in den Gewändern Marie Antoinettes auf den Straßen und sangen bis in die Nacht hinein: »Ahhh . . . – Ça ira, ça ira, ça ira! Les aristocrates à la lanterne*!«

Inmitten des sich von Stunde zu Stunde steigernden Aufruhres erschien Raymond mit einer so unbekümmerten Miene bei Isabelle, daß diese sofort alle Furcht verlor. Der wahre Grund seines Kommens war jedoch Philippes Börsenspekulation. Er wünschte Klarheit über seinen Freund zu gewinnen. Philippe aber war nicht da und kam erst am späten Abend nach Hause.

»Du warst über die Flucht informiert!« fuhr Raymond ihn an, als Isabelle für einen Augenblick den Raum verließ.

---

* Sinngemäß: »Ja, es wird gehen! Hängt die Aristokraten an die Laterne!«

»Ich kann den Blödsinn nicht mehr hören«, brauste Philippe auf. »Wohl zwanzigmal wurde mir das heute schon unterstellt. Dabei habe ich lediglich die richtige Nase gehabt. Wie schon so oft zuvor. Bislang kam niemand auf die Idee, zu behaupten, daß ich in Fällen, in denen ich erfolgreich spekulierte, Geheimtips von irgend jemandem erhalten hätte. Warum also jetzt? Ich habe einfach gespürt, daß etwas in der Luft lag. Das ist alles.«

Raymond wurde unsicher.

»Und du solltest froh darüber sein«, fuhr Philippe mit Nachdruck fort. »Schließlich weißt du genau, welche Summe ich zusammenkratzen muß, um die bei Mister Morris in Auftrag gegebene Ware übernehmen zu können. Wenn ich nicht höllisch aufpasse, wird nichts aus deinem Plan, etwas für das Volk zu tun. Verteidige mich also, anstatt mich zu attackieren!«

Philippes Worte erschienen dem in Geldgeschäften unerfahrenen Journalisten so plausibel, daß er schnell um Entschuldigung bat und sich leichten Herzens verabschiedete.

Keiner von beiden ahnte, daß zur gleichen Stunde in Sainte-Menehould, einer kleinen Ortschaft nahe der Grenze zwischen Frankreich und den österreichischen Niederlanden, der Sohn des Postmeisters Drouet in das Rad der Geschichte greifen würde. Er erkannte den dickbäuchigen König, als dieser während des Pferdewechsels seine Kutsche verließ, um sich ein wenig die Beine zu vertreten. Ohne lange zu überlegen, folgte Drouet dem königlichen Wagen bis Varennes, schlug dort Alarm und erreichte, daß die Tore der Stadt verbarrikadiert wurden, so daß niemand hinaus, aber auch keiner herein kommen und Louis Seize beistehen konnte. Dann verständigte er die Nationalgarde, die nun die traurige Pflicht hatte, den König zurückführen zu müssen.

Die Bürger von Paris empfingen Ludwig XVI. und Marie Antoinette mit unflätigen Worten und Schmährufen; an keiner Stelle aber wurden sie handgreiflich. Wie es weitergehen sollte, wußte allerdings niemand. Die Freunde der Konstitution hatten den Mut verloren, Royalisten wagten sich kaum noch zu zeigen, der Adel wanderte in immer größeren Scharen aus, und es mehrte sich ebenfalls die Zahl der Bürgerlichen, die ihre Zuflucht im Ausland suchten.

Auch Isabelle flehte Philippe an, mit ihr und den Kindern in die Schweiz oder nach Italien zu gehen. Doch davon wollte er nichts wissen.

»Wenn wir fliehen, bin ich alle Grundstücke los«, erklärte er mit Nachdruck. »Ich kann mir nicht denken, daß du das möchtest.«

»Natürlich nicht«, antwortete sie einlenkend. »Aber was nützen uns Grundstücke, wenn wir um unser Leben bangen müssen?«

Er machte eine wegwerfende Handbewegung. »Glaub doch nicht alles, was erzählt wird. Erinnere dich lieber an das, was ich in Amerika bestellt habe, um dem Volk zu dienen. Man wird sich hüten, uns anzutasten.«

Davon war Philippe allerdings nicht restlos überzeugt; denn er bezweifelte, daß die Vereinigten Staaten unter den gegebenen Umständen überhaupt noch liefern würden. Der Wert des Livres war so gefallen, daß Amerika seinen Interessen zuwiderhandelte, wenn es gute Ware für wertlos gewordenes Geld lieferte, das er der französischen Regierung unter den gegebenen Umständen auch schlecht anbieten konnte.

Tatsächlich erschien Mister Morris eines Tages bei Philippe und erklärte ihm, sich zu seinem Bedauern gezwungen zu sehen, den Auftrag annullieren zu müssen. »Unser Land . . .«

Philippe unterbrach ihn auf der Stelle. »Keine Ausflüchte! Ich kann selber rechnen und würde ebenfalls nicht liefern, wenn ich an Ihrer Stelle wäre. Eine Bitte müssen Sie mir aber gewähren: Raymond Fer darf nicht erfahren, daß aus der Lieferung nichts wird. Die Enttäuschung möchte ich ihm ersparen. Vertrösten Sie ihn mit technischen Schwierigkeiten, Unwetterkatastrophen und dergleichen. Er soll glauben, daß die Ware kommt.«

Hätte Philippe gewußt, daß Louis Seize, der nach seinem Fluchtversuch einen feierlichen Eid auf die Verfassung abgelegt hatte, erneut mit europäischen Herrscherhäusern korrespondierte und diese um Hilfestellung bat, dann würde er sich weniger Sorge um seinen Freund und mehr Gedanken um die Zukunft seiner Familie gemacht haben. Denn wohin sollte es führen, wenn der König das Ausland aufforderte, in die inneren Auseinandersetzungen seines Landes einzugreifen? Das Volk, das noch nicht gelernt hatte, mit der mühsam erkämpften Freiheit umzugehen, mußte in Raserei verfallen, wenn bekannt wurde, daß sein eigenes Staatsoberhaupt andere Nationen aufforderte, in Frankreich einzufallen und das Rad der Geschichte zurückzudrehen.

Schwierigkeiten gab es ohnehin genug. Geistliche, die den Eid auf die Verfassung leisteten, wurden von Pius VI. exkommuniziert. Im Gegenzug verleibte sich Frankreich die päpstliche Enklave Avignon ein. Das Volk verjagte den Legaten, doch der kehrte mit Waffengewalt zurück. Von beiden Seiten wurde die Bevölkerung nun so weit aufgehetzt, daß die päpstlich-aristokratischen Gläubigen sich nicht scheuten, den Patrioten L'Excuyer, der sich für die Einverleibung der Enklave ausgesprochen hatte, während der Messe mit Taschenmessern und Scheren umzubringen. Daraufhin brach das Volk in die Häuser des Hochadels ein und erschlug hundertdreißig von ihnen.

Überall kam es zu Zusammenstößen und Kämpfen. Städter wüteten gegen Bauern, die der Kirche treu geblieben waren. Verwüstete Felder waren die Folge. Priester, die sich geweigert hatten, ihren Eid auf die Verfassung zu leisten, hetzten Gläubige gegen die Regierung auf. Der König schrieb unverantwortliche Briefe nach England, Schweden, Österreich und Deutschland. Die Gegenrevolution war in vollem Gange.

In dieser Phase mußte das Bekanntwerden eines Abkommens, das europäische Herrscher zur Bekämpfung der Französischen Revolution abgeschlossen hatten, eine verheerende Wirkung haben. Kaiser Leopold II. von Österreich und König Friedrich Wilhelm II. von Preußen waren übereingekommen, in Frankreich einzuschreiten.

Das Volk war nicht mehr zu halten. »Aux armes!« schrien jung und alt. »Zu den Waffen! Das Vaterland ist in Gefahr!«

Über Nacht marschierten Tausende und aber Tausende von Freiwilligen nach Paris. Allein in Marseille brachen fünfhundert junge Männer auf, die während ihres achtundzwanzigtägigen Marsches immer wieder eine Melodie sangen, deren Text und Rhythmus den Franzosen wie Wein ins Blut ging: die Marseillaise!

Sogar Louis Seize gab sich plötzlich als glühender Patriot. Er erreichte damit aber nur, daß Tausende von bewaffneten Sansculotten* in die Tuilerien eindrangen und ihn zwangen, den Bonnet rouge, die zum Symbol des Aufstandes gewordene rote Galeerensträflingsmütze, aufzusetzen. Damit war das Königtum zur Farce geworden.

Lafayette, der den Auftrag erhalten hatte, die niederländische Grenze zu verteidigen, erkannte dies mit Schrecken. Er eilte sogleich nach Paris, um den Thron zu stützen.

Jetzt wird es gefährlich«, sagte Raymond zu Philippe, als er von Lafayettes Eigenmächtigkeit erfuhr. »Die Legislative wird ihm den Befehl erteilen, unverzüglich zur Armee zurückzukehren, und was er dann macht, steht für mich außer Frage.«

»Nämlich?«

»Er wird zu denen überlaufen, die sich anschicken, die Monarchie in unserem Lande zu retten.«

Philippe überlegte blitzschnell, welche Folgen ein solcher Schritt an der Börse haben würde. Im Land konnte es nur einen Sturm der Empörung geben, und das bedeutete fallende Kurse. Sollte er erneut alle Papiere verkaufen, die er noch vor Bekanntwerden der mißlungenen Flucht des Königs zu Spottkursen zurückerworben hatte? Vielleicht war es besser, wenn er es nicht tat und sich für eine Weile ruhig verhielt. Seine letzte erfolgreiche Spekulation hatte ihm zuviel Feinde eingebracht. Auch sah er keine Möglichkeit, das Geld, das immer rapider seinen Wert verlor, schnell wieder anzulegen.

Seinen Entschluß, aus Vernunftgründen nicht zu tun, was er im Prinzip für richtig erachtete, sollte Philippe sehr bald bereuen. Es trat ein, was Raymond befürchtet hatte. Lafayette lief zu den Österreichern über, und, ermutigt durch sein Verhalten, erließ der Oberbefehlshaber der Alliierten, der Herzog von Braunschweig, ein Manifest, in dem das Ziel des Feldzuges nicht mehr verbrämt, sondern klar umrissen wurde: die Wiederherstellung der Autorität des entmachteten Louis Seize und die Bestrafung aller Personen, die sich gegen die Königsgewalt aufgelehnt hatten.

* Sans-culottes = ohne Culotten, wie die französischen Kniehosen der höheren Stände gegenüber den langen Hosen (Pantalons) des Volkes genannt wurden.

Das französische Volk geriet in eine noch nicht dagewesene Raserei. Unter dem Klang der Sturmglocken wurden die Tuilerien gestürmt, die Schweizer Garde niedergemetzelt und der König, der wegen seiner Abstammung aus dem Hause der Capétiens nur noch Louis Capet genannt wurde, mitsamt seiner Familie in das Staatsgefängnis *Le Temple* abtransportiert. Und dann befahlen Marat und Danton Massenverhaftungen, denen ein pausenloses Morden folgte. Die Laternen reichten nicht aus, um alle Adeligen und Bürger, die mit dem Herrscherhaus sympathisiert hatten, aufzuknüpfen. Auch wünschte man sich dramatischere Effekte, und diesen Umstand machte sich der Arzt Dr. Guillotin zunutze. Er trachtete danach, die Leiden der Opfer zu verkürzen, und so schlug er eine Köpfmaschine vor, bei der ein herabsausendes Beil die zum Tode Verurteilten im Bruchteil einer Sekunde enthaupten sollte. Ein deutscher Mechaniker baute den Apparat, und von Stund an galten Hinrichtungen als Volksschauspiele allererster Ranges. Man balgte sich um die Plätze nahe der Tribüne, um den Aristokraten so richtig in die Augen schauen zu können. Unglaublich erregend war es, wenn das schräggeschnittene Beil herniedersauste, der Halswirbel durchschlagen wurde und der Kopf in den bereitgestellten Korb fiel.

Selbst Philippe, der nicht leicht zu erschüttern war, kamen in diesen Tagen erhebliche Bedenken gegen ein weiteres Verbleiben in der Stadt. Zwar brauchte er die Ratsmitglieder des Bezirkes Ile Saint-Louis nicht zu fürchten; sie waren längst von ihm bestochen. Absolut sicher aber konnte er nicht sein. Es gab sechzig Stadtbezirke, die sich als autonom betrachteten und gegenseitig bespitzelten. Jeder von ihnen nahm Denunziationen entgegen und verhaftete nach eigenem Gutdünken. Da konnte es leicht passieren, daß der Kommissar des Bezirks Oratoire seine Häscher zur Ile Saint-Louis schickte, um jemanden zu rächen, der an der Börse Geld verloren hatte.

Isabelle flehte Philippe an, mit ihr und den Kindern in die Schweiz zu fliehen, doch er beharrte darauf, daß der gegenwärtige Zeitpunkt zu gefährlich sei. Der wahre Grund war freilich ein anderer. Er, das große Finanzgenie, verfügte nicht über die nötigen Mittel, um sich im Ausland niederlassen zu können.

490

Was er besaß, hatte er in Grundstücken und Aktien angelegt. Felder und Wälder aber ließen sich nicht mitnehmen, und die von ihm erworbenen Wertpapiere wurden nur in Frankreich gehandelt. Verkaufen konnte er sie nicht; die Börse war geschlossen. Seine Profitgier hatte ihn bewegungsunfähig gemacht. Er war sein eigener Gefangener geworden.

Isabelle glaubte den Verstand zu verlieren. Sie begriff nicht, daß Philippe sich hartnäckig sträubte, das Land zu verlassen. Völlig verstört lief sie umher. Wenn ihre Kinder nicht gewesen wären, würde sie sich in die Seine gestürzt haben.

Raymond erkannte Isabelles gefährliche Verfassung, und er beschwor Philippe, seine Familie ins Ausland zu bringen. »Wenn du dich jetzt nicht auf den Weg machst, wird Isabelle schwermütig«, erklärte er ihm. »Was das heißt, weißt du selber.«

Philippe mußte seinem Freund reinen Wein einschenken.

Raymond war wie vor den Kopf geschlagen. »Nimm es mir nicht übel«, erwiderte er verwirrt, »aber ich kann mir einfach nicht vorstellen, daß du völlig ohne Mittel bist.«

»Das bin ich auch nicht!« entgegnete Philippe nervös. »Ich verfüge selbstverständlich über so viel, daß wir hier noch ein oder zwei Jahre leben können. Für das Ausland reicht es aber nicht. Da ist unser Geld keinen Pfifferling mehr wert. Worauf ich warte, ist die Wiedereröffnung der Börse. Du darfst mir glauben, daß ich dann blitzschnell handeln und uns in Sicherheit bringen werde.«

»Und wann ist mit der Wiedereröffnung zu rechnen?«

Philippe zuckte die Achseln. »Bestimmt nicht vor Ablauf des Prozesses gegen den König.«

»Gewöhne dir endlich an, ihn Louis Capet zu nennen«, entgegnete Raymond unwillig. »Sonst denkst du nicht daran, wenn du mit anderen redest. Was dir dann blüht, weißt du ja.«

Philippe fuhr sich durch die Haare. »Verschone mich mit billigen Ratschlägen. Ich bin ohnehin nahe daran, verrückt zu werden. Gestern war ich bei der Herzogin, die mich dringend rufen ließ. Hättest mich sehen sollen: Pantalons, schäbige Jacke, große Kokarde, verschmutztes Gesicht. Ihre Durchlaucht fuhr zusammen, als sie mich in ihren Salon eintreten sah. Ich war allerdings nicht minder erschrocken. Sie sah um Jahre gealtert aus.«

»Und was wollte sie von dir?«

»Gift!«

»Wie bitte?«

»Ich sollte ihr Gift beschaffen.«

»Und das hast du getan?«

»Warum nicht? Ich habe mir sogar ein weiteres Fläschchen für den eigenen Bedarf besorgt.«

»Mir scheint, du bist von allen guten Geistern verlassen.«

Philippe lachte. »Sag mir lieber, wie deiner Meinung nach der Prozeß gegen Louis Capet ausgehen wird. Erhält er die Todesstrafe?«

Raymond blickte unschlüssig vor sich hin. »Schwer zu sagen. Robespierres Aufassung, die Verurteilung Louis Capets sei das einzige Mittel zur Wiederherstellung der Ruhe, wird höchstens von der Hälfte der Abgeordneten geteilt.«

Hier irrte sich Raymond. Die Hälfte der Abgeordneten plus eine Stimme forderten den Tod des Königs, und die eine entscheidende Stimme gab der Herzog von Orléans.

Louis Seize nahm das Urteil gelassen hin, das Volk jedoch jubelte, als der Kopf des Königs in den Korb fiel und von einem jungen Burschen an den Haaren herausgezerrt und wie eine Trophäe hochgehalten wurde.

Die von Robespierre prophezeite Beruhigung der politischen und wirtschaftlichen Lage aber trat nicht ein. Im Gegenteil, die alliierten Herrscher beschlossen nunmehr, Frankreich auszuhungern, was eine Verschärfung der revolutionären Maßnahmen zur Folge hatte. Marie Antoinette wurde aufs Schafott gebracht, und Robespierre, der durch den Nationalkonvent die ›Levée en masse‹, die allgemeine militärische Dienstpflicht zur Verteidigung Frankreichs verfügte, errichtete eine Schreckensherrschaft, wie sie noch nicht dagewesen war.

Verdienste und Leistungen zählten nicht mehr. Die sterblichen Überreste Mirabeaus, der von dreihunderttausend Parisern zu seiner letzten Ruhestätte geleitet worden war, wurden aus dem Pantheon verbannt, weil er an Marie Antoinette geschrieben hatte, er wolle der Krone loyal dienen. Der Herzog von Orléans landete unter dem Fallbeil, weil er bei der Abstimmung über Leben oder Tod Louis Seizes für dessen Tod gestimmt hatte.

Das hatten zwar noch weitere dreihundertundsechzig Abgeordnete getan; bei ihm aber, dem hohen Adeligen, legte man es als Beweis dafür aus, daß er selber nach der Krone strebe.

Die Revolution fing an, ihre eigenen Kinder zu fressen.

Danton wurde geköpft.

Desmoulins landete auf dem Schafott.

Marat endete durch Mord.

Im Namen des Vaterlandes fanden in ganz Frankreich Massenhinrichtungen statt. Robespierres Revolutionstribunal fällte ein Todesurteil nach dem anderen und scheute sich nicht einmal, Massenertränkungen vornehmen zu lassen. In den Kirchen feierte man Feste, bei denen in Priestergewänder gehüllten Eseln, deren Schwänze mit Kruzifixen behangen waren, aus Kelchen zu trinken gegeben wurde. Gott war verbannt. Es regierte Robespierre. Der Mensch tat dem Menschen das Schlimmste an.

Isabelle war nur noch ein Schatten ihrer selbst, Philippe hatte seine Selbstsicherheit verloren, und Raymond glich einem Mann, der unter der Wucht der Ereignisse zusammenzubrechen droht. Gewissenlose Kreaturen waren zu Machthabern geworden. Unterschiedslos wurden Adelige, Bürger, Bauern und Militärs zur Guillotine geführt.

Der Terror hatte seinen Höhepunkt noch nicht erreicht, als Raymond eines Nachmittags, wie von Furien gehetzt, in Philippes Arbeitsraum stürzte und atemlos keuchte: »Du sollst verhaftet werden. Verschwinde sofort. Lauf mit deiner Familie die Seine hinunter bis zum Pont de l'Alma, von dort zu den Champs-Elysées und dann nach Neuilly. Dort überquert ihr den Fluß und wartet etwa dreihundert Meter hinter der Brücke am Straßenrand auf mich. Ich komme mit einem Wagen.«

Isabelle eilte mit angstgeweiteten Augen herbei. »Ist etwas geschehen?«

»Ja«, antwortete Raymond so gelassen wie möglich. »Philippe und ich sind eben übereingekommen, noch heute die Stadt zu verlassen.«

Isabelle glaubte nicht richtig zu hören.

»Mir wurde vor wenigen Minuten der Wagen eines Freundes

zur Verfügung gestellt«, fuhr Raymond geschäftig fort. »Diese einmalige Chance wollen wir nicht ungenutzt lassen. Ihr müßt allerdings sofort aufbrechen und spätestens in drei Stunden hinter Neuilly sein. Ich habe Philippe schon erklärt, wo wir uns treffen. Kleidung wie für den Fluchtfall vorgesehen. Und nichts mitnehmen.«

»Gar nichts?«

»Du weißt, daß zur Zeit die geringste Kleinigkeit genügt, um kontrolliert zu werden«, antwortete Raymond mühsam beherrscht. »Ich möchte euch sogar empfehlen, nicht zusammen zu gehen, sondern einen gewissen Abstand zu halten, damit niemand auf den Gedanken kommt: da flüchtet eine Familie. Vermeidet alles, was Aufmerksamkeit erregen könnte. Und nun los! Beeilt euch! In fünf Minuten müßt ihr fort sein.«

Isabelles Nerven versagten. Aufschluchzend ließ sie sich in einen Sessel fallen.

Raymond beugte sich über sie. »Du mußt jetzt stark sein, Isabelle! Eine so günstige Chance bietet sich uns nicht ein zweites Mal.«

Sie nickte und erhob sich. »Es geht schon wieder. Ich ziehe mich schnell um und mache die Kinder fertig.«

»Ja, tu das.«

Isabelle verließ den Raum.

»Weshalb will man mich verhaften?« bestürmte Philippe den Freund.

»Das ist doch wohl egal!« brauste Raymond auf. »Jetzt geht es darum, daß ihr in wenigen Minuten das Haus verlassen habt!«

»Und wohin mit dem Geld?«

»Das nehme ich mit. Wenn man mich kontrollieren will, macht das nichts. Ich besitze den Ausweis des Comités.«

Philippe entnahm einem Tapetenschrank eine große Tasche mit breiten Lederriemen.

Raymond traute seinen Augen nicht. »Ist die etwa voll Geld?«

»Ja.«

Der Journalist rang die Hände. »Und du hast gesagt . . .« Er unterbrach sich und schüttelte den Kopf. »Los, verschwinde!

Zieh dich um, und dann ab durch den Garten. Das Personal verständige ich.«

Philippe hastete davon.

Raymond öffnete die Tasche, die prall mit Tausender-Banknoten gefüllt war. So also sieht Philippes Armut aus, dachte er empört, nahm hastig einige Packen an sich und eilte in die Küche. »Hört zu!« sagte er der Köchin und dem Hausdiener. »Dies soll ich euch von eurer Herrschaft geben. Versteckt es gut, damit es keiner findet. Es werden nämlich in Kürze einige Leute kommen, die Monsieur de Tessé abholen wollen. Sagt ihnen, er sei mit seiner Frau und den Kindern vor acht Tagen verreist. Wohin, wißt ihr nicht. Ist das klar?«

Die Dienstboten standen wie versteinert da.

»Kann ich mich auf euch verlassen?«

»Gewiß, Monsieur!«

»Dann merkt euch: gestern vor einer Woche, also an einem Mittwoch, ist eure Herrschaft abgereist. Angeblich, um Urlaub auf dem Land zu machen. Und nun sorgt dafür, daß im Haus nichts herumliegt, was eure Worte Lügen strafen könnte.«

Raymond dachte an alles. Ohne zu zögern, ging er mit der schweren Tasche in das Elendsviertel, in dem er seit zehn Jahren wohnte. Jetzt machte es sich bezahlt, nicht in eine bessere Gegend gezogen zu sein. Im Marais war noch kein Scherge des Robespierreschen ›Wohlfahrtsausschusses‹ erschienen.

Während Raymond noch überlegte, wie er die Geldtasche am sichersten im Wagen unterbringen könnte, lief Isabelle mit ihren Kindern auf dem rechten Seineufer in Richtung Pont de l'Alma. Philippe hatte das andere Ufer gewählt, so daß sie getrennt waren und sich doch sehen konnten. Er trug die Arbeitskleidung eines Anstreichers, die er schon vor Monaten bereitgelegt hatte. Seine Hände und besonders die entstellte Seite seines Gesichtes wiesen Kalkspritzer auf, die glauben machten, er komme gerade von der Arbeit.

Im Gegensatz zu ihm stellte Isabelle ihre Halsnarbe, die wie ein revolutionäres Flammenzeichen aussah, an diesem Tage geradezu zur Schau. Der Kleidung nach mochte man sie für die Frau eines kleinen Beamten halten, und dementsprechend hatte sie ihre Kinder auch herausgeputzt. Der siebenjährige François trug einen Matrosenanzug, und seine um drei Jahre jüngere Schwester Barbe war stolz auf die große rosa Schleife, die ihr Haar schmückte.

Isabelle beschleunigte ihre Schritte, so gut es ging. Wenn sie sich auch nichts hatte anmerken lassen, sie ahnte, daß hinter dem plötzlichen Aufbruch eine zwingende Notwendigkeit stand. Sie befanden sich auf der Flucht! Wahrscheinlich hatte Raymond erfahren, daß ihnen Gefahr drohte.

Raymond! Bei ihm fühlte sie sich geborgen. Selbstloser als er konnte niemand sein. Manchmal kam ihr der Gedanke, er bemühe sich, eine Schuld abzutragen. Ihn auf der Flucht neben sich zu wissen, beruhigte sie. Er war so ganz anders als Philippe, den sie bedingungslos liebte, obwohl sie ihn nicht immer ganz verstand. Dafür waren ihre Temperamente und Interessen zu verschieden.

Auf der Pont de l'Alma schritt Philippe dicht an ihr vorbei und raunte: »Ich gehe auf die andere Seite der Straße.«

Sie nickte.

»Was wollte der Mann?« fragte die kleine Barbe.

François lachte. »Das war doch . . .«

»Tsch . . .!« unterbrach Isabelle ihren Sohn.

Der hielt sich mit wichtigtuerischem Gehabe den Mund zu.

»Was wollte der Mann?« fragte Barbe erneut.

»Ich weiß es nicht, mein Kind«, antwortete Isabelle und dachte: Hoffentlich gibt es an der Barriere keine Schwierigkeiten.

Auf den Champs-Elysées spielten Kinder. Ein Hauch von Heiterkeit lag in der Luft. Sogar einige Blumenbeete waren neu gesetzt. Die grandiosen Ideen, die einen Strom von Blut ausgelöst hatten, schienen bis hierher noch nicht gelangt zu sein. Es gab Menschen, die gemächlich spazierengingen, Menschen, deren Gesichter Menschlichkeit erkennen ließen.

Wie mag dieser Tag für uns enden, fragte sich Isabelle beklommen.

Philippe würde ihr in diesem Augenblick geantwortet haben: Selbstverständlich gut. Er hatte sich wieder gefangen und zweifelte nicht mehr daran, daß sich alles zum besten wenden würde. Das Glück hatte immer an seiner Seite gestanden.

Weit vor Isabelle durchschritt er die Barriere. Man beachtete ihn kaum. Sie folgte ihm in der Hoffnung, daß der Wachhabende von ihren hübsch gekleideten Kindern ebenso beeindruckt sein würde, wie von der blau-weiß-roten Kokarde, die sie sich angesteckt hatte.

Tatsächlich tätschelte der Posten der kleinen Barbe die Wange und grüßte lässig zu Isabelle hinüber. »Passez, madame!«

Isabelle war es, als wehe ein frischer Wind über sie hinweg. Eine halbe Stunde später aber sank sie an dem von Raymond bezeichneten Treffpunkt wie ermattet auf die Erde. Sie war dem Zusammenbruch nahe und weinte lautlos vor sich hin.

Raymond sah abgespannt aus, als er kurz vor Einbruch der Dunkelheit mit einem hohen zweirädrigen Bauernwagen erschien, dessen Boden mit Stroh ausgelegt war. »Hat es irgendwelche Schwierigkeiten gegeben?« war das erste, was er fragte.

»Nicht die geringsten«, antwortete Philippe.

Der Freund atmete erleichtert auf. »Überhaupt nicht kontrolliert worden?«

»Nein.«

»Dann her mit den Kindern und rauf auf den Wagen.«

Minuten später fuhren sie in die Dämmerung hinein. Philippe stand mit Raymond, der die Kleidung eines Landarbeiters angelegt hatte, hinter dem hohen Aufsatz des Fuhrwerkes und schaute die Straße entlang. Isabelle hatte sich mit den Kindern, denen vor Müdigkeit die Augen bereits zugefallen waren, auf das Stroh gelegt und blickte zu einigen Wolken empor, die wie Boten aus einer glücklichen Welt am Himmel dahinsegelten.

Merkwürdig, dachte sie. Mir ist, als hätte ich das schon einmal erlebt. Ich liege auf einem offenen Wagen und beobachte, wie die Wolken vorüberziehen. Wo war das nur?

Philippe wandte sich an seinen Freund: »Wo ist die Tasche?«

Raymond sah ihn verächtlich an. »Wie es mir ergangen ist, interessiert dich nicht im mindesten. Hauptsache, das Geld ist da.«

»Red keinen Unsinn«, begehrte Philippe auf, wobei er seine Stimme so weit dämpfte, daß sie vom Poltern der Räder übertönt wurde. »Natürlich interessiere ich mich dafür, wie es dir ergangen ist. Aber wenn ich dich wohlbehalten vor mir sehe, ist es doch natürlich, daß ich mich zunächst erkundige, ob die Tasche in Sicherheit ist. Ohne Geld sind wir aufgeschmissen.«

»Da hast du auch wieder recht«, entgegnete Raymond einlenkend. »Und um dich zu beruhigen: deine Moneten befinden sich hinter der Achse unter dem Wagen. Die Tasche habe ich mit dikken Seilen verzurrt und zusätzlich noch an ihren Lederriemen festgenagelt. Sehen kann sie nur, wer unter den Wagen kriecht.«

Philippe klopfte dem Freund auf die Schulter. »Es ist phantastisch, wie du dich für uns einsetzt.«

Das tue ich in erster Linie für Isabelle und die Kinder, dachte Raymond und entgegnete hart: »Seit ich weiß, über wieviel Geld du noch verfügst, könnte ich dich stundenlang ohrfeigen. Es hat nicht viel gefehlt, dann wäre deine Familie heute das Opfer deiner entsetzlichen Geldgier geworden. Mit dem, was in der Tasche ist, hättest du im Ausland spielend neu anfangen können. Ich habe mir erlaubt nachzuschauen. Allein die Goldstücke reichen für ein bis zwei Jahre aus. Aber das genügte dir nicht. Aktien und Grundstücke waren es dir wert, das Leben deiner Frau und deiner Kinder zu riskieren.«

»Und was ist es dir wert, dein Leben für uns in die Waagschale zu werfen?« antwortete Philippe kaltschnäuzig. »Es gibt ideelle und materielle Werte, und wenn du dich für die ideellen entschieden hast, berechtigt dich das noch lange nicht, mich zu beschimpfen. Jeder Mensch hat seine Art und muß es in Kauf nehmen, daß ihm diese neben dem Vorteil, den sie ihm heute bringt, morgen zum Verhängnis werden kann.«

»Geschickt, wie du dich herausredest«, erwiderte Raymond. »Aber machst du es dir nicht etwas zu leicht?«

»Ich glaube, nicht.«

»Nun gut, dann wollen wir von etwas anderem reden. Wie halten wir es mit der Ablösung? Wäre es dir möglich, jetzt zu schlafen?«

»Bestimmt nicht.«

»Dann will ich es versuchen. Übernimm die Führung des Wagens und weck mich, wenn du müde wirst. Wir haben ja glücklicherweise beinahe Vollmond und werden gut sehen können.«

»Wollen wir die ganze Nacht hindurch fahren?«

»Wir müssen es. Ein Landarbeiter, der in einer Herberge ab-
steigt, würde ebensoviel Mißtrauen hervorrufen, wie ein von
Frau und Kindern begleiteter Anstreicher. Man könnte Lust verspüren, uns anzuzeigen. Das wird heute ja belohnt.«

»Und das Pferd?« wandte Philippe ein.

»Ich weiß, das ist unser Problem. Zu wechseln hieße die Aufmerksamkeit einer Posthalterei erregen. Es hilft nichts: wir
müssen den Gaul langsam laufen lassen und ihm im
Morgengrauen an einer günstigen Stelle für ein paar Stunden
Ruhe gönnen.«

Philippe legte seine Hand auf Raymonds Arm. »Was immer
du von mir denken magst, ich danke dir für deinen selbstlosen
Beistand. Wenn ich vorhin auch anders geredet habe, ich weiß,
daß meine Familie und ich heute um Haaresbreite . . .«

Der Freund stieß ihn vor die Brust. »Mach den Fehler nicht
ein zweites Mal. So viel Glück wie heute wird dir nur einmal
im Leben geschenkt.«

Das Fuhrwerk rumpelte schwerfällig dahin.

Isabelle sah, daß Raymond sich zu ihren Füßen hinlegte.
»Übernimmt Philippe als erster die Führung?« fragte sie, obgleich sie sich der Einfältigkeit ihrer Worte bewußt war.

»Ja«, antwortete Raymond und streckte sich aus. »Er glaubt,
jetzt nicht schlafen zu können. Da will ich es versuchen.«

Nun sehen wir beide die gleichen Wolken, dachte sie zufrieden. Seltsam, welche Ruhe von ihm ausgeht. Ob er immer so
ausgeglichen war? Manchmal meine ich, ihn schon ein Leben
lang zu kennen.

»Versuch auch du zu schlafen«, forderte Raymond sie mit
dunkler, fast beschwörender Stimme auf.

»Ja«, erwiderte Isabelle. Sie fühlte sich mit einem Male herrlich müde.

Die Fahrt durch die Nacht verlief ohne Zwischenfall. Philippe,
der sich zweimal mit Raymond abgelöst hatte, dirigierte das
Fuhrwerk im Morgengrauen hinter eine ihm günstig erschei-

nende Hecke, um die besprochene Ruhepause einzulegen. Zu seinem Kummer bewirkte das jäh aufhörende Rumpeln der Räder, daß Isabelle, Raymond und die Kinder wie auf Kommando aufwachten.

»Schade«, sagte er bedauernd. »Gerade das Gegenteil hatte ich erreichen wollen.«

»Macht nichts«, erwiderte Raymond, sich aufrichtend. »Spann das Pferd aus und laß es grasen. Du hast ja eine prächtige Weide ausgesucht.«

»Und einen Bach gibt es ebenfalls!«

Der Freund war augenblicklich auf den Beinen. »Dann werde ich mich gleich mal erfrischen.«

»Ich habe Hunger«, wandte sich François an seine Mutter.

Isabelle blickte unsicher zu Raymond hinüber.

Der griff unter das Stroh. »Ein Brot steht zur Verfügung. Mehr aber auch nicht.«

Später, nachdem alle ein wenig gegessen und danach noch ein paar Stunden geschlafen hatten, führte Raymond das Pferd wieder vor den Wagen.

»Wann, schätzt du, werden wir Rouen erreichen?« fragte Isabelle ihren Mann.

Philippe zog seine Uhr, die er sonst in der Tasche einer eleganten Weste getragen hatte, aus der Hose seines Anstreicheranzuges. »Bis zum Nachmittag müßte es zu schaffen sein.«

»Das wäre gut«, erwiderte sie erleichtert. »Dann können wir noch etwas zu essen einkaufen. Alles, was in der Jagdhütte vorhanden war, habe ich der Magd mitgegeben.«

Philippe hatte gut geschätzt. Die Kathedrale von Rouen kam schon gegen drei Uhr in Sicht, und eine halbe Stunde später war es so weit, daß Isabelle die Fenster des Jagdhauses aufstoßen und frische Luft in die Zimmer hereinlassen konnte. Ein unendliches Glücksgefühl durchströmte sie. In dem kleinen, einsam gelegenen Häuschen hatte sie sich stets wohl gefühlt.

Raymond und Philippe kümmerten sich um das Pferd und machten sich daran, die Geldtasche loszuzurren, was ihnen gar nicht so schnell gelang.

»Wohin damit?« fragte Raymond, als es geschafft war.

»Stell sie erst mal in die Küche. Ich kümmere mich inzwischen um die Pumpe, damit das Pferd getränkt werden kann. Wenn sie eine Zeitlang nicht benutzt wurde, dauert es eine ganze Weile, bis Wasser kommt.«

Das kleine Anwesen war plötzlich von ungewöhnlicher Geschäftigkeit erfüllt, die erst ein Ende nahm, als Isabelle und Philippe ihre Kleidung wechselten, um wie in alten Tagen in Rouen ihre Einkäufe zu tätigen. Pferd und Fuhrwerk wollte Philippe einem Bauern gegen Entgelt zur Pflege übergeben.

François und Barbe fanden es herrlich, mit Onkel Raymond, der stets schöne Geschichten zu erzählen wußte, einmal ganz allein zu sein.

»Er ist rührend zu den Kindern«, sagte Isabelle, als sie mit Philippe aufgebrochen war.

Ihr Mann nickte. »Er ist überhaupt ein wunderbarer Mensch. Jetzt kann ich es dir ja sagen: er hat sein Leben für uns riskiert, als er erfuhr, daß ich verhaftet werden sollte.«

Isabelle erbleichte. »Ich habe es geahnt.«

Philippe strich über ihre Hand. »Mach dir keine Sorge. Niemand in Paris weiß von unserer Jagdhütte. Wir bleiben jetzt hier, bis absolute Ruhe eingekehrt ist. Robespierres Tage sind gezählt, das ist so gewiß wie das Amen in der Kirche.«

Sie sah ihn prüfend an. »Kann ich mich darauf verlassen, daß wir nicht eher wieder von hier weggehen, bis das Land ganz sicher geworden ist?«

»Ich verspreche es dir!«

Sie gab ihm einen Kuß. »Dann werde ich froh und glücklich sein.«

Isabelle wurde es nicht; denn dieser Tag sollte ein grausiges Ende nehmen. Die Geschehnisse waren so furchtbar, daß Isabelle und Philippe bei ihrer Rückkehr aus Rouen kaum begreifen konnten, was sich ereignet hatte. Ein erster Schrecken überfiel sie, als sie sich der Jagdhütte näherten und niemanden hörten, obwohl alle Fenster und die Tür offenstanden.

»Man wird sich einen Scherz mit uns machen wollen«, sagte Philippe, um Isabelle, die plötzlich von einer panischen Angst befallen war, zu beruhigen.

»Nein!« rief sie wie von Sinnen. »Es ist etwas passiert! Ich spüre es!«

Er wollte seinen Arm um sie legen, aber da spürte auch er, daß etwas geschehen sein mußte. Die Kehle war ihm wie zugeschnürt. Ohne zu wissen, was er tat, zog er Isabelle hastig mit sich fort.

Sie folgte ihm, als wäre sie gelähmt.

Vor dem Eingang der Hütte blieb er stehen und rief: »Raymond! François! Barbe!«

Isabelle riß sich los und rannte in die Küche.

Philippe lief hinter ihr her.

Ein Schrei des Entsetzens brach durch den Abend.

Philippe umklammerte Isabelle. Sein Herz drohte auszusetzen. Auf dem Boden lag Raymond mit ausgebreiteten Armen über den Kindern; geradeso, als hätte er sie schützen wollen. In seinem Rücken steckte ein Dolch. Die entstellten Gesichter von François und Barbe zeigten, daß sie ermordet worden waren. Der Junge hielt in seiner verkrampft geschlossenen Hand das Medaillon mit dem blauen Skarabäus. Die symbolhaft dargestellte Sonnenscheibe war abgebrochen und fortgerollt.

Isabelle wollte sich auf die Kinder stürzen.

Philippe hielt sie wie mit einer eisernen Klammer zurück. Das kann nicht wahr sein, dachte er immer wieder. Das ist ein Alptraum!

Isabelle brach zusammen.

Er ließ sie zu Boden sinken.

»Ich kann nicht mehr«, stöhnte sie. »Ich will nicht mehr. Hörst du, Philippe!« schrie sie mit sich überschlagender Stimme. »Ich will nicht mehr, ich kann nicht mehr leben! Gib uns das Gift, von dem du gesprochen hast. Jetzt gleich! Ohne zu überlegen! Wozu sollen wir uns noch länger herumquälen? Ich flehe dich an, erlöse uns!«

Philippe sah die erschlagenen Kinder. Hatte Isabelle nicht recht? Lohnte es sich noch zu leben?

Einige Banknoten, die auf dem Boden lagen, lenkten seinen Blick unter den Küchentisch, wohin er die Geldtasche geschoben hatte. Sie war nicht mehr da.

Es lohnte sich wirklich nicht, in einer Welt zu leben, in der Raub, Mord und Totschlag gang und gäbe waren. »Ich werde deinen Wunsch erfüllen«, sagte er mit fester Stimme.

Mit der ›Barke der Nacht‹ gelangten die Seelen von Isabelle und Philippe ins Jenseits, das sich ihnen jedoch nicht so darbot, wie sie es erhofft hatten. Es gab weder eine Erlösung noch ewige Verdammnis, weder ein Reich der Glückseligkeit noch Gefilde dauernden Friedens. Das Jenseits war antlitzlos und klagte:

Befreit von der Mühsal des irdischen Daseins kann nur werden, wer den Nachweis der Bewährung erbracht hat. Ihr seid ihn erneut schuldig geblieben. Wer sich das Leben nimmt, greift in das Rad der Bestimmung und versucht sich von Lasten zu befreien, die nicht grundlos auferlegt werden.

Euer Weg kann darum noch nicht zu Ende sein. Ein weiteres Leben wird euch die Möglichkeit geben, den rechten Weg zum Reich der Erlösung und des Friedens zu finden. Denkt daran und achtet auf Zeichen, die euch gesandt werden. Etwa, wenn ihr vor einer Sache steht, von der ihr wißt, sie nie zuvor gesehen zu haben, und ihr kennt sie doch.

Die Sonne säumte das zarte Grün der Bäume, die Zürichs Bahnhofstraße ihren besonderen Reiz verleihen, mit goldenen Rändern. Der Föhn, der andernorts wie ein Wasserfall die Berge hinabdonnert und orkanartig durch die Täler braust, über die Dächer der schweizerischen Metropole jedoch lautlos wie eine Katze hinwegschleicht, hatte die Wolken fortgefegt. Es war ein strahlender Tag, herrlich der Anblick des weit im Süden sich erhebenden Kranzes der Hochalpen, deren schneebedeckte Gipfel sich kantig in das Blau des Himmels schoben. Und doch lag etwas Beklemmendes in der Luft, etwas, das die Menschen zu lähmen schien.

Nicht jedoch das junge Studentenpaar Isa und Phil, das sich an diesem Morgen verlobt hatte und nach einem Bummel durch die Züricher Altstadt ein Antiquitätengeschäft aufsuchte, um zur Erinnerung an diesen Tag eine hübsche Kleinigkeit zu kaufen.

Der Inhaber des Geschäftes, ein Herr in mittleren Jahren, dessen geschminkte Lippen und rosige Wangen inmitten seines von alten Gegenständen förmlich überquellenden Ladens nicht sonderlich auffielen, bot ihnen ein Medaillon an, das einen aus blauem Glasfluß gefertigten Skarabäus darstellte, der Isa vertraut war, als besitze sie ihn seit Jahren. Jede Farbnuance seiner wie Fayence glänzenden Oberfläche erweckte Erinnerungen in ihr. Sie bildete sich ein, den Käfer bis ins Detail beschreiben zu können. Dann aber, als sie ratlos die kupferne Einfassung seiner Glieder und Deckflügel betrachtete, glaube sie fast an eine Halluzination. Sie sah, daß die eben noch leer in den Raum greifenden Vorderbeine des Skarabäus mit einem Male eine glatte, runde Scheibe hielten. Im nächsten Moment verwischte sich das Bild, und zurück blieb der Käfer, wie er gewesen war. Verwirrt schloß sie die Lider.

Phil bemerkte Isas Veränderung und betrachtete sie besorgt.

Sie strich sich über die Stirn. »Sag mal, Phil, hast du schon einmal erlebt, daß du etwas siehst, von dem du weißt, daß du es nie zuvor gesehen haben kannst, und du kennst es doch?«

Er nickte. »Natürlich. Das geht vielen Menschen so.«

»Und was glaubst du, woher das kommt?«

Phil zuckte die Achseln. »Ich kann es dir nicht sagen, vermute aber, daß Assoziationen da eine Rolle spielen, unbewußte Vorstellungsverknüpfungen von Dingen, die man in ähnlicher Form schon einmal gesehen hat.«

Sie blickte nachdenklich vor sich hin. »Die Möglichkeit, daß Erinnerungen aus einem früheren Leben im Spiel sein könnten, schließt du aus?«

Phil lachte und gab unumwunden zu verstehen, daß er an die Wiedergeburt des Menschen nicht glaube.

Isa bat ihn daraufhin, ihr zu erklären, woher sie wisse, daß an dem Medaillon etwas fehle. »Hier«, sagte sie und wies auf die fingerförmig gezahnten Vorderschienen des Käfers. »Diese Stellen hielten eine runde, glänzende Scheibe.«

Phil lachte erneut. »Und woher weißt du das?«

Isa vermochte es nicht zu sagen. Sie versicherte jedoch: »Als ich das Medaillon erblickte, stockte mir beinahe der Atem. Ohne es je zuvor gesehen zu haben, hätte ich es auf der Stelle in all seinen Details beschreiben können. Doch nicht genug damit«, fuhr sie sichtlich erregt fort. »Für den Bruchteil einer Sekunde sah ich die erwähnte Scheibe.«

»Das ist doch Nonsens«, entgegnete Phil unwillig und wandte sich an den Antiquitätenhändler. »Wissen Sie zufällig, ob sich an diesem Skarabäus früher eine runde Scheibe befand?«

Der Gefragte schüttelte den Kopf. »Davon ist mir nichts bekannt. Die Möglichkeit ist aber gegeben. Der Skarabäus war den alten Ägyptern heilig, weil er die Eigenart hat, Pillen zu drehen, aus denen nach einer gewissen Zeit ein junger Käfer schlüpft. In diesem Vorgang erblickten die Ägypter einen Akt der Urzeugung, und da die vom Skarabäus gedrehte Kugel ihrer runden Form wegen mit der Sonne vergleichbar ist, wurde das Tier vielfach mit einer Sonnenscheibe dargestellt.«

Phil entging nicht, daß Isa blaß wurde. »Hast du das gewußt?«

Sie schüttelte den Kopf.

Merkwürdig, dachte er und blickte nachdenklich auf den Anhänger, den er in der Hand hielt. »Wäre das Medaillon nicht eine schöne Erinnerung an den heutigen Tag?«

Isa nickte lebhaft.

»Der Skarabäus ist echt«, warnte ihn der Antiquitätenhändler. Phil gab sich gelassen. »Was kostet er?«

»Ich muß nachsehen. Einen Augenblick, bitte.«

Isa fragte den Händler, ob er sagen könne, was die Hieroglyphen auf der Unterseite bedeuten.

»Ich glaube, ja«, antwortete er im Gehen und fügte hinzu, daß ihm der Ägyptologe, von dem er den Skarabäus erhalten habe, eine kleine Expertise erstellt hätte.

Phil legte das Medaillon in Isas Hand. »Es soll für immer bei uns bleiben.«

Der Antiquitätenhändler kehrte schon bald zurück und reichte Phil einen Zettel, auf den er den Preis notiert hatte. Dann entfaltete er ein Blatt und sagte in geschäftsmäßigem Ton: »Der Skarabäus dürfte aus der Zeit um Echnaton stammen, da auf der Rückseite die Namen eines Paares eingraviert sind, von denen der Frauenname dem des Mannes vorangestellt ist. Demnach ist das Medaillon über dreitausend Jahre alt.«

»Und wie lauten die Namen?« fragte Phil.

Der Händler warf einen Blick auf das Blatt. »Isis und Phiops.«

Isa entfuhr ein kleiner Schrei.

»Was hast du?« fragte Phil irritiert.

Sie sah ihn mit großen Augen an. »Hast du nicht gehört? *Isis* und *Phiops!* Und wie heißen wir? *Isa* und *Phil!* Ich ahne jetzt, warum ich die runde Scheibe gesehen habe. Eine Erinnerung aus einem früheren Leben . . .«

Nur erst mal heraus aus dem Laden, dachte Phil und übergab dem Antiquitätenhändler einen Scheck. Der Preis war doch wesentlich höher, als er erwartet hatte.

Isa blickte unverwandt auf das Medaillon.

»Komm«, sagte er ihr. »Laß es einpacken.«

Sie schüttelte den Kopf. »Ich behalte es in der Hand.«

»Wie du willst«, erwiderte Phil. Er wußte nicht mehr, was er von der ganzen Geschichte halten sollte.

Als sie auf die Straße hinaustraten, holte er tief Luft. Die Atmosphäre des Antiquitätengeschäftes hatte sich ihm wie Blei auf die Brust gelegt. Aber war das verwunderlich angesichts der Tatsache, daß Isa etwas gesehen haben wollte, das nicht existierte, in der von ihr beschriebenen Form jedoch vor Jahrtausenden angefertigt sein sollte! Und wie ließ sich die mysteriöse Ähnlichkeit der Namen erklären?

In Gedanken versunken, führte Phil seine Braut zum Limatquai hinunter. Sein vom Skilaufen gebräuntes Gesicht, das ein gepflegter Bart umrahmte, konnte nicht darüber hinwegtäuschen, daß eine gewisse Nervosität ihn erfaßt hatte. Isa hingegen machte den Eindruck, als sei mit dem Medaillon, das ihre Hand umschlossen hielt, eine unumstößliche Gewißheit über sie gekommen.

Er wies zum Café Select hinüber, dessen Plätze im Freien fast alle besetzt waren.

»Wollen wir einen Espresso trinken?«

»Gerne«, antwortete Isa und freute sich darauf, das Medaillon mit dem blauen Skarabäus in Ruhe betrachten zu können.

Dazu sollte es nicht kommen; denn kaum hatten sie Platz genommen, blieb ein junges Paar vor ihnen stehen. Er hatte einen stark herabgewinkelten Tatarenbart, während sie durch in der Mitte gescheiteltes, glatt herabhängendes Haar und einen extrem farbigen Maximantel auffiel.

»Wie kommt ihr dazu, uns die Plätze wegzunehmen?« fragte der Bärtige mit verstellter Stimme.

Phil blickte erstaunt auf. »Hallo, Rai«, rief er erfreut. »Ach, da ist ja auch Hel«, fügte er hinzu und erhob sich, um ihr die Hand zu reichen. »Wie ich sehe, bist du in der Mode wieder einmal allen um eine Nasenlänge voraus.«

»Danke für das Kompliment«, erwiderte sie geschmeichelt.

»Und wie fühlst du dich in dem Bürgersteigabwischer?«

»Großartig«, antwortete sie und schlug den Mantel zurück, so daß darunter die von ihr getragenen ›Hot Pants‹ sichtbar wurden. »Ist das nicht aufregend? Ihr Männer reagiert ja schon auf nichts mehr, seit ihr viel zuviel zu sehen bekamt. Jetzt aber . . .«, sie schloß den Mantel und öffnete ihn plötzlich wieder.

Phil schnitt eine Grimasse. »Ich kann nur hoffen, daß Rai mit dir fertig wird.«

Der Bühnenbildner grinste. »Verrücktheiten entspannen.«

Hel ließ sich neben Isa auf einen Stuhl sinken. »Stell dir vor, wir waren bei Luce. Wie der lebende Leichnam sieht er aus.«

Ein Serviermädchen trat an den Tisch.

»Wie üblich?« fragte Phil seinen Freund.

Der nickte.

»Du auch, Hel?«

»Mein Lebensgestalter gestattet mir ja nichts anderes.«

»Zwei Espresso Crème und zwei Ovomaltine«, bestellte Phil und wandte sich an Rai. »Ihr wart bei Luce?«

Der Bühnenbildner nickte. »Er ist verloren. Ich habe mit dem Anstaltsarzt gesprochen. Luce ist vom Hasch auf Opium, Morphium und was es sonst noch gibt umgestiegen.«

»Schrecklich«, erwiderte Isa. »Wie ist er bloß dazu gekommen, mit Rauschgift anzufangen? Er war doch ein vernünftiger Mensch.«

»Der daran scheitert, daß er nicht warten konnte, bis der Erfolg sich einstellt«, entgegnete Rai. »Es empört ihn, daß er nach einem Studium von zehn Semestern als freier Schriftsteller bei weitem nicht soviel wie ein Arbeiter oder Angestellter verdient. ›Eines Tages nehme ich mir das Leben‹, hat er mir einmal gesagt. Er tat es nicht und flüchtete in die Welt des Rausches und der Träume. Wie so mancher heute.«

Eine Weile noch unterhielten sie sich über den Freund, dann aber entdeckte Hel das Medaillon, das Isa in der Hand hielt.

»Was hast du da?« fragte sie wie elektrisiert.

Isa errötete. »Ein Verlobungsgeschenk von Phil.«

Hels Augen weiteten sich. »Ihr habt euch verlobt?«

»Findest du das altmodisch?«

»Unsinn, ich gratuliere!« antwortete Hel.

Rai starrte wie gebannt auf das Medaillon. »Das ist ja . . . Darf ich mal sehen«, unterbrach er sich und nahm Isa, ohne weiter darum zu bitten, das Medaillon aus der Hand.

Sie wollte aufbegehren, konnte jedoch nichts sagen.

»Ein Skarabäus!« stöhnte Rai. »Ein echter Skarabäus!«

»Verstehst du etwas davon?« fragte Phil überrascht.

»Nicht viel«, antwortete Rai, ohne den Blick zu wenden. »Nur so zum Hausgebrauch. Als ich für das Bühnenbild der ›Zauberflöte‹ den Sonnentempel der Isis entwerfen mußte, beschäftigte ich mich mit ägyptischen Baustilen. Ich kann dir nicht sagen, wie erregend das für mich war. Manchmal glaubte ich, alles schon einmal gesehen zu haben. Phantastisch, sage ich dir. Und hier«, er strich über den Skarabäus, »ist es genauso.«

Isas grünblaue Augen wurden dunkel. »Gib das Medaillon zurück!«

Die ungewohnte Schärfe in ihrer Stimme ließ Rai aufblicken. »Entschuldige, aber ich wollte nicht . . .«

»Nimm ihr heute nichts übel«, fiel Phil ein. »Das Ding da hat sie völlig durcheinandergebracht.«

»Wieso?« fragte Hel.

Rai gab das Medaillon zurück.

Phil sah Isa aufmunternd an. »Erzähl, was du erlebt hast.«

Sie blickte unsicher auf den Skarabäus.

»Soll ich es sagen?«

Isa schüttelte den Kopf und schilderte, welches Bild sich ihr aufgedrängt hatte, als sie das Medaillon zum erstenmal in die Hand nahm.

»Seltsamer aber noch ist folgendes«, ergänzte Phil, als Isa endete. »Auf der Rückseite des Medaillons sind in Hieroglyphen die Namen Isis und Phiops eingraviert.«

»Das ist wirklich ein toller Zufall«, sagte Hel lebhaft.

»Zufall?« ereiferte sich Isa. »Etwas ganz anderes steckt dahinter! Was meinst du wohl, warum ich die runde Scheibe gesehen habe? Eine Erinnerung aus einem früheren Leben war das!«

Hel sah Isa an, als zweifle sie an deren Verstand.

Rai zupfte vor Aufregung an seinem Bart. »Isa hat vollkommen recht. Ich bin schon lange der Meinung, daß die Lehre Buddhas, derzufolge wir wiedergeboren werden, in unseren Breiten viel zuwenig Beachtung findet.«

»Jetzt fang bloß noch an, Isa zu unterstützen«, mokierte sich Phil. »Als intelligenter Mensch mußt du dir doch sagen, daß Buddhas Lehre einfach unhaltbar ist.«

»Dann bitte ich dich, mir zu erklären, warum mir beispielsweise alles, was mit Ägypten zu tun hat, so vertraut ist, als hätte ich dort gelebt.«

»Das bildest du dir ein!«

»Eben nicht!« widersprach Rai. »Und ich kann es dir beweisen. Als Bühnenbildner muß ich mich heute mit dieser und morgen mit jener Zeit beschäftigen. Dabei stelle ich immer wieder fest, daß es Epochen gibt, die mir so fremd sind, daß ich mich kaum in sie hineinversetzen kann; andere dagegen sind mir so nahe, daß ich sie mit schlafwandlerischer Sicherheit erfasse. Die Zeit der Königin von Navarra zum Beispiel, mit der ich mich wegen Meyerbeers Oper ›Die Hugenotten‹ auseinandersetzen mußte, läßt mich völlig kalt; die Französische Revolution hingegen, in der von Einems ›Dantons Tod‹ spielt, packte mich sofort.«

»Mir geht es genauso«, pflichtete Isa ihm bei. »Im Geschichtsunterricht ist mir das schon aufgefallen. Zeiten wie die Alexanders des Großen oder des Dreißigjährigen Krieges, um nur zwei Epochen zu nennen, vermochten mich nicht eine Minute zu fesseln. Das Rom Neros aber hat mich von der ersten Stunde an in den Bann geschlagen. Gerade umgekehrt reagierten andere Mitschüler. Das muß doch einen Grund haben!«

»Natürlich«, erwiderte Phil gelassen. »Was du da anführst, ist ein Phänomen, mit dem sich schon Gelehrte befaßt haben. Höchstwahrscheinlich nimmt jedes Kind im Unterbewußtsein Dinge auf, die es in seiner Umwelt erlebt, also sieht oder hört. Tritt dann später das betreffende Thema einmal an es selber heran, so öffnet sich das Unterbewußtsein und gibt das vor Jahren Aufgespeicherte frei. Um bei deinem Beispiel zu bleiben: vielleicht haben deine Eltern, als du noch ein Kind warst, irgendeinen Monsterfilm über Nero gesehen und hinterher intensiv über die Epoche dieses Cäsaren gesprochen, und das in dein Unterbewußtsein gedrungene Gespräch könnte es gewesen sein, das dein besonderes Interesse weckte, als Nero in der Schule an die Reihe kam.«

»Das ist eine zwar plausible Erklärung, sie ist aber an den Haaren herbeigezogen«, entgegnete Rai abfällig.

»Keineswegs!« widersprach Phil. »Ihr macht den Fehler, die Dinge viel zu emotionell zu betrachten. Rational sieht alles ganz anders aus.«

»Der Jurist eröffnet sein Plädoyer«, spottete Isa.

»Und beim Plädoyer darf man nicht unterbrochen werden«, konterte Phil. »Ich möchte jetzt einmal ausschließlich von mir ausgehen. In meinem Elternhaus war viel vom Recht die Rede; kein Wunder, wenn man einen Anwalt zum Vater hat. Logische Folge: ich interessierte mich schon in jungen Jahren für das Recht. Plötzlich aber fing ich an, mich mehr für das Unrecht zu interessieren. Das zwang mich, in der Geschichte herumzuwühlen, und ich stellte fest: nicht das Recht, sondern das Unrecht dominiert in unserer Welt. Überall und zu allen Zeiten feierten Gewalt und Grausamkeit makabre Triumphe. Und warum ist das so? Weil der Mensch intolerant ist und unablässig seine Mitmenschen verfolgt.« Phil wies auf das Medaillon, das Isa in der Hand hielt. »Echnaton, aus dessen Epoche dieser Skarabäus stammen soll, lehrte, es gibt nur einen Gott, vor dem alle Menschen gleich sind. Ein herrlicher Gedanke. Wohin aber führte er? Zur Absetzung der alten Götter. Mord und Totschlag waren die Folge.

Später, als Christus kam, sich Sohn Gottes nannte und von Liebe und Güte predigte, wurde erneut die Existenz vertrauter Götter gefährdet. Man lehnte sich also gegen seine Lehre auf, kreuzigte ihn und verfolgte seine Anhänger.

Verfolgte aber sind Märtyrer, und Märtyrer gewinnen Sympathien. Die Christen setzten sich durch. Aber, und hier beginnt ein Circulus vitiosus, die christlichen Priester gingen nun mit unerbittlicher Strenge gegen diejenigen vor, die nicht ihres Glaubens waren.

Druck erzeugt Gegendruck. In der Französischen Revolution jagte man die Geistlichkeit zum Teufel. Von Gott wollte man nichts mehr wissen.«

»Und wie ist das heute?« warf Isa ein.

Phil zuckte die Achseln. »Was den Glauben anbelangt . . .«

»Bleib bei der Sache«, wies Rai ihn zurecht. »Was ist deiner langen Rede kurzer Sinn?«

»Daß derjenige, der sich mit zurückliegenden Zeiten befaßt – und sei es nur, daß er einen historischen Roman liest –, mit einer vergangenen Epoche vertraut wird, die in dieser oder jener Form in seinem Unterbewußtsein weiterlebt. Und dann passieren so komische Dinge, daß man denkt: Das kennst du doch, obwohl du es gar nicht kennen kannst! Mit Inkarnation und Wiedergeburt hat das alles nichts zu tun. An so etwas zu glauben ist barer Unsinn.«

Isa sah ihn lauernd an. »Aber du glaubst an Gott, nicht wahr?«

»Was hat das mit unserem Thema zu tun?«

»Weich nicht aus! Ich habe dich gefragt, ob du an Gott glaubst?«

»Das weißt du doch.«

»Und du kannst seine Existenz beweisen?«

»Natürlich nicht. Aber bist du in der Lage, mir einen Grund zu nennen, der gegen seine Existenz spricht?«

»Danke, mehr wollte ich nicht hören«, triumphierte Isa. »Ebenso wie du die Existenz Gottes nicht beweisen kannst, kann ich nicht beweisen, daß der Mensch mehrere Leben durchläuft. Beides ist eine Frage des Glaubens. Oder der Phantasie.«

Phil drohte mit der Faust. »Da hast du mich ja schön 'reingelegt.«

»Und darum Schluß mit deiner Widerrede«, erklärte Rai und fügte schmunzelnd hinzu: »Mensch, Phil, weißt du denn nicht, daß wir schon einmal auf Erden weilten?«

Hel lachte. »Er hat es total vergessen.«

»Und das angesichts des herrlichen Medaillons, das Isa an zurückliegende Zeiten erinnert!«

»Mach dich nicht auch noch über mich lustig«, empörte sich Isa. »Nach meinem Erlebnis in dem Antiquitätenladen bin ich zutiefst davon überzeugt, das Medaillon aus einem früheren Leben zu kennen.«

Phil rieb sich die Nase. »Eine unheimliche Vorstellung. Und wie geht es nun weiter?«